L'ENFANT DE PERSONNE

Charlotte Link

L'ENFANT DE PERSONNE

Roman

*Traduit de l'allemand
par Danièle Darneau*

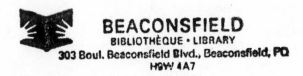

PRESSES
DE LA CITÉ

Titre original : *Das Andere Kind*

© 2009 by Blanvalet
a division of Verlagsgruppe Random House GmbH, München, Germany.

© Presses de la Cité, un département de place des éditeurs, 2011 pour la traduction française
ISBN 978-2-258-07393-7

DÉCEMBRE 1970

Samedi 19 décembre

Elle avait intérêt à décamper, et vite.

A aucun prix les habitants de cette ferme isolée ne devaient s'apercevoir de sa présence.

Mais l'homme se dressa soudainement devant elle, comme surgi de terre, et lui barra la sortie au moment même où elle atteignait la porte de la ferme. Il était grand, vêtu d'un jean et d'un pull, une tenue assez correcte qui ne cadrait pas avec l'état de délabrement de la propriété. Ses cheveux gris étaient coupés très court. Il posa sur elle des yeux clairs où ne se lisait aucune expression.

Semira espéra de toutes ses forces qu'il ne l'avait pas vue derrière les étables. Peut-être avait-il aperçu sa voiture et venait-il simplement vérifier qui était l'intrus. Elle se dit que sa seule chance était de jouer les innocentes avec toute la conviction dont elle était capable, en dépit d'un cœur qui cognait à se rompre et de genoux qui menaçaient de lâcher. Elle sentit la transpiration perler sur son visage malgré le froid mordant de cet après-midi crépusculaire de décembre.

L'homme s'adressa à elle d'une voix aussi froide que ses yeux :

– Qu'est-ce que vous faites là ?

Elle risqua un sourire tremblant :

– Ouf !... J'avais peur qu'il n'y ait personne...

Il la scruta des pieds à la tête.

Semira essaya d'imaginer ce qu'il voyait. Une petite femme fluette, de moins de trente ans, chaudement emmitouflée dans un pantalon, des bottes fourrées, un gros anorak. Des cheveux noirs, des yeux noirs. Une peau foncée. Pourvu qu'il n'ait rien contre les Pakistanais ! se dit-elle. Pourvu qu'il ne s'aperçoive pas que cette Pakistanaise a peur à en vomir !

Elle avait l'impression qu'on pouvait sentir l'odeur de sa terreur.

Il eut un geste de la tête en direction du petit bois qui s'étendait au pied de la colline.

– C'est votre voiture ?

Elle avait eu tort de se garer là. Les arbres ne cachaient rien. Ils étaient trop espacés et avaient perdu leurs feuilles. Il avait dû la voir du haut d'une fenêtre et ça l'avait intrigué.

Quelle idiote ! Venir se perdre par ici sans avertir personne ! Et surtout, se mettre bien en vue de la baraque !

– Je… je me suis trompée de route, bafouilla-t-elle. Je me demande comment j'ai fait pour me retrouver ici. Quand j'ai vu votre maison, j'ai pensé que je pourrais demander si…

– Quoi ?

– Je viens d'arriver dans la région…

Sa voix n'était pas naturelle pour deux sous, beaucoup trop haut perchée et un peu aiguë… mais l'autre ne connaissait pas sa vraie voix, n'est-ce pas ?

– En fait, je voulais… je voulais… poursuivit-elle.

– Où c'est que vous voulez aller ?

Dans la tête de Semira, c'était le vide complet.

– A… à… comment ça s'appelle déjà… ? balbutia-t-elle, cherchant désespérément un nom.

Elle passa sa langue sur ses lèvres desséchées. Elle se trouvait en face d'un psychopathe. D'un type dont la place était à l'asile, en isolement. Jamais elle n'aurait dû s'aventurer jusque-là toute seule, dans ce trou perdu où personne ne l'entendrait si elle appelait au secours.

Elle n'avait pas droit à l'erreur.

– A…

Enfin, elle eut une inspiration :

– A Whitby, dit-elle. Je veux aller à Whitby.

– Ben dites donc, vous êtes drôlement loin de la route !

– Oui, c'est bien ce qu'il m'a semblé.

Elle eut un nouveau sourire crispé. L'autre se contenta de la dévisager de ses yeux fixes sans lui rendre son sourire. Mais malgré l'impassibilité qui émanait de lui, Semira sentait sa méfiance… une suspicion qui semblait augmenter à chaque seconde.

Vite ! Il fallait partir, tout de suite !

Elle se contraignit à rester tranquillement sur place au lieu d'obéir à son impulsion et de prendre ses jambes à son cou.

– Vous pouvez peut-être me dire par où je peux rejoindre la route ?

Il ne répondit pas. Il se contenta de la transpercer de ses yeux bleu pâle, ses yeux glacés. Jamais elle n'avait vu des yeux pareils, si froids qu'ils semblaient sans vie. Elle sentit un nerf tressauter violemment sous son menton. Par bonheur, il était dissimulé par son écharpe.

Ce silence était trop long. Il cherchait à savoir. Il ne la croyait pas. Il évaluait le risque que cette personne petite, menue, lui faisait courir. Il l'étudiait comme s'il voulait pénétrer dans les arcanes de son cerveau.

Puis, tout à coup, une expression de mépris lui déforma le visage. Il cracha par terre.

– Sales métèques ! Faut que vous veniez envahir le Yorkshire, maintenant ?

Elle sursauta. Se demanda s'il était raciste ou s'il voulait simplement la provoquer pour la faire sortir de sa réserve. S'il voulait qu'elle se trahisse.

Ne réagis pas. Fais comme si de rien n'était, s'enjoignit-elle.

Elle sentit un sanglot monter dans sa gorge. Elle ne put éviter de laisser échapper un son rauque. Non, elle ne pouvait faire comme si de rien n'était. Elle ne savait pas combien de temps elle pourrait contenir son sentiment de panique.

– Mon... mari est anglais, dit-elle.

C'était une chose que jamais elle ne disait. Jamais elle ne se cachait derrière John quand elle tombait sur des préjugés concernant sa couleur de peau. Mais cette fois, son instinct lui avait dicté de le faire. Son vis-à-vis savait maintenant qu'elle était mariée et que quelqu'un la rechercherait s'il lui arrivait quelque chose. Quelqu'un qui ne serait pas un étranger, mais quelqu'un du pays qui saurait immédiatement ce qu'il fallait faire en cas de disparition. Quelqu'un que les policiers prendraient au sérieux.

Impossible de voir si ses paroles avaient eu un effet.

– Fous le camp, dit l'autre.

Ce n'était pas le moment de s'énerver à cause de sa grossièreté et de son racisme. Non, l'essentiel était de s'en tirer et de filer tout droit à la police pour le dénoncer.

Elle tourna les talons. S'efforça de marcher d'un pas régulier, de ne pas s'enfuir au pas de course comme elle brûlait de le faire. De lui faire croire qu'elle était offensée par ses paroles.

Elle avait déjà parcouru quelques mètres lorsque sa voix l'arrêta :

– Hé dis donc ! Attends un peu !

Il s'avança vers elle. Elle sentit son haleine. Il puait la clope et le lait aigre.

– T'es allée à l'arrière voir les cabanes, hein ?

Elle avala sa salive. La sueur jaillit par tous les pores de sa peau.

– Quelles... quelles cabanes ?

Il la dévisagea. Dans ses yeux durs, elle lut ce qu'il voyait dans ses propres yeux : elle était au courant. Elle connaissait son secret.

Maintenant, il n'avait plus de doute.

Elle se mit à courir.

JUILLET 2008

Mercredi 16 juillet

1

Il s'apprêtait à quitter l'école pour rentrer chez lui lorsqu'il remarqua la jeune femme qui s'attardait à la porte du bâtiment. Visiblement, elle hésitait à affronter la pluie qui tombait à verse d'un ciel trop sombre pour un début de soirée d'été. Il était près de dix-huit heures. Après une journée étouffante, un violent orage s'était abattu sur Scarborough et à présent, c'était le déluge. La cour de la Friarage School était déserte. D'énormes flaques d'eau se formaient dans les creux du revêtement d'asphalte. Le ciel n'était plus qu'un chaos de nuages bleu nuit qui se déversaient sur la terre avec fureur.

L'inconnue portait une robe d'été fleurie, un peu démodée, qui lui battait les jambes, et une longue natte de cheveux blond cendré dans le dos. Elle était munie d'une sorte de sac à provisions. D'après lui, elle n'appartenait pas au personnel enseignant. Peut-être était-ce une nouvelle prof. Ou alors, elle suivait des cours pour adultes à l'école.

Intrigué, il se rapprocha d'elle en se demandant s'il devait l'aborder. Ce côté bizarrement désuet excitait sa curiosité. Alors qu'elle n'avait sans doute guère plus de vingt ans, elle était très différente des filles de cet âge. Sa vue n'avait rien d'émoustillant, mais, tout de même, elle attirait le regard. On avait envie de voir son visage. De l'entendre parler. De savoir si elle était réellement le contre-exemple de son époque et de sa génération.

Lui qui était fasciné par la gent féminine connaissait à peu près tous les types de femmes et, par conséquent, était particulièrement intéressé par celles qui n'étaient pas comme les autres.

Il se lança.

– Vous n'avez pas de parapluie ? lui demanda-t-il.

Pas très original, comme technique d'approche, mais compte tenu des circonstances, la question s'imposait d'elle-même.

L'inconnue n'avait pas remarqué sa présence. Elle sursauta. Puis elle se tourna vers lui. Il s'aperçut alors de son erreur : son âge, ce n'était pas vingt ans, mais au moins trente-cinq, voire plus. Elle avait une tête sympathique, mais insignifiante. Un visage pâle, sans maquillage, pas beau, pas laid, un visage qu'on oubliait au bout de deux minutes. Ses cheveux étaient tirés en arrière sans grand soin. Si elle représentait un type de femme qui la distinguait de la masse, ce n'était pas consciemment, mais simplement parce qu'elle n'avait pas en elle une once de coquetterie.

Une fille gentille et timide, décida-t-il, et sans aucun intérêt.

– J'aurais dû me douter qu'il y aurait de l'orage, dit-elle, mais à midi, quand je suis partie, il faisait si chaud que je me serais sentie ridicule avec un parapluie.

– Vous allez où ?

– A l'arrêt de bus de Queen Street. Ce n'est pas loin, mais d'ici là, je serai trempée.

– A quelle heure passe votre bus ?

– Dans cinq minutes, et c'est le dernier aujourd'hui, répondit-elle d'un ton plaintif.

Sans doute vivait-elle dans un de ces villages qui entouraient Scarborough. Dès qu'on avait passé les limites de la ville, on se retrouvait sans transition à la campagne, au milieu de nulle part, dans des hameaux constitués de quelques fermes très éloignées les unes des autres et sans grands moyens de transport publics. Le dernier bus à dix-huit heures ! L'âge de pierre, pour les jeunes !

Si elle avait été jeune et belle, il n'aurait pas hésité une seconde. Il l'aurait ramenée chez elle en voiture. Avant, il l'aurait invitée à prendre un pot dans un pub du port. Il avait un rendez-vous, mais dans la soirée seulement. Et la perspective d'attendre jusque-là dans la chambre qu'il sous-louait dans une maison du bout de la rue n'était pas très engageante.

Mais celle de rester assis en face de cette vieille fille – voilà, c'était ça, c'était le genre vieille fille – dans un troquet et passer la soirée en face de son visage blafard n'était pas plus réjouissante. Mieux valait encore regarder la télé !

Pourtant, il hésitait à la laisser en plan. Elle avait l'air tellement...
abandonné.

– Vous habitez où ? demanda-t-il.

– A Staintondale.

Il leva les yeux au ciel. A Staintondale !... Une route, une église,
un bureau de poste où on pouvait aussi acheter les produits alimentaires de base et des magazines. Quelques maisons. Une cabine téléphonique rouge qui servait également d'arrêt de bus. Et des fermes
qui avaient l'air d'avoir été jetées au hasard dans la nature.

– A Staintondale, vous aurez sans doute encore de la marche à
faire depuis l'arrêt de bus, supposa-t-il.

Elle acquiesça :

– Oui, presque une demi-heure.

Bon... il avait commis l'erreur de l'aborder. Il avait l'impression
qu'elle avait senti sa déception et quelque chose lui disait que c'était
pour elle une situation douloureuse. Sans doute lui arrivait-il
souvent d'éveiller l'attention masculine et de constater que celle-ci
disparaissait dès le premier contact. Peut-être devinait-elle qu'il lui
aurait proposé son aide si elle avait été un peu plus intéressante,
mais qu'il ne fallait pas y compter.

– Vous savez, se hâta-t-il de dire avant de permettre à son
égoïsme et à sa paresse de prendre le dessus, j'ai ma voiture pas très
loin. Je peux vous ramener chez vous, si vous voulez.

Elle leva sur lui des yeux incrédules.

– Mais... ce n'est pas à côté... Staintondale, c'est...

Il ne la laissa pas poursuivre :

– Je connais. Je n'ai rien d'urgent à faire pour l'instant. Un petit
tour à la campagne ne me fera pas de mal.

– Mais... vous avez vu le temps ? objecta-t-elle.

Il sourit :

– Je vous conseille d'accepter ma proposition. Déjà, c'est raté,
pour votre bus. Et ensuite, même si vous avez la chance de
l'attraper, vous vous en sortirez avec un bon rhume.

Elle hésitait, visiblement méfiante. Elle était en train de se
demander pourquoi il faisait ça. Elle était assez réaliste pour savoir
qu'un type séduisant comme lui – il le savait d'expérience – ne
pouvait être attiré par une femme comme elle. Elle le soupçonnait
sans doute, soit d'être un psychopathe mû par de mauvaises intentions, soit une bonne âme prise de pitié pour une pauvre fille

17

désemparée. Les deux réponses étaient aussi peu engageantes l'une que l'autre.

– Dave Tanner, se présenta-t-il en lui tendant la main.

Elle la serra en hésitant, d'une main chaude et douce.

– Gwendolyn Beckett, répondit-elle.

– Eh bien, madame Beckett, je...

– Mademoiselle, s'empressa-t-elle de rectifier.

– OK, mademoiselle Beckett, votre bus part dans une minute, précisa-t-il en regardant sa montre, c'est donc réglé. Vous êtes prête à piquer un sprint jusqu'à ma voiture ?

Elle opina du chef, convaincue qu'il ne lui restait plus qu'à accepter la planche de salut qu'il lui tendait.

– Mettez votre sac sur votre tête, lui conseilla-t-il, ça vous protégera un peu.

L'un derrière l'autre, ils s'élancèrent et coururent en pataugeant dans les flaques d'eau qui inondaient la cour de l'école.

Les arbres qui bordaient la clôture en fer forgé de l'établissement pliaient sous la violence des trombes d'eau. A gauche, c'étaient les bâtiments du marché où, dans des couloirs de pierre bas comme des catacombes, des magasins vendaient un bric-à-brac de mauvais goût et, accessoirement, quelque objet d'art. Sur la droite, on voyait partir une petite rue bordée d'étroites maisons accolées, aux murs de brique rouge et aux portes peintes en blanc.

– Par là ! cria-t-il en s'y engageant.

Après avoir longé les habitations au pas de course, ils s'arrêtèrent à la hauteur d'une petite Fiat bleue passablement rouillée, garée sur le côté gauche.

Il déverrouilla la portière et ils se laissèrent tomber sur les sièges avec un soupir de soulagement.

Dave constata que Gwendolyn avait les cheveux ruisselants et la robe collée à la peau. Ces quelques mètres avaient suffi pour la tremper.

– Je suis bête, dit-il, j'aurais dû amener la voiture à votre hauteur, ça vous aurait évité de vous retrouver dans cet état.

– Mais non !

Enfin, elle souriait. Elle avait de jolies dents.

– Grâce à vous, j'ai évité une demi-heure de marche sous la pluie, précisa-t-elle. Merci beaucoup.

– Pas de quoi, répondit-il.

Il en était à sa troisième tentative de démarrage. Enfin, il réussit. Le moteur se mit en route avec un hoquet. Il y eut une secousse. Une deuxième, puis la voiture partit en cahotant.

– Ça va s'arranger, promit Dave, il faut lui laisser un peu de temps. J'aurai de la chance si ce tas de ferraille tient jusqu'au printemps prochain.

Le moteur commença à tourner plus régulièrement. C'était bon pour cette fois. Il réussirait à accomplir l'aller et retour.

– Qu'est-ce que vous auriez fait si vous aviez raté le bus et si vous ne m'aviez pas rencontré ? s'enquit-il par politesse.

Cette Mlle Beckett ne l'intéressait pas vraiment, mais ils allaient passer une demi-heure ensemble et il fallait bien meubler pendant ce temps…

– J'aurais appelé mon père, répondit-elle.

Il lui jeta un coup d'œil de biais. Le son de sa voix s'était transformé quand elle avait évoqué son père. Il était devenu plus chaleureux, moins réservé.

– Vous vivez avec votre père ?

– Oui.

– Et votre mère… ?

– Ma mère est morte jeune, répondit sa passagère d'un ton qui laissait entendre qu'elle n'avait pas envie d'en dire plus long.

Une fifille à papa, en déduisit-il. Trente-cinq ans au moins, et papa est toujours le plus beau et le plus grand.

Sans doute faisait-elle tout pour rester éternellement sa fille idéale, consciemment ou non. La natte blonde et la robe à fleurs démodée, c'était pour correspondre au modèle féminin des années de jeunesse de papa, les années cinquante ou soixante. Il n'appréciait probablement pas les minijupes, le maquillage ou les cheveux courts.

En même temps, cette femme semblait tout à fait asexuée.

Ça, c'est parce qu'elle ne tient pas à avoir son vieux dans son lit, supposa-t-il.

Il sentait qu'elle était en train de se creuser la tête pour trouver un sujet de conversation. Il lui vint obligeamment en aide.

– J'enseigne à la Friarage School, dit-il. Je fais de la formation pour adultes le soir ou parfois l'après-midi. Je donne des cours de français et d'espagnol, ça me permet de gagner plus ou moins ma vie.

– Donc, vous parlez bien ces deux langues ?

– J'ai passé une bonne partie de mon enfance en Espagne et en France. Mon père était diplomate.

Dans sa propre voix, nulle trace de chaleur à l'évocation de son père. Au contraire, il s'efforçait de ne pas laisser transparaître trop de haine.

– Mais je vous assure que ce n'est pas toujours agréable, poursuivit-il. Se faire écorcher les oreilles trois ou quatre soirs par semaine par des ménagères qui n'ont aucun don pour les langues étrangères, c'est parfois difficile...

Il se rendit compte alors qu'il avait peut-être mis les pieds dans le plat.

– Excusez-moi, reprit-il avec un sourire embarrassé, vous suivez peut-être des cours vous-même avec un autre professeur de langues ?

Elle eut un geste de dénégation. Il ne faisait pas très clair dans l'habitacle, mais il vit qu'elle avait un peu rougi.

– Non, dit-elle, je ne prends pas de cours de langue. Je...

Elle s'interrompit un instant, les yeux fixés droit devant elle.

Ils avaient atteint la périphérie de la ville et venaient de s'engager sur la route qui partait vers le nord, bordée de rangées de maisons accolées et de supermarchés, d'ateliers automobiles et de pubs tristounets.

– J'ai lu dans le journal, reprit-elle d'une voix sourde, qu'à la Friarage School... euh... ils proposaient un stage le mercredi après-midi pour... pendant trois mois...

Elle se tut.

Il sut alors de quoi elle parlait. Il se demanda comment il n'avait pas compris tout de suite. Evidemment, c'était ça ! Le mercredi. De quinze heures trente à dix-sept heures trente... Premier jour de stage ce mercredi. Et cette Gwendolyn Beckett correspondait exactement au profil des élèves visés.

– Oh, je sais ! s'exclama-t-il.

Puis il s'efforça de paraître à l'aise. Comme si le fait de suivre un stage pour... ratés ?... nuls ?... tocards ?... était la chose la plus normale du monde.

– C'est un stage destiné à l'affirmation de soi, non ?

Elle ne le regardait pas, et il ne pouvait voir son visage, mais il était prêt à parier qu'elle avait rougi jusqu'à la racine des cheveux.

20

– Oui, confirma-t-elle à voix basse. C'est ça. C'est pour apprendre à vaincre sa timidité. A aller vers les autres... à maîtriser ses peurs.

Elle tourna la tête vers lui :

– Ça vous paraît peut-être idiot.

– Pas du tout, protesta-t-il. Quand on pense souffrir d'un déficit quelconque, il faut prendre le taureau par les cornes. C'est en tout cas beaucoup plus intelligent que de rester à pleurnicher sans rien faire. Ne vous posez pas trop de questions, et allez-y ! Essayez de tirer le maximum de profit de ce stage.

– Oui, répondit-elle sans grand enthousiasme, je vais essayer. Vous savez... ma vie n'est pas spécialement drôle.

A nouveau, elle tourna la tête vers la glace et il n'osa pas poser de questions.

Le silence s'installa.

La pluie devint un peu moins forte.

Au moment où, à Cloughton, ils bifurquèrent vers Staintondale, le ciel se déchira brusquement. Le soleil réapparut à travers les nuages.

Il se sentit soudain tendu. Excité. Aux aguets. Une intuition lui dit qu'il se profilait quelque chose de nouveau dans sa vie. Que ce quelque chose était peut-être en relation avec la femme assise à côté de lui.

Il s'enjoignit de rester calme. Et prudent.

Il ne pouvait plus se permettre de se tromper.

2

Amy Mills n'avait pas les moyens de faire la fine bouche. Si elle faisait du baby-sitting, c'était uniquement parce qu'elle avait besoin de l'argent qu'elle se procurait ainsi pour financer une bonne partie de ses études. Il y avait plus désagréable que de passer la soirée dans un salon à lire ou à regarder la télévision en se contentant de monter la garde auprès d'un enfant endormi, mais cela l'obligeait à se coucher très tard. De plus, elle détestait rentrer seule la nuit. Surtout en automne et en hiver. L'été, il faisait jour longtemps et, souvent, les rues de Scarborough restaient animées grâce aux étudiants qui peuplaient cette petite ville de la côte est du Yorkshire.

Mais ce soir-là, c'était différent. Avec l'orage et la pluie battante, les gens s'étaient réfugiés chez eux et les rues étaient désertes. De plus, la température s'était rafraîchie. Et il soufflait un vent désagréable.

Il n'y aura personne dehors, se dit Amy, mal à l'aise.

Le mercredi, elle allait chez Mme Gardner pour s'occuper de Liliana, sa fille de quatre ans. Mme Gardner était une mère célibataire qui s'en sortait péniblement en faisant plusieurs boulots. Le mercredi soir, elle donnait un cours de français à la Friarage School. Elle finissait à vingt et une heures, mais elle allait régulièrement prendre un verre avec ses élèves après le cours.

– C'est ma seule sortie, avait-elle expliqué à Amy, ça me fait du bien de me détendre une fois par semaine. Je serai de retour à dix heures. Ça ne vous dérange pas ?

Le problème, c'était qu'elle ne rentrait jamais à dix heures. Les jours de chance, il était dix heures et demie, mais le plus souvent, onze heures moins le quart. A chaque fois, Mme Gardner s'excusait platement.

– Je ne savais pas qu'il était si tard ! C'est terrible, le temps passe tellement vite qu'on ne s'en rend pas compte...

Amy aurait bien aimé la plaquer, mais c'était son seul poste à peu près fixe. Ses autres baby-sittings étaient irréguliers. Au moins, elle pouvait compter sur l'argent du mercredi, et ça, c'était primordial. Si seulement il n'y avait pas eu le trajet de retour...

Je suis une vraie trouillarde se reprochait-elle souvent, mais cela n'en diminuait pas sa peur pour autant.

Mme Gardner ne pouvait pas la ramener chez elle, vu qu'elle n'avait pas de voiture ! Sans compter qu'immanquablement, elle rentrait un peu pompette. Ce mercredi-là, elle avait descendu pas mal de verres, et il était encore plus tard que d'habitude : onze heures vingt !

– On avait dit dix heures ! lança Amy, énervée, en ramassant ses livres, car elle avait passé la soirée à travailler.

Mme Gardner eut le bon goût de se montrer penaude :

– C'est vrai, je suis incorrigible... Mais nous avons une nouvelle élève qui nous a offert plusieurs tournées. On a parlé, parlé, et je ne me suis pas aperçue de l'heure.

Elle paya Amy, en rajoutant cinq livres à la somme :

– Tenez, pour les heures sup... Pas de problème avec Liliana ?

– Non, elle dort à poings fermés.

Amy prit congé fraîchement et sortit. Dans la rue, elle frissonna. On se croirait presque en automne, se dit-elle, alors qu'on n'est qu'à la mi-juillet.

Par bonheur, il ne pleuvait plus depuis quelques heures. Ses pas la menèrent d'abord dans la rue du St Nicholas Cliff, devant le Grand Hotel et sa façade passablement défraîchie, puis sur l'interminable pont de fer forgé qui reliait le centre-ville au South Cliff en traversant une intersection où régnait une intense circulation dans la journée. Mais à cette heure tardive, dans les rues éclairées par d'aveuglants lampadaires, c'était le calme plat. Le silence de la ville endormie avait un côté angoissant, mais ce n'était rien comparé à ce qui l'attendait quand elle traverserait le parc. En contrebas, sur la gauche, c'étaient la mer et la plage, et loin au-dessus, les premières maisons du South Cliff. Entre les deux, les Esplanade Gardens montaient en terrasse, recouverts d'une végétation dense de buissons et d'arbres sillonnés par une quantité de chemins étroits. Le trajet le plus court passait par un escalier raide qui menait directement à l'esplanade, et de là à une large route bordée d'hôtels collés les uns contre les autres. C'était celui qu'elle empruntait. Sitôt arrivée sur l'esplanade, elle se sentirait mieux. Il lui faudrait encore suivre la route pendant un bon moment, puis bifurquer dans Albion Road, où se trouvait la petite maison accolée appartenant à la tante qui l'hébergeait pour la durée de ses études. Cette vieille tante esseulée était heureuse de sa compagnie et, de leur côté, les parents d'Amy étaient très contents de ne pas avoir à payer de loyer. De plus, elle pouvait se rendre à pied sur le campus. Tout cela, finalement, s'arrangeait mieux que prévu. Dans la cité ouvrière de Leeds d'où elle venait, personne n'avait imaginé qu'elle réussirait à entrer à l'université. Mais Amy était intelligente et travailleuse et, malgré sa timidité et sa peur maladives, elle était tenace. Elle avait réussi tous ses partiels haut la main.

Au milieu du pont, elle s'arrêta pour inspecter les environs. Elle n'avait rien entendu de précis, mais, systématiquement, arrivée au même endroit, elle vérifiait comme par réflexe que tout allait bien avant de s'engouffrer dans les ténèbres des Esplanade Gardens...

même si elle ne savait pas exactement ce qu'elle entendait par « aller bien ».

Un homme était en train de descendre St Nicholas Cliff. Grand, mince, il marchait à pas très rapides. Impossible de voir comment il était habillé. Plus que quelques mètres, et il aurait atteint le pont vers lequel il se dirigeait à coup sûr.

A part lui, personne à l'horizon.

Amy serra d'une main le sac où elle avait mis ses livres et, de l'autre, les clés qu'elle avait préparées chez Mme Gardner. Elle avait pris l'habitude de les avoir toujours à disposition au moment où elle arrivait chez elle. Toujours à cause de sa peur, évidemment. Sa tante oubliait invariablement d'allumer la lampe extérieure, et Amy détestait devoir fouiller à l'aveuglette dans son sac, encadrée par les immenses lilas qui bouchaient presque entièrement le passage et que sa vieille butée de tante refusait obstinément de tailler. Amy était pressée de rentrer pour se mettre en sécurité.

En sécurité devant quoi ?

Elle était trop trouillarde, elle le savait. Elle voyait des fantômes, des cambrioleurs, des assassins partout, et ce n'était pas normal. Mais c'était sans doute dû à son éducation surprotégée d'enfant unique : « Ne fais pas ceci, ne fais pas cela, il pourrait arriver ceci, il pourrait arriver cela... » Des phrases entendues pendant toute son enfance. Elle n'avait jamais pu faire ce que faisaient tous ses camarades de classe, car sa mère avait toujours craint le pire. Mais au lieu de se révolter contre ces interdictions, elle s'était empressée de partager les terreurs de sa mère, trop contente de pouvoir opposer un argument imparable à ses copains de classe : « Ma mère ne veut pas. »

Le résultat était qu'à la longue, elle s'était retrouvée sans amis ou presque.

Elle se retourna une dernière fois. L'homme avait atteint le pont. Amy reprit sa route, marcha un peu plus vite. Par peur de cet homme, et aussi par peur de ses propres pensées.

La solitude.

La première année, les autres étudiants du campus de Scarborough, qui dépendait de l'université de Hull, logeaient en colocation dans des appartements loués par l'université pour une somme modique. Amy essayait de se convaincre que le fait d'avoir choisi d'habiter chez sa tante ne présentait que des avantages, car pas de loyer, c'était encore moins qu'un loyer modeste, et qu'il serait stupide de ne pas en profiter. Mais il fallait regarder la vérité en face : sans sa vieille tante et sa chambre d'amis, se loger aurait représenté un vrai problème à tous points de vue. Car elle ne faisait partie d'aucune bande, n'avait pas d'amis avec qui partager un logement. Personne ne lui avait demandé de s'associer à tel ou tel groupe.

Mais Amy préférait ne pas réfléchir à la question.

Maintenant qu'elle était arrivée au bout du pont, il ne lui restait plus que quelques pas à franchir avant d'atteindre le parking. Par habitude, elle tourna à droite. C'était de là que partaient les escaliers, juste à côté d'un bâtiment neuf dont on venait d'achever la construction. On ne voyait pas encore s'il était destiné à abriter des appartements ou des locaux communaux.

Amy le dépassa d'un pas rapide, puis se heurta à un obstacle : les deux grands grillages qui avaient entouré l'immeuble bloquaient à présent l'escalier, ainsi que le sentier qui aurait pu lui servir de raccourci. Impossible de passer, sauf en se frayant un passage par le côté. Amy hésita. Avec l'orage qui s'était abattu en fin d'après-midi, le sentier et les escaliers étaient sans doute devenus impraticables, voire dangereux.

Et, visiblement, interdits.

Amy n'était pas du genre à braver les interdits. On lui avait inculqué la docilité, qu'elle soit d'accord ou non avec les ordres.

Désemparée, elle observa les alentours.

Il y avait d'autres moyens de gagner les Esplanade Gardens, ce labyrinthe pour promeneurs, mais aucun chemin direct vers la rue et la présence humaine. Celui qui descendait en direction opposée l'amènerait vers la plage et le complexe spa. La nuit, il n'y aurait personne, pas même un gardien.

Celui du milieu lui permettrait de gagner du temps, mais il y avait un hic : il n'était pas éclairé. Il se perdait dans les ténèbres, parmi les buissons et les arbres.

Elle retourna sur ses pas et scruta le pont. L'homme était presque arrivé au bout. Etait-ce son imagination qui travaillait, ou avançait-il moins vite maintenant ? Comme s'il hésitait ? D'ailleurs, que faisait-il dans un endroit pareil, à une heure pareille ?

Du calme, se dit-elle, toi aussi, tu es là, dans un endroit pareil, à une heure pareille. Il peut très bien rentrer chez lui, exactement comme toi !

Malgré ses efforts, son cœur battait à se rompre.

Qui pouvait rentrer à minuit moins vingt ? Ce n'était pas à cette heure qu'on rentrait du travail, sauf quand on faisait du baby-sitting chez une bonne femme qui vous faisait poireauter.

C'est fini, elle ne me verra plus. J'en ai marre. C'est terminé, se dit-elle.

Elle réfléchit. Elle pouvait retourner à St Nicholas Cliff et rentrer par le centre-ville, mais cela prendrait un temps infini. Elle pouvait aussi prendre le bus, s'ils circulaient encore... Mais la dernière fois qu'elle l'avait pris, elle avait été embêtée à l'arrêt de bus par des types bourrés, des mecs au crâne rasé et couverts de piercings. Elle avait eu la peur de sa vie. La peur... encore et toujours. Peur de traverser le parc, peur d'attendre à l'arrêt de bus... La peur, la peur, la peur.

Elle en avait assez de la peur ! Il fallait que ça cesse ! Elle ne pouvait pas passer sa vie à trembler ! De crise de trouille en crise de panique, on se retrouvait un beau soir de juillet le cœur battant, la respiration haletante, en train d'hésiter sur le chemin à prendre, en train de se demander laquelle de ses peurs était la plus grave.

L'homme, sur le pont, était arrivé à sa hauteur. Il s'arrêta et pencha la tête. La regarda.

Il semblait attendre, peut-être qu'elle dise ou fasse quelque chose, et comme Amy était une fille qui avait appris à répondre aux attentes, elle dit :

– Le... le chemin est barré.

Sa voix était un peu rauque. Elle se racla la gorge.

– Deux grillages... on ne peut pas passer.

L'homme hocha la tête, se détourna et prit le chemin de la plage. Le chemin éclairé.

Amy respira, soulagée. Ouf ! Elle avait eu peur pour rien. Le type rentrait simplement chez lui. Si l'accès n'avait pas été barré, il serait monté par les escaliers. Il allait sans doute passer par le complexe spa en rouspétant à cause du détour. Chez lui, sa femme l'attendait. Elle l'accueillerait avec des reproches. Lui qui avait déjà traîné au pub avec ses copains était encore retardé par ce détour...

Elle eut un petit rire nerveux. La voilà qui recommençait à broder, à imaginer la vie de gens qu'elle ne connaissait ni d'Eve ni d'Adam. Eh oui, quand on était trop souvent seule, quand on avait trop peu de contacts avec des êtres de chair et de sang, on se réfugiait dans le royaume de l'imagination.

Un nouveau coup d'œil vers le pont. Il était désert.

L'homme avait disparu en direction de la plage.

Amy n'hésita plus. Elle prit le chemin le plus direct, celui qui n'était pas éclairé. Le faible rayon de lune, caché derrière de longs voiles nuageux, lui permettrait de deviner le tracé du sentier.

Les épais buissons gorgés d'eau qui déployaient leur feuillage d'été l'engloutirent en quelques secondes.

Amy disparut dans l'obscurité.

OCTOBRE 2008

Jeudi 9 octobre

1

Lorsque le téléphone sonna dans le salon de Fiona Barnes, la vieille dame sursauta. Elle quitta son poste près de la fenêtre d'où elle contemplait la baie de Scarborough et s'approcha de la petite table où était posé l'appareil, en se demandant si elle devait décrocher. Le matin même, elle avait reçu un appel anonyme, la veille également, ainsi que deux autres la semaine précédente. Plus exactement, elle ne savait pas si on pouvait parler d'appels anonymes, étant donné que personne ne prononçait un traître mot à l'autre bout du fil. En revanche, elle entendait distinctement une respiration. Quand elle ne raccrochait pas, comme elle l'avait fait le matin d'un geste rageur, l'autre le faisait lui-même au bout d'environ une minute de silence.

Fiona n'était pas femme à s'effrayer facilement. Mais elle avait beau se vanter d'avoir les nerfs solides et la tête sur les épaules, cette histoire la perturbait. Le mieux était probablement de ne plus décrocher son téléphone, mais c'était au risque de louper des appels importants. Ceux de sa petite-fille Leslie, par exemple, qui vivait à Londres et était en train de subir le traumatisme d'un divorce. Leslie n'avait pas de famille, en dehors de sa grand-mère de Scarborough, et c'était le moment ou jamais d'être là pour elle.

Aussi la vieille dame décrocha-t-elle à la cinquième sonnerie.

– Fiona Barnes, se présenta-t-elle.

Elle avait une voix grave, rauque, conséquence de toute une vie de tabagie.

A l'autre bout, ce fut le silence.

31

Fiona soupira. Elle allait changer de téléphone. En prendre un muni d'un écran où on pouvait lire le numéro du correspondant. Au moins, elle reconnaîtrait celui de Leslie et pourrait filtrer les autres.

– Qui est à l'appareil ? demanda-t-elle.

Le silence. Un bruit de respiration.

– Ça commence à bien faire ! s'énerva-t-elle. Si vous avez quelque chose à me dire, dites-le. Cette tactique ne vous servira à rien.

La respiration se fit plus forte. Si Fiona avait été plus jeune, elle aurait pu penser qu'elle avait tapé dans l'œil d'un obsédé quelconque qui se livrait à une activité pulsionnelle au son de sa voix. Mais comme elle venait de fêter ses soixante-dix-neuf ans, c'était peu probable. D'autre part, cette respiration ne semblait pas liée à une stimulation sexuelle. Ce correspondant paraissait excité, mais différemment. Stressé. Agressif. Très agité.

Il ne s'agissait pas de sexe. Mais de quoi, alors ?

– Je vais raccrocher, annonça Fiona, mais avant de lui laisser le temps de finir sa phrase, l'autre avait déjà interrompu la communication.

Je vais avertir la police ! fulmina-t-elle en raccrochant d'un geste sec.

Puis elle alluma une cigarette.

Mais à la police, on l'enverrait promener. On ne l'insultait pas, on ne la harcelait pas en lui racontant des obscénités, on ne la menaçait pas. Ce silence téléphonique pouvait évidemment être interprété comme une menace, mais comment faire pour parvenir à déterminer l'identité du correspondant. Cette affaire était trop vague pour déclencher un avis de recherche, d'autant plus que l'importun était sans doute assez finaud pour appeler depuis une cabine, en changeant à chaque fois. Aujourd'hui, les gens regardaient assez de policiers à la télé pour connaître les ficelles du métier de délinquant. Ils savaient comment faire et connaissaient les erreurs à éviter.

D'autre part...

Elle retourna près de la fenêtre. C'était une magnifique journée d'octobre, ensoleillée, ventée et claire, et la baie de Scarborough baignait dans une superbe lumière dorée. La mer bleu marine était agitée de vagues couronnées d'une écume blanche et brillante. Une vue devant laquelle on ne pouvait que s'extasier. Mais Fiona ne voyait rien de tout ce qu'elle avait sous ses fenêtres.

Elle savait pourquoi elle n'avertissait pas la police. Pourquoi elle n'avait parlé à personne, pas même à Leslie, de ces étranges coups de fil... Pourquoi, malgré son inquiétude, elle gardait cette histoire pour elle.

Une question logique s'imposerait à tous ceux qu'elle mettrait au courant : « Vous êtes sûre qu'il n'y a pas derrière tout cela quelqu'un qui vous en veut pour une raison quelconque ? »

Et si elle voulait être sincère, elle répondrait à cette question par l'affirmative. Ce qui entraînerait immanquablement d'autres questions. Et des explications de sa part. Et tout remonterait à la surface. Toute cette affreuse histoire. Toutes les choses qu'elle voulait oublier. Les choses dont il fallait éviter que Leslie, surtout, ne les apprenne.

En revanche, si elle feignait l'ignorance totale, si elle faisait comme si personne au monde n'avait de raison de lui en vouloir, de la harceler de la sorte... il n'y avait aucune raison de mettre qui que ce soit au courant.

Elle tira sur sa cigarette. Le seul à qui elle pouvait s'en ouvrir était Chad. Parce qu'il était, lui, au courant de tout. Peut-être ferait-elle bien de lui en parler. Il valait mieux aussi qu'il efface les messages qu'elle lui avait envoyés. Surtout les pièces jointes. Elle n'avait pas été prudente en envoyant ça par Internet. Elle avait cru pouvoir le faire parce qu'il y avait longtemps que toute cette histoire était du passé. Pour elle, pour eux deux.

Mais peut-être s'était-elle trompée.

Peut-être fallait-il aussi détruire la quantité de fichiers qu'elle stockait dans son propre ordinateur. Ce serait dur, mais cela valait mieux. De toute façon, elle avait eu une mauvaise idée en mettant tout par écrit. Qu'est-ce qu'elle avait espéré ? Soulager sa conscience ? Se laver de sa faute ? Non, c'était plutôt une manière de s'expliquer, vis-à-vis d'elle-même et vis-à-vis de Chad. Un moyen, peut-être, de mieux se comprendre elle-même. Or, cela n'avait servi à rien, n'avait rien changé. On ne pouvait pas modifier sa vie après coup simplement en l'analysant, en essayant de la mettre dans un moule destiné à relativiser les événements. Les erreurs restaient les erreurs, les fautes restaient les fautes. On était forcé de vivre avec, on serait forcé de mourir avec.

Elle écrasa sa cigarette dans un pot de fleurs et alla allumer son ordinateur.

C'était le dernier visiteur, mais c'était le pire. Un pinailleur de première. Le parquet était usé, les poignées de porte n'étaient pas assez chic, l'isolation des fenêtres lui semblait insuffisante, les pièces étaient mal dessinées et mal distribuées, la cuisine n'était pas moderne, la vue sur le petit parc, à l'arrière, sans intérêt... Et avant de partir, il ajouta la cerise sur le gâteau en lançant d'un ton mauvais :

– C'est pas donné !

Leslie dut se dominer pour ne pas claquer violemment la porte derrière lui. Cela l'aurait soulagée, mais c'était à éviter car la serrure n'était plus très solide – comme pas mal de choses dans l'appartement, il fallait le reconnaître – sans compter que cette manifestation de violence ferait capoter l'affaire définitivement.

– Pauvre imbécile ! se contenta-t-elle de s'écrier avec conviction, avant de s'allumer une cigarette et d'aller se faire un expresso à la cuisine.

De l'autre côté de la fenêtre, le parc n'était pas très attrayant, ainsi plongé dans la grisaille pluvieuse, mais c'était cette tache de verdure posée en plein Londres qui les avait séduits, Stephen et elle, dix ans auparavant. Oui, la cuisine était vieillotte, les parquets craquaient, il y avait pas mal de choses usagées et peu pratiques, mais l'appartement avait du charme et une âme. Comment pouvait-on ne pas le remarquer ? Quel m'as-tu-vu, ce type ! D'ailleurs, ils avaient tous eu quelque chose à redire. La vieille dame, la deuxième visiteuse, peut-être moins... Peut-être Leslie tenait-elle là celle qui lui succéderait... Le temps pressait. Le déménagement était prévu pour la fin du mois d'octobre. Si elle ne trouvait personne avant pour reprendre son bail, il lui faudrait payer deux loyers, et elle ne pourrait pas tenir pendant très longtemps.

Garde ton calme, se recommanda-t-elle.

Le téléphone sonna. Elle fut tentée de ne pas répondre, puis pensa que c'était peut-être une personne intéressée par l'appartement.

Elle décrocha.

– Leslie Cramer, s'annonça-t-elle.

Elle avait de plus en plus de mal à prononcer son nom d'épouse. Je devrais reprendre mon nom, se dit-elle.

A l'autre bout, une voix timide, douce :

– Leslie ? C'est Gwen. Gwen, de Staintondale.

– Gwen de Staintondale ! s'exclama Leslie.

Quelle surprise d'entendre Gwen, son amie d'enfance et de jeunesse, et quel plaisir ! Il y avait bien un an qu'elles ne s'étaient pas revues. Elles s'étaient téléphoné à Noël, mais en se contentant d'échanger les traditionnels vœux de fin d'année.

– Comment ça va ? s'enquit Gwen. Tout va bien ? Je viens d'appeler à l'hôpital, mais on m'a dit que tu étais en congé.

– Oui, c'est vrai. J'ai pris trois semaines. Il faut que je trouve un locataire qui prenne ma suite et que je prépare mon déménagement et... eh bien oui... en plus, il a fallu passer devant le juge pour le divorce. Me revoilà sur le marché depuis lundi !

Elle écouta le son de sa propre voix. Cette manière détachée d'annoncer la nouvelle ne correspondait certes pas à ce qu'elle ressentait en réalité. En réalité, ça faisait mal. Très mal. Toujours et encore.

– Oh, mon Dieu ! émit Gwen, consternée. C'est... enfin... bien sûr, tout le monde s'y attendait un peu, mais... on espérait tous que ça s'arrangerait. Tu te sens comment ?

– Eh bien... nous sommes déjà séparés depuis deux ans. Ça ne change pas grand-chose. Mais malgré tout, c'est une vie nouvelle qui commence, alors j'ai préféré changer d'appartement. Celui-ci est trop grand, maintenant, et... il est trop lié à Stephen.

– Je comprends, répondit Gwen.

Puis elle poursuivit avec une nuance de tristesse dans la voix :

– Je... manque un peu de tact, mais... je ne savais pas que tu venais de divorcer, sinon... enfin... je n'aurais pas...

– Ne t'en fais pas, je vais bien. Vraiment. Alors, arrête de bafouiller. Qu'est-ce que tu as à me dire ?

– Enfin... j'espère que tu ne m'en voudras pas, mais... je veux que tu sois la première à l'apprendre : je vais me marier !

Leslie en resta sans voix pendant quelques secondes. Puis elle répéta :

– Te marier ?

Elle se dit que l'étonnement perceptible dans son ton était vexant pour Gwen, mais elle avait été incapable de cacher sa stupéfaction.

Gwen, le prototype de la vieille fille, la paysanne aux vêtements antédiluviens, qui vivait au fond d'un trou perdu... Gwen, pour qui le temps semblait s'être arrêté quelque part dans le passé, là où les jeunes filles attendaient sagement à la maison que le prince charmant se présente sur son fier destrier pour demander leur main... Se marier ? Comme ça, tout simplement ?

— Excuse-moi, s'empressa-t-elle d'ajouter, c'est simplement que... j'ai toujours cru que tu ne tenais pas à te marier.

C'était un mensonge. Elle savait que Gwen avait toujours rêvé de voir se réaliser pour elle les histoires racontées dans les romans d'amour qu'elle dévorait avec avidité.

— Je suis si heureuse, dit Gwen, c'est incroyable... parce que... j'avais presque perdu l'espoir de rencontrer quelqu'un, et voilà que je me marie avant la fin de l'année ! Nous avons pensé que début décembre, ce serait bien. Tu sais, Leslie, d'un seul coup, tout est tellement... différent !

Leslie s'était enfin reprise.

— Gwen, je suis très contente pour toi ! dit-elle avec sincérité. Vraiment, tu ne peux pas savoir à quel point. Qui est l'heureux élu ? Où l'as-tu rencontré ?

— Il s'appelle Dave Tanner. Il a quarante-trois ans, et... il m'aime.

— C'est formidable ! s'exclama Leslie.

Mais son étonnement ne faisait qu'augmenter. Il ne s'agissait pas, comme elle l'avait imaginé, d'un homme d'âge mur, soixante ans bien sonnés, veuf et désireux d'être pris en charge... Elle en avait un peu honte, mais il lui était impossible d'envisager qu'un homme veuille épouser Gwen autrement que par intérêt. Cette dernière était gentille, honnête et chaleureuse, mais elle manquait d'appas susceptibles de tourner la tête à la gent masculine... Sauf si elle était tombée sur quelqu'un qui ne s'intéressait qu'à la beauté intérieure, et ce genre d'hommes était rare.

Mais je peux me tromper, pensa-t-elle.

— Je vais tout te raconter en détail, dit Gwen, d'une voix vibrante de joie et d'excitation, mais d'abord, je voudrais t'inviter. Ce samedi, nous donnons une sorte de... fête de fiançailles, et si tu pouvais venir, ce serait mon plus beau cadeau !

Leslie réfléchit rapidement. La distance était trop longue pour un simple week-end, mais elle était en congé. Elle pourrait partir le lendemain, un vendredi, et passer trois ou quatre jours là-bas. Le

Yorkshire, c'était son chez-soi, et il y avait bien trop longtemps qu'elle n'y était plus retournée. Elle pourrait loger chez sa grand-mère Fiona ; la vieille dame serait sans doute enchantée. En vérité, ce n'était pas le moment de quitter Londres, car trouver un locataire devenait urgent, mais elle avait grand besoin de souffler un peu et de se ressourcer. Et, pour être tout à fait honnête, elle mourait d'envie de voir qui était l'homme prêt à épouser Gwen !

– Ecoute, Gwen, je crois que je peux m'arranger, dit-elle. Un divorce, c'est... enfin, en tout cas, ce voyage me changerait les idées, et ça ne me ferait pas de mal. Je pourrais arriver dès demain. C'est bon pour toi ?

– Leslie, tu n'imagines pas à quel point je suis contente ! s'écria Gwen.

Le son de sa voix n'était plus le même qu'autrefois. Il était gai, optimiste.

– Et en plus, il fait un temps superbe ! s'enthousiasmait-elle. Tout se goupille à merveille.

– Ici, il pleut. Une raison de plus pour quitter Londres. Je me réjouis de te revoir. Toi, et le Yorkshire !

A peine avaient-elles raccroché que le téléphone sonnait de nouveau. Cette fois, c'était Stephen.

Comme toujours, il semblait triste. Ce n'était pas lui qui avait souhaité la séparation.

– Allô, Leslie ? Je voulais savoir... tu n'es pas venue travailler aujourd'hui non plus, et... enfin... tout va bien ?

– J'ai pris trois semaines de congé. Je déménage et je cherche un locataire pour l'appart. Tu ne veux pas le prendre, par hasard ?

– Tu veux quitter notre appartement ? s'étonna Stephen d'une voix peinée.

– Oui, il est trop grand pour moi maintenant. Et de plus... j'ai envie de prendre un nouveau départ. Nouvel appartement, nouvelle vie.

– Ce n'est pas aussi facile que ça, tu sais.

– Stephen...

Sans doute avait-il perçu son mouvement d'impatience, car il se reprit aussitôt.

– Excuse-moi. C'est vrai, ça ne me regarde pas.

– Exactement. Il faudrait que chacun de nous arrive à se retirer complètement de la vie de l'autre. A l'hôpital, nous nous croisons quotidiennement, ce qui est déjà assez difficile, mais il faudrait cesser tous les autres contacts.

Ils travaillaient tous deux dans le même établissement. Leslie avait longtemps cherché un nouveau poste, mais elle n'avait trouvé nulle part des conditions aussi idéales qu'au Royal Marsden à Chelsea. D'autre part, sa fierté avait pris le dessus. Cet homme l'avait trompée, trahie : allait-elle également lui sacrifier sa carrière ?

– Excuse-moi, Stephen, je suis pressée, poursuivit-elle d'un ton froid. J'ai des tas de choses à régler, et demain, je pars dans le York-shire pour quelques jours. Gwen se marie. Elle fête ses fiançailles samedi.

– Gwen ? Ton amie ? Elle se marie ?

Stephen semblait aussi estomaqué qu'elle-même. C'était humiliant pour Gwen : tous ceux à qui elle apprenait la nouvelle tombaient des nues et avaient du mal à cacher leur étonnement.

– Oui, confirma-t-elle. Elle est aux anges. Elle veut absolument m'avoir pour ses fiançailles. Et moi, j'ai hâte de faire la connaissance de son futur époux.

– Quel âge a-t-elle ? Au moins trente-cinq ans, non ? Il est grand temps qu'elle quitte son papa.

– C'est vrai, elle tient beaucoup à lui. Au fond, elle n'a jamais eu que lui, et si leur relation est tellement fusionnelle, c'est peut-être normal.

– Tout de même, ce n'est pas très sain, rétorqua Stephen. Je n'ai rien contre ce bon vieux Chad Beckett, mais à un moment donné, il aurait mieux valu qu'il pousse gentiment sa fille dehors, au lieu de la laisser se faner dans cette ferme isolée... Bon, en tout cas, ça semble réglé... Espérons que le type qu'elle s'est trouvé soit un gars bien. Elle manque tellement d'expérience !

– J'en saurai plus samedi soir, répondit Leslie.

Pour elle, le sujet était clos, car Stephen ne lui était plus assez proche. Elle n'avait nulle envie de s'entretenir avec lui d'une amie et de ses éventuels troubles psychologiques.

– Mon nouvel appartement est beaucoup plus petit que celui-ci, reprit-elle, changeant de conversation, et je ne peux pas emporter tous les meubles. S'il y a quelque chose qui t'intéresse...

Il n'avait rien voulu emporter lorsqu'il était parti.

– J'ai acheté tout ce qu'il me faut, répondit-il. Je ne vois pas ce qui pourrait m'intéresser.

– La table de la cuisine, par exemple, lança Leslie d'un ton acide, si tu ne la veux pas, elle finira à la décharge.

Cette belle table de bois un peu branlante… leur première acquisition, à l'époque où ils étaient encore étudiants. Elle y tenait tant, avant… Mais c'était assis à cette table qu'il lui avait avoué son coup de canif dans le contrat, son aventure sans lendemain avec une fille rencontrée dans un bar.

A dater de ce jour-là, plus rien n'avait été comme avant. Leslie ne parvenait plus à regarder cette table sans se souvenir avec la gorge serrée de la scène qui avait été le début de la fin. La bougie allumée. La bouteille de vin. L'obscurité dehors. Et Stephen qui avait voulu à tout prix soulager sa conscience.

Parfois, pendant les deux années écoulées, elle avait pensé que tout pourrait encore s'arranger si elle se débarrassait de la table. Mais elle n'avait jamais réussi à passer à l'acte.

– Non, répondit Stephen au bout d'un silence, je n'en veux pas.

– Bon, très bien.

– Donne le bonjour à Gwen, dit Stephen.

Sur ce, ils raccrochèrent.

Leslie se contempla dans la glace ronde suspendue en face d'elle. Elle se trouva amaigrie, fatiguée.

Dr Leslie Cramer, trente-neuf ans, radiologue. Divorcée.

La première invitation à laquelle elle se rendrait depuis son divorce serait une fête de fiançailles.

C'est peut-être bon signe, décida-t-elle.

Même si elle ne croyait pas aux signes.

Elle alluma une autre cigarette.

3

Il la vit marcher vers lui à la lueur du lampadaire et pensa : « Non, c'est pas possible ! »

Sans doute avait-elle passé des heures à se faire belle, mais, comme d'habitude, le résultat était simplement épouvantable. Cette jupe en coton à fleurs avait sûrement appartenu à sa mère, à en juger par la coupe et le tissu qui semblaient provenir d'un autre âge. Sans parler des bottes marron mastoc et du manteau gris mal coupé qui la grossissait, alors qu'en réalité, elle était mince. Dessous, on apercevait un corsage jaune, et en choisissant du jaune, elle avait tapé dans la seule couleur qui n'allait pas avec cette jupe bariolée. Quand elle enlèverait son manteau, au restaurant, elle aurait l'air d'un œuf de Pâques.

Il avait songé l'emmener à Scarborough, mais il rejeta cette idée. Il n'avait pas envie de tomber sur des gens qu'il connaissait. Mieux valait dénicher un pub de campagne... Il se tritura les méninges pour trouver une adresse... l'adresse d'un pub pas cher, car, comme d'habitude, il était à sec.

Elle sourit :

– Dave !

Il s'avança vers elle, la prit dans ses bras en se forçant et lui déposa un chaste baiser sur la joue. Par bonheur, elle était tellement inexpérimentée qu'elle ne semblait pas tenir à des démonstrations plus fougueuses. Il savait que sa lecture favorite, c'étaient les romans à l'eau de rose et que, avec sa retenue, il correspondait assez à l'image romantique qu'elle se faisait depuis toujours de son futur fiancé. Parfois, il en était quasiment touché. Puis il se redemandait si ça valait vraiment le coup.

– Tu veux aller dire bonjour à papa ? proposa-t-elle.

Il fit la grimace.

– Non, je n'y tiens pas. Il ne se gêne pas pour me montrer qu'il ne m'aime pas.

Gwen ne se donna pas la peine de nier.

– Il faut le comprendre. Il est vieux, et ça va trop vite pour lui, tout ça. Quand il a l'impression d'être bousculé, il se ferme encore plus. Il a toujours été comme ça.

Ils montèrent dans la vieille voiture qui, fidèle à son habitude, se fit prier pour démarrer. Dave se demanda pour la énième fois combien de temps ce tas de boue continuerait à jouer le jeu.

– On va où ? s'enquit Gwen alors qu'ils franchissaient le porche, dont la grande porte de bois marron reposait de guingois dans ses gonds.

Elle ne fermait plus depuis des années, mais personne ne s'en préoccupait. D'ailleurs, plus personne ne semblait se préoccuper de quoi que ce soit dans cette ferme, propriété familiale des Beckett depuis des générations – par incapacité ou par manque d'argent.

– C'est la surprise, répondit Dave, qui n'en avait aucune idée et comptait sur une inspiration soudaine.

Gwen, installée au fond du siège, se redressa et annonça :

– Aujourd'hui, à la télé, j'ai vu cette femme policier, l'inspecteur Machin, celle qui enquête sur l'affaire Amy Mills. Tu sais, cette fille…

Près de trois mois auparavant, on avait retrouvé le cadavre horriblement mutilé d'une étudiante de vingt et un ans dans les Esplanade Gardens à Scarborough. Les gens des environs en étaient encore bouleversés. L'assassin avait attrapé sa victime par les épaules et lui avait tapé la tête à plusieurs reprises contre un mur de pierre. Les détails qui avaient filtré dans la presse avaient informé une population sous le choc que le meurtrier s'était interrompu de temps en temps pour permettre à la pauvre fille inconsciente de reprendre connaissance, avant de continuer avec une violence redoublée. Amy Mills avait souffert pendant vingt bonnes minutes avant de mourir.

– Oui, je vois de qui tu parles, répondit Dave, mais je n'ai pas regardé la télé aujourd'hui. Il y a du nouveau ?

– Les policiers ont donné une conférence de presse, parce que comme la pression est très forte, ils sont obligés de tenir le public informé. Mais ils n'ont rien du tout. Aucune piste, aucun point de départ. Rien.

– Cet assassin est un fou, déclara Dave.

Gwen haussa les épaules en frissonnant.

– Au moins, elle n'a pas été violée, fit-elle remarquer. Mais ça n'arrange pas les policiers, parce que ça ne leur donne pas un mobile.

– Elle a quand même eu une drôle d'idée d'aller se balader toute seule la nuit dans les Esplanade Gardens à une heure pareille !

– Il n'en voulait pas à son argent, poursuivit Gwen, ou à ses bijoux. Son porte-monnaie était toujours dans son sac, et elle portait sa montre et deux bagues. On dirait qu'elle est morte pour rien !

– Tu crois que les choses auraient été moins graves s'il lui avait enfoncé le crâne pour mille livres ? répliqua Dave d'un ton sec.

Puis, devant son regard effrayé, il ajouta d'un ton radouci :

– Excuse-moi, je me suis laissé emporter. Mais il faut reconnaître qu'on n'est pas très rassuré à l'idée qu'un fou qui s'amuse à zigouiller les femmes pour rien traîne dans la ville. Mais va savoir… C'est peut-être une affaire de jalousie, ou quelque chose de ce genre. Un copain qu'elle avait repoussé… Il y a des gens qui pètent les plombs quand on les repousse.

– Mais si c'était un ancien petit ami, la police le saurait déjà, réfléchit Gwen.

Ils roulaient à travers ce qui était le début des hautes landes du Yorkshire. Le paysage, plongé dans la lueur blanche d'une lune pâle, était vallonné et aride, parcouru de clôtures et de murets de pierre. Parfois, la silhouette d'une vache ou d'un mouton se détachait dans l'obscurité. Il était tard pour dîner, mais Dave avait donné un cours d'espagnol et n'avait quitté Scarborough qu'après vingt heures.

Enfin, vers Whitby, il aperçut un pub. D'aspect pas vraiment romantique, mais pas cher et certainement pas fréquenté par des gens dont l'opinion comptait pour lui. Il avait déjà remarqué que Gwen n'était pas exigeante et ne se plaignait jamais. Il aurait parfaitement pu lui promettre un dîner aux chandelles et, à la place, l'emmener au Kentucky Fried Chicken sans qu'elle proteste. Malgré tout l'amour qu'elle éprouvait pour son père, elle savait fort bien que sa vie retirée à ses côtés n'était pas un gage d'épanouissement personnel. Aussi, éperdue de reconnaissance envers le destin qui lui avait envoyé Dave, se donnait-elle tout le mal possible pour éviter de le contrarier par des récriminations, des exigences, voire des querelles. Elle n'avait pas envie de le perdre.

Je suis un salaud, se dit-il, un véritable salaud, mais, au moins, je la rends heureuse pour l'instant.

Et il ne la blesserait pas. Il irait jusqu'au bout de ce qu'il avait prévu ; il n'y avait pas d'alternative.

Gwen Beckett était sa dernière chance.

Et moi, je suis la sienne, se dit-il, en repoussant à grand-peine l'accès de panique qu'il sentait monter en lui à l'idée de passer le reste de son existence en compagnie de cette vieille fille. Cela pourrait durer quarante ans, ou même cinquante !

Il pensait souvent à elle. Elle lui avait confié beaucoup de choses, et il en avait deviné beaucoup d'autres. Son père s'était toujours montré d'une grande souplesse à son égard ; un comportement qu'elle lui présentait comme de l'affection, mais lui-même pensait au contraire que ce pouvait être simplement de l'indifférence.

A seize ans, elle avait quitté l'école, parce que « ça ne me plaisait plus », et papa n'y avait vu aucun inconvénient. Gwen n'était jamais entrée en apprentissage. Elle consacrait son existence à tenir le ménage de son père et améliorait leurs revenus en louant deux pièces de la ferme familiale en Bed & Breakfast. Cette petite entreprise n'avait pas grand succès, ce qui n'était pas étonnant. La vieille baraque avait absolument besoin d'être modernisée pour pouvoir attirer des touristes désireux de passer leurs vacances sur la côte du Yorkshire. Après quelques dizaines d'années de sommeil, cette région jouissait d'un nouvel essor, mais les vacanciers d'aujourd'hui exigeaient d'avoir une salle de bains convenable, une douche qui fonctionnait à l'eau chaude du début à la fin, de la jolie vaisselle propre pour le petit déjeuner et une première impression relativement favorable quand ils s'approchaient du logis où ils envisageaient de passer les semaines les plus précieuses de l'année. A première vue, la ferme Beckett, avec sa cour décorée de mauvaises herbes et de trous, n'avait pas de quoi vous inciter à y faire un séjour. Mais il se trouvait tout de même un couple de clients revenant régulièrement, pour la seule et unique raison qu'ils possédaient deux énormes dogues refusés partout ailleurs.

Qui est cette Gwen Beckett ? se demandait-il plusieurs fois par jour... beaucoup trop souvent.

Elle était très timide, et il lui semblait qu'avec la vie reculée qu'elle menait, elle ne savait plus comment se comporter avec ses semblables. Elle parlait avec chaleur et admiration de son père, au point de donner parfois l'impression que son idéal de vie était de passer ses plus belles années auprès de lui, dans la solitude de Staintondale. Puis il repensait aux paroles qu'elle avait prononcées le soir de leur rencontre : « Ma vie n'est pas spécialement drôle. »

De son propre chef, elle avait décidé de suivre un stage d'affirmation de soi et avait pris le chemin de Scarborough chaque semaine pendant trois mois. Elle avait mis en pratique ce que préconisaient les journaux féminins à leurs lectrices : faites quelque chose ! Sortez de chez vous ! Recherchez la compagnie des autres !

Dave se dit que Gwen devait penser que le résultat avait été instantané. Quelle chance ! Après avoir pris son courage à deux mains et être allée s'inscrire au stage, elle avait rencontré l'homme de sa vie dès le premier jour !

Elle était heureuse. Et pourtant, il sentait confusément sa crainte. Crainte qu'il ne se passe quelque chose, que le rêve n'éclate comme une bulle de savon, que tout cela ne soit trop beau pour être vrai...

Et quand il y pensait, il se sentait minable. Parce qu'il savait que ses craintes étaient justifiées.

Comme si elle devinait ses pensées, elle lui demanda tout à trac, avec une note d'angoisse dans la voix :

– Ça marche toujours pour les fiançailles, samedi ?

Dave réussit à lui adresser un sourire rassurant :

– Evidemment. Quelle idée ! Sauf si ton père boycotte la fête et ne nous laisse pas entrer. Mais dans ce cas, nous pourrions toujours nous trouver un restaurant.

Ce serait la catastrophe. Gwen avait invité une amie qui viendrait de Londres, ainsi que le couple qui passait ses vacances à la ferme avec ses deux dogues, et Fiona Barnes, une vieille amie de la famille dont il ne saisissait pas vraiment le rôle dans l'histoire des Beckett. Sept personnes ! Avec ses finances à sec, il n'aurait pas de quoi régaler tout ce monde au restaurant. Si le vieux Beckett faisait sa tête de mule, il serait vraiment mal...

Avec un optimisme qu'il était loin d'éprouver, il affirma :

– Rien ne viendra annuler nos fiançailles.

Il prit la main que Gwen lui tendait. Elle était glacée. Il la retourna, la porta à ses lèvres et souffla dessus pour la réchauffer.

– Fais-moi confiance, ajouta-t-il.

Ces mots-là étaient toujours rassurants. Surtout pour les femmes du genre de Gwen – même si c'était bien la première fois qu'il tombait sur un tel spécimen.

Et pour faire bonne mesure, il précisa :

– Je ne joue pas avec toi.

Non, ce n'était pas un jeu. Vraiment pas.

Elle sourit.

– Je sais, Dave. Je le sens.

C'est faux, pensa-t-il, tu as peur, mais tu sais que tu n'as pas le droit de mollir. Nous avons tous les deux une épreuve à surmonter, et quand ce sera fait, ce sera bénéfique pour les deux. Pour chacun à sa manière.

A présent, il faisait complètement nuit. Dans cette campagne solitaire plongée dans l'obscurité, ils roulaient comme enfermés dans un long tunnel noir. Mais il irait mieux après le premier whisky. Et encore mieux après le deuxième. Il se fichait pas mal de son taux d'alcoolémie.

L'essentiel était d'atténuer le tranchant des pensées qui venaient le poignarder. L'essentiel était de voir son avenir sous un jour plus supportable.

Vendredi 10 octobre

1

Jennifer Brankley se rappelait ses années d'école. Pas tant les années où, petite fille en jupe plissée et blazer bleu marine, elle se rendait en classe, un grand cartable marron sur le dos, mais plutôt ses années d'enseignement, à l'époque où elle pénétrait chaque matin dans l'enceinte de l'établissement, pleine d'ardeur et de joie de vivre. Il lui semblait que cette période bénie remontait à des temps immémoriaux, et parfois même, qu'elle appartenait à une autre vie. Et pourtant, quelques petites années à peine la séparaient de ce qu'elle appelait « les meilleurs moments de ma vie ». Quelques petites années... Depuis, tout avait changé.

Elle avait déposé les sacs en plastique contenant ses achats – surtout de la nourriture pour Cal et Wotan, ses dogues – à côté d'elle au pied d'un arbre, derrière la haute clôture en fer forgé noir qui entourait le périmètre de la Friarage Community Primary School. Un complexe imposant, composé de plusieurs bâtiments de brique rouge à un ou deux étages, où des stores bleus apparaissaient derrière les fenêtres. A gauche, sur la colline, le château dominait l'école avec, devant, l'église St Mary, connue surtout parce que l'écrivaine Anne Brontë était enterrée dans son cimetière. Le château et l'église semblaient protéger la ville, l'école et les enfants.

Un très joli décor, se dit Jennifer.

C'étaient leurs sixièmes ou septièmes vacances à la ferme Beckett. Elle s'était attachée à cette côte est du Yorkshire, avec ses hautes plaines ventées alternant avec de larges vallées, son infinité de prés entourés de murets de pierre, ses rochers abrupts plongeant dans la mer, ses petites criques sablonneuses nichées au pied de la côte escarpée. Elle aimait aussi la ville de Scarborough et ses deux grandes baies en demi-cercle partagées par une langue de terre, son vieux port, ses belles maisons perchées sur le South Cliff, ses hôtels démodés dont les façades qui subissaient les assauts du vent et de l'eau salée paraissaient toujours un peu défraîchies. Régulièrement, Colin, son mari, se rebellait, grommelant qu'il apprécierait de passer ses vacances ailleurs de temps en temps, mais cela impliquait de mettre Cal et Wotan en pension, ce qui était impensable pour des bêtes aussi sensibles. Par bonheur, elle disposait d'un argument pratique à lui opposer quand il se plaignait : c'était lui qui était à l'origine de l'acquisition des chiens. Il les avait achetés pour l'obliger à sortir chaque jour, afin de lutter contre la dépression où elle avait sombré. « Un remède miracle contre la déprime, avait-il déclaré, et c'est excellent pour la santé à tous points de vue. Tu vas voir, tu ne vas plus pouvoir te passer de ces promenades en plein air. »

Il avait eu raison. Les chiens et la marche avaient transformé sa vie. Ils l'avaient aidée à remonter la pente, sans pour autant la faire nager dans le bonheur, certes, mais ils avaient redonné un sens à son existence.

Elle avait obtenu ces animaux par l'intermédiaire d'une association qui, sur Internet, cherchait à placer des dogues abandonnés. Cal, âgé d'un an, avait été trouvé attaché au bord d'une route de campagne, et Wotan avait été remis à l'association par ses maîtres, qui s'étaient aperçus avec quelque retard que la vie avec un grand chien n'était pas facile au huitième étage d'une tour. La bêtise humaine est décidément sans limites, se dit Jennifer.

Abandonnant ses chiens aux bons soins de Colin, elle avait accompagné Gwen en ville, où se donnait une petite fête pour clôturer le stage de trois mois qu'avait suivi la jeune femme dans les locaux de la Friarage School.

Jennifer doutait fort de l'efficacité de ce stage. Comment, en trois mois, obtenir un changement radical de comportement chez des gens souffrant depuis des dizaines d'années d'un manque d'assurance handicapant ? Ce genre d'entreprise, à son sens, tenait plutôt de l'exploitation de la souffrance de malheureux prêts à se raccrocher au moindre fétu de paille et à dépenser des fortunes. Gwen avait reconnu y avoir laissé toutes ses économies, mais le résultat ne sautait pas aux yeux. Elle avait changé, bien sûr, mais ce changement ne provenait pas de quelque tour de magie opéré le mercredi après-midi, mais au tour inattendu qu'avait pris sa vie privée : un homme était tombé amoureux d'elle.

Les fiançailles auraient lieu le lendemain. Jennifer avait eu du mal à y croire. Mais la rencontre ayant eu lieu au sein même de cette école, force était de reconnaître que la participation de Gwen à ce stage et le sacrifice de ses économies n'avaient pas été vains.

Gwen allait se marier ! Pour Jennifer, qui n'était son aînée que de dix ans mais éprouvait à son égard une sorte de sentiment maternel, c'était une chose sensationnelle, providentielle, un merveilleux cadeau ! Malgré tout, elle ne pouvait se défendre d'une légère inquiétude : qui était cet homme ? Pourquoi avait-il choisi Gwen, une fille gentille et bonne, mais qui n'avait jamais réussi à prendre le moindre mâle dans ses filets ? Tellement peu attirante, avec ses vêtements hors d'âge ! Tellement naïve ! Incapable de parler d'autre chose que de son papa, papa par-ci, papa par-là... De quoi faire fuir n'importe qui...

Jennifer, de tout son cœur, souhaitait se réjouir du bonheur de la jeune femme, mais n'y parvenait pas. La veille, elle avait eu l'occasion d'apercevoir ce Dave Tanner quand il était venu chercher Gwen à la ferme, et cela n'avait fait que renforcer ses inquiétudes. A en juger par sa vieille bagnole, ce type était fauché. Comment pourrait-il en être autrement quand on donnait péniblement quelques cours de français et d'espagnol ? Il sous-louait une chambre meublée, ce qui n'était pas non plus signe de richesse. Mais il était très beau et paraissait très sûr de lui, cela l'avait frappée pendant le bref moment où elle l'avait observé par la fenêtre. Il pouvait à coup sûr avoir des femmes autrement plus sexy qu'une Gwen, des filles plus jeunes, plus belles et plus à l'aise... Malgré sa situation financière.

Mais justement... c'était peut-être bien là, dans cette situation financière visiblement catastrophique, que résidait le mystère de son roman d'amour avec Gwen. Et cette idée avait empêché Jennifer de fermer l'œil la nuit précédente.

Mais elle n'avait rien dit. Pas à Gwen. En revanche, elle avait parlé de ses craintes à Colin, qui lui avait fermement conseillé de ne pas s'en mêler.

– Elle est majeure et vaccinée ! Elle a trente-cinq ans. Il est temps qu'elle maîtrise sa vie par elle-même. Tu ne peux pas la protéger éternellement.

Oui, se dit Jennifer en contemplant l'école paisiblement plongée dans le soleil de cette calme journée d'octobre, il a raison. Il faut que j'arrête de vouloir protéger Gwen de tous les dangers potentiels. Ce n'est pas ma fille. Nous ne sommes même pas parentes. Et quand bien même... elle est à un âge où c'est à elle de prendre ses propres décisions.

La porte du bâtiment s'ouvrit, livrant passage à ceux qui devaient être les stagiaires. Jennifer se contraignit à refouler ses préjugés, ainsi que sa curiosité... A quoi ressemblaient les gens qui venaient chercher dans ce genre de formation ce qui pouvait être leur dernière chance de modifier leur vie ? Etaient-ils comme Gwen : vieux jeu, timides, rougissants et, finalement, sympathiques ? Ou coincés, aigris, frustrés ? Agressifs ? Moches comme des poux ?

Elle constata qu'ils avaient l'air comme tout le monde. Beaucoup plus de femmes que d'hommes. Des femmes en jean, pull et veste légère. Quelques-unes étaient vraiment jolies. Toutefois, aucune beauté frappante, aucune tenue voyante ou provocante. Dans l'ensemble, des gens réservés qui ne cherchaient pas à être le point de mire, mais ne paraissaient ni perturbés ni bizarres, voire repoussants.

Jennifer sourit en apercevant son amie. Une jupe fleurie descendant à mi-mollets, comme toujours. De lourdes bottes. Et d'où venait cet horrible manteau ? Pourvu que ce fiancé la dissuade de le remettre !

Gwen s'approcha, accompagnée d'un couple qui pouvait avoir entre trente et quarante ans. La femme, à première vue, paraissait insignifiante, mais, quand on la regardait de plus près, elle était vraiment jolie. Gwen fit les présentations.

La jeune femme, Ena Witty, eut un sourire timide et marmonna quelques paroles d'une voix presque inaudible. Son ami, Stan Gibson, sourit de toutes ses dents :

– Bonjour, Jennifer ! Gwen nous a souvent parlé de vous, et de vos chiens. Ils sont vraiment aussi immenses qu'elle le dit ?

– Encore plus ! répondit Jennifer. Mais ils sont doux comme des agneaux. Je ne devrais pas le dire tout haut, mais je crois que s'ils se retrouvent un jour en face d'un cambrioleur, ils l'accueilleront en lui faisant la fête !

Stan éclata de rire :

– Je préfère quand même ne pas prendre de risque.

Jennifer pensa que si ladite Ena correspondait exactement au genre de personnes visées par cette sorte de stage, ce n'était pas le cas de ce Stan Gibson. Celui-ci n'était pas bel homme, mais il semblait sympathique, ouvert, loin d'avoir à se battre contre l'angoisse et la timidité. Que venait-il faire en ce lieu ?

Comme si elle avait lu dans ses pensées, Gwen précisa :

– Stan ne suivait pas notre stage. Il travaille pour l'entreprise qui a fait des travaux de rénovation à l'école pendant l'été. C'est comme ça qu'il a rencontré Ena.

Cette dernière baissa pudiquement les yeux.

Une vraie agence matrimoniale, cette Friarage School ! se dit Jennifer. C'est ici que Gwen a rencontré son futur époux, et cette Ena Witty son copain... Si ça continue, l'école va demander un pourcentage !

– Comme je suis avec Ena, expliqua Stan, j'ai été invité au pot de départ. Dis, Ena, on pourrait inviter Gwen et Jennifer chez nous, un soir, tu ne crois pas ?

– Chez *nous* ? répéta Ena, interloquée.

– N'ouvre pas ces grands yeux, ma chérie ! Tu vas bientôt venir habiter chez moi, c'est normal, et là, on invitera nos amis *chez nous* !

Il ponctua ses paroles d'un rire joyeux, puis s'adressa à Gwen et Jennifer :

– Tout ça, c'est un peu rapide pour Ena, je crois. Alors que demain, je l'emmène à Londres passer le week-end chez mes parents pour qu'ils fassent connaissance !

Les deux femmes échangèrent un regard. Toutes deux avaient le net sentiment que la malheureuse Ena n'adhérait pas au projet de son ami, mais n'osait s'élever contre.

Cependant, cette dernière, changeant d'expression, déclara en souriant :

– C'est bien de ne plus être seule.

A ce moment, Jennifer comprit à quel point la solitude avait pesé à cette jeune femme. Là se trouvait le fil rouge qui réunissait tous ces gens. Ce n'étaient pas les problèmes comme la timidité,

51

le manque d'assurance ou une phobie quelconque. Non, ce que redoutaient avant tout les gens qui participaient à ce genre de stage était la solitude. Des femmes comme Ena, qui restaient seules parce que personne ne les remarquait et n'avaient pas appris à montrer leurs talents et leurs qualités. Des femmes comme Gwen, qui s'étaient coulées dans un rôle où elles restaient bloquées et s'apercevaient un beau jour que la vie leur passait sous le nez à un rythme de plus en plus rapide. Toutes, elles rêvaient d'échapper aux longs week-ends solitaires et aux interminables soirées passées devant la télé.

– On vous rappellera pour vous inviter ! promit Stan.

Jennifer et Gwen se dirigèrent vers l'arrêt de bus. La nourriture pour chiens pesait lourd. Elles auraient pu avoir la voiture de Chad ou de Colin, mais Gwen, bien que possédant le permis de conduire, ne prenait le volant qu'en cas d'urgence.

Quant à Jennifer...

– Et si tu retentais ta chance ? lui avait proposé Colin le matin même. Ça marchera peut-être mieux que tu ne le penses.

Elle avait refusé d'un signe de tête.

– Je ne peux pas. Rien à faire. Je... je n'ose plus... il peut se passer tellement de choses...

Il n'avait pas insisté. Il souhaitait, bien sûr, qu'elle fasse des efforts plus intensifs pour retrouver confiance en elle, mais parfois, elle avait l'impression d'avoir trop attendu pour reprendre courage un jour. De plus, elle menait une vie presque normale, non ? Certes, elle n'osait plus reprendre le volant, elle était un peu sauvage et méfiante, mais elle n'était pas solitaire. Elle avait Colin et les chiens. Les vacances chez Chad et Gwen. Elle n'était pas malheureuse. Elle contrôlait sa dépression. Quand elle la sentait repointer le bout du nez, elle avalait un comprimé, une fois par semaine à tout casser. Elle était loin d'être dépendante aux médicaments, comme on l'en avait accusée à l'époque.

Mais mieux valait ne pas penser à cela. A toutes les saloperies qu'on avait déversées sur elle. C'était du passé. Un autre temps, une autre vie.

Elle s'était trouvé une nouvelle place.

Il lui suffisait simplement de réussir à se débarrasser entièrement de l'ancienne. A éviter de l'enjoliver ou d'y penser avec nostalgie. Ça n'était pas si facile, ça ne marcherait pas du jour au lendemain, mais un jour, elle y arriverait.

Et ce jour-là, tout irait mieux.

2

– Y a quelqu'un qui vous attend dans votre chambre, lui annonça Mme Willerton, sa logeuse, à peine Dave avait-il ouvert la porte d'entrée et pénétré dans l'étroit couloir aux murs recouverts d'affreuses reproductions de dessins d'animaux.

– C'est Mlle Ward. Votre... alors, c'est votre ancienne copine maintenant, oui ou non ?

– Je vous ai pourtant dit de ne faire entrer personne dans ma chambre en mon absence, répliqua Dave, contrarié, en s'élançant dans l'escalier sans laisser le temps à Mme Willerton de poser d'autres questions.

Horrible, de devoir passer devant cette pipelette qui manifestait une curiosité malsaine pour la vie amoureuse de son locataire ! Sans doute parce que la sienne remontait à plusieurs décennies. Ainsi qu'elle le lui avait confié, M. Willerton avait un jour enfourché sa moto et filé avec une copine de son fan-club Harley-Davidson.

Dave ne le comprenait que trop bien.

Il était crevé. Il sortait d'un cours de deux heures de français au cours duquel il avait dû subir la prononciation épouvantable d'une dizaine de ménagères de plus de cinquante ans maltraitant avec leur accent du Yorkshire une langue qu'il adorait pour sa musique mélodieuse. Il attendait avec une impatience croissante le moment béni où tout cela cesserait. Sa vie était devenue trop pénible, trop compliquée, rongée de plus par le doute et l'incessante question de savoir s'il n'était pas en train de commettre une faute irréparable.

Et Karen, l'étudiante de vingt et un ans avec laquelle il était sorti pendant un an et demi, qui arrivait par là-dessus !

Il entra dans sa chambre. Comme d'habitude, c'était le bazar intégral. Le lit n'était pas fait, ses fringues traînaient, jetées n'importe comment sur une chaise. Les reliefs de son repas de midi, une boîte en carton avec les restes du plat à emporter qu'il avait acheté chez un Pakistanais, gisaient sur la table, devant la fenêtre. A côté, une bouteille de vin blanc à moitié vidée. Oui, il buvait aussi dans la journée, ce qui avait toujours énervé Karen. Au moins, il n'aurait plus à se justifier sur ce point, à l'avenir. C'était toujours ça de pris.

Karen était assise sur un petit tabouret au pied du lit. Elle portait un pull à col roulé vert bouteille, ses belles et longues jambes passées dans un jean moulant. Ses cheveux blond clair savamment emmêlés retombaient sur ses épaules. Dave la connaissait assez pour savoir qu'elle mettait beaucoup de temps, le matin, pour obtenir cet aspect prétendument négligé. La place de la moindre mèche était soigneusement pensée. De même, ce maquillage qui lui donnait l'air de ne pas être maquillée était le fruit d'un long travail.

Avant, il la trouvait fascinante. Mais ses sentiments n'avaient jamais dépassé la simple admiration devant sa beauté. Visiblement, ce n'était pas une base suffisante pour une relation à long terme.

Sans compter qu'elle était trop jeune.

Il referma la porte derrière lui, prêt à parier que la Willerton était en bas, dans le couloir, à l'affût.

– Salut, Karen, dit-il du ton le plus négligent possible.

Elle s'était levée, attendant sans doute qu'il s'avance pour la prendre dans ses bras, mais il ne fit pas mine de bouger. Resta planté devant la porte sans même enlever sa veste. Pas question de lui donner l'impression qu'il était prêt à lui accorder le temps d'une longue conversation.

– Salut, Dave, finit-elle par répondre, excuse-moi d'être...

Elle ne termina pas sa phrase. Il resta muet. Il ne fit pas semblant d'accepter des excuses qui, de toute façon, étaient simulées.

Embrassant du regard la pièce en désordre, elle reprit la parole pour faire remarquer :

– Quel bordel ! C'est encore pire que la dernière fois que je suis venue.

C'était tout à fait elle. Elle ne pouvait pas s'en empêcher. Des critiques et encore des critiques. Il buvait trop, il dormait trop, il était trop bordélique, il manquait d'ambition, ou de ceci, ou de cela.

– C'est parce que ça fait longtemps que tu n'es pas venue, répliqua-t-il. Et je n'avais personne pour ranger derrière moi.

Et tant mieux ! ajouta-t-il en pensée.

Ce n'était pas la bonne réponse à faire. Il le comprit aussitôt, car Karen répondit d'un ton piqué :

– Ça dépend du point de vue. Si je me souviens bien, ma dernière visite date d'une semaine exactement.

Effectivement. Quel idiot ! La semaine précédente, il avait encore fait une connerie, alors qu'il s'était bien juré que ça ne lui arriverait plus avec Karen. Un soir où il faisait la tournée des bars, il l'avait rencontrée par hasard dans un pub, le Newcastle Packet, sur le port, où elle travaillait comme serveuse depuis peu. Il avait attendu qu'elle ait terminé son service, puis il avait encore bu quelques verres avec elle et l'avait emmenée chez lui. Il se souvenait vaguement qu'ils avaient fait l'amour comme des bêtes. Depuis qu'il avait rompu, fin juillet, ils s'étaient rencontrés quelquefois, simplement parce qu'avec elle, on pouvait parler, rire et coucher, et que ça le changeait de ce bonnet de nuit de Gwen. Mais ce n'était pas correct vis-à-vis de Karen, et il était contrarié de sa faiblesse. Pas étonnant qu'elle s'imagine pouvoir renouer avec lui.

– Bon, dis-moi pourquoi tu es venue, la bouscula-t-il, même s'il connaissait la réponse.

– Tu ne t'en doutes pas ?

– Honnêtement... non.

Elle le regarda d'un air aussi blessé que s'il l'avait giflée. Il prit son courage à deux mains.

– Karen... je suis désolé pour la semaine dernière. Si c'est... pour ça que tu es venue. J'avais bu un coup de trop. Mais il n'y a rien de changé. Nous deux, c'est fini.

A ces mots, elle sursauta un peu, mais se reprit vite.

– En juillet, quand tu as cassé du jour au lendemain, je t'ai posé une seule question, tu t'en souviens ? Je t'ai demandé s'il y avait quelqu'un d'autre.

– Oui, et alors ?

– Tu as prétendu que non, que si tu me quittais, ça ne concernait que nous deux.

– Oui, je m'en souviens. Pourquoi remettre tout ça sur le tapis ?

– Parce que...

Elle hésita, puis se jeta à l'eau :

– Parce que plusieurs personnes m'ont rapporté qu'il y avait quelqu'un d'autre. On t'a vu plusieurs fois avec une femme, ces derniers temps. Une femme plus très jeune, qui ne casse pas des briques.

Il avait horreur de ce genre d'interrogatoire.

– Et alors ? riposta-t-il d'un ton agressif. Où est-ce qu'il est écrit que je n'ai pas le droit de fréquenter quelqu'un d'autre après une aventure ?

– Un an et demi, ce n'est pas une aventure.

– Appelle ça comme tu veux. En tout cas...

– En tout cas, je ne crois pas que cette... fréquentation soit si nouvelle. Tu m'as quittée le 25 juillet. Aujourd'hui, on est le 10 octobre.

– Oui. Ça fait bientôt trois mois.

Elle le dévisagea, attendant la suite. Il se sentit poussé dans ses retranchements, sentit croître sa colère. Avec tout ce qu'il avait déjà sur le dos... comme si ça ne suffisait pas !

– Je n'ai pas de comptes à te rendre, jeta-t-il d'un ton froid.

Les lèvres de Karen se mirent à trembler.

Empêche-la de chialer, s'enjoignit-il, énervé.

– Après la semaine dernière... commença-t-elle d'une voix nouée.

Il l'interrompit aussitôt :

– Oublie la semaine dernière ! J'étais bourré. Je t'ai dit que j'étais désolé. Qu'est-ce que tu veux de plus ?

– C'est qui ? Il paraît qu'elle est beaucoup plus vieille que moi.

– Comment ça, il paraît ? Qui dit ça ?

– Les gens qui t'ont vu avec elle. Des copains de fac.

– Et alors ? Oui, elle est plus vieille que toi.

– Elle a dans les quarante ans !

– Et après ? C'est parfait pour moi. Moi aussi, j'ai la quarantaine.

– Donc, c'est vrai.

Il ne répondit pas.

– Jusqu'à présent, tes copines étaient toujours très jeunes ! lança Karen, désespérée.

Sa jeunesse. La seule chose qu'elle avait à lui offrir.

– Je suis peut-être en train de changer de vie, dit-il.

– Mais...

Il balança sur la table son porte-documents qu'il n'avait toujours pas lâché.

– Karen, arrête. Arrête de t'abaisser. Demain, tu le regretteras. Entre nous, c'est terminé. Il y a des tas de mecs qui ne demandent qu'à sortir avec une jolie fille comme toi. Oublie-moi et ne te fais pas de souci.

Les premières larmes se mirent à couler. Elle se laissa retomber sur le tabouret où elle était assise quand il était entré.

– Dave, je ne peux pas t'oublier. Je ne peux pas. Et je crois… que toi non plus tu ne peux pas vraiment m'oublier, sinon, la semaine dernière, tu ne m'aurais pas…

– Quoi ? Sautée, tu veux dire ? Mais merde, Karen, tu sais bien comment ça se passe !

– Ta nouvelle copine est moche. Peut-être que tu n'aimes pas faire l'amour avec elle comme avec moi.

– C'est mon problème, répliqua-t-il, de plus en plus furieux, car elle venait de mettre le doigt sur un point sensible.

Faire l'amour avec Gwen était carrément inenvisageable, et il attendait avec angoisse le jour – ou plutôt la nuit – où il faudrait y passer. Sans doute cela ne marcherait-il qu'en prenant une bonne biture en se représentant le joli corps de Karen.

A présent, cette dernière pleurait à chaudes larmes.

– L'inspecteur Almond est revenue m'interroger aujourd'hui, lui apprit-elle entre deux sanglots. A cause d'Amy Mills.

Résigné, Dave enleva sa veste. Elle allait s'incruster. Elle en était arrivée au sujet qui la ferait chialer à coup sûr. Au moins, ce n'était pas à cause de lui. Un petit progrès. Si seulement il n'était pas aussi fatigué, s'il n'avait pas tous ces problèmes…

– Qu'est-ce qu'elle te voulait encore ? s'enquit-il.

Voyant que Karen, au lieu de répondre, redoublait de sanglots, il sortit une bouteille de whisky de son placard ainsi que deux verres à moitié propres :

– Tiens, bois un coup.

Elle prenait rarement de l'alcool et l'accablait de reproches quand il le faisait, mais, cette fois, elle attrapa le verre et l'avala d'un trait. En accepta un second et le vida de la même façon. Ensuite, elle pleura un peu moins.

– En fait, elle a reposé les mêmes questions que l'autre fois, dit-elle.

Elle paraissait aussi bouleversée qu'en juillet, de même que tout Scarborough, après le meurtre.

– Je suis la seule avec laquelle Amy parlait un peu, poursuivit-elle. C'est pour ça qu'elle m'a de nouveau posé des questions sur ses habitudes, le déroulement de sa journée, et tout ça. Mais moi, je ne sais pas grand-chose. Parce que… je trouvais Amy un peu… bizarre. Coincée. Elle me faisait mal au cœur. Mais ce n'était pas mon amie.

– Tu n'as aucun reproche à te faire, répondit Dave. Tu en as fait plus que les copains. De temps en temps, tu prenais un café avec elle et tu l'écoutais quand elle te racontait ses problèmes. Elle avait du mal à se mêler aux autres, qu'est-ce que tu veux ! Ce n'est pas ta faute.

– La police n'avance pas. Il n'y a aucune piste, rien… C'est l'impression que j'ai.

Puis Karen demanda :

– Tu connais bien Mme Gardner ?

– Qui ça ?

– Mme Gardner, la dame chez qui Amy faisait du baby-sitting ce soir-là.

– Linda Gardner. Evidemment, je la connais. Elle donne des cours de langues, elle aussi. On se mettait d'accord sur les horaires. Mais à part ça, on n'avait aucun contact.

– Elle avait cours le soir où Amy a été assassinée.

Le soir où il avait fait la connaissance de Gwen et l'avait raccompagnée chez elle. Oh oui, il se souvenait de ce soir-là !

– Bien sûr. C'est bien pour ça qu'Amy gardait son enfant.

– L'inspecteur Almond cherche des personnes qui étaient au courant qu'Amy faisait du baby-sitting chez Mme Gardner. Elle m'a demandé si je le savais. J'ai dit oui.

– On ne va pas te suspecter, non ?

– Elle voulait savoir si je connaissais des gens qui étaient au courant eux aussi.

Elle le regarda d'un air interrogateur.

Contrarié, il se demanda quand elle en viendrait au fait. Il détestait son habitude de tourner autour du pot.

– Oui, et alors ?

– Je ne lui ai pas dit que je pensais que tu étais au courant.

– Pourquoi donc ?

Elle le regardait d'un air un peu curieux, comme si elle guettait une réaction de sa part.

– Dave, répondit-elle, je… je ne voulais pas que tu aies des problèmes. C'était ta soirée de libre. Et si tu t'en souviens, le lendemain, on s'est engueulés parce que tu m'avais posé un lapin et que tu n'as pas voulu me dire pourquoi.

Normal. Il n'allait pas lui raconter qu'il avait ramené une fille à Staintondale, avec tout ce qui en avait découlé.

Il se força à garder son calme, même si elle l'énervait sévèrement.

– Tu passais ton temps à vouloir me contrôler. J'en avais marre. C'est d'ailleurs une des raisons pour lesquelles ça n'a pas marché entre nous.

– Tu le savais, que Mme Gardner employait une étudiante ?

– Elle me l'a peut-être dit, mais je ne vois pas le rapport. Tu crois que c'est moi, l'assassin ? Que c'est moi qui ai guetté Amy dans le parc pour la massacrer ?

Karen secoua la tête.

– Non.

Elle avait l'air triste et fatigué, mais certainement pas à cause du sort infligé à cette fille qu'elle avait à peine connue. Il sentit l'amorce d'un sentiment de culpabilité se lever en lui. Cela l'énerva encore plus. Non, il n'avait pas envie de se sentir coupable.

– Bon, ben... commença-t-il.

Elle prit son sac. Elle ne pouvait plus retarder son départ.

– Bon, ben... répéta-t-elle d'une voix rauque.

Il allongea la mine.

– Je regrette que ça finisse comme ça. Vraiment.

De nouvelles larmes jaillirent dans les yeux de Karen.

– Mais pourquoi ? Dave, je ne comprends pas.

Parce que je suis fou, pensa-t-il, parce que je fais quelque chose de complètement fou. Parce que je voudrais enfin changer de vie. Parce que je vois un moyen, ce seul moyen, de m'en sortir.

Elle avait horreur qu'il lui réponde par des généralités. Mais il le fit quand même :

– Que veux-tu, il y a des choses qu'on n'arrive pas à comprendre. Et pourtant, il faut les accepter.

Il lui ouvrit la porte. Une lame de parquet grinça en bas. La logeuse quitta prestement son poste d'écoute au pied de l'escalier.

– Je te raccompagne en bas, proposa Dave.

Karen pleurait. Il pouvait au moins essayer de la traiter avec un semblant de courtoisie.

3

Elles étaient installées autour d'une bouteille d'eau minérale et d'une quantité de paquets de cigarettes. Une fois de plus, Leslie se dit qu'elle ne s'habituerait jamais aux contradictions de sa grand-mère, et en particulier à celle-ci : Fiona fumait comme un pompier, au moins trois paquets par jour, en ignorant superbement les avertissements inscrits sur les emballages qui lui prédisaient une mort atroce. En même temps, elle s'interdisait l'absorption de la moindre goutte d'alcool, et jusqu'à la possession de la moindre bouteille.

– Très mauvais pour la santé, disait-elle, ça vous rend idiot. Je ne vais pas me détériorer la matière grise !

Après sa longue route en voiture, Leslie aurait volontiers pris un petit verre pour se détendre. Mieux, après une semaine entamée par un divorce, elle aurait peut-être même apprécié d'en prendre plusieurs pour oublier plus sûrement... Pourquoi, bon sang, n'avait-elle pas pensé à emporter une ou deux bouteilles de vin ?

Elles avaient pris place à la petite table de bistrot, juste devant la fenêtre. Dehors, c'était la nuit noire, mais, entre les nuages qui s'étiraient dans le ciel, au-dessus de la South Bay de Scarborough, on voyait çà et là scintiller une étoile. Parfois, la lune elle-même consentait à se montrer, laissant deviner la masse sombre, sévère, fortement agitée, de la mer.

– Et Gwen, quelle impression te fait-elle ? s'enquit Leslie.

Fiona alluma sa cinquième cigarette depuis que sa petite-fille était arrivée avec armes et bagages.

– Elle me paraît assez dépassée par ce qui lui arrive. Mais est-ce qu'elle est heureuse ? Je ne sais pas. Elle est tendue. A mon avis, elle ne fait pas vraiment confiance à son fiancé.

– Comment ça ?

– Je me demande si elle ne doute pas du sérieux de ses intentions. Elle ne serait pas la seule. Nous doutons aussi, son père et moi.

– Tu le connais, ce Dave Tanner ?

– Non, je ne le connais pas vraiment, mais je l'ai rencontré plusieurs fois à la ferme. Et je les ai invités ici, Gwen et lui. Je crois que ça lui a été très désagréable. Il n'aime pas rencontrer les gens de l'entourage de Gwen, pas très nombreux d'ailleurs. Je suppose qu'il a peur d'être percé à jour.

– Percé à jour ? A t'entendre, on croirait que...

– C'est un voyou ? Eh bien oui, à mon avis, c'est exactement ce qu'il est ! déclara Fiona avec conviction.

Elle tira plusieurs bouffées de sa cigarette, puis poursuivit :

– On ne va pas se gêner entre nous, Leslie, je vais être franche. J'ai beaucoup d'estime pour Gwen. C'est une bonne personne. Elle veut tellement bien faire vis-à-vis des gens que c'en est parfois agaçant. Elle a trente-cinq ans et, à ma connaissance, jamais aucun homme ne s'est intéressé à elle, mais nous savons toutes les deux pourquoi !

Leslie hésita un peu.

– Enfin, elle est...

– Ça va au-delà de l'insignifiance. Inintéressante au possible. Fagotée comme une vraie péquenaude. Complètement hors du coup. Complètement imprégnée de ses feuilletons à l'eau de rose. Elle vit dans un monde qui n'existe pas. Pas étonnant que les hommes fassent un détour quand ils la voient.

– Oui, mais cet homme a peut-être lu dans son âme et...

Fiona émit un son méprisant :

– Pff ! Et qu'est-ce qu'on y trouve, dans son âme ? Gwen n'est pas stupide, mais elle n'a plus rien appris depuis l'école et se fiche de ce qui se passe à l'extérieur de sa ferme. Quand tu verras ce Dave Tanner, tu comprendras que jamais il ne supportera de vivre avec une femme comme elle. Avec laquelle il ne pourra pratiquement pas parler.

– Tu veux dire...

– Il est cultivé, intelligent et s'intéresse à tout ce qui se passe dans le monde. Sans compter qu'il est pas mal du tout physiquement, et qu'il doit avoir des tas d'occasions. Mais il a foutu sa vie matérielle en l'air. Et, d'après moi, voilà le point crucial.

– Tu veux dire... répéta Leslie.

– Tu sais ce qu'il fait pour vivre ? Il donne des cours du soir à des ménagères. Alors qu'il a fait des études universitaires, mais il les a interrompues juste avant les examens pour aller s'engager dans un mouvement pour la paix et d'autres trucs idiots du même genre. Maintenant, il a quarante-trois ans et il loue une petite chambre parce qu'il ne peut pas se payer autre chose. Et ça, il en a marre.

61

– Tu en sais, des choses !

– J'aime bien poser des questions directes. Et d'après les réponses qu'on me donne et celles qu'on ne me donne pas, je me forge une image qui est souvent juste.

Une nouvelle bouffée de cigarette, puis Fiona reprit :

– Etudiant raté, pacifiste, activiste écologique, tout ça, c'est plutôt sympathique pour un jeune homme. C'est plus excitant qu'une existence bourgeoise. Mais il arrive un moment où ça bascule... Quand on prend de l'âge... Quand la vie en colocation et les manifestations pour protester contre ceci ou cela ne conviennent plus à vos aspirations. Je suppose que ce Tanner est insatisfait depuis pas mal de temps, et qu'en plus, il est en pleine crise de la quarantaine. C'est sa dernière chance avant la fermeture définitive des portes. Je vais jusqu'à affirmer qu'il est en pleine panique, même s'il joue à fond la décontraction.

– Tu sais ce que tu es en train de dire ?

– Oui, et il faudrait le dire à Gwen.

Leslie se mordit les lèvres :

– Fiona, ce n'est pas possible. Ça la... non, c'est impossible !

– Mais tu sais ce qui l'attend ? protesta Fiona. Ce type va faire son nid dans la ferme en guettant le moment béni où Chad cassera sa pipe, ce qui ne va plus durer une éternité. Il aura peut-être un tas de bonnes idées pour transformer la ferme en logis de vacances attrayant, et peut-être même qu'il les mettra en pratique. Mais quand on se marie, c'est pour autre chose, non ? Je te fiche mon billet que cette pauvre Gwen portera des cornes en veux-tu en voilà. Il a un faible pour les étudiantes du campus, d'après ce que je sais, et quand Gwen s'en apercevra, le ciel lui tombera sur la tête. Tu veux qu'on laisse les choses en arriver là ?

– C'est elle qui a décidé de laisser les choses en arriver là, à n'importe quel prix.

– Parce qu'elle croit qu'elle n'a pas le choix. Ça fait des années qu'elle attend le prince charmant qui l'emmènera dans son château sur son fier destrier. Il est enfin arrivé, et si ce n'est pas sur son fier destrier mais dans un vieux tas de ferraille innommable, qu'est-ce que ça peut faire ? Il est le seul à l'horizon. C'est tout ce qui compte pour Gwen. Au point qu'elle met le couvercle sur tous les signaux que lui envoie son instinct.

– Au téléphone, elle m'a paru changée. Plus libre. Plus gaie. J'ai été vraiment heureuse pour elle.

– Evidemment, qu'elle est heureuse et épanouie ! Bon Dieu, Leslie, ajouta Fiona en écrasant rageusement sa cigarette, tu crois que je réussirai à me prendre par la main et à lui dire la vérité ? Bien sûr que non ! Personne ne le fera. C'est difficile, comme situation...

– Peut-être que ce n'est pas à nous de le faire. Nous ne sommes même pas de sa famille.

– N'empêche qu'elle n'a que nous. Son père n'est pas enchanté de Tanner, mais il ne va pas s'en mêler. Il a toujours été faible avec sa fille. Ce n'est pas aujourd'hui qu'il va lui mettre un verrou. Mais moi... elle m'a toujours considérée comme une mère de substitution. Elle a toujours compté sur moi. J'aimerais...

Elle s'interrompit abruptement, peut-être parce qu'elle voyait que son souhait était vain. Elle changea de sujet.

– Et toi, comment vas-tu, Leslie ? Comment se sent-on quand on est... jeune divorcée ?

Leslie haussa les épaules :

– Je me suis habituée à vivre seule. Le divorce n'a été qu'une formalité.

– Mais tu n'as pas l'air très heureux.

– Ça t'étonne ? Je pensais vivre avec Stephen jusqu'à la fin de mes jours. Nous voulions des enfants... Je n'avais pas l'intention de me retrouver à trente-neuf ans toute seule dans un petit appartement parfait pour célibataire et de repartir de zéro.

– Je n'ai jamais compris pourquoi tu as demandé le divorce. Vous alliez tellement bien ensemble ! Mon Dieu... ce n'est pas parce qu'il a bu un coup de trop et qu'il a fauté avec une gamine dont il avait déjà oublié le nom le lendemain que... Il a vraiment fallu que tu fiches ton mariage en l'air à cause de ça ?

– Je n'avais plus confiance en lui. Au début, j'ai cru moi-même que ce n'était pas très grave au fond, mais quand on n'a plus confiance, ce n'est plus possible au quotidien. Tout avait changé. Je ne pouvais plus... je ne pouvais plus le supporter, *lui*.

– Tu as pris ta décision, ça ne regarde que toi.

– Exactement, renchérit Leslie. C'est pareil pour Gwen. C'est sa vie. C'est à elle de savoir ce qu'elle fait. Ce Tanner est l'homme pour lequel elle s'est décidée. Nous devons respecter sa décision.

Fiona marmonna quelques paroles inintelligibles. Leslie se pencha vers elle :

– Et toi, Fiona... tu ne m'as pas l'air en forme. Je ne t'ai jamais vue aussi pâle. Tu as maigri. Tout va bien ?

– Bien sûr ! Mais que veux-tu, je suis vieille. Tu ne peux pas t'attendre à ce que je paraisse plus rose et plus fraîche qu'avant. Je suis sur la pente descendante, maintenant. Hélas !

– C'est bien la première fois que tu tiens des propos aussi pessimistes.

– Je ne suis pas pessimiste, je suis réaliste. L'automne a commencé, il fait froid et humide. Je sens mes rhumatismes. C'est normal. Normal que je ne sois plus celle que tu as connue.

– Tu es sûre que tu n'as rien qui te tourmente ?

– Tout à fait sûre. Ecoute, Leslie, ne te fais pas de souci pour moi. Tu en as assez de ton côté. Et maintenant, dit Fiona en se levant, au lit ! Il est tard. J'aurai besoin de toutes mes forces, demain, pour affronter cette enivrante fête de fiançailles dans le décor idyllique de la ferme Beckett... d'autant plus que je sais que c'est le point de départ d'une tragédie !

– Eh bien, si, tu es quand même drôlement pessimiste, commenta Leslie en suivant des yeux sa grand-mère qui quittait la pièce.

Elle connaissait Fiona. Mieux que personne.

Elle était sûre qu'il se passait quelque chose.

Samedi 11 octobre

1

– Mais vous m'avez déjà demandé tout ça ! gémit Linda Gardner, lassée.

Elle s'apprêtait à sortir faire des courses avec sa fille lorsque l'inspecteur Almond l'avait appelée pour lui demander si elle pouvait faire un saut chez elle. Almond était la petite femme policier au corps sec avec laquelle elle avait eu de longues conversations au mois de juillet. Le cauchemar se réveillait ! D'ailleurs, il ne s'était jamais complètement éloigné.

– Je sais, répondit Valerie Almond.

Elles se faisaient face, installées au salon. L'enquêteuse avait conscience de la rude épreuve qu'elle faisait subir une fois de plus à son interlocutrice.

– Mais vous savez, madame Gardner, nous sommes dans l'impasse concernant ce crime horrible. C'est pourquoi nous reprenons l'affaire du début à partir des éléments que nous possédons, et ils ne sont pas très nombreux. Nous avons peut-être laissé passer une chose que nous n'avons pas vue... Ou l'une des personnes interrogées se souviendra d'un détail qu'elle a oublié de nous signaler à l'époque... Ce ne serait pas la première fois que nous arriverions à dénouer une affaire de cette manière.

Linda regarda la fenêtre comme s'il pouvait y avoir là quelque chose où se raccrocher. Le ciel était d'un bleu resplendissant par cette journée d'octobre ensoleillée.

– C'est que... je me fais tellement de reproches, murmura-t-elle. Si je n'avais pas pensé avant tout à mon plaisir, si je n'avais pas oublié l'heure… peut-être qu'Amy serait toujours vivante. Vous savez, depuis que mon mari nous a quittées, mon quotidien est souvent difficile. J'élève ma fille seule et je n'ai donc pas beaucoup de distractions. Souvent, je me sens enchaînée à cette maison, à mon enfant… Les soirées avec mes élèves du cours de français étaient ma respiration. Des gens de mon âge, avec lesquels je pouvais aller au pub après le cours, boire un verre, rire, bavarder… en sachant la petite en bonnes mains avec Amy. Je ne pouvais m'offrir une baby-sitter qu'une fois par semaine. Les mercredis soir étaient… je les attendais avec impatience pendant toute la semaine.

– Vous parlez au passé, fit remarquer Valerie, vous n'enseignez plus ?

– Si. Mais je ne sors plus avec mes élèves. Je ne pourrais pas.

Ses yeux s'humidifièrent. Elle serra les lèvres pour se reprendre.

Valerie la regarda avec compassion.

– Ne vous faites pas trop de reproches, dit-elle. Vous ne savez pas si cela ne serait pas arrivé si vous étiez rentrée plus tôt.

– Mais ce… cet assassin était justement dans les Esplanade Gardens quand Amy y est entrée. Si elle était partie plus tôt…

– Ce n'est que l'une des possibilités, l'interrompit Valerie. Celle d'un assassin qui se baladait dans le parc, puis est tombé par hasard sur une victime. L'autre possibilité, c'est que quelqu'un ait délibérément visé Amy Mills. Il n'y a toujours pas d'explication à la présence de ces deux barrières qui empêchaient l'accès direct. Nous avons interrogé les ouvriers, à l'époque, et ils nous ont juré qu'elles n'avaient pas été placées par eux. Ni par les gérants du parc. Il n'y avait aucune raison de barrer ce chemin, tout était accessible. Ce peut aussi être une blague de gamins. Mais quelqu'un a peut-être délibérément barré la route à Amy. Elle n'avait plus d'autre choix que de passer par le parc. Son assassin a pu l'attendre là-bas après l'avoir vue arriver sur le pont. Cela aurait parfaitement pu se passer deux heures plus tôt. Peut-être qu'avec votre retard, vous avez simplement fait attendre le type plus longtemps que prévu.

– Si c'était prévu…

– Nous ne pouvons pas l'écarter. Voilà pourquoi je vous ai demandé qui savait qu'Amy faisait du baby-sitting chez vous.

Linda Gardner sembla troublée.

– Mais... que cherchait cette personne ? Parce que... ce n'était pas un crime sexuel, non ? Et l'assassin n'a pas emporté son argent. De toute façon, Amy n'avait presque rien sur elle.

– Quand on a affaire à un fou, on a toutes sortes de raisons d'assassinat, fit observer Valerie.

Devant la mine oppressée de son vis-à-vis, elle n'allait pas l'évoquer, mais après avoir vu le corps horriblement martyrisé d'Amy, elle avait été convaincue que le mobile du crime était la haine. Soit une haine personnelle et ciblée contre Amy, soit une haine générale et non moins féroce contre la gent féminine.

Elle revint à sa première question :

– Qui savait qu'Amy Mills faisait du baby-sitting chez vous ?

Elle jeta un coup d'œil à sa fiche.

– En juillet, pendant notre interrogatoire, vous avez parlé de vos élèves du cours de français. Vous avez déclaré que vous aviez huit élèves en tout le mercredi. Six femmes et deux hommes. Ce mercredi-là, ils étaient tous présents.

– Oui, mais...

– Nous les avons contactés. Il ne semble pas, effectivement, que l'un d'eux ait un rapport quelconque avec l'affaire, même si, à l'instant présent, je ne peux exclure aucune possibilité. Y a-t-il encore quelqu'un ?

Linda réfléchit.

– La vieille dame qui habite en bas de chez moi pourrait le savoir, mais je n'en suis pas sûre. Parce que je ne lui en ai jamais parlé, mais elle voyait peut-être Amy passer devant chez elle quand elle arrivait et quand elle repartait.

– Comment s'appelle cette dame ?

– Copper. Jane Copper. Mais vous n'allez pas la soupçonner... ce serait absurde. Elle est petite et fragile, et elle a bientôt quatre-vingts ans.

– Elle vit seule ? Est-ce qu'elle reçoit souvent la visite de parents ou d'amis ? D'un fils ? D'un petit-fils ? De quelqu'un d'autre ?

– A ma connaissance, il n'y a personne. Elle a l'air très solitaire.

Valerie nota le nom de Jane Copper, mais sans grand espoir.

– Mon ex-mari est au courant, déclara soudain Linda. Oui, je le lui ai dit.

– Où habite votre ex-mari ?

– A Bradford. Donc, pas tout à fait à côté. Mais il ne connaissait pas Amy, pas même de nom. Un jour, je lui ai dit au téléphone que je donnais des cours de français pour arrondir mes fins de mois, et il m'a demandé ce que je faisais de la petite pendant ce temps. J'ai répondu que j'avais trouvé une étudiante pour la garder. Mais je crois qu'il ne sait même pas que les cours ont lieu le mercredi. Vous savez, nous avons très peu de contacts.

– Mais j'aimerais tout de même avoir le nom et l'adresse de votre ex-mari, insista Valerie.

Linda lui donna les indications.

– Pourquoi avez-vous divorcé ?

Linda eut un sourire amer.

– Les filles. Les filles très jeunes. Il était incapable de résister.

– Des mineures ?

– Non, tout de même pas.

Valerie gribouilla quelque chose sur son bloc.

– Nous allons contacter votre mari. Vous n'avez pas d'autre idée ?

– Je ne sais pas...

– Quelqu'un de l'école ? insista Valerie.

Linda se creusa la tête. Qui connaissait-elle vraiment là-bas ? Elle n'avait de lien avec personne, par manque de temps, de disponibilité...

Mais au fond de sa mémoire, il y avait quelque chose, un vague souvenir... Après le meurtre, elle avait parlé de la tragédie avec bon nombre de collègues, avait avoué qu'elle était celle chez qui Amy faisait du baby-sitting et qui avait agi avec tant de légèreté en s'attardant ce soir-là... mais avant ? Oui, elle avait le sentiment de l'avoir dit à quelqu'un. Quelqu'un de l'école.

Soudain, elle s'en souvint. Un type pas mal du tout qui enseignait lui aussi le français. Avec qui elle s'était mise d'accord au début sur les jours et les horaires. Lors du premier interrogatoire, il ne lui était pas venu à l'esprit.

– Dave, dit-elle, Dave Tanner. Je crois qu'il le savait.

Valerie se pencha en avant.

– Qui est Dave Tanner ? demanda-t-elle.

Dès la première seconde, la soirée se dirigea vers la catastrophe finale. Plus tard, tous devaient se déclarer d'accord sur ce point et tous devaient confirmer qu'ils avaient l'impression d'être assis sur une poudrière.

Comme d'habitude, ce fut Fiona qui fut incapable de tenir sa langue. Elle avait détaillé Gwen du haut en bas en haussant les sourcils. Chose extraordinaire, la jeune femme portait une jolie robe de velours pêche rehaussée d'une ceinture vernie noire, dévoilant ainsi ce qu'aucun des convives n'avait soupçonné : Gwen avait la taille très fine et des formes beaucoup plus délicates que ne le laissaient deviner ses robes ordinairement taillées comme des sacs de pommes de terre.

– Jolie robe, déclara Fiona. Elle est neuve ? Elle te va bien !

Gwen sourit, heureuse du compliment.

– C'est Dave qui l'a choisie. Il m'a dit que je devais mettre ma silhouette un peu plus en valeur.

– Il a bien raison, confirma Fiona d'une voix douce.

Puis, aussitôt après, elle sortit les griffes :

– C'est lui qui l'a payée ?

Gwen se figea.

– Ecoute, Fiona, ça ne te regarde pas, marmonna Leslie, très embarrassée.

Dave Tanner pinça les lèvres.

– Non, répondit Gwen, mais c'est moi qui n'ai pas voulu.

– Il n'y a pas de mal pour un homme à faire un cadeau à sa fiancée, déclara Fiona, mais évidemment, ce n'est que mon opinion.

Un silence gêné succéda à ses paroles. Ce fut Jennifer Brankley qui sauva la situation. Elle avait aidé Gwen à faire la cuisine et à mettre la table, ce qui lui conférait le statut d'hôtesse adjointe.

– C'est prêt, annonça-t-elle avec une gaieté forcée. Si vous voulez bien passer au séjour...

Le séjour servait également de salle à manger. Ils avaient pris place autour de la table en faisant péniblement la conversation. Colin Brankley, qui n'ouvrait pratiquement pas la bouche, se fit la réflexion, en observant les participants, que les gens avaient tous l'air de souhaiter se trouver à mille kilomètres de là. Surtout Dave Tanner.

Colin Brankley était directeur d'une agence bancaire à Leeds. Il savait qu'on ne lui prêtait que peu d'imagination et de psychologie, et qu'on voyait en lui un insipide rond-de-cuir ne vivant que pour ses bilans et ses dossiers. Mais, en réalité, c'était un grand amoureux des livres qui leur consacrait tout son temps libre et s'échappait plus souvent qu'à son tour dans son monde imaginaire. Il réfléchissait beaucoup aux personnages auxquels il était confronté dans les romans et, contrairement à ce que suggéraient son visage rond surmonté de cheveux clairsemés et ses grosses lunettes, c'était un fin psychologue.

Pendant qu'il avalait sans s'en rendre vraiment compte son rôti d'agneau à la menthe, il étudia les convives.

Chad Beckett, le père de Gwen. Rentré en lui-même comme toujours, il ne laissait rien paraître des sentiments qu'il éprouvait vis-à-vis des fiançailles de sa fille avec ce Dave Tanner assez impénétrable et surgi du néant. Peut-être s'inquiétait-il, mais il n'était pas homme à se livrer, en privé et encore moins en public. Et jamais il ne tenterait de contrecarrer sa fille, même pour son bien.

Fiona Barnes. Vindicative, à son habitude. Comme de juste, se sentait responsable de la famille Beckett, de la fille comme du père. Elle était assise à côté de Chad, qu'elle comblait de ses attentions maternelles, lui coupant sa viande et veillant à ce qu'il ne manque de rien. Colin la connaissait bien, car elle venait souvent à la ferme pendant les mois d'été. Elle prenait le soleil devant la maison avec Chad ou partait en promenade à travers prés en sa compagnie. Tous deux se querellaient souvent, mais à la manière d'un vieux couple chez qui les disputes constituaient un rituel familier et une forme de conversation particulière. Fiona Barnes était traitée comme une vieille amie de la famille, mais sans que l'on sût exactement comment s'était nouée cette amitié ni de quand elle datait.

Colin était certain que Fiona et Chad, à une certaine époque, avaient été amants. Comme Chad s'était marié très tard, Colin supposait que la liaison avait eu lieu avant. Fiona était devenue très tôt quelqu'un d'important pour Gwen, orpheline de mère. Cette dernière semblait tenir beaucoup à la vieille dame et attacher de l'importance à son avis. Toutefois, il y avait peu de chances pour que la jeune femme se laisse dissuader d'épouser Tanner, quelles que soient les préventions de Fiona.

Leslie Cramer, la petite-fille de Fiona. Colin la voyait pour la première fois. Mais il savait par Gwen qu'elle venait de divorcer. Elle était médecin. Sa mère étant morte prématurément, elle avait été élevée par sa grand-mère et l'avait fréquemment accompagnée à la ferme Beckett. Gwen et elle étaient donc devenues des sortes d'amies, même si on pouvait difficilement imaginer deux personnes plus différentes. Leslie présentait toutes les caractéristiques de la femme ambitieuse, un peu froide, disciplinée, carriériste. Elle paraissait tout à fait déplacée dans cette maison défraîchie, d'un autre âge. A commencer par son ensemble pantalon gris clair, très chic, qui ne s'accordait pas du tout avec la campagne du Yorkshire. Pourtant, Colin avait l'impression qu'elle assistait de bon cœur à ces fiançailles, qu'elle était attachée à Gwen, et même à ce Chad avare de paroles, ainsi qu'à sa ferme décrépite. Derrière sa façade de jeune femme bien habillée et maquillée avec art, elle semblait seule, et, parfois, presque triste.

Gwen, l'heureuse fiancée. Dave Tanner avait eu raison, cette robe couleur pêche qui peignait un éclat rosé sur ses joues pâles lui allait bien. Elle était plus jolie que d'habitude, mais semblait très tendue. Gwen n'était pas stupide. Elle savait que son fiancé était observé à la loupe et sentait évidemment l'aversion naturelle de Fiona, la réserve de Leslie, le malaise qui se cachait derrière le mutisme de son père. Cette soirée n'était assurément pas celle dont elle avait rêvé. Elle s'efforçait d'entretenir une conversation languissante, dans le souci visible d'éviter les temps morts que Fiona pourrait mettre à profit pour envoyer une remarque cinglante ou poser des questions déplacées. Colin la plaignait de tout son cœur. Il lui dédia un sourire d'encouragement, mais elle était beaucoup trop nerveuse pour le remarquer.

A côté d'elle, Dave Tanner, son futur époux. Colin l'avait déjà aperçu quand il était venu prendre Gwen à bord de sa vieille guimbarde. Un bel homme qui ne parvenait pas tout à fait à dissimuler l'état de sa situation matérielle. Il avait grand besoin d'aller faire un tour chez le coiffeur, et à en juger par sa coupe et son tissu, sa veste provenait d'un magasin bon marché. Colin se dit que ce style un peu négligé lui allait bien, que cela lui donnait un air artiste, bohème, mais Tanner n'y semblait pas à l'aise. Cet homme paraissait acculé, aux abois. Il était sous pression. Etait-il amoureux de Gwen ? Colin en doutait. Les motivations qui le poussaient à ce mariage étaient d'une autre nature, ce qui ne l'empêchait pas d'être probablement décidé à faire de son mieux. Pas un mauvais bougre, jugea Colin.

Ce n'était certes pas l'avis de Fiona Barnes.

Le regard de Colin se posa sur Jennifer, sa femme. Elle était assise à l'autre bout de la table, de manière à pouvoir surveiller ses chiens qui dormaient, allongés sur leurs couvertures près de la porte. Cal ronflait légèrement, tandis que Wotan rêvait en agitant violemment ses pattes arrière. Parfois, il plantait ses griffes dans le sol dallé. Jennifer semblait... satisfaite. Un état que Colin ne manqua pas de noter, car il était rare qu'on puisse la décrire comme quelqu'un de satisfait. Elle souffrait du syndrome du saint-bernard, se battait contre sa dépression, avait décroché professionnellement et n'arrivait pas à surmonter ce qu'elle appelait avec obstination son *échec*. En dehors de cela, c'était une personne bonne, généreuse, qui semblait complètement ignorer les notions telles que l'envie ou la méchanceté.

Dès son arrivée à la ferme, elle s'était sentie responsable du bien-être de Gwen. Elle n'était pas sans méfiance vis-à-vis de Dave Tanner, mais semblait déterminée à ignorer ses craintes. Visiblement, Jennifer s'était interdit de blesser ou de décourager Gwen au stade présent, quelle que soit l'évolution future. Sans doute avait-elle envie d'envoyer Fiona Barnes au diable.

Après que Jennifer eut servi le dessert – de la glace au citron accompagnée de petits sablés au gingembre faits maison – Fiona se tourna soudain vers Dave Tanner, et la manière dont elle l'attaqua sembla révéler qu'elle avait attendu ce moment pendant toute la soirée.

– Est-ce que vous exercez par ailleurs une véritable activité ? l'apostropha-t-elle. C'est-à-dire en dehors de ces quelques soirs par semaine où vous essayez d'inculquer des rudiments de français et d'espagnol aux ménagères de Scarborough ?

Gwen commença par pâlir, puis elle rougit. Elle adressa un regard de détresse à Jennifer qui, s'apprêtant à porter sa cuillère à sa bouche, s'arrêta brutalement dans son mouvement. Colin vit Leslie Cramer fermer brièvement les yeux.

Parfois, elle a du mal à supporter sa grand-mère, se dit-il avec un certain amusement.

72

– Pour l'instant, répondit Dave, ces cours constituent ma seule activité.

Fiona simula l'étonnement :

– Et ça vous suffit ? Vous, un homme dans la force de l'âge ? Vous avez quarante-trois ans, n'est-ce pas ? Vous voulez vous marier, fonder une famille. Vous aurez peut-être des enfants avec Gwen. Qu'est-ce que vous direz à vos enfants quand ils vous poseront des questions sur votre métier ? Que vous donnez des cours de langues le soir de temps en temps... combien de soirs par semaine ?

– Trois soirs seulement pour le moment, répondit Dave.

Il restait poli, mais semblait très tendu.

– J'aimerais bien donner plus de cours, poursuivit-il, mais la demande n'est pas assez forte. D'autant plus qu'il y a une autre enseignante, Linda Gardner, qui enseigne également le français...

Gwen saisit la balle au bond pour changer de sujet.

– Linda Gardner est devenue une sorte de célébrité à Scarborough, mais pour une affaire très triste. C'est chez elle qu'Amy Mills a fait du baby-sitting le soir où elle a été assassinée.

Leslie accourut aussitôt à la rescousse.

– Ah bon ? Il y a eu un crime à Scarborough ?

Mais Fiona empêcha Gwen de répondre en revenant à la charge :

– Pour l'instant, dit-elle d'un ton incisif, je m'intéresse beaucoup plus à M. Tanner qu'à cette malheureuse Amy Mills. Chad (elle se tourna vers le vieil homme qui examinait sa glace d'un air méfiant, comme s'il y flairait une menace), Chad, je pose des questions que tu devrais poser toi-même. Est-ce que tu as déjà eu une conversation détaillée avec ton futur gendre ?

Chad leva la tête :

– A propos de quoi ?

– A propos de ses intentions, par exemple. Parce que c'est ta fille qu'il veut épouser, ton unique enfant.

– J'aurais du mal à l'empêcher, répondit Chad d'un ton las. Et pourquoi je voudrais le savoir ? Gwen est majeure et vaccinée, c'est à elle de savoir.

– Il n'a pas d'argent et il n'a pas de vrai métier. Ça devrait t'intéresser, ça !

– Fiona, tu vas trop loin ! s'écria Leslie d'un ton coupant.

Elle avait parlé si fort que Cal et Wotan se réveillèrent en même temps. Cal poussa un grognement sourd.

– Elle a raison, dit Dave.

Il dévisagea Fiona. Ni ses yeux ni son expression ne trahissaient ses sentiments.

– Vous avez raison, madame Barnes. Je n'ai pas de vrai métier. J'ai négligé malheureusement de terminer mes études ou de suivre une formation quelconque. Et ces cours me permettent tout juste de m'en sortir. Mais je n'ai jamais affirmé le contraire à Gwen. Je ne joue pas la comédie. Ni devant Gwen ni devant personne.

– Je crois que si, monsieur Tanner, répliqua Fiona d'un ton calme.

Gwen poussa un petit cri d'effroi.

Jennifer enfouit son visage dans ses mains.

Leslie eut l'air de se retenir à grand-peine d'étrangler sa grand-mère.

A ce moment, Chad lui-même se sentit obligé de dire quelque chose.

– Fiona, on ferait peut-être mieux de ne pas s'en mêler, dit-il, surtout nous deux...

– Qu'est-ce que tu veux dire par surtout *nous deux* ? aboya Fiona.

L'expression de Chad, qui arborait toujours un air un peu perdu, changea. Son regard devint clair et direct.

– Tu le sais très bien, répondit-il tranquillement.

– Je trouve que... commença Leslie.

Mais elle fut interrompue par Tanner qui se leva brusquement et repoussa sa chaise :

– Madame Barnes, je ne sais pas exactement de quoi vous me soupçonnez. Mais je n'ai pas l'intention de continuer à me laisser traiter de cette façon, bien que cette sympathique réunion si harmonieuse soit donnée en l'honneur de mes fiançailles. Je crois que nous en avons tous assez vu pour ce soir.

– Dave, s'il te plaît, ne pars pas ! le supplia Gwen, devenue blanche comme un linge.

– Monsieur Tanner, je peux vous dire de quoi je vous soupçonne, dit Fiona, et Colin pensa que cette vieille bonne femme ne sentait décidément pas à quel moment il fallait se taire. Je vous soupçonne de ne pas aimer Gwen, ni même de l'estimer ou de vous intéresser à elle. Je vous soupçonne de vouloir mettre le grappin sur la ferme Beckett par ce mariage. Je vous soupçonne, monsieur Tanner, de vous trouver dans une situation tellement angoissante, tellement

dénuée de perspectives que vous n'avez trouvé qu'une seule issue :
vous marier avec une femme qui a du bien. Vous savez parfaitement
ce qu'on pourrait faire de cette ferme, de ce terrain situé au bord de
la mer. Vous marier avec Gwen, ce serait tirer le gros lot, et ce
gros lot, vous voulez l'avoir à n'importe quel prix. Les sentiments de
Gwen, son avenir, tout ça vous est parfaitement égal.

Un silence consterné suivit ces paroles.

Puis Dave Tanner sortit de la pièce à grands pas.

Gwen se mit à sangloter.

A la chaleur du feu qui brûlait dans la cheminée, la glace fondit
lentement dans les coupes. Plus personne n'y toucha.

Dimanche 12 octobre

1

Elle rentra peu après minuit chez sa grand-mère, toujours bouillante de rage. Et un peu soûle. Et même très soûle, sans doute, car elle avait eu beaucoup de mal à trouver la serrure de la porte de l'immeuble, puis elle s'était trompée d'appartement et, par bonheur, avait remarqué son erreur à temps.

A présent, arrivée à bon port, elle se dit qu'il lui faudrait au moins deux cachets d'aspirine pour éviter d'aller vraiment très mal le lendemain.

La porte de la chambre de Fiona était fermée. Sans doute sa grand-mère dormait-elle paisiblement. Leslie songea un instant à aller vérifier, puis se ravisa. Mieux valait ne pas prendre de risque. Elle ne répondait plus de rien si Fiona se réveillait. Selon toute probabilité, la dispute qui ne manquerait pas d'éclater serait si grave qu'elle déboucherait sur un silence radio des deux côtés pendant des mois.

Peut-être la nuit dissiperait-elle les plus gros nuages.

Leslie se glissa dans la salle de bains, farfouilla dans l'armoire à pharmacie, trouva une boîte d'aspirine contenant miraculeusement deux derniers comprimés.

Pendant que les médicaments se dissolvaient dans l'eau, elle revit les images de l'horrible soirée.

Après le départ précipité de Dave, ils l'avaient entendu s'évertuer cinq ou six fois de suite à faire démarrer sa voiture.

Il ne va peut-être pas y arriver et il va revenir, avait pensé Leslie. Mais elle s'était dit en même temps qu'après une telle humiliation,

77

il lui serait impossible de rebrousser chemin, même s'il devait accomplir à pied le trajet du retour à Scarborough.

La voiture avait finalement consenti à se mettre en route et il avait démarré en trombe avec un hurlement trahissant la mauvaise santé du moteur.

Gwen s'était levée sans un mot et avait quitté la pièce. Leslie avait entendu le bruit de ses pas dans l'escalier. Des pas fatigués, lents.

Leslie s'était levée à son tour, mais, déjà, Jennifer avait gagné la porte :

– Laissez, je vais m'occuper d'elle, lui avait-elle dit.

Puis elle avait ajouté avec un regard froid en direction de Fiona :

– Il vaudrait peut-être mieux que vous rameniez votre grand-mère.

Sur ce, elle était sortie. Cal et Wotan s'étaient hissés sur leurs pattes avec un soupir et l'avaient suivie.

– Fiona, comment as-tu pu... avait commencé Leslie, mais sa grand-mère lui avait coupé aussitôt la parole :

– Je n'ai pas envie de rentrer maintenant. Il faut que j'aie une conversation importante avec Chad. Rentre toute seule. Je prendrai un taxi.

– Tu n'es pas près d'avoir un taxi, ici...

– Je viens de te dire qu'il faut que je parle à Chad. Ça peut prendre du temps. Donc, soit tu m'attends, soit tu me laisses prendre un taxi.

Elle avait fait signe à Chad de la suivre.

Une fois de plus, sa grand-mère, après avoir s'être comportée comme un éléphant dans un magasin de porcelaine, avait imposé sa volonté sans la moindre ébauche de regret. Comme si de rien n'était.

– Non, avait répliqué Leslie d'un ton furieux, je ne vais pas attendre, je crois que je ne pourrai pas passer une seconde de plus ici.

Fiona avait haussé les épaules. Malgré tout l'amour qu'elle lui portait, Leslie détestait sa façon de se réfugier derrière une façade de froideur et de dédain quand elle refusait la confrontation. Plus d'une fois, pendant son adolescence, elle avait subi ce genre de comportement et en avait souffert.

De vieilles blessures commençaient à se réveiller. Rester en cet instant à proximité de sa grand-mère lui avait paru tout simplement impossible. Et voilà pourquoi elle n'était pas rentrée immédiatement dans cet appartement où, pour couronner le tout, on ne trouvait pas une goutte d'alcool pour y noyer sa colère et sa tristesse.

Elle avait dit au revoir à Colin – un gars bizarre, impénétrable –, lequel lui avait assuré qu'il s'occuperait du taxi pour Fiona. Jennifer était auprès de Gwen.

Elle était montée dans sa voiture et avait démarré sur les chapeaux de roue. A Burniston, elle s'était arrêtée devant un pub brillamment éclairé. Le Three Jolly Sailors était plein. Les clients étaient presque exclusivement des hommes, des mâles qui l'avaient suivie de leurs yeux mi-surpris, mi-égrillards lorsque, se dirigeant tout droit vers le bar, elle s'était installée sur l'un des tabourets garnis de cuir. Dans la campagne du Yorkshire, les femmes ne fréquentaient pas les pubs sans être accompagnées, mais elle n'en avait cure. Elle avait commandé un whisky double, puis un autre, et encore un autre, et à présent, avec le recul, elle se dit qu'elle en avait peut-être bien commandé un de plus. Elle se rappelait l'odeur intense de désinfectant exhalée par les toilettes, et se souvenait du vieux serveur qui avait posé devant elle une assiette de frites recouvertes de fromage fondu. « Il faut manger quelque chose avec », lui avait-il recommandé, mais, à la vue des frites mollassonnes et du fromage qui coulait, elle s'était retrouvée au bord de la nausée.

Un client l'avait abordée, mais elle l'avait remis à sa place avec une telle agressivité qu'il avait décampé sans demander son reste.

Elle savait, en regagnant sa voiture d'un pas mal assuré à minuit passé, qu'elle n'était pas en état de conduire, mais cela lui était parfaitement égal. Par chance, la police avait brillé par son absence sur la route, et elle était arrivée saine et sauve à la maison.

A la maison... Pour le moment, c'était l'immense immeuble tape-à-l'œil peint en blanc dans lequel sa grand-mère possédait un appartement, Prince of Wales Terrace, South Cliff, l'une des meilleures adresses de Scarborough. Orienté au sud, avec vue sur toute la baie. Pourtant, Leslie ne s'y était jamais sentie à l'aise. Et cette nuit-là ne faisait pas exception.

Les comprimés avaient fondu. Leslie but à petites gorgées. Pas la peine de rajouter la gueule de bois à tout le reste. Cela ne ferait qu'aggraver les choses.

Quelles choses ?

Elle se regarda dans la glace. La chose grave était la façon dont on avait gâché la soirée de Gwen. Il ne restait plus qu'à espérer que

Dave Tanner n'avait pas filé pour de bon. Mais était-ce à cause de cela, et uniquement à cause de cela, qu'elle ressentait un tel mal-être ?

Mais non ! se dit-elle. C'est à cause de cet horrible vieux glaçon ! Elle est tellement froide, ma chère grand-mère, que j'aimerais pouvoir me tirer maintenant, en pleine nuit ! Le problème, c'est que j'ai peur de retourner chez moi.

Chez elle, dans cet appartement si vide depuis que Stephen était parti. Cet appartement où tout le lui rappelait. Où, deux ans auparavant, toute sa vie s'était écroulée. Tout… l'amour, le bonheur, le sentiment d'appartenance, la sécurité, les projets d'avenir…

Elle revit le visage légèrement rougi de Stephen. Entendit sa voix sourde :

– Leslie, j'ai quelque chose à te dire…

Et elle avait pensé : ne le dis pas, il vaut mieux que tu ne le dises pas !

Car, en une fraction de seconde, elle avait deviné qu'il allait se passer une chose qui chamboulerait sa vie entière. Elle l'avait senti, elle avait voulu l'arrêter, mais c'était impossible à arrêter, et aujourd'hui encore, elle était coincée dans les ruines de cette soirée, sans arriver à comprendre.

Elle vida son verre d'aspirine. Tu es bourrée, Leslie, se dit-elle, ça te rend sentimentale. Stephen n'est pas parti, c'est toi qui l'as jeté dehors, et tu as eu bien raison. Si tu ne l'avais pas fait, c'était la mort à petit feu. Depuis deux ans, tu vis seule et tu t'en sors bien. Tu vas rentrer tranquillement chez toi demain. Pas cette nuit. Pas la peine d'atterrir dans le fossé.

Elle sortit de la salle de bains, passa sur la pointe des pieds devant la chambre de Fiona. Lorsque la porte de sa propre chambre se referma sur elle, elle respira, soulagée. La pièce tourna un peu autour d'elle, et elle eut un peu de mal à focaliser son regard sur les objets.

Ce dernier whisky a vraiment été le verre de trop, pensa-t-elle, déjà dans un demi-sommeil. Puis : J'aurais peut-être quand même dû manger les frites…

Elle parvint par quelque miracle à s'extraire de ses vêtements, les laissa tomber par terre, passa son pyjama et se coucha. Les draps et la couverture étaient froids. Elle frissonna et se roula en boule. En position fœtale.

Dr Leslie Cramer, radiologue, trente-neuf ans, divorcée. Qui gît, complètement bourrée, au fond d'un lit glacé à Scarborough. Sans personne pour la réchauffer. Personne.

Elle se mit à pleurer. Repensa à son appartement londonien vide et pleura encore plus fort. Tira la couverture sur sa tête, comme quand elle était petite. Pour que personne ne l'entende pleurer.

2

Il détestait les scènes comme celle qui venait de se dérouler. Il détestait voir les sentiments exposés, les émotions déborder, les femmes chialer, sa fille s'enfermer dans sa chambre, tout se déglinguer, et se retrouver par-dessus le marché fusillé de regards pleins de reproches, parce qu'on attendait de lui qu'il fasse quelque chose contre le chaos. Une attente à laquelle il ne pouvait pas répondre, mais sans doute n'avait-il jamais répondu aux attentes, d'où qu'elles viennent. Et c'était peut-être ça, le problème, de toute sa vie.

Chad Beckett avait quatre-vingt-trois ans.

Il n'y avait probablement aucune chance pour qu'il change.

On était dimanche et il était cinq heures du matin, mais il avait l'habitude de se lever à l'aube. Autrefois, son père venait régulièrement sortir toute la famille du lit dès quatre heures : comment Chad eût-il pu modifier le rythme qui avait régi toute sa vie ? D'ailleurs, il ne le souhaitait pas. Il aimait ces premières heures du jour, quand tout était silencieux et que le monde semblait n'appartenir qu'à lui seul. Souvent, il profitait de ce moment pour descendre sur la plage à la lueur grise de l'aube, parfois sous un épais brouillard venu de la mer qui ôtait toute visibilité. Il descendait alors le raidillon quasiment à l'aveuglette, mais sans aucune difficulté. Il connaissait le moindre caillou, la moindre branche jalonnant le chemin. Il avait toujours eu le pied sûr.

Maintenant, il ne s'y risquait plus. Depuis trois ans, il avait cette vilaine hanche qui l'empêchait de marcher à sa guise. Mais n'allait pas voir le médecin pour autant. Il n'avait rien de particulier contre les médecins, mais il ne croyait pas qu'on puisse guérir sa hanche. Il faudrait l'opérer, et l'idée d'aller à l'hôpital l'effrayait trop. Il sentait qu'une fois arrivé là-bas, il ne retrouverait plus jamais sa ferme, et comme il était décidé à mourir dans son lit, il ne pouvait prendre le risque de s'éloigner de sa terre dans la dernière ligne droite.

Il préférait serrer les dents.

La journée s'annonçait ensoleillée et claire, et cela signifiait qu'il n'irait pas trop mal. C'était l'humidité qui l'embêtait, quand le froid s'insinuait dans ses os. Dans cette maison difficile à chauffer, les pièces restaient toujours humides, surtout en hiver. Autrefois, sa mère déposait au fond des lits les briques qu'elle avait mises à chauffer pendant des heures sur le poêle de fonte de la cuisine. Comme les draps n'étaient jamais complètement secs, cela procurait un peu de chaleur. Mais sa mère était morte depuis une éternité, et Gwen n'avait pas connu cette tradition. Inutile de la reprendre, car le passé était le passé. Coucher dans des draps humides n'était pas très agréable, mais on finissait toujours par s'endormir, n'est-ce pas ?

Il tendit l'oreille. La maison était encore calme. Aucun bruit ne sortait de la chambre de Gwen, et rien ne bougeait chez les Brankley. Tant mieux. Après une soirée comme celle de la veille, tout ce monde-là lui porterait sur les nerfs.

Il se rendit d'un pas traînant à la cuisine pour se faire du café, mais recula devant le désordre qui régnait dans la petite pièce. La veille au soir, Jennifer s'était occupée de Gwen, puis elle était ressortie avec les chiens, et c'était sans doute Colin qui avait débarrassé la table. Seulement, après avoir transporté la vaisselle et les reliefs du repas à la cuisine, il s'était arrêté là. Les assiettes, les verres et les couverts s'amoncelaient sur la table, le buffet, dans l'évier... Les restes collaient dans les casseroles que personne n'avait recouvertes. L'odeur était désagréable.

Chad décida de renoncer provisoirement à son café.

Lentement, il gagna la petite pièce qui jouxtait le séjour et leur servait en quelque sorte de bureau. La ferme n'avait plus besoin d'une gestion particulière, mais c'était là que se trouvait l'ordinateur qui avait fait son entrée dans la maison à l'instigation de Gwen, malgré les préventions de Chad contre la modernité. Des dossiers datant de l'époque ancienne où l'exploitation engendrait encore de menus profits remplissaient les étagères de bois appuyées contre les murs. Quelques catalogues étaient posés sur la table de travail, des catalogues de vente par correspondance qui proposaient les affaires que Gwen commandait de temps en temps.

Il se laissa tomber en gémissant sur la chaise posée devant le bureau et mit l'ordinateur en route.

Penser qu'il avait appris à se servir d'un truc pareil ! Il avait freiné des quatre fers pendant longtemps, mais Fiona l'avait finalement convaincu d'installer Internet et d'avoir une adresse électronique. Plus exactement, c'était elle qui l'avait fait. C'était elle aussi qui lui avait installé un mot de passe.

– Gwen se sert souvent de l'ordinateur. Elle n'a pas besoin de lire ton courrier, avait-elle dit.

Il avait répondu :

– Quel courrier ? Déjà que je ne reçois pas de lettres normales, qui va m'écrire par l'ordinateur ?

– Moi ! avait répondu Fiona.

Ensuite, elle lui en avait expliqué patiemment le fonctionnement : comment accéder à son courrier, comment introduire le mot de passe – *Fiona*, bien sûr –, comment ouvrir ses messages, comment répondre... Depuis, ils correspondaient à travers ce drôle d'appareil dont Chad continuait à se méfier, mais à la fascination duquel il avait du mal à échapper. Il était content de recevoir de temps en temps une lettre de Fiona. Et de lui répondre par quelques mots brefs. Mais il n'était pas allé jusqu'à se plonger plus avant dans ce *machin moderne*, ainsi qu'il appelait l'ordinateur.

Il repensa à la soirée de la veille. Drôlement surexcitée, la Fiona ! C'était sans doute pour cette raison qu'il avait absolument fallu qu'elle provoque ce scandale. Cette attaque en règle contre Dave Tanner lui avait servi de soupape. Mais il n'empêchait que son aversion contre le fiancé de Gwen était sincère. Elle se méfiait au plus haut point de ce type. Elle avait peut-être raison, avec ses soupçons, mais ça ne valait pas le coup de s'énerver comme elle le faisait. C'était Gwen que ça regardait. Elle avait plus de trente ans, il était grand temps qu'elle se case et, pourquoi pas ? elle serait peut-être heureuse avec ce Tanner. On pouvait très bien se marier sans amour. Ce garçon cherchait peut-être effectivement à améliorer ses conditions de vie, et alors ? Ça ne pouvait que faire du bien à la ferme. Ils auraient peut-être des enfants. Gwen s'épanouirait dans son rôle de mère. C'était quelqu'un de très solitaire. Il fallait être réaliste : mieux valait Tanner que personne. Chad ne comprenait pas bien pourquoi Fiona se mettait dans tous ses états.

Après avoir gâché la soirée, elle était venue s'asseoir dans cette même pièce sur un siège pliant en face du bureau et elle avait commencé à fumer cigarette sur cigarette. Lui qui la connaissait depuis leur enfance, qui la connaissait mieux que personne, avait compris que quelque chose la tourmentait. Après avoir continué encore pendant un petit bout de temps à vitupérer contre les projets de mariage de Gwen, elle en était venue au fait.

– Chad, depuis quelque temps, je reçois des coups de fil bizarres, avait-elle dit en baissant la voix, tu vois ce que je veux dire... des appels anonymes.

Il ne voyait pas, car il n'avait jamais reçu d'appels de ce genre.

– Des appels anonymes ? Comment ça ? On te menace ?

– Non. Rien. Enfin... celui qui appelle ne dit rien. Il – ou elle – se contente de respirer.

– C'est ?...

Elle avait nié d'un signe de tête.

– Pas ce genre de respiration. Ce n'est pas sexuel. C'est une respiration très calme. Je crois que l'autre m'écoute simplement, il me laisse m'énerver, et après, il raccroche.

– Tu t'énerves comment ?

– Je demande qui est à l'appareil, je demande ce qu'il veut... Je lui dis que ça ne nous avance pas s'il se tait. Mais il n'y a jamais de réponse.

– Peut-être que tu devrais faire pareil. Ne rien dire. Raccrocher dès que tu entends la respiration.

Elle avait acquiescé.

– Je ne devrais pas m'énerver. Je réagis sans doute exactement comme il le veut. Pourtant...

Elle avait allumé la cigarette suivante. Pour la énième fois, Chad se demanda comment on pouvait fumer autant depuis des dizaines d'années et jouir d'une santé aussi éclatante.

– Je tourne et je retourne la question dans ma tête, je me demande qui ça peut être, avait-elle repris après quelques bonnes bouffées. On ne fait pas une chose pareille par hasard. Pourquoi est-ce que c'est moi qu'il a choisie ?

Avec un haussement d'épaules, il avait répondu :

– Si. C'est peut-être par hasard. Il trouve des noms dans l'annuaire et il passe ses coups de fil. Il appelle peut-être d'autres gens. Peut-être qu'il fait ça toute la journée, et peut-être qu'il t'appelle souvent parce que c'est toi qui t'énerves le plus.

– Alors, c'est un malade !

– Oui, sans doute. Mais il n'est pas forcément dangereux. C'est peut-être un type coincé qui ne sort pas de chez lui et qui téléphone parce que comme ça, ça lui donne l'impression de détenir un pouvoir sur les gens. Peut-être que ça ne va pas chercher plus loin.

Elle n'avait pas semblé croire à cette explication. Elle s'était mordu la lèvre et avait demandé :

– Tu ne crois pas que ça puisse avoir un rapport avec... l'histoire d'autrefois ?

Il avait tout de suite compris.

– Non... quelle idée ! Ça fait une éternité !

– Oui, mais... ce n'est sans doute pas fini, non ?

– Qui pourrait t'appeler à cause de ça ?

Elle n'avait pas répondu, mais il la connaissait assez pour savoir qu'elle avait un soupçon concret. Il avait deviné le nom qu'elle avait en tête.

– Non, je ne crois pas. Pourquoi maintenant ? Après toutes ces années... oui, pourquoi maintenant ?

– Je crois qu'elle n'a jamais arrêté de me haïr.

– Elle est toujours vivante ?

– Je crois, oui. A Robin Hood's Bay...

– Ne te monte pas la tête avec ça, lui avait-il conseillé.

– Mais non ! avait-elle répliqué de son ton le plus sec, mais la main avec laquelle elle tenait sa cigarette avait légèrement tremblé.

Puis elle en était arrivée au fait :

– Je voudrais que tu supprimes les messages. Tous les messages que je t'ai envoyés... enfin, ceux que je t'ai envoyés... à ce sujet.

– Supprimer ? Pourquoi ?

– Je trouve que c'est plus sûr.

– Personne ne peut les lire.

– Gwen utilise le même ordinateur.

– Mais je croyais que c'était justement pour ça que tu m'as fait prendre ce truc... ce mot de passe. Si je comprends bien, ça ne sert à rien ? Toutes ces histoires d'ordinateur, c'est de la bêtise... En tout cas, je ne crois pas que Gwen ait envie de fourrer son nez dans mes affaires. Elle ne s'intéresse pas assez à moi.

Pour la première fois depuis le début de leur conversation, elle avait souri. D'un sourire plus malveillant qu'amusé.

– Alors là, je crois que tu te mets le doigt dans l'œil. Pour elle, tu arrives tout de suite après le bon Dieu. Mais tu as toujours été à côté de la plaque quand il s'agit des relations humaines. Ecoute, j'insiste. Je te demande de supprimer les messages. Je serais plus rassurée.

L'ordinateur était prêt, et Chad ouvrit sa boîte de réception. Fiona lui avait envoyé cinq messages en six mois... c'est-à-dire, cinq messages avec pièce jointe.

Les autres étaient des messages normaux. Des messages d'encouragement quand le temps était mauvais et qu'elle le devinait tourmenté par ses douleurs. Acerbes quand elle n'était pas contente de son long silence. Ironiques quand ils s'étaient retrouvés chez un vieil ami commun et qu'elle pouvait déverser ses critiques à cœur joie. Parfois, elle commentait un film qu'ils avaient vu. Mais dans ces messages, jamais elle n'évoquait le passé. Leur passé commun.

Jusqu'au mois de mars de cette année-là. La première pièce jointe était arrivée soudainement, avec les instructions pour l'ouvrir.

– Pourquoi ? lui avait-il demandé dans son message de réponse.

Ce seul mot : pourquoi, en caractères gras, avec une dizaine de points d'interrogation.

Sa réponse avait été :

– Parce que je dois voir clair en moi-même. Parce que je ne dois raconter ça à personne. Comme personne d'autre ne doit savoir, je ne peux le raconter qu'à toi.

Lui :

– Mais je suis déjà au courant !

Elle :

– Voilà pourquoi c'est toi que je choisis.

A présent, il se disait que ça n'avait servi à rien, qu'elle n'arrivait pas à se sortir de ça.

Il se rappela lui avoir demandé, la veille au soir, ce qui avait été le déclencheur. Ce qui l'avait poussée à écrire toutes ces choses que personne n'avait le droit de savoir, à part lui, qui le savait déjà et qui n'aimait pas qu'on les lui remette en mémoire.

Elle avait réfléchi, fumé, et avait dit ensuite :

– Le déclencheur, c'est peut-être d'avoir pris conscience que je n'ai plus très longtemps à vivre.

– Tu es malade ?

– Non, mais vieille. Ça ne peut plus durer très longtemps, inutile de se voiler la face.

Il avait lu quelques passages de ce qu'elle lui avait envoyé, mais pas tout. Souvent, cela lui avait paru au-dessus de ses forces. Il s'était mis en colère contre elle parce qu'elle avait éprouvé le besoin de réchauffer tout ça. Rouvert de vieilles blessures. Ressorti des choses enfouies depuis très longtemps.

Il cliqua sur le premier message. Il était daté du 28 mars. Le style était tout à fait celui de Fiona.

« Bonjour, Chad, comment ça va aujourd'hui ? Il fait chaud et sec, donc tu es obligé d'aller bien ! J'ai écrit des choses que tu devrais lire. Elles te sont exclusivement destinées. Tu connais l'histoire, mais peut-être pas tous les détails. Tu es le seul à qui je fasse confiance.

« Fiona.

« PS : Clique deux fois sur la pièce jointe. Ensuite, clique sur "Ouvrir". »

Il ouvrit la pièce jointe.

L'autre enfant.doc

1

A la fin de l'été 1940, notre vie à tous bascula.

Mais nous, au moins, à cette époque-là, nous ne passions pas notre temps à nous ronger d'inquiétude et à craindre pour la vie d'un être cher. Parce que chez mes amies, beaucoup de pères étaient au front et on tremblait dans les familles à l'idée de recevoir une mauvaise nouvelle. Mon père à moi était mort avant la guerre, au printemps 1939, après une bagarre au cours de son habituelle tournée des bistrots où il dépensait le peu d'argent qu'il gagnait comme balayeur. Il s'était battu avec des ivrognes aussi soûls que lui et était mort à l'hôpital où il avait été transporté, grièvement blessé. On n'a jamais su qui avait commencé ni pour quelle raison il s'était battu. Sans doute pour rien en particulier.

Nous nous étions retrouvées seules, ma mère et moi, avec pour unique moyen d'existence la petite pension que nous versait l'Etat. Notre situation financière était pourtant meilleure qu'avant, parce que, au moins, nous n'allions pas dilapider l'argent au bistrot. De plus, ma mère avait trouvé deux emplois de femme de ménage, ce qui améliorait encore un peu plus nos finances. Nous arrivions à nous en sortir à peu près correctement.

J'avais eu mes onze ans en juillet 1940. Nous habitions dans l'East End, à Londres, dans un logement sous les toits, et je me souviens que cet été-là, il faisait une chaleur torride et que notre soupente était un vrai four. L'Allemagne était en train de plonger le monde entier dans la guerre. Quand ils avaient envahi la France, les nazis s'étaient emparés en même temps des îles Anglo-Normandes qui appartenaient à l'Angleterre. En Angleterre, la nervosité grandissait, même si le gouvernement diffusait des slogans qui invitaient les gens à tenir bon, faisaient appel à leur combativité et parlaient de la victoire prochaine.

– Qu'est-ce qu'on va faire s'ils arrivent jusqu'ici ? avais-je demandé à ma mère.

Elle avait secoué la tête en disant :

– Ils n'arriveront pas jusqu'ici. Une île, ça ne s'envahit pas aussi facilement que ça !

– Mais ils ont bien envahi les îles Anglo-Normandes !

– Oui, mais ce sont des îles petites et sans défense, et elles sont tout près de la France. Ne t'en fais pas.

Les Allemands n'arrivèrent pas en personne, mais ils envoyèrent leurs bombardiers au début du mois de septembre. Le *Blitz* commençait.

Toutes les nuits, ils arrosaient Londres d'une pluie de bombes. Toutes les nuits, les sirènes hurlaient, les gens se rassemblaient dans les abris, les maisons s'écroulaient et des rues entières se retrouvaient sous les gravats. Le lendemain matin, on ne reconnaissait plus les endroits familiers, parce qu'il manquait une maison, par exemple, ou qu'elle dressait dans le ciel ses vestiges fumants. Sur le chemin de l'école, je voyais les gens fouiller les ruines à la recherche d'objets qui auraient pu résister à l'enfer. Un jour, j'aperçus une jeune femme maigre, sale des pieds à la tête, en train de chercher, comme folle, dans les gravats d'une maison écroulée. Le sang dégoulinait le long de ses bras et de ses mains, les larmes laissaient des traînées brillantes sur la couche de poussière qui recouvrait ses joues.

– Mon enfant est là-dessous ! hurlait-elle. Mon enfant est là-dessous !

Mais personne ne semblait s'en préoccuper, ce qui me choqua profondément.

Le soir, j'en parlai à ma mère. Elle devint toute pâle et me prit dans ses bras :

– Je perdrais la tête s'il m'arrivait une chose pareille, me dit-elle.

Je crois que c'est ce jour-là qu'une idée germa dans mon esprit, celle de quitter Londres.

Les évacuations avaient déjà commencé. Dès le 1er septembre 1939, le jour où Hitler avait envahi la Pologne et deux jours avant la déclaration de guerre de l'Angleterre à l'Allemagne, on avait commencé à évacuer des centaines de milliers de Britanniques des grandes villes vers la campagne. On craignait les attaques aériennes allemandes et, surtout, on craignait que les Allemands n'attaquent au gaz. Chacun était tenu de porter sur soi un masque à gaz, et il y avait partout dans la ville des panneaux qui nous rappelaient à quel point le danger dans lequel nous vivions était réel. *Hitler will send no warning*, était-il écrit en énormes lettres noires sur fond jaune, ce qui signifiait que nous pouvions être pris par surprise à tout moment.

Les premiers à être évacués furent les enfants, bien sûr, mais également les femmes enceintes, les aveugles et les autres handicapés. Ma mère m'avait demandé si je voulais partir aussi, mais j'avais refusé avec entêtement, et elle avait cédé. J'en avais été très soulagée, parce que toute cette entreprise me faisait peur, ou plus exactement, elle m'inspirait une terreur mortelle. On avait eu l'idée bizarre de donner à cette première évacuation le nom de *Operation Pied Piper*, et comme tous les enfants, je connaissais le conte du Joueur de flûte de Hamelin, celui qui entraînait les enfants dans une montagne d'où ils ne ressortaient jamais. Ce n'était pas très encourageant. J'avais l'impression confuse qu'on nous emmènerait tous et que nous ne rentrerions plus jamais chez nous.

De plus, on entendait dire qu'il régnait un certain chaos. L'Angleterre avait été divisée en trois zones : la zone d'évacuation, la zone neutre et les zones qui avaient été désignées pour accueillir les évacués. On parlait de trains surpeuplés, de petits enfants traumatisés qui ne supportaient pas d'être séparés de leurs parents, et de la mauvaise organisation de l'accueil dans les familles. L'East Anglia était surpeuplée, alors qu'ailleurs, les familles d'accueil rongeaient leur frein. On critiquait le gouvernement parce qu'il n'avait pas mis les moyens financiers à disposition, sans compter qu'il n'y avait toujours pas de bombardements. A la fin de l'année, la majorité des évacués étaient rentrés chez eux.

– Tu vois, avais-je dit à ma mère, j'ai bien fait de ne pas partir.

Mais vint ensuite l'été 1940, et je compris alors que la guerre allait durer plus longtemps que nous ne l'espérions et que, de plus, les nazis s'étaient dangereusement rapprochés. A partir de juin, les évacuations de grande envergure reprirent. Les parents, particulièrement ceux qui vivaient à Londres, étaient fortement incités par le gouvernement à envoyer leurs enfants à la campagne.

Une fois de plus, le centre-ville de Londres fut submergé de placards sur lesquels étaient photographiés cette fois des enfants avec une légende en grosses lettres : *Mothers ! Send them out of London !* Mères ! Eloignez-les de Londres !

Mais personne ne fut forcé. Les gens conservaient le libre choix. Pendant un certain temps, je réussis à dissuader ma mère.

En automne, cependant, ma position commença à vaciller.

Début octobre, notre maison fut atteinte par une bombe. Nous étions regroupés dans l'abri avec les habitants de l'immeuble lorsqu'il se fit un bruit épouvantable au-dessus de nous, un bruit à nous briser les tympans. En même temps, la terre se mit à trembler, tandis qu'une pluie de poussière et de plâtre tombait du plafond.

– Dehors ! hurla quelqu'un. Vite, dehors !

Quelques personnes prises de panique se ruèrent vers la sortie, mais d'autres les appelèrent à garder leur sang-froid.

– Dehors, c'est l'enfer ! Restez ici. Le plafond va tenir.

Ma mère était pour que nous restions dans l'abri, car on entendait tellement d'impacts de bombes à proximité qu'elle pensait que nous aurions plus de chances de mourir dans la rue que de périr enterrées dans l'abri. Moi, j'étais prête à sortir, parce que la peur d'étouffer petit à petit dans ce trou à rats me coupait déjà le souffle, mais je n'aurais rien fait sans l'approbation de ma mère, et je tins donc bon, toute tremblante et le visage enfoui dans les mains.

Aux premières heures du matin, l'alerte fut levée, et nous remontâmes à la surface en appréhendant ce que nous allions trouver. Notre maison n'était plus qu'un tas de ruines. Comme toute la rue, à part quelques immeubles. Sidérés, nous ouvrîmes des yeux incrédules sur ce spectacle de désolation.

– Et voilà, dit finalement ma mère.

Ainsi que tout le monde, elle avait avalé beaucoup de poussière et sa voix était rauque comme si elle avait pris froid.

– Maintenant, nous n'avons plus de maison, ajouta-t-elle.

Nous fouillâmes un peu les ruines, mais ne trouvâmes rien d'utilisable. Je découvris un morceau de tissu qui venait de ma robe préférée, du lin rouge avec des fleurs jaunes dessus. Je ramassai le lambeau de tissu.

– Tu vas pouvoir t'en servir comme mouchoir, dit maman.

Ensuite, nous nous mîmes à la recherche d'un toit. A quelques rues de là demeuraient nos seuls parents, la sœur de mon père et sa famille, et maman pensait qu'elle nous accueillerait provisoirement.

La maison de tante Edith était encore debout, mais on ne manifesta guère d'enthousiasme à notre vue. La famille composée de six personnes entassées dans un petit appartement de trois pièces au rez-de-chaussée avait déjà recueilli une amie qui, elle aussi, était désormais sans abri.

De plus, le mari de tante Edith rentrait de l'hôpital militaire et, comme le chuchota ma tante à ma mère, il ne tournait plus très rond. Il passait toutes ses journées assis devant la fenêtre, le regard fixe, et se mettait régulièrement à pleurer. Il était clair qu'il ne manquait plus que nous deux, maman et moi, pour compléter le tableau.

Et voilà que maman se remettait à parler de séparation, et elle avait l'air très sérieux. Je l'entendis dire à Edith :

– Je pense envoyer Fiona à la campagne. De plus en plus, ils évacuent les enfants. Elle n'est pas en sécurité ici.

– Bonne idée, approuva Edith, ravie, car cela signifiait une personne de moins dans le logement.

Mais elle ne voulait pas faire partir ses propres enfants. Elle disait qu'elle ne survivrait pas à une séparation.

Malheureusement, ma mère était moins sentimentale. J'eus beau pleurer et crier, me défendre avec l'énergie du désespoir, elle ne se laissa pas attendrir et entreprit les démarches nécessaires.

Bientôt, je fus sur la liste d'un transport d'enfants vers le Yorkshire, début novembre.

2

Le train devait partir le matin à neuf heures de la gare de Paddington. On était le 4 novembre. La journée était brumeuse, mais le soleil, derrière les nuages, faisait son possible pour percer.

– Tu vas voir, il va faire un temps magnifique aujourd'hui, dit maman pour me donner du courage.

Mon humeur n'aurait pu être pire, et que le soleil brille ou pas m'était tout à fait égal. Je trottinais derrière ma mère, l'inévitable masque à gaz accroché à l'épaule et, à la main, une petite valise en carton prêtée par Edith. Le gouvernement avait établi un trousseau qui allait jusqu'à préciser le nombre de mouchoirs considérés comme indispensables, mais comme nous avions été bombardés et que nous n'avions que peu d'argent, maman n'avait pu se conformer, pas même en partie, à la liste requise. Tante Edith avait placé dans ma valise un reliquat de vêtements élimés ayant appartenu à ses enfants : une robe trop courte, un pull dont les manches m'arrivaient largement au-dessus des poignets et des chaussures de garçon. Maman m'avait cousu une chemise de nuit et tricoté deux paires de chaussettes. Pour le voyage, j'avais mis la robe à carreaux que j'avais portée la nuit du bombardement, ma vieille veste en laine et mes sandales rouges – les derniers vêtements que je possédais en propre. Mais il faisait déjà trop froid pour être vêtue ainsi, et maman m'avait prévenue que j'attraperais sans doute un rhume. Je m'entêtai cependant. J'avais déjà perdu tout ce que j'avais et de plus, ma propre mère m'envoyait au diable vauvert ! J'avais donc besoin de *ma* robe et de *mes* chaussures pour pouvoir me raccrocher à des choses familières. Tant pis si je prenais froid. J'attraperais peut-être une pneumonie, et je mourrais. Ce serait bien fait pour maman s'il ne lui restait plus personne.

Nous devions passer par la rue où nous habitions avant la nuit du bombardement. La rue la plus abîmée de Londres, à mon avis. Avant, il restait une maison solitaire tout au bout, mais de loin, nous vîmes qu'elle aussi avait été victime d'une attaque aérienne.

– C'est comme s'ils ne voulaient pas qu'il reste une seule pierre debout à Londres, dit maman, stupéfaite, et par « ils », elle entendait les Allemands.

En nous approchant, nous remarquâmes la pénétrante odeur de brûlé qui flottait autour de la dernière redoute, désormais tombée, de notre rue, et nous vîmes de la fumée s'élever des ruines. L'immeuble devait avoir perdu la bataille contre les bombes au cours des dernières nuits. Nous connaissions un peu les familles qui avaient vécu là, comme on se connaît quand on habite à peu de distance les uns des autres. On reconnaissait les visages, on se saluait, on savait comment les gens vivaient, mais pas en détail. Au premier, il y avait la famille Somerville. Le père, la mère et les six enfants. Je jouais parfois avec la fille cadette, mais seulement quand je m'ennuyais et que je ne trouvais personne d'autre. Les Somerville n'avaient pas bonne réputation, et même si on n'en parlait pas devant les enfants, j'avais saisi pas mal de choses. M. Somerville buvait, beaucoup plus que mon papa à moi ; il buvait du matin au soir et quel que soit le moment de la journée où on le rencontrait, il n'était jamais sobre. Il battait sa femme, ce qui avait pour conséquence que Mme Somerville, qui, elle aussi, buvait plus que de raison, se baladait avec un nez tordu de manière grotesque parce qu'il avait été cassé par son mari au cours d'une bagarre et s'était ressoudé de travers. Il battait aussi ses enfants. On disait que plusieurs étaient simples d'esprit parce qu'il les tapait trop souvent sur la tête et que, de plus, comme leur mère buvait aussi pendant ses grossesses, cela ne leur faisait pas de bien. On s'arrangeait donc pour ne pas avoir affaire aux Somerville afin d'éviter de se faire regarder de travers par les autres, et mes contacts avec les enfants étaient réduits au minimum.

Nous étions plantées devant les ruines fumantes en nous demandant ce qu'étaient devenus les habitants de l'immeuble lorsque la jeune Mlle Taylor sortit de la maison voisine, dont le rez-de-chaussée était encore partiellement debout, ou, du moins, encore recouvert d'un toit.

La jeune fille avait quitté son village natal du Devon pour venir tenter sa chance à Londres. Elle travaillait dans une blanchisserie.

Elle donnait la main à un petit garçon. Je reconnus Brian Somerville. On disait que ce membre de la fratrie, âgé de sept ou huit ans, était très attardé.

Mlle Taylor était livide.

– Ç'a été l'enfer ici pendant trois nuits, nous dit-elle, les lèvres tremblantes. C'était… j'ai cru…

Elle passa sa main libre sur son front couvert de sueur malgré le froid. Maman devait me dire plus tard que la pauvre était sous le choc.

– Je vais essayer d'aller me réfugier chez une amie, annonça-t-elle, elle habite un peu en dehors de la ville, et j'espère qu'ils bombardent un peu moins là-bas. Il fait trop froid dans mes ruines. Et moi, je ne peux plus supporter tout ça. Je ne supporte plus !

Elle se mit à pleurer.

Ma mère montra du geste le petit Brian qui ouvrait sur nous des yeux immenses, remplis de terreur :

– Et lui ? Où sont ses parents ?

Mlle Taylor sanglota bruyamment.

– Morts. Tous morts. Ses frères et sœurs aussi.

– Tous ? s'écria maman.

– On les a sortis des décombres, expliqua Mlle Taylor en chuchotant, sans doute après s'être aperçue de l'effet que pouvaient avoir ses paroles sur l'enfant déjà traumatisé. Hier, pendant toute la journée. Tous ceux qui vivaient dans l'immeuble... enfin... ce qui restait d'eux. L'immeuble a été touché il y a deux nuits. Les gens disaient qu'il ne pouvait pas y avoir de survivant.

Dans un geste d'horreur, maman mit sa main sur sa bouche.

– Et voilà que la nuit dernière, je l'ai vu apparaître, poursuivit Mlle Taylor en désignant Brian d'un signe de tête. Brian... Je ne sais pas d'où il sortait. Pas moyen de lui faire prononcer un mot. Soit il a été bombardé, mais il n'a pas été touché et il a pu s'échapper, soit il n'était pas chez lui cette nuit-là. Vous savez bien...

Oui, nous savions. Parfois, quand M. Somerville était tout à fait bourré, il ne laissait plus rentrer ses enfants. Il n'était pas rare que l'un d'eux cherche refuge chez les voisins. Les nuits d'été, ils campaient souvent dans la rue. Moi, avec la bêtise de la jeunesse, il m'était arrivé de les envier pour la liberté dont ils jouissaient.

– Qu'est-ce que je vais faire de ce petit ? se désola Mlle Taylor.

– Vous ne pouvez pas l'emmener chez votre amie ? s'enquit ma mère.

– Non, il n'en est pas question. Elle travaille toute la journée, comme moi. Nous ne pourrons pas nous en occuper.

– Il a des parents quelque part ?

Mlle Taylor eut un geste de dénégation. Puis :

– Il m'est arrivé de parler un peu avec Mme Somerville. Elle voulait quitter son mari, mais elle disait qu'elle n'avait pas de famille, personne chez qui aller. J'ai peur que Brian... qu'il soit seul au monde.

– Alors, il faut l'amener à la Croix-Rouge, lui conseilla maman. Elle contempla le petit garçon pâle avec pitié et ajouta :

– Pauvre enfant !

– Oh mon Dieu, oh mon Dieu ! gémit Mlle Taylor.

Elle semblait dépassée par la situation.

C'est alors que ma mère fit une chose qui devait avoir des conséquences fatales, une chose qui ne lui ressemblait pas, car, au fond,
ce n'était pas une altruiste, et elle disait souvent que nous avions
assez de mal comme ça à garder la tête hors de l'eau, que nous ne
pouvions pas nous permettre de nous charger en plus des problèmes
des autres.

– Allez, je le prends avec moi, déclara-t-elle. J'emmène justement
Fiona à la gare, on l'évacue à la campagne. Je suis sûre que je vais
tomber sur quelqu'un qui pourra m'aider, à la Croix-Rouge. Je leur
remettrai Brian.

Mlle Taylor eut l'air prête à se jeter au cou de ma mère. En un
tournemain, maman se retrouva avec deux enfants : sa propre fille
de onze ans vêtue de sa robe d'été trop légère et munie d'une valise
en carton, et un gamin d'environ huit ans en culotte raide de crasse
et en pull informe, un vêtement qui, à en juger par son aspect, avait
déjà servi à plusieurs générations d'enfants. Le petit semblait dans
un état second. Il paraissait ne pas s'apercevoir de ce qui se passait
autour de lui.

C'est dans cette formation que nous arrivâmes à la gare, à la toute
dernière minute, ainsi que nous nous en aperçûmes. Soit ma mère
s'était trompée sur l'heure de départ, soit c'était Brian qui nous avait
retardés en marchant trop lentement. Presque tous les enfants se
trouvaient déjà à bord, en train de faire des signes à leurs parents
regroupés par grappes derrière les fenêtres. Beaucoup pleuraient.
Bien des mères donnaient l'impression de se retenir de ne pas monter
dans les compartiments pour récupérer leur progéniture, et une
grande partie de la marmaille braillait qu'elle voulait sortir, rentrer
à la maison. On avait fixé sur les vêtements des enfants des petits
cartons portant leur nom. Les dames de la Croix-Rouge couraient en
tous sens, leurs listes à la main, en essayant de conserver la mainmise
sur le déroulement des événements malgré le chaos ambiant.

Maman se dirigea d'un pas décidé vers l'une d'elles.

– Excusez-moi, dit-elle, ma fille est sur la liste de départ.

La dame, grande et forte, dotée d'un visage si peu aimable qu'elle
me fit peur, répliqua :

– C'est à cette heure-ci que vous arrivez ? Quel nom ?

– Swales. Fiona Swales.

La dame chercha sur sa liste et fit une croix, sans doute derrière
mon nom. Elle attrapa un petit carton :

– Ecrivez le nom de votre fille là-dessus. Et sa date de naissance. Et votre adresse à Londres.

Maman sortit un crayon de son sac et s'accroupit pour écrire, le carton posé sur le sac.

La dame regarda Brian.

– Et celui-là ? Il part aussi ?

Brian m'attrapa peureusement par la main. Il me faisait pitié, c'est pourquoi je ne retirai pas ma main malgré mon envie.

– Non, dit ma mère, c'est un orphelin. Je ne sais pas quoi faire de lui.

Elle se releva et fixa le carton au revers de ma veste.

– Vous avez peut-être une idée, puisque vous êtes de la Croix-Rouge ? ajouta-t-elle.

– Mais je ne m'occupe pas des orphelins ! Vous ne voyez pas que je suis occupée ?

Sur ces mots, elle se dépêcha d'aller enguirlander une petite fille qui était en train de sortir du train en réclamant sa mère à grands hurlements.

– Monte dans le train, me pressa maman, nerveuse.

Brian s'accrocha à moi des deux mains.

– Maman, il ne veut pas me lâcher ! m'écriai-je, surprise de la force contenue dans ces deux petites mains.

Ma mère tenta de détacher Brian. Le chef de gare siffla. En un clin d'œil, nous fûmes comprimés contre le wagon par une véritable marée humaine formée d'enfants qui ne s'étaient pas encore séparés de leurs parents, de parents qui tendaient la main par les fenêtres pour toucher une dernière fois la joue de leurs enfants... La scène d'adieux qui se déroulait autour de moi était déchirante. J'étais fermement décidée à ne pas y prendre part, furieuse après maman qui m'envoyait au loin, et sûre de ne jamais arriver à lui pardonner cette décision. J'avais été poussée au bas de la portière de la voiture, contre le marchepied. Brian ne lâchait pas son emprise, malgré tous mes efforts pour m'en débarrasser sans ménagement. Dans mon dos, je sentais la pression du mur humain.

Je me retournai.

– Maman ! hurlai-je.

Je l'avais perdue dans la tourmente. Je saisis sa voix au vol :

– Monte, Fiona, monte !

– Brian ne veut pas me lâcher ! braillai-je.

Un père de famille qui se tenait juste derrière nous leva sa petite fille et l'introduisit à l'intérieur de la voiture. Puis, d'un bras, il m'attrapa, de l'autre, il attrapa Brian, et en un instant, nous nous retrouvâmes dans le train.

– Fermez les portières ! cria le chef de gare.

Je me frayai un chemin dans le couloir, traînant derrière moi Brian qui ne m'avait pas lâchée une seconde.

Merci, maman ! vitupérai-je intérieurement. Maintenant, c'est à moi de m'en débarrasser !

– Tu te rends compte ! le grondai-je. Tu n'as pas le droit d'être ici ! Ils vont te renvoyer !

Il me dévisageait en ouvrant de grands yeux. Je remarquai à quel point sa peau était blanche, et avec quelle précision se dessinait le réseau de veines bleu tendre de ses tempes.

Il n'avait pas de carton, pas de valise, pas de masque à gaz. Il n'était inscrit sur aucune liste. Ils le renverraient en un rien de temps. Ce n'était pas ma faute. Je n'y pouvais rien, si l'inconnu, à la gare, l'avait poussé dans le train.

Je trouvai une place assise sur l'un des sièges de bois, à côté des autres enfants. Brian essaya de grimper sur mes genoux, mais je le repoussai. Il resta debout à côté de moi.

– Ne sois pas si méchante avec ton petit frère, m'admonesta une fille de douze ans environ qui, assise en face de moi, dégustait une tartine de saucisse de foie dégageant un parfum appétissant.

– Ce n'est pas mon frère, répliquai-je. Je ne le connais même pas !

Le convoi s'ébranla. Je dus avaler ma salive à plusieurs reprises pour éviter de fondre en larmes. Beaucoup d'enfants pleuraient, mais je ne voulais pas faire comme eux. Lentement, nous sortîmes de la gare. Le soleil n'avait pas encore réussi à percer. Il faisait gris, sombre. Mon avenir ne me paraissait guère plus coloré. Gris, sombre et incertain comme s'il était, lui aussi, bouché par ce brouillard humide et opaque.

Je sentis que c'était la fin de mon enfance.

Sans verser de larmes, mais avec un cœur lourd comme du plomb, je lui dis adieu.

3

Nous ne parvînmes pas à destination avant la fin de l'après-midi. L'horaire avait été chamboulé parce que notre train, quelques kilomètres après Londres, s'était arrêté pendant trois heures. Les bombes de la nuit précédente avaient fait tomber deux grands arbres sur la voie. Les opérations de déblaiement et de réparation avaient déjà commencé. Les infirmières et les institutrices qui nous accompagnaient s'efforcèrent de nous occuper et nous maintenir au calme, organisant des jeux par petits groupes, distribuant du papier et des crayons de couleur. Le soleil avait fini par se montrer, dispersant les voiles de nuages et plongeant le paysage automnal dans une douce lumière. Nous avions eu l'autorisation de descendre nous dégourdir les jambes. Certains enfants s'étaient aussitôt mis à jouer, d'autres s'étaient assis sous les arbres pour écrire leur première lettre à leurs parents. D'autres encore pleuraient sans discontinuer. Moi, je m'étais mise à l'écart et j'avais commencé à manger les tartines que m'avait préparées ma mère.

Brian me suivait comme mon ombre, sans cesser de me dévisager de ses grands yeux remplis de terreur. Il me mettait mal à l'aise et me portait sur les nerfs, mais, même si j'étais contente de ne pas avoir, en prime, à supporter son bavardage, j'étais intriguée par son mutisme.

– Tu ne parles pas du tout ? lui avais-je demandé.

Mais il s'était contenté de garder les yeux posés sur moi. Malgré tout, j'avais pitié de lui. Car il avait tout de même perdu toute sa famille, et voilà qu'il se trouvait dans un train à destination du Yorkshire et, de plus, par erreur. Un vrai chien perdu sans collier. Mais moi-même, je n'avais que onze ans, j'étais perturbée, j'avais peur, et j'étais très triste d'avoir été séparée de ma mère. Comment aurais-je pu m'occuper de cet être sans défense, alors que j'étais perdue moi-même ?

Je lui avais tendu un morceau de pain. Il l'avait mangé en mastiquant lentement. Et, là aussi, sans me quitter des yeux.

– Tu pourrais peut-être arrêter de me regarder tout le temps ! lui avais-je lancé, énervée.

Naturellement, il n'avait pas répondu. Je lui avais tiré la langue. Cela n'avait pas semblé le toucher.

Quand nous atteignîmes le Yorkshire, le crépuscule s'installait déjà. Bientôt, une nuit noire masquerait le paysage. Le soleil était couché depuis longtemps. A la gare de Scarborough, nous sortîmes du train, les membres raidis, en frissonnant du froid de cette fin d'après-midi d'automne. Le brouhaha des conversations animées auxquelles s'étaient livrés les plus solides d'entre nous s'était tari. A présent qu'il commençait à faire sombre, la peur de l'inconnu s'emparait de tous. Je crois qu'aucun des enfants, en cet instant, n'aurait refusé de passer une nouvelle nuit dans un abri anti-aérien s'il avait pu le faire au sein de sa famille. Plus tard, devenue adulte, j'ai lu des articles concernant l'évacuation des enfants anglais. Les psychologues affirment de manière quasi unanime que le traumatisme subi par beaucoup d'entre eux, du fait de la séparation brutale avec leurs parents et des mauvais traitements ultérieurs reçus dans les familles d'accueil, a été plus grave que l'important traumatisme des nuits de bombardement, avec des conséquences plus néfastes pour la suite.

En ce qui me concerne, jamais je ne me suis sentie plus angoissée, plus triste, plus vulnérable et plus abandonnée que lors de cette arrivée dans un lieu inconnu où m'attendait un destin incertain.

Un homme nous attendait sur le quai. Il parla avec la désagréable dame de la Croix-Rouge, visiblement la responsable de notre groupe.

On nous fit mettre en rangs par deux. Je n'eus pas à chercher à qui donner la main, car Brian, dès la sortie du train, s'était de nouveau cramponné à moi. Nous avions l'air d'être frère et sœur. Bon, me dis-je, plus pour très longtemps. Dès demain, ils le renverront à Londres.

Je l'enviai même un peu, jusqu'au moment où il me revint à l'esprit qu'à Londres, aucune mère ne l'attendait. Si ce que Mlle Taylor avait dit était vrai, s'il n'avait plus aucun parent vivant, il serait envoyé à l'orphelinat.

Le pauvre ! pensai-je.

Nous traversâmes la gare derrière l'homme qui nous avait attendus, jusqu'à un parc de stationnement où étaient garés plusieurs autobus. On nous invita à y monter indifféremment. Seuls quelques enfants dont le nom était écrit sur une liste à part furent répartis nommément dans leur bus. Comme nous devions l'apprendre par la suite, il s'agissait des privilégiés qui étaient attendus par des membres de leur famille.

Nous nous dirigeâmes vers des villages dont la plupart se nichaient assez loin à l'intérieur des terres. Le bus où je montai – avec Brian agrippé à moi – fut le seul qui resta à proximité de la côte et distribua ses occupants tout autour de Scarborough. Cette dernière ville, à ce moment, ne comptait plus parmi les communes d'accueil, à l'inverse des petits villages alentour.

Personne ne nous contrôla quand nous montâmes, personne ne remarqua que le petit garçon n'avait pas de carton ni de bagage. On nous pressa seulement de grimper dans le bus, aussi n'osai-je pas m'adresser à l'un des adultes.

Pendant le trajet sur les routes de campagne, il régna à l'intérieur du véhicule un silence de mort, brisé seulement par les pleurs silencieux de deux petites filles qui cherchaient vainement à étouffer leurs sanglots. Tous les enfants avaient peur. Avaient faim. Etaient fatigués. Je crois qu'ils étaient tous comme moi, qu'ils craignaient de se mettre à pleurer s'ils ouvraient la bouche.

J'appuyai mon visage contre la vitre. En ombres chinoises, je distinguais quelques bribes de paysage. Pas de maisons. Des collines, peu d'arbres. Quelque part, il devait y avoir la mer. J'étais très loin de Londres.

Le bus s'arrêta sans prévenir au bord de la route, et quand on nous ordonna de sortir, je fus perplexe. Ici ? Au milieu de nulle part ? Au beau milieu des prés ? Allions-nous passer la nuit dans un champ ?

Quand nous fûmes descendus et mis en rangs par deux, comme de juste, j'aperçus une lueur, et plus nous nous en rapprochions, plus nous voyions distinctement se détacher dans la nuit les contours de quelques maisons d'un étage qui semblaient avoir été jetées là d'un coup de dés. Mais, au moins, ils étaient prometteurs de lumière et, surtout, de chaleur, car il faisait froid, maintenant, et je frissonnais lamentablement dans ma robe d'été, mon gilet et mes chaussettes qui tombaient.

On nous demanda de nous arrêter devant les bâtiments. Il semblait s'agir d'une minuscule boutique et de deux maisons d'habitation. L'une des dames nous demanda d'attendre dehors, et nous nous répartîmes sur un terrain qui faisait face au magasin. Alors que nous n'avions pas beaucoup marché, la plupart des enfants s'assirent à même l'herbe rase déjà humide. Nous étions tous épuisés. Epuisés de peur.

Devant le froid pénétrant, j'ouvris ma petite valise, en sortis le pull aux manches trop courtes et le passai. Je sortis aussi une paire de chaussettes tricotées par maman et les mis par-dessus celle que je portais en espérant pouvoir ainsi réchauffer mes pieds glacés. Voyant que Brian n'avait pas de chaussettes du tout, je sacrifiai de mauvaise grâce ma seconde paire de chaussettes neuves. Elles étaient trop grandes pour lui, mais comme il ne remplissait pas non plus ses chaussures, nous pûmes y loger la laine en surplus. Pour la première fois depuis que nous avions quitté Londres, il détourna le regard de ma personne. Il regarda les chaussettes et les caressa une première fois, puis une deuxième, puis une troisième, avec une sorte de vénération.

– Eh, ce n'est pas un cadeau ! Je veux que tu me les rendes ! lui dis-je.

Il n'arrêta pas pour autant de caresser la laine.

La porte du petit magasin s'ouvrit, ainsi que les portes des autres bâtiments, et une foule d'adultes en jaillit. Tous ces gens semblaient énervés, fâchés, et apostrophaient nos accompagnatrices. Je saisis vaguement qu'ils étaient furieux de notre retard, qu'ils nous attendaient beaucoup plus tôt et n'étaient pas contents d'avoir dû passer une demi-journée à attendre dans ce désert.

Une fille assise à côté de moi me donna un coup de coude.

– Ce sont les familles, chuchota-t-elle, les familles d'accueil !

– Je m'en doutais, répondis-je d'un ton un peu condescendant.

Elle me décocha un regard de biais.

– Moi, c'est ma tante qui me prend. Et toi ?

– Je ne sais pas.

Cette fois, le regard se fit compatissant.

– Ma pauvre !

– Pourquoi ? m'enquis-je.

Je m'efforçais de parler d'un ton incisif, mais mon cœur battait très fort.

– Ben... il y a des histoires terribles qui circulent, m'apprit ma voisine avec une certaine jouissance, on peut tomber dans des familles horribles. Peut-être qu'il faudra que tu travailles dur pendant toute la journée et qu'on ne te donnera presque rien à manger. Et aussi, on maltraite les enfants. Et drôlement. Il paraît que...

– Qu'est-ce que tu racontes ! l'interrompis-je, mais, intérieurement, j'étais horrifiée.

Et si elle avait raison ? Et si c'était l'enfer qui m'attendait ? Dans ce cas, je me sauverai, décidai-je, même si je dois rentrer à Londres à pied, je ne resterai pas quelque part où on me maltraite !

Les adultes avaient pris place en face de nous et l'une des dames commença à lire les noms écrits sur sa liste. Les enfants ainsi appelés s'avancèrent et furent répartis dans leurs nouvelles familles. Il s'agissait surtout de parents, mais, dans certains cas, il semblait y avoir eu distribution préalable sans lien de parenté. J'espérais de tout cœur que les motivations de ces gens étaient honorables : le désir de venir en aide, la compassion... mais j'en doutais. Tante Edith m'avait raconté que des familles qui accueillaient des enfants évacués étaient payées par le gouvernement. Je me souvins que ma mère s'était mise en colère et lui avait reproché d'être une « incorrigible bavarde ». Elle ne voulait pas qu'on parle de cet argent devant moi, car, évidemment, cela mettait en question les intentions des familles d'accueil.

On appela ma voisine, laquelle se précipita dans les bras d'une jeune femme qui la serra contre elle, visiblement au bord des larmes. Sa tante. J'enviai ardemment la fille. Je ne m'étais jamais posé de questions sur mon absence de parenté – hormis tante Edith et ses rejetons – mais, en cet instant, je ressentis cela comme une douloureuse lacune dans mon existence. Comme c'eût été bon de pouvoir me serrer contre quelqu'un qui me connaissait, qui m'aimait !

Au lieu de cela, je me retrouvais dans le noir, un soir de novembre, à la faible lueur de quelques lampes à pétrole, assise dans un champ humide du Yorkshire, loin de tout ce qui m'était familier, sans la moindre notion du sort qui m'attendait. A côté de moi, un petit garçon traumatisé qui n'arrêtait pas de caresser les chaussettes que je lui avais mises, et qui semblait décidé à ne pas me quitter d'une semelle. Et voilà que les gens auxquels on n'avait pas encore attribué d'enfant se dirigeaient vers nous, parcouraient les rangées, nous éclairaient avec des lampes de poche ou des lanternes, et choisissaient ceux qu'ils allaient emmener. Nous fûmes examinés et jugés, refusés ou sélectionnés. Aujourd'hui encore, au moment où j'écris ces lignes, je ressens combien je me suis sentie petite, humiliée, sans défense. De nos jours, ce genre de procédé serait impensable. Dans l'Angleterre du XXIᵉ siècle, il n'est plus possible d'imaginer que des enfants assis en rangs dans un champ soient exposés ainsi comme au marché. Mais cela s'est passé dans des circonstances particulières. La violence des bombardements allemands sur Londres avait pris tout le monde par surprise et le nombre de victimes était allé au-delà des pires craintes. La défense aérienne de la capitale britannique s'était révélée mal équipée et, de ce fait, inefficace. La priorité était d'évacuer les enfants à la campagne pour les protéger, quelles que soient les conditions. Le temps manquait pour organiser parfaitement le processus. Impossible de réfléchir aux conséquences psychologiques qu'ils subiraient. Il leur faudrait se débrouiller pour tenir bon.

Une femme s'arrêta et se pencha sur moi. Guère plus âgée à première vue que ma mère, elle avait un visage aimable et de jolis traits fins. Elle souriait.

– Tu t'appelles comment ? me demanda-t-elle, avant de répondre elle-même à sa question en lisant le carton fixé à mon gilet. Fiona Swales. Tu es née le 29 juillet 1929. Donc, tu as onze ans.

J'opinai du chef. Pour une raison inexplicable, j'étais incapable de parler. Elle me tendit la main :

– Je suis Emma Beckett. J'habite dans une ferme tout près d'ici. A la radio, ils ont parlé des enfants qu'on évacuait de Londres et j'ai voulu participer à l'opération. Tu as envie d'habiter chez nous pendant quelque temps ?

A nouveau, je fis oui de la tête. Elle allait finir par me croire muette. Elle était vraiment gentille, j'aurais pu tomber plus mal.

Une ferme... Je n'avais jamais mis les pieds dans une ferme.

Elle regarda Brian.

– C'est ton petit frère ? s'enquit-elle.

Brian, toujours obsédé par ses chaussettes, s'aperçut qu'on parlait de lui. Aussitôt, il se cramponna à mon bras. Je tentai de m'en débarrasser, mais il ne me lâcha pas.

– Non, répondis-je.

J'avais enfin retrouvé ma langue.

– Je n'ai pas de frère, poursuivis-je. Lui, c'est le fils de nos voisins. Il est... il n'aurait pas dû venir...

– Ah bon ? s'étonna Emma Beckett. Ses parents savent qu'il est ici ?

– Ils sont morts, indiquai-je, et tous ses frères et sœurs aussi. Toute sa famille, sauf lui. Leur maison a été détruite par une bombe.

La jeune femme parut consternée.

– Mais c'est terrible ! Qu'est-ce qu'on va faire de lui ?

Se détournant, elle fit signe d'approcher à une accompagnatrice, à laquelle elle décrivit la situation en quelques mots. La dame se mit aussitôt à donner des signes d'énervement.

– Il n'est pas sur la liste ? répéta-t-elle en feuilletant fébrilement ses papiers. Comment s'appelle-t-il ?

– Brian Somerville, répondis-je.

Elle recommença à feuilleter, puis secoua la tête :

– Il n'y est pas !

C'était bien ce que j'avais dit. Je racontai les circonstances dans lesquelles il nous avait été remis et comment il s'était retrouvé dans le train. L'accompagnatrice fit signe à une infirmière de la Croix-Rouge. Je me levai afin de paraître un peu moins petite et recroquevillée devant les trois adultes qui se pressaient maintenant autour de nous, aux cent coups. Brian se leva aussi. Il était toujours accroché à mon bras.

La dame de la Croix-Rouge ne trouva évidemment pas son nom sur sa liste.

– Il n'aurait pas dû monter dans le train, déclara-t-elle.

Mais il était trop tard pour changer ce fait établi.

– Qu'est-ce qu'on va faire de lui ? répéta Emma Beckett.

Brian se mit à trembler. Ses petites mains m'enserraient si fort qu'elles me faisaient mal.

– Normalement, il faudrait qu'il retourne à Londres avec nous, dit la dame de la Croix-Rouge.

– Mais il n'a plus personne, là-bas ! se récria Emma.

– Il y a des orphelinats.

– Mais aussi des bombes ! Ici, il sera plus en sécurité !

La dame de la Croix-Rouge hésita.

– Je ne peux pas emmener hors de Londres un enfant qui n'est pas enregistré. Je risque d'avoir des ennuis et...

– Nous pourrions le conduire au foyer de Whitby, proposa l'accompagnatrice, c'est là que nous allons conduire les enfants qui n'auront pas trouvé de famille d'accueil ce soir.

Emma Beckett s'accroupit et examina attentivement Brian.

– Il est en état de choc, dit-elle, je ne crois pas qu'il faille le séparer de Fiona. Elle a l'air d'être son seul soutien !

Eh bien, c'était parfait ! C'était ce que j'appréhendais depuis le départ. Je sentais que je resterais collée à Brian Somerville et réciproquement.

Les adultes tinrent conseil et à la fin, nos accompagnatrices donnèrent leur accord pour qu'Emma Beckett emmène Brian.

– Nous allons régler cette affaire à Londres, dit la dame de la Croix-Rouge en inscrivant le nom et l'adresse d'Emma sur son bloc. Nous vous écrirons.

– Très bien, répondit Emma, soulagée.

Elle prit ma valise.

– Venez, les enfants, on va à la maison.

Son ton enjoué, ses efforts pour nous rendre la situation moins pénible, m'agaçaient un peu. On va à la maison ! Croyait-elle vraiment que j'allais considérer sa ferme du bout du monde comme ma maison, simplement parce qu'elle le voulait ? Ma maison était auprès de ma maman à Londres, et nulle part ailleurs.

Nous la suivîmes en trottinant derrière elle. J'avais toujours Brian accroché au bras. Je commençais à m'habituer à ce poids que je traînais avec moi depuis près de douze heures.

Nous descendîmes le chemin, prîmes à gauche et marchâmes un peu sur la route avant d'arriver à la hauteur d'une église. Un véhicule tout-terrain était garé devant, une sorte de Jeep équipée de deux bancs à l'arrière, dans la partie ouverte. Une grande lanterne posée sur l'un des bancs éclairait un peu la scène. A notre approche, une ombre se détacha de la portière, côté conducteur. Quelqu'un nous avait attendus, appuyé contre l'auto. Un grand garçon qui pouvait avoir quinze ou seize ans s'avança dans le cône de lumière de la lanterne. Il portait un pantalon long, un gros pull-over, mâchouillait quelque chose – un brin d'herbe, à ce que je vis, arrivée près de lui – en faisant la tête. Contrairement à Emma, il ne semblait pas se réjouir de notre arrivée.

– C'est Chad, mon fils, dit Emma en se saisissant de ma valise pour la poser à l'arrière. Chad, je te présente Fiona Swales. Et lui, c'est Brian Somerville.

Chad nous dévisagea. Puis :

– Je croyais que tu ne voulais en prendre qu'un seul ! Et voilà qu'il y en a deux !

– Je t'expliquerai plus tard, se contenta de répondre sa mère.

Je tendis la main au garçon. Après un instant d'hésitation, il la serra. Nous nous mesurâmes du regard. Dans le sien, je vis du rejet, mais aussi de l'intérêt.

– Chad n'a pas de frères et sœurs, indiqua Emma, et j'ai pensé que ce serait bien pour lui d'avoir d'autres enfants sous son toit.

Il était visible que Chad ne partageait pas son avis, mais sans doute ce sujet avait-il déjà été abordé trop souvent entre eux pour lui donner envie d'y revenir à ce moment précis. Il marmonna quelque chose et grimpa sur le banc.

– Maman, prends les deux petits à l'avant avec toi, dit-il.

Je fus contrariée en l'entendant me traiter de petite, et encore plus en constatant qu'il me mettait dans le même sac que Brian qui, à mes yeux, était encore presque un bébé.

– J'ai onze ans, déclarai-je sur un ton de défi en levant le menton pour paraître un peu plus grande.

Cela fit sourire Chad. Il me toisa du haut de son banc.

– Ah bon ? Déjà onze ans ? Nom d'une pipe ! s'exclama-t-il avec dérision. Moi, j'en ai quinze, et je n'ai pas envie de perdre mon temps avec toi ni avec le gamin qui est pendu à ton bras. Compris ? Tout ce que je demande, c'est que vous me fichiez la paix, et moi je ferai pareil. On se contentera d'attendre que les Allemands perdent la guerre et que tout redevienne normal.

– Chad ! le gronda Emma.

Nous montâmes dans la voiture. Même s'il m'avait traitée avec si peu d'amabilité, Chad était la première personne qui avait réussi à me remonter un peu le moral. Pourquoi ? Je ne me l'expliquais pas. Mais lorsque nous nous mîmes en route dans le noir, vers l'inconnu, je sentis mon cœur un peu moins lourd. J'étais quand même un peu curieuse de l'avenir qui m'attendait.

Dimanche 12 octobre

3

Leslie se réveilla avec un épouvantable mal de tête. Quand elle eut repris ses esprits, suffisamment pour pouvoir se souvenir de la soirée de la veille, elle se demanda comment elle se sentirait si elle n'avait pas pris deux cachets d'aspirine.

Elle se leva à grand-peine et sortit de sa chambre d'un pas mal assuré. Elle mourait de soif. Sa bouche et sa gorge desséchées étaient en feu. Elle se rendit à la cuisine et but de l'eau glacée directement au robinet. Puis elle s'aspergea le visage pour se réveiller.

Quand elle se releva, elle allait un peu mieux.

Un regard à la pendule accrochée au mur lui indiqua qu'il n'était pas loin de midi. Elle avait dû dormir comme une souche, ce qui ne lui ressemblait pas, car elle se levait très tôt d'ordinaire, même quand elle s'était couchée tard la veille. Exactement comme sa grand-mère. Fiona se levait toujours aux petites heures du matin. L'énergie débordante de cette femme âgée avait autrefois un effet d'assommoir sur l'adolescente qu'elle était.

Pour l'heure, Fiona ne donnait pas signe de vie. L'appartement semblait vide.

Peut-être était-elle sortie faire une promenade. Leslie regarda par la fenêtre. Cette journée aussi serait magnifique. Au sud, le soleil illuminait la baie, faisait scintiller la crête mousseuse des vagues bleu sombre. Le ciel était haut et transparent. Quelques voiliers étaient de sortie. Sans doute allait-il faire assez chaud.

Curieux, tout de même. A la cuisine, nulle trace de petit déjeuner. Rien n'indiquait que Fiona y avait pris un repas ou qu'elle avait préparé quelque chose pour sa petite-fille. Ce qu'elle faisait d'habitude. Au moins, le café. Mais un coup d'œil plus précis dévoila à Leslie que le verseur contenait encore un reste du café de la veille.

Intriguée, elle plissa le front. Il y avait deux choses auxquelles sa grand-mère ne renonçait jamais le matin : un minimum de deux tasses de café très fort et une cigarette. Il était inconcevable qu'elle fût sortie faire un tour sans ces remontants.

Elle se rendit au salon. Là aussi, c'était le vide. Le silence. Pas de cendres dans le cendrier. Fiona était-elle capable de rester couchée jusqu'à onze heures et demie du matin ?

D'un pas décidé, elle gagna la chambre de sa grand-mère et ouvrit sans bruit. Le lit était soigneusement recouvert du dessus-de-lit. Les rideaux, à la fenêtre, étaient ouverts. Les pantoufles de Fiona étaient posées devant l'armoire. La chambre avait son aspect habituel de la journée. Impossible de dire si quelqu'un y avait dormi.

Peut-être Fiona avait-elle discuté avec Chad pendant une bonne partie de la nuit et avait-elle décidé de rester à la ferme. Sans doute avait-elle aussi peu envie de se colleter avec sa petite-fille que l'inverse. Leslie, toujours en colère, même si son agressivité était un peu tempérée par la gueule de bois, se dit que le mieux était de ne pas s'en préoccuper. Fiona s'était comportée de manière impossible, elle méritait que ses proches lui témoignent leur réprobation en l'ignorant. Colin ou Jennifer pourraient la ramener à Scarborough, ou elle prendrait un taxi. Elle-même allait se préparer un café, quelques sandwiches, et reprendrait la route du retour. Elle avait assez à faire avec le déménagement. A quoi bon perdre son temps avec une vieille entêtée ?

Malgré ces fermes résolutions, elle retourna au salon et décrocha le téléphone. Tout de même, il fallait s'assurer que tout allait bien. Elle serait plus tranquille pendant son voyage de retour.

On fut assez long à répondre. Puis Leslie entendit la voix de Gwen. Une voix qui résonnait comme si la jeune femme avait pleuré pendant des heures... ce qui n'était pas étonnant.

– Allô, Leslie, dit-elle, et ces deux seuls mots furent prononcés d'un ton triste à serrer le cœur. Tu es bien rentrée, hier soir ?

– Oui. Tout va bien. Malheureusement, j'ai fait une halte dans un pub, et maintenant j'ai la tête dans un étau, mais ça va aller. Gwen, Fiona s'est conduite d'une manière inadmissible, hier soir. Je voudrais te dire que je suis entièrement de ton côté.

– Merci, répondit Gwen à voix basse, je sais que tu n'aurais pas voulu ça.

– Est-ce que... tu as des nouvelles de Dave ?

– Non, répondit Gwen.

Elle recommença à pleurer.

– Il ne s'est pas manifesté, reprit-elle au bout de quelques secondes. Et il ne décroche pas son portable. J'ai essayé de le joindre une dizaine de fois. Il ne veut plus entendre parler de moi. Et je le comprends !

– Attends un peu ! Il se sent offensé, évidemment. Fiona l'a attaqué bille en tête, et en public, encore. Pas étonnant qu'il fasse le mort pendant quelque temps. Mais je suis sûre qu'il va réapparaître un de ces jours.

Gwen se moucha bruyamment.

– Tu crois qu'elle a raison ? demanda-t-elle ensuite. En disant que... tout ce qui l'intéresse, Dave, c'est la ferme ? Que ce n'est pas moi qui l'intéresse ?

Leslie hésita. La conversation menaçait de s'aventurer en terrain miné. Pas aujourd'hui, elle avait trop mal à la tête !

– Je crois que Fiona n'est pas en mesure d'en juger, dit-elle, en faisant taire une voix intérieure lui rappelant que sa grand-mère possédait un très bon sixième sens. Elle ne le connaît pas assez. Et moi non plus, malheureusement. La soirée d'hier a été trop courte pour que je puisse me faire une opinion.

C'était un nouveau petit mensonge. Elle ne connaissait pas vraiment Dave Tanner, mais elle avait immédiatement partagé la méfiance de Fiona. Ce type était trop séduisant, trop sociable, pour pouvoir tomber amoureux d'une Gwen. Ces deux êtres étaient trop différents, non pas deux contraires qui s'attiraient, mais deux contraires qui s'excluaient. De plus, toute la personne de Tanner trahissait sa gêne financière. Leslie comprenait tout à fait comment Fiona en était arrivée à ses conclusions.

– J'aimerais que tu puisses aller voir Dave et lui parler, dit Gwen, pour qu'il voie que tous les membres de la famille ne sont pas contre lui. Et peut-être que tu pourrais aussi découvrir... quels sont ses véritables sentiments pour moi.

– C'est que j'avais l'intention de repartir tout de suite pour Londres, répondit Leslie, embarrassée.

Elle n'avait nulle envie de se plonger davantage dans cette malheureuse histoire.

– Mais tu m'avais dit que tu resterais pendant plusieurs jours ! protesta Gwen.

Leslie lui expliqua qu'elle était fâchée après sa grand-mère.

– Je suis soulagée de ne pas la voir ce matin. Est-ce que tu as eu le grand plaisir de prendre ton petit déjeuner avec elle, ou as-tu pu y échapper ?

Un long silence se fit à l'autre bout du fil.

– Qu'est-ce que tu veux dire ? Elle n'est pas à la ferme. Elle avait dit qu'elle viendrait ?

Leslie ressentit tout à coup des picotements à la pointe des doigts.

– Elle n'a pas dormi chez vous ?

– Non. D'après ce que j'ai compris, elle a commandé un taxi pour rentrer.

– Mais j'ai l'impression que... qu'elle n'a pas dormi ici.

– C'est bizarre, dit Gwen, elle n'est pas restée chez nous non plus.

Les picotements, dans les doigts de Leslie, se firent plus intenses.

– Ecoute, Gwen, je te rappelle. Il faut que je vérifie tout ça.

Elle raccrocha puis se rendit dans la chambre de Fiona, ouvrit l'armoire. Elle inspecta avec minutie les robes, les jupes et les chemisiers. La robe que Fiona avait portée la veille ne se trouvait pas parmi eux. Elle ne la découvrit pas non plus dans la salle de bains ni dans la corbeille à linge. Ses chaussures et son sac manquaient également à l'appel. Comme Fiona n'était sûrement pas sortie faire un tour en robe de soie, en hauts talons et avec son sac à main, il ne restait plus qu'à en conclure qu'elle ne s'était pas changée depuis la veille au soir.

Elle n'était pas rentrée chez elle.

Leslie courut dans sa chambre, s'habilla en hâte. Même si tout son être réclamait une bonne douche bien longue et un bon café très fort, elle ne perdit pas une seconde. Elle se brossa brièvement les cheveux, attrapa ses clés, franchit la porte en courant et la referma derrière elle.

Trois minutes plus tard, elle était en route pour la ferme des Beckett. Les rayons du soleil, très bas, aveuglants, renforcèrent ses maux de tête. Mais elle n'y prêta pas attention.

4

– C'est moi qui lui ai commandé son taxi, dit Colin. Elle est restée très longtemps avec Chad, au moins deux heures. Ensuite, ils sont sortis du bureau tous les deux, et elle a dit qu'elle voulait rentrer. Moi, je m'apprêtais à monter me coucher après avoir regardé la télévision. Je lui ai proposé de commander son taxi. Elle a dit qu'elle avait envie de marcher un peu dehors, que la nuit était assez claire pour ça, et elle m'a demandé de bien vouloir commander le taxi pour la ferme Whitestone. C'est ce que j'ai fait.

– La ferme Whitestone ? répéta Leslie, stupéfaite. Jusque-là, il faut marcher à travers bois, passer le petit pont, gravir la pente… Elle a mis au moins un quart d'heure pour arriver là-bas !

Elle se trouvait dans la cuisine avec Colin et Gwen. Cette dernière, la mine pâle et les yeux rougis, faisait la vaisselle. Colin, installé auparavant à la table, devant une pile de feuillets imprimés en petits caractères qu'il étudiait le front plissé, venait de se lever pour l'essuyer.

– Mais c'est justement ce qu'elle voulait faire, précisa-t-il, elle voulait marcher !

Il réfléchit un instant avant de poursuivre :

– J'avais l'impression qu'elle était assez énervée. Soit elle était encore sous le coup de l'histoire avec Dave Tanner, soit c'était à cause de sa conversation avec Chad. En tout cas, elle était survoltée. C'est pour ça que j'ai compris qu'elle avait besoin de mouvement.

– Je me demande où elle a bien pu aller, dit Leslie. Elle n'avait peut-être pas envie de rentrer à la maison pour ne pas me voir. Mais fuir les confrontations, ce n'est pas son genre.

Elle se retourna en entendant des pas derrière elle. Chad sortait du salon. Comme toujours, il semblait plongé dans ses pensées.

– Bonjour, Leslie, dit-il. Fiona est avec toi ?

– Fiona a l'air d'avoir disparu, répondit Colin.

Chad les dévisagea alternativement d'un air égaré.

– Disparu ? répéta-t-il.

Leslie lui expliqua que sa grand-mère avait tenu à marcher jusqu'à la ferme Whitestone, où un taxi commandé par Colin devait la prendre.

– Chad, tu l'as vue partir ? demanda-t-elle pour finir.

– La dernière fois que je l'ai vue, c'était à la porte, au moment où je montais me coucher, répondit le vieil homme. Elle était en train de mettre son manteau et elle disait qu'elle allait partir à la rencontre du taxi. J'ai entendu la porte d'entrée se refermer.

– Je vais appeler la compagnie de taxis, décréta Colin en posant le torchon à vaisselle sur la table. Ils ont dû enregistrer la course. Ils vont pouvoir nous en dire plus.

Il disparut dans le bureau où se trouvait le téléphone.

Gwen laissa tomber la vaisselle à son tour.

– Ne t'inquiète pas, Leslie. On va la retrouver, affirma-t-elle.

Leslie tenta de sourire.

– Bien sûr. La mauvaise graine ne meurt jamais.

Elle se toucha le front.

– J'ai affreusement mal à la tête. Est-ce que je pourrais avoir un café bien fort ?

– Bien sûr, s'empressa de répondre Gwen. Je fais chauffer l'eau.

Un bruit de pattes griffant le sol, assorti de forts halètements, leur parvint du couloir. Déjà les deux dogues, suivis de leur maîtresse aux joues rougies et aux cheveux en bataille, faisaient leur entrée à l'angle de la cuisine.

– Il fait un temps merveilleux, déclara Jennifer, avec ce soleil, ce vent, ce ciel clair comme du cristal… Tu aurais dû nous accompagner, Gwen. Oh, bonjour, Leslie ! Ça va ?

– Fiona a disparu, annonça Gwen.

Jennifer parut aussi perturbée que Chad quelques minutes auparavant.

– Qu'est-ce que ça veut dire, disparu ?

– Ça veut dire qu'elle est partie d'ici hier soir, à ce qu'il semble, mais qu'elle n'est jamais arrivée chez elle, expliqua Leslie. Je ne m'en suis aperçue qu'en fin de matinée. Colin est en train de téléphoner à la compagnie de taxis.

A ce moment, Colin réapparut en déclarant :

– Ils vont vérifier et nous rappelleront après.

– C'est très curieux, fit remarquer Chad.

– On peut exclure que c'est Dave Tanner qui l'a ramenée, réfléchit Leslie.

– Dave était parti depuis plus de deux heures quand Fiona a décidé de rentrer chez elle, dit Colin. Dans ce cas, il serait resté dans les environs, et pourquoi aurait-il fait ça ?

– Pour pouvoir reprendre contact avec sa fiancée plus tard, supposa Jennifer, après le départ ou le coucher des gens.

Une lueur d'espoir s'alluma dans les yeux de Gwen.

– Tu le penses vraiment ? demanda-t-elle.

– Mais pourquoi aurait-il pris Fiona au passage ? interrogea Leslie. Surtout elle !

Avec un haussement d'épaules, Jennifer répondit :

– Il aurait eu toutes les raisons imaginables de vouloir lui parler, la convaincre de l'honnêteté de ses intentions, lui exposer son point de vue... Ce n'était pas à lui de passer l'éponge sur l'incident de la soirée, mais il a peut-être voulu le faire quand même.

– Mais il ne l'a pas ramenée chez elle, intervint Chad. Pourquoi ?

– Il l'a emmenée chez lui, broda Jennifer. Ils ont parlé toute la nuit. Et ils sont allés dans un pub quelconque prendre leur petit déjeuner. Je les en crois tout à fait capables. Aussi bien Tanner que Fiona !

– Je ne sais pas, je... commença Leslie.

A ce moment, le téléphone sonna. Elle s'interrompit et, de même que ses compagnons, attendit sans mot dire le retour de Colin qui était allé décrocher dans le bureau.

– Le mystère s'épaissit, déclara ce dernier quand il eut terminé sa conversation. Ils ont eu le chauffeur. Il est allé comme convenu jusqu'à la ferme Whitestone. On lui avait dit de s'arrêter là sans klaxonner, c'est ce qu'il a fait. Mais personne n'est jamais arrivé. Il a attendu un bon moment, et ensuite, il est reparti en roulant au pas pendant un certain temps. Il a fini par rentrer à vide, pas très content. Il pense qu'il y a eu une erreur quelque part.

Ses interlocuteurs échangèrent des regards. L'atmosphère se chargea de tension. Et de peur.

Puis Leslie se reprit et décida :

– Eh bien, nous allons commencer par refaire le chemin qu'elle a pris et inspecter les environs. Elle est peut-être tombée, ou elle a eu un vertige... Elle est si vieille !

Elle dévisagea les deux hommes et les apostropha :

— Il ne vous est pas venu à l'esprit, ni à l'un ni à l'autre, d'accompagner une vieille dame pendant qu'elle se baladait dehors en pleine nuit ? Ou de la dissuader ?

— On ne peut pas dissuader Fiona, grommela Chad.

Il n'avait pas tort.

Colin se passa la main dans les cheveux, penaud.

— C'est vrai, concéda-t-il, normalement, il aurait fallu l'accompagner... Mais... il était tard et je crois que... je ne me sentais pas concerné. J'étais fâché... nous étions tous plus ou moins fâchés contre elle...

Il se tut, embarrassé.

Leslie renonça à aller plus loin. Il avait raison. Tous, ils étaient fâchés contre Fiona. Et elle-même plus que les autres. Si fâchée qu'elle avait préféré rentrer seule au lieu de l'attendre.

— Gwen, essaie encore de joindre Dave. Peut-être qu'il sait quelque chose. S'il continue à ne pas répondre, j'irai le voir, déclarat-elle. Bien... Qui m'accompagne pour inspecter la route ?

Colin et Jennifer se joignirent à elle en emmenant les chiens. L'étroite route était vide et baignée de soleil, bordée de part et d'autre de haies qui montaient à hauteur d'homme en déployant un feuillage resplendissant de toutes les couleurs de l'automne. Çà et là, de grosses mûres noires garnissaient encore les branches. Un dimanche d'octobre paisible, presque estival... Au loin, la mer scintillait en bleu.

Bientôt, ils arrivèrent en vue du grand portail d'accès à la ferme voisine. Longeant de vastes prairies à moutons, un sentier conduisait à la propriété. La route, à cet endroit, formait à droite un virage serré, puis descendait en courbes douces, s'enfonçait dans un bois aux arbres encore touffus, de buissons et de fougères. Le soleil ne perçant là que par endroits, il y faisait sombre et le tout baignait dans une couleur vert tendre. Un pont étroit aux garde-fous de pierre traversait une gorge profonde et boisée au fond de laquelle, en cet été sec, l'eau ne formait qu'une mince rigole. Derrière, la route recommençait à grimper lentement.

C'était un endroit où, de nuit, il devait faire noir comme dans un four. Toutefois, il était quasiment impossible de se perdre, car on ne pouvait quitter la route nulle part. Et les murets empêchaient de tomber dans le ravin. On pouvait, à la rigueur, passer par-dessus quand on avait trop bu, mais chacun savait que Fiona était d'une sobriété totale.

Leslie sentit grandir sa peur. Il y avait quelque chose d'anormal dans cette affaire.

Ils poursuivirent jusqu'à la ferme et au-delà, vérifiant les buissons au bord de la route et fouillant les prés du regard. Wotan et Cal sautaient joyeusement en tête, puis revenaient sur leurs pas sans paraître flairer l'angoisse qui flottait dans l'air.

– Est-ce qu'ils pourraient suivre une trace éventuelle si on leur donnait à renifler un vêtement de Fiona, par exemple ? demanda Leslie.

Mais Jennifer nia d'un signe de tête en expliquant :

– Il faudrait qu'ils aient été dressés. Ces deux-là ne sauraient pas quoi faire.

Ils reprirent le chemin du retour, bredouilles et déçus. Fiona n'avait laissé aucune trace derrière elle.

Gwen les attendait à l'entrée de la ferme.

– Dave ne répond toujours pas, annonça-t-elle, on dirait qu'il a disparu de la surface de la terre !

– Exactement comme ma grand-mère, répondit Leslie en sortant sa clé de voiture de sa poche. Je vais donc vérifier s'il est chez lui. Tu veux m'accompagner, Gwen ?

Cette dernière hésita, pesa le pour et le contre, puis décida que non. Leslie pensa que c'était tout à fait caractéristique : jamais Gwen ne passait à l'offensive. Toujours, elle restait à couvert. Et elle se plaignait du vide de sa vie !

Leslie nota l'adresse et démarra. Ses maux de tête ne l'avaient pas lâchée.

Bizarrement, alors qu'elle roulait – un peu trop vite – sur la route ensoleillée, elle ressentit le besoin urgent d'appeler Stephen. De lui dire qu'il s'était passé quelque chose de terrible, de chercher auprès de lui du réconfort, des conseils, d'entendre sa voix chaude qui avait toujours eu un effet apaisant sur elle. Mais elle s'interdit de s'abandonner à cet accès de faiblesse. Stephen n'était plus l'homme qui partageait sa vie. Sans compter qu'il ne s'était rien passé de terrible.

En tout cas, rien ne semblait le prouver.

5

Dave Tanner habitait en centre-ville, à quelques pas de la zone piétonne, à proximité de la Friarage School où il donnait ses cours. La rue où se trouvait l'école était bordée de part et d'autre de maisons accolées en brique rouge, aux portes peintes en blanc. La plupart étaient construites plus bas que la rue et on ne pouvait y accéder qu'en descendant quelques marches.

Leslie gara sa voiture derrière le tas de ferraille de Dave Tanner. En sortant, elle huma l'odeur de la mer apportée par le vent léger. Elle en fut un peu revigorée. De là, on ne voyait pas l'eau, mais l'impression de fraîcheur et de pureté qu'elle véhiculait donnait à cet environnement monotone un aspect un peu particulier.

Elle observa les maisons. Dans tous les jardins, sur la plupart des murs, on voyait des écriteaux mentionnant que les jeux de ballon étaient interdits dans la rue. Avec la proximité de l'école, un nombre respectable de vitres avait dû voler en éclats...

Dans la maison où logeait Dave Tanner, un rideau décoloré bougea imperceptiblement. De l'autre côté de la rue, une jeune femme portant un bébé dans les bras jeta à Leslie un regard méfiant.

Soit on ne voit pas beaucoup d'étrangers dans cette rue, soit c'est ma voiture neuve qui paraît exotique ici, se dit cette dernière.

Elle était sur le point de sonner lorsqu'elle distingua du coin de l'œil une silhouette qui se rapprochait lentement. Elle se retourna.

C'était Dave Tanner qui descendait nonchalamment la rue. En reconnaissant Leslie, il accéléra le pas.

– Tiens, tiens, dit-il lorsqu'il fut à sa hauteur, quel honneur de vous voir ici ! C'est la famille Beckett qui vous envoie vérifier mes conditions de vie et mon environnement social ?

Devant son persiflage, Leslie ne s'embarrassa-t-elle pas de politesses. D'un ton brusque, elle lui demanda :

– Pourquoi ne répondez-vous pas aux messages de Gwen ?

Il lui décocha un regard surpris. Puis il éclata de rire :

– C'est pour me demander ça que vous êtes venue ?

– Non. C'est parce que je suis à la recherche de ma grand-mère, Fiona Barnes.

Sa surprise sembla grandir encore.

– Ici ? Chez moi ?

– Vous êtes rentré directement hier soir ?

Il la dévisagea, narquois :

– C'est un interrogatoire ?

– Non, une simple question.

– Oui, je suis rentré directement. Mais je n'ai aucune idée de l'endroit où se trouve votre grand-mère et, pour être franc, je n'ai pas vraiment envie de la revoir.

Avec un geste en direction de la porte, il proposa :

– Nous n'allons pas discuter de cela dans la rue. Vous voulez un café ?

Dans la précipitation, elle n'avait pas eu le temps de boire le café que lui avait préparé Gwen. Il était près de deux heures de l'après-midi, et elle n'avait encore rien avalé de la journée. Elle commençait à se sentir un peu faible.

– Oui, un café, ce serait bien, répondit-elle avec gratitude.

Elle descendit les quelques marches à la suite de Dave. Elle put alors distinguer clairement les contours d'une forme humaine derrière les rideaux.

– Ma logeuse, expliqua Dave qui l'avait vue également. C'est une grande altruiste, c'est-à-dire qu'elle adore fourrer son nez dans les affaires des autres.

Il ouvrit la porte.

– Entrez, je vous en prie.

Leslie pénétra dans un étroit couloir sombre et fut à deux doigts de se cogner dans une dame âgée qui sortait de ses appartements. Sans doute la logeuse en personne.

Toisant Leslie de la tête aux pieds, elle lança :

– Alors ? Une visite ?

Leslie lui tendit la main.

– Je suis le docteur Leslie Cramer. Je viens voir M. Tanner.

– Et moi, c'est Mme Willerton. La propriétaire. Je loue une chambre là-haut depuis que mon mari n'est plus là.

Dave se faufila dans l'étroit passage pour gagner l'escalier.

– Attention aux marches, Dr Cramer, recommanda-t-il. Elles sont usées et raides, et il n'y a pas beaucoup de lumière.

– Ben, vous avez qu'à vous trouver une chambre ailleurs, si vous êtes pas content ! lui cria Mme Willerton, vexée.

Leslie suivit Dave dans l'escalier qui, effectivement, se révéla un tantinet dangereux. Sur le palier, Dave ouvrit une porte.

– Je n'ai qu'une pièce, s'excusa-t-il en l'introduisant directement dans sa chambre.

Leslie se retrouva au milieu d'un véritable chaos. Il y avait bien une armoire, mais si Tanner l'utilisait, ce n'était pas pour ses frusques. Les pantalons et les pulls étaient jetés en vrac sur les dossiers de chaises ou s'amoncelaient sur le sol. Le lit était défait, les draps chiffonnés. Une bouteille d'eau minérale était posée par terre. Des revues lues et relues, cornées, recouvraient entièrement la petite table posée dans un angle. Leslie aperçut un tube de rouge à lèvres qui traînait sur le rebord de la fenêtre, ainsi qu'un collant noir sous une chaise. Surprise de constater que Gwen passait des nuits en ce lieu, elle se dit que, contrairement aux apparences, son amie n'était pas une oie blanche et qu'elle avait bien raison de passer de bons moments avec son fiancé. C'était normal. Toutefois, elle n'avait jamais vu Gwen utiliser de rouge à lèvres, ni de maquillage quelconque. De même, elle ne savait pas qu'il lui arrivait de porter de fins collants noirs. Après tout, peut-être Gwen se métamorphosait-elle en vamp quand elle venait voir Dave. C'était peut-être là que se trouvait la solution de l'énigme, le lien qui unissait ces deux personnes que tout opposait par ailleurs : le sexe. Peut-être connaissaient-ils ensemble des moments d'extase fantastiques, inouïs...

Même si cela semblait difficilement imaginable quand on connaissait Gwen.

Dave balaya quelques tee-shirts du plat de la main pour libérer une chaise.

– Je vous en prie, asseyez-vous. Je prépare le café.

Il brancha une bouilloire électrique. Puis il sortit un bocal de l'armoire – du café soluble, constata Leslie in petto, c'est bien ce que je craignais – et mit une cuillère de poudre brune dans deux tasses. Il repoussa les journaux et posa sur la table une petite coupe de lait en poudre ainsi que des morceaux de sucre glanés dans un pub.

– Voilà ! dit-il. C'est bientôt prêt.

– Vous rentrez de promenade ? s'enquit Leslie.

Il opina.

– Il fait trop beau pour rester enfermé ici, vous ne trouvez pas ?

– Vous vous êtes couché tout de suite, hier soir ? Parce que... après ce qui s'est passé, vous deviez être assez chamboulé.

– Non. Pas trop. Et, oui, je me suis couché tout de suite.

Il apporta l'eau bouillante, remplit les tasses.

– Madame Cramer, qu'est-ce que ça signifie ? Vous n'arrêtez pas de me demander ce que j'ai fait hier soir. Pourquoi ? Qu'est-ce qui est arrivé à votre grand-mère ? Et quel est le rapport avec moi ?

– Hier soir, je suis rentrée seule à l'appartement. J'étais furieuse contre elle et je n'avais pas envie de lui parler. Elle est restée encore un bon moment à la ferme. Ensuite, elle a demandé à Colin Brankley de lui commander un taxi qui devait la prendre devant une ferme qui se trouve à un bon quart d'heure de marche de chez les Beckett, parce qu'elle avait besoin de marcher un peu. Colin a dit qu'elle était « survoltée ». Mais le chauffeur de taxi ne l'a jamais vue arriver. Il a tourné dans les environs à sa recherche et a fini par rentrer à Scarborough. Depuis, Fiona n'a pas réapparu. Elle a disparu purement et simplement. Et moi, je suis très inquiète.

– C'est compréhensible. Mais qu'est-ce qui vous a fait penser que je pourrais savoir où elle est ?

Leslie avala une gorgée de café et se brûla la langue. Ce breuvage était épouvantable. Contrairement à son habitude, elle prit un morceau de sucre.

– J'espérais que vous sauriez quelque chose. Fiona aurait pu venir vous voir, justement parce qu'elle s'était conduite de manière inconvenante vis-à-vis de vous. C'était une... idée, c'est tout.

– Malheureusement, je ne sais absolument pas où elle pourrait se trouver, affirma Dave.

Et pourquoi me mentirait-il ? pensa Leslie. Elle était fatiguée, angoissée. Mais, malgré tout, quelque chose en elle se refusait à envisager le pire. Il ne pouvait pas être arrivé malheur à sa grand-mère. Ce n'était pas le genre de Fiona. L'instant suivant, elle se demanda s'il existait vraiment un genre de personnes auxquelles il ne pouvait pas arriver malheur. Le plus angoissant n'était-il pas justement l'aspect fatal de la chose ?

Elle explora la chambre du coin de l'œil et se demanda comment un adulte pouvait croupir de cette façon. Un étudiant, oui, mais un homme de quarante ans ? Qu'est-ce qui avait dérapé dans la vie de Tanner ? Dans ses yeux, on lisait une certaine fébrilité, peut-être même du désespoir. Il détestait cette pièce, et cela n'était pas contradictoire avec le fait qu'il ne faisait rien pour la rendre plus agréable, qu'il la laisse se dégrader délibérément. Ce taudis incarnait son ressentiment contre la vie qu'il menait... contre cette maison miteuse, cette propriétaire intrusive, cette voiture qui le lâchait sans arrêt, sans doute aussi contre son travail dans lequel il ne trouvait pas l'ombre d'une satisfaction. Il paraissait intelligent et cultivé – pourquoi avait-il atterri dans ce trou ?

– Je crois qu'hier soir, j'ai quitté la ferme vers vingt heures trente, dit Dave, et je pense que je suis arrivé ici vers vingt et une heures. J'ai bu encore un peu de vin et je me suis couché. Je n'ai pas vu votre grand-mère. Ni de près ni de loin. Voilà.

– Vous deviez être très en colère.

– J'étais en colère parce qu'elle m'avait agressé devant tout le monde. Parce qu'elle avait gâché la soirée. Je savais déjà ce qu'elle pensait de moi, même si elle ne l'avait pas encore exprimé aussi directement. J'ai toujours senti sa méfiance.

– Elle s'inquiète pour Gwen.

– De quel droit ?

– Que voulez-vous dire ? s'enquit Leslie, surprise.

Il remua son café avec tant de vigueur que le liquide déborda sur la table.

– Ce que je dis. De quel droit ? Elle n'est pas la mère de Gwen, ni sa grand-mère. Elles n'ont aucun lien de parenté. Pourquoi se sent-elle habilitée à s'immiscer ainsi dans sa vie ?

– C'est une amie d'enfance de Chad. Gwen lui est très attachée, elle l'a toujours considérée comme sa mère de substitution. Cela crée obligatoirement un sentiment de responsabilité chez Fiona. Et elle est méfiante.

– Pourquoi ?

Leslie choisit prudemment ses mots.

– Dave, vous savez sans doute que vous êtes un homme séduisant. Et vous n'avez sans doute aucune difficulté pour faire la conquête de femmes jeunes, jolies, intéressantes. Alors, pourquoi Gwen ? Ce n'est...

Il la dévisagea, attendit la suite.

– Ce n'est pas ce qu'on appelle une beauté, poursuivit Leslie, mais ce ne serait pas un problème si, en contrepartie, elle était spirituelle, drôle, pétillante. Ou remarquable d'intelligence, d'assurance, de perspicacité... tout ça. Mais elle est timide, sauvage et pas très... intéressante. Ma grand-mère ne comprend pas ce qui vous attire en elle.

– Votre grand-mère le comprend parfaitement. C'est la ferme. Cette magnifique terre de plusieurs hectares dont Gwen héritera un jour. Elle a bien dit que c'était la seule chose qui m'intéressait.

– Est-ce qu'elle a raison ? demanda Leslie en le regardant droit dans les yeux.

– A votre avis ? répliqua Dave.

– Je ne voudrais pas manquer d'égards envers vous…

– Allez-y, faites.

– D'accord. Je ne peux pas imaginer que la vie que vous menez vous satisfasse. Je crois que vous cherchez une occasion de vous échapper de tout ça, dit-elle en désignant d'un geste circulaire le décor environnant. Vous êtes un homme qui plaît aux femmes, mais vous n'avez rien à leur offrir, et cela limite vos chances de vous sortir de la situation où vous vous trouvez. Vous ne pouvez pas amener ici une femme de votre âge, sous peine de la voir repartir en courant quand elle découvrira la pièce où nous sommes. Les jeunes ne sont pas rebutées, mais elles ne possèdent rien elles-mêmes, et par conséquent elles ne peuvent pas vous sortir de la mélasse. En considérant tous ces éléments, on en conclut que Gwen représente pour vous une chance extraordinaire, une chance que vous ne pouvez pas laisser passer parce qu'il ne s'en présentera plus d'autre.

Il l'écouta en silence. Si ses paroles le froissaient, il n'en laissa rien paraître.

– Je vous écoute, dit-il comme elle s'arrêtait, continuez, tant que vous y êtes.

– Gwen est solitaire, poursuivit-elle, prenant de l'assurance. Malgré l'amour de son père, elle se sent seule. Elle sait qu'avec la vie qu'elle mène, elle n'a aucune perspective. Elle rêve d'un prince charmant et elle est prête à faire toutes sortes de concessions s'il s'en présente un qui la prenne sur son cheval blanc pour l'emmener vers un avenir commun. Elle est prête à fermer les yeux sur tout ce qui ferait peut-être réfléchir quelqu'un d'autre.

– C'est-à-dire ?

– Vos conditions de vie. Cette chambre meublée. Votre boulot, qu'on ne peut pas appeler un véritable métier. Votre voiture bonne pour la casse. Vous n'êtes plus un étudiant. Pourquoi vivez-vous comme vous le faites ?

– Peut-être que ça me plaît.

– Je ne le crois pas.

– Vous ne pouvez pas le savoir.

– Donc, je pose ma question autrement, dit Leslie. Si vous êtes content de la vie que vous menez, si Fiona se trompe et que ce n'est pas la ferme qui vous attire, qu'est-ce que c'est ? Qu'est-ce qui vous plaît en Gwen ? Pourquoi l'aimez-vous ?

– Pourquoi aimez-vous votre mari ?

Leslie sursauta et, à sa grande contrariété, se sentit rougir.

– Je suis divorcée, lui révéla-t-elle.

– Pourquoi ? Ça n'a pas marché ?

Elle reposa violemment la tasse qu'elle s'apprêtait à porter à sa bouche. A présent, elle aussi avait une mare brune devant elle.

– Je crois que cela ne vous regarde pas, répondit-elle d'un ton coupant.

Il demeura imperturbable.

– C'est vrai. C'est exactement comme pour ce qui se passe entre Gwen et moi : ça ne vous regarde pas, ni vous ni Fiona. Vous voyez l'effet que ça fait d'être mis sur le gril avec des questions indiscrètes ?

Il laissa passer un instant, puis ajouta d'un ton qui frisait la menace :

– Et j'ai encore autre chose à vous dire : vous allez laisser Gwen tracer sa route. Tous tant que vous êtes. Vous allez la laisser devenir enfin adulte, la laisser prendre ses décisions toute seule. Même de mauvaises décisions au besoin, comme choisir l'homme qu'il ne faut pas. Mais arrêtez de vouloir faire son bonheur. Vous ne faites que cimenter son insociabilité. Vous devriez réfléchir à cela !

Elle avala sa salive.

– C'est vous qui m'avez invitée à être franche, monsieur Tanner.

– Oui. Pour vous faire comprendre certaines choses.

Elle était en colère, mais sans savoir exactement sur quoi diriger sa colère. Elle avait l'impression d'avoir été remise à sa place comme une écolière, tout en ayant en même temps conscience de la justesse du raisonnement de Tanner. Fiona et elle se mêlaient de ce qui ne les regardait pas. Elles traitaient Gwen comme une enfant et Dave comme un escroc. Avec pour résultat la confusion et la tristesse : Dave avait quitté son propre repas de fiançailles, Gwen versait toutes les larmes de son corps et Fiona avait disparu de la surface de la terre. Le bilan de ce week-end était calamiteux.

Penser à Fiona ramena Leslie au problème urgent. Elle vida d'un trait sa tasse de café, au fond de laquelle s'était déposé un petit monticule de sucre mélangé à la poudre qui ne s'était pas dissoute, et se leva.

– Je n'avais pas l'intention de vous offenser, dit-elle. Merci pour le café. Mais maintenant, il faut que je continue à rechercher ma grand-mère. J'ai peur de devoir appeler la police si elle ne réapparaît pas d'ici ce soir.

Il se leva à son tour.

– Ce n'est pas une mauvaise idée, approuva-t-il, mais elle vous attend peut-être à la maison.

Leslie en doutait.

Elle descendit l'escalier d'un pas prudent. La logeuse était en bas, dans le couloir, devant une glace qu'elle était en train d'essuyer mollement avec un chiffon. Il sautait aux yeux qu'elle avait tendu l'oreille pour saisir la conversation échangée dans la chambre.

Comment fait Tanner pour supporter ça ? se demanda Leslie. La réponse était évidente : justement, il ne le supportait pas. C'était un homme profondément malheureux.

Dave la raccompagna jusqu'à sa voiture. En s'installant au volant, elle lui dit :

– Faites-moi plaisir et appelez Gwen, s'il vous plaît. Elle n'est pas responsable de ce qui s'est passé. Ce n'est pas pour me mêler de ses affaires, mais c'est parce que je suis son amie que je vous demande cela.

– Je vais voir, dit-il sans conviction.

En démarrant, elle lui jeta un coup d'œil dans le rétroviseur, mais il s'était déjà détourné pour rentrer. Avec un léger frisson, Leslie pensa aux longues heures tristes qui l'attendaient dans son logement sordide. Je préfère être à ma place qu'à la sienne, se dit-elle.

Elle retrouva l'appartement de Fiona aussi désert que le matin, et sans le moindre indice de son éventuel passage.

Mourant de faim, elle sortit un plat tout prêt du congélateur et l'introduisit dans le four à micro-ondes. Puis elle appela à la ferme pour demander s'il y avait du nouveau. Chad répondit par la négative.

– J'attends jusqu'à cinq heures, dit-elle, et après, j'appelle la police.

Munie de son plat réchauffé, elle alla s'asseoir devant la fenêtre du séjour et mangea en contemplant la baie ensoleillée, la plage grouillante de promeneurs, le port et le château qui le surplombait. Au bout de quatre bouchées, son estomac se noua, alors que quelques secondes auparavant, elle avait cru défaillir de faim. Le sombre pressentiment qui grandissait en elle était insupportable. Elle espéra de tout son cœur qu'il était infondé, que c'était le produit de ses nerfs en pelote.

Fiona, par colère et par défi, avait peut-être pris une chambre d'hôtel et les laissait mariner quelque temps.

Serait-elle capable d'une chose pareille ? se demanda Leslie.

Elle connaissait la réponse. Parce qu'elle ne connaissait que trop celle qui l'avait élevée. Fiona ne s'occupait pas beaucoup des autres, pas même de sa petite-fille.

S'il lui avait pris l'envie d'aller se planquer quelque part, elle l'avait fait sans se préoccuper des dommages collatéraux.

6

La gorge, située au bord d'une prairie à moutons dans les prés de Staintondale, était plongée dans une lumière crue. Les projecteurs montés en hâte éclairaient la scène avec une précision cruelle, montrant des barrières, des voitures, des gens. Plus loin derrière, quelque part dans l'obscurité, des moutons bêlaient.

L'inspecteur Valerie Almond avait été appelée au beau milieu d'une fête de famille. En maudissant son métier, elle avait quitté l'atmosphère chaleureuse et joyeuse d'une pièce remplie de gens qu'elle aimait et qu'elle voyait trop peu pour aller se jeter sans transition dans la nuit.

Son collègue était venue la chercher, car elle était sans voiture. Elle portait un tailleur chic et des hauts talons fins comme des mines de crayon, c'est-à-dire pas très appropriés pour parcourir des prés et descendre au fond d'une gorge. De plus, il faisait froid et il soufflait de la mer un vent assez désagréable.

– Elle est où, la personne qui l'a trouvée ? s'enquit-elle.

Le sergent Reek, qui l'accompagnait, éclaira une silhouette dressée à côté d'une voiture garée au bord de la route.

Une jeune femme de moins de vingt-cinq ans, estima Valerie. Elle portait un jean, des bottes de caoutchouc et un gros pull. Elle était affreusement pâle et avait l'air sous le choc.

– Vous êtes... ? interrogea Valerie.

– Paula Foster. J'habite là-bas, à la ferme Trevor, précisa-t-elle en faisant un geste indistinct de la main. Je fais un stage de trois mois. Je suis étudiante en agronomie.

– Vous êtes arrivée ici à quelle heure ? Et pourquoi ?

– Vers neuf heures du soir. Je voulais aller examiner un mouton.

– Qu'est-ce qu'il a, ce mouton ?

– Il a une plaie purulente à la patte depuis deux jours. Je vaporise un produit désinfectant sur la plaie le matin et le soir. Normalement, je viens vers six heures du soir.

– Pourquoi à neuf heures aujourd'hui ?

Paula baissa la tête.

– Mon copain est venu me voir, murmura-t-elle. Et on a... on n'a pas fait attention à l'heure.

Valerie se dit qu'il n'y avait pas de quoi avoir honte.

– Je comprends. Et comment saviez-vous que le mouton devait être ici ? Parce que les moutons, ça se disperse un peu partout dans les prés...

– C'est vrai, mais là-bas, il y a une cabane, répondit-elle en désignant un endroit d'un nouveau geste indistinct. Pas loin d'ici, mais on ne peut pas la voir maintenant. En ce moment, on laisse le mouton à l'intérieur. Mais aujourd'hui...

– Oui ?

La jeune femme était l'image même de la mauvaise conscience.

– Quand je suis arrivée, la porte était ouverte. J'ai eu peur de ne pas l'avoir bien fermée ce matin. J'attendais mon copain, vous comprenez, alors j'étais pressée... et... le mouton n'y était plus.

– Et vous êtes donc partie à sa recherche ?

– Oui. Avec une lampe de poche. A un moment, je l'ai entendu. Ça venait du fond du ravin.

Elle se tut. Ses lèvres tremblaient légèrement.

– Je l'ai entendu bêler doucement, poursuivit-elle, et j'ai compris qu'il avait glissé en bas et qu'il ne pouvait plus remonter tout seul.

– Donc, vous êtes descendue au fond, en conclut Valerie.

– Oui. La pente est raide, mais ce n'est que de la terre et du feuillage. La descente n'a pas été trop difficile.

127

– Et c'est là que vous avez vu la morte.

La pâleur de Paula s'accentua encore. Avec peine, elle reprit :

– J'ai failli tomber sur elle en glissant. Je… j'ai eu la peur de ma vie. Une femme morte… juste à mes pieds… je n'en croyais pas mes yeux…

Elle enfouit la tête entre ses mains. Elle ne s'était visiblement pas remise du choc.

Valerie la regarda avec compassion. Cette pauvre étudiante partie à la recherche d'un mouton égaré s'était retrouvée en plein cauchemar en butant sur un cadavre dans le noir, comme ça, au beau milieu de la campagne…

Pour lui permettre de se reprendre un peu, elle résolut de poursuivre son interrogatoire en s'en tenant aux faits précis.

– Après, vous avez appelé la police ?

– J'ai commencé par remonter le plus vite possible, répondit Paula. J'ai peut-être crié, je ne m'en souviens pas. Là-haut, j'ai voulu appeler, mais je n'avais pas de réseau. Ça arrive souvent par ici. J'ai marché vers la route, et là, j'ai pu appeler.

– Et vous nous avez attendus, ou vous êtes redescendue chercher la bête ?

– Je suis redescendue, mais je n'ai pas réussi à la retrouver. Elle a dû partir plus loin dans le ravin. J'ai sans doute crié, et elle a dû prendre peur. Et maintenant, avec les projecteurs, le monde… elle n'est pas près de revenir. Il faut absolument que je la retrouve.

– Je comprends, dit Valerie.

Elle se tourna vers le sergent Reek.

– Reek, descendez s'il vous plaît avec Mlle Foster et aidez-la à retrouver le mouton. Je n'ai pas envie qu'elle se promène toute seule en bas.

Reek n'eut pas l'air enchanté, mais n'osa pas protester. Il s'apprêta à entamer la descente, suivi de Paula, lorsqu'il vint une idée à Valerie :

– Mademoiselle Foster, vous m'avez dit que vous veniez vous occuper du mouton le matin et le soir. Ça signifie que vous êtes venue ce matin dans la cabane ?

Paula s'arrêta.

– Oui, confirma-t-elle, vers six heures.

– Vous n'avez rien remarqué ? Rien d'inhabituel ? L'animal était peut-être nerveux, ou quelque chose dans ce genre ?

– Non. Il était comme d'habitude. Il faisait sombre, de toute façon. Même si quelqu'un avait traîné par là – elle avala sa salive à cette idée – je ne l'aurais pas vu.

– Bien. Le sergent Reek va prendre vos coordonnées. Nous allons sans doute devoir vous recontacter.

Valerie mit un terme à l'interrogatoire et entreprit de descendre à son tour dans le ravin en pestant contre ses hauts talons. En bas, elle tomba sur le médecin accroupi à côté du corps de la femme allongé au milieu des buissons.

Voyant arriver l'enquêteuse, il se redressa.

– Vous avez relevé quelque chose, docteur ? s'enquit Valerie.

– Rien qui puisse nous servir pour l'instant, répondit-il. Une femme qui pouvait avoir entre soixante-quinze et quatre-vingt-cinq ans. Elle a été frappée jusqu'à ce que mort s'ensuive, probablement avec une pierre au moins grosse comme le poing. Les coups ont été portés contre les tempes et à l'arrière de la tête, au moins douze coups. La victime a dû perdre conscience très vite, mais l'assassin a continué à frapper. Je pense qu'elle a succombé à une hémorragie cérébrale.

– Vous avez une idée de l'heure de la mort ?

– A vue de nez, elle est morte depuis environ quatorze heures, donc vers huit heures ce matin. Avant, elle est restée inconsciente pendant huit heures au minimum. Je pense qu'elle n'était pas morte quand l'assassin l'a laissée là. Nous en saurons plus à l'autopsie, mais je dirais que le moment de l'agression se situe entre vingt-deux heures et minuit.

– Est-ce que l'enquête scientifique a déjà donné un résultat ? Le lieu du crime et l'endroit où le cadavre a été retrouvé sont-ils identiques ?

– D'après ce que j'ai compris, elle a été agressée au bord du ravin et elle est tombée au fond. Le meurtrier ne l'a apparemment pas suivie.

Valerie se mordit la lèvre inférieure.

– A première vue, il y a une certaine similitude avec l'affaire Amy Mills, dit-elle.

Le médecin y avait déjà songé.

– Elles ont été frappées à mort toutes les deux, mais de manière différente, objecta-t-il. Amy Mills a eu la tête projetée contre un mur à plusieurs reprises, tandis que celle-ci a eu le crâne fracassé à coups de pierre. Dans les deux cas, le meurtrier a agi avec une grande brutalité et une grande force. Mais il y a des différences notables...

Valerie comprit ce qu'il voulait dire.

– La différence d'âge entre les deux victimes. Et, évidemment, le lieu du crime.

– Il n'est pas inhabituel qu'un criminel rôde en ville dans un lieu peu fréquenté en guettant une victime potentielle, dit le médecin. Mais dans une prairie à moutons au fin fond de la campagne...

Valerie réfléchit. Il se pouvait évidemment que quelqu'un eût pris Paula Foster pour cible. Elle semblait à peine plus âgée qu'Amy Mills, et elle fréquentait régulièrement l'endroit. Si c'était sur elle que l'assassin avait jeté son dévolu, le meurtre de la vieille dame était un hasard. Elle s'était trouvée au mauvais moment au mauvais endroit et s'était jetée dans la gueule du loup. Mais pourquoi l'assassin aurait-il attendu Paula Foster à cette heure tardive ? Et que faisait une vieille dame très bien habillée, en pleine nuit, sur un étroit sentier non éclairé, situé à l'intérieur d'une propriété, à un bon kilomètre de la route, entre une prairie à moutons et une gorge ? Que faisait-elle là ?

Avait-elle été la véritable cible ? L'assassin l'avait-il traînée jusque-là, puis l'avait-il littéralement mise à mort ?

Un jeune policier s'approcha. Il tenait un sac à main dans ses mains gantées de plastique.

– On a trouvé ça accroché à un arbre, dans la pente, dit-il. Il y a toutes les chances pour que ce soit le sac de la morte. Il y a un passeport au nom de Fiona Barnes, née Swales, le 29 juillet 1929 à Londres. Domiciliée à Scarborough. La photo ressemble beaucoup à notre victime.

– Fiona Barnes, répéta Valerie, soixante-dix-neuf ans.

Elle pensa à la jeune Amy Mills. Y avait-il un lien ?

– J'ai encore autre chose, s'empressa d'ajouter le jeune policier, un nouveau, soucieux de se distinguer par son zèle. J'ai appelé le commissariat à Scarborough. Cet après-midi, à dix-sept heures vingt, on a signalé la disparition d'une certaine Fiona Barnes. C'est sa petite-fille qui a fait la déclaration.

– Bravo, le félicita Valerie.

Elle frissonnait. Le vent soufflait, de plus en plus froid, balayant le terrain dénudé avant de s'engouffrer dans la gorge.

130

Le cadavre, à peine découvert, portait déjà un nom. L'identification avait été beaucoup plus rapide que d'habitude. Souvent, cela prenait des semaines. Mais Valerie se gardait de tout optimisme anticipé. Amy Mills, elle aussi, avait été très vite identifiée, et pourtant, ils n'avaient pas avancé d'un pas depuis.

– Dans ce cas, je voudrais aller interroger immédiatement la petite-fille de cette femme, annonça-t-elle.

Le jeune policier sourit jusqu'aux oreilles en comprenant qu'il allait avoir l'occasion de servir de chauffeur à la patronne. Parce que le sergent Reek était en train de se balader dans le noir au fond d'un ravin à la recherche d'un mouton blessé.

Un coup de chance, quoi !

Lundi 13 octobre

1

– Tu es réveillée ? chuchota Jennifer en passant la tête dans la chambre de Gwen. J'ai vu de la lumière...

Gwen était assise tout habillée dans un fauteuil, devant la fenêtre, le regard fixé sur le noir profond du dehors. Il était quatre heures et demie du matin. L'aube ne s'annonçait pas encore.

Cal et Wotan se faufilèrent devant leur maîtresse et allèrent lécher les mains de la jeune femme, qui leur caressa la tête d'un air absent en murmurant :

– Tu peux entrer. Je n'ai pas fermé l'œil de la nuit.

– Moi non plus, répondit Jennifer.

Elle entra et referma la porte sans bruit.

Tout le monde, à la ferme, était sous le choc depuis le coup de fil que Leslie leur avait passé la veille au soir après avoir reçu la visite d'une fonctionnaire de police.

En apprenant la nouvelle, Chad était monté dans sa chambre sans mot dire et avait verrouillé la porte derrière lui.

Colin s'était mis à faire les cent pas entre le séjour et la cuisine.

– Pas possible, répétait-il régulièrement, je n'arrive pas à y croire !

Gwen et Jennifer étaient restées assises côte à côte sur le canapé, pétrifiées, frappées de stupeur, muettes. Fiona était morte. Sauvagement assassinée. Au bord d'une prairie, non loin de la ferme, mais à une bonne distance de la route qu'elle avait eu l'intention d'emprunter. Comment avait-elle pu atterrir là-bas ?

Ils étaient montés se coucher après minuit mais, visiblement, ni les uns ni les autres n'arrivaient à trouver le sommeil.

– Je voudrais te parler, reprit Jennifer.

Gwen la trouva tendue, mais cela n'avait rien d'étonnant. Elle-même avait l'impression de se trouver sous tension électrique. Malgré ses paupières lourdes de fatigue, elle était plus réveillée que jamais. Elle transpirait et frissonnait à la fois. Comme si elle avait la grippe. Sauf que c'était plus grave, bien plus grave.

Jennifer s'assit sur le lit.

– J'ai réfléchi, commença-t-elle prudemment. Ça va peut-être te paraître bizarre que je pense une chose pareille, surtout maintenant, mais... je sais, tu es vraiment très malheureuse...

La bouche comme remplie de carton-pâte, Gwen articula avec difficulté :

– Je... je n'arrive pas à y croire, c'est... c'est un mauvais rêve. Fiona était... invulnérable. Forte. Elle était...

Elle chercha les mots qui pourraient décrire ce qu'avait représenté Fiona pour elle, mais ne trouva pas.

– Elle a toujours été là... poursuivit-elle péniblement, on avait l'impression qu'elle serait toujours là. Ça vous donnait un tel sentiment de sécurité...

– Je sais, murmura Jennifer en lui effleurant brièvement le bras. Je sais qu'elle était très importante pour toi. Je sais aussi que tu aimerais qu'on te laisse tranquille, mais il faut que je te parle. C'est important.

– Ah bon ?

– Oui. La police va venir nous interroger à propos de samedi soir. Ils vont vouloir tout savoir avec précision. Et il faut qu'on réfléchisse à ce qu'on va dire.

Malgré sa léthargie, Gwen se montra intriguée :

– Pourquoi ? Nous pouvons très bien dire la vérité.

Jennifer dit alors avec précaution :

– Le problème, c'est la dispute entre Fiona et Dave. C'était une dispute violente.

– Oui, mais...

– La police va s'arrêter là-dessus. Ecoute : Fiona attaque Dave si violemment qu'il s'en va, hors de lui, alors que ce repas est organisé en l'honneur de ses fiançailles. Quelques heures plus tard, elle meurt. Assassinée. Ça va leur donner à penser.

Gwen redressa la tête.

– Tu veux dire...

– Tu peux être sûre que Dave sera le premier à être soupçonné. Est-ce que nous savons s'il est rentré tout de suite chez lui ? Il peut très bien l'avoir guettée. Il pourrait l'avoir interceptée quand elle est partie pour la ferme Whitestone.

– Mais c'est absurde ! Jennifer, je connais Dave ! Jamais il ne ferait une chose pareille ! Jamais !

– Je dis seulement ce que pensera la police, tempéra Jennifer. Dave aurait eu un mobile, tu comprends ? Il pourrait avoir vu rouge, l'avoir tuée dans un élan de rage. Mais il pourrait aussi avoir prévu le coup. Il a peut-être eu peur que Fiona ne détruise vos projets, qu'elle ne sème le doute en toi pour de bon... Elle barrait la route à tous ses plans. Il avait toutes les raisons de vouloir la faire taire pour toujours !

– A la façon dont tu parles, on croirait que tu l'as déjà désigné comme l'assassin.

– Ne dis pas de bêtises. Mais vous devez tous les deux vous préparer à ce que la police vous soupçonne.

– Nous ?

– Toi aussi, ils pourraient te soupçonner, prononça lentement Jennifer.

Gwen la dévisagea, stupéfaite.

– Moi ? s'exclama-t-elle.

– Eh bien... toi aussi, tu étais en colère contre Fiona. Toi aussi, tu avais peur qu'elle ne détruise tes projets d'avenir. Au stade actuel, tu ne sais pas si Dave n'a pas claqué la porte pour ne plus jamais revenir !

– Mais, Jennifer, ce n'est pas une raison pour que je... mais c'est de la folie !

– Qu'est-ce que tu as fait quand Dave est parti ?

Gwen lui jeta un regard égaré.

– Tu le sais très bien, répondit-elle. Nous sommes restées toutes les deux ensemble, dans ma chambre. J'étais montée et toi, tu m'as suivie pour me réconforter parce que j'étais en larmes.

– Mais après, je suis sortie faire un tour avec les chiens. Et toi, tu n'as pas voulu m'accompagner.

– Non, mais...

– Ecoute, Gwen, c'est une simple proposition. Tu n'es pas obligée de l'accepter, mais... Pourquoi ne disons-nous pas tout simplement que tu m'as accompagnée ? Nous sommes allées promener les chiens ensemble. Comme ça, tu aurais un alibi pour l'heure cruciale et tu n'aurais pas à te défendre d'un soupçon quelconque.

– Mais je n'ai pas besoin d'alibi ! répliqua Gwen.

– Non, mais d'en avoir un, ça ne pourra pas te faire de mal.

Jennifer se leva, se dirigea vers la porte.

– Tu peux encore réfléchir, ajouta-t-elle. Je sors faire un tour avec Cal et Wotan. Quand je reviendrai, tu me diras ce que tu as décidé. Si tu acceptes ma proposition, il faudra se mettre d'accord pour que tu saches où nous étions exactement à cette heure-là.

Elle ouvrit la porte, fit un pas dans le couloir puis se retourna pour demander :

– Tu as bien compris ?

Son amie n'avait pas l'air d'avoir compris grand-chose. Mais cela ne l'empêcha pas d'acquiescer :

– Oui, j'ai compris, je vais réfléchir.

Gwen regarda la porte qui se refermait sur Jennifer et lui dit en pensée : « Comme ça, toi non plus, tu n'as pas à t'inquiéter. »

2

– Vous connaissez cette femme ? demanda l'inspecteur Valerie Almond à Dave Tanner en lui mettant une photo sous le nez.

Mal réveillé, ce dernier acquiesça d'un signe de tête.

– Oui.

– Qui est-ce ?

– Fiona Barnes. Je ne la connais pas très bien.

– Et cette femme, vous la connaissez ?

Une autre photo.

– Je ne la connais pas personnellement, mais j'ai lu les journaux, et je sais que c'est Amy Mills. La fille qui a été tuée en juillet.

– Fiona Barnes a été retrouvée morte hier soir à Staintondale, annonça Valerie.

A cette nouvelle, Dave se sentit pâlir.

– Quoi ?

– Elle a été frappée à mort avec une pierre. Il y a pas mal de similitudes avec le meurtre d'Amy Mills.

Il se leva, se passa lentement la main sur le visage, souffla :

– Oh, mon Dieu…

Valerie eut l'impression qu'il était réellement sous le choc. Mais au cours de ses années de pratique, elle en avait trop vu pour prendre encore ce qu'on lui disait pour argent comptant. Dave Tanner était peut-être sincèrement surpris et atteint par le choc, tout comme il pouvait jouer la comédie. Elle n'allait pas se laisser impressionner.

La veille au soir, alors qu'elle s'entretenait avec Leslie Cramer à laquelle elle apportait la triste nouvelle, elle avait été électrisée en entendant le nom de Tanner. C'était la deuxième fois que le nom de cet homme, collègue de Mme Gardner dont Amy Mills gardait l'enfant, était prononcé dans le cadre d'une affaire de meurtre.

C'était un point de recoupement possible. En tout cas, il représentait le seul lien entre les deux femmes assassinées. Aussi, en compagnie d'un sergent Reek manquant de sommeil – il avait passé la moitié de la nuit à la poursuite du mouton blessé, qu'il avait fini par retrouver et remonter du fond du ravin – se présenta-t-elle au domicile de Dave Tanner.

Celui-ci était encore couché lorsque sa logeuse, haletante d'excitation, avait frappé à sa porte en lui annonçant la visite de la police. Bien que surpris, il n'avait fait aucune difficulté pour les recevoir, allant jusqu'à leur proposer du café, invitation qu'ils avaient déclinée tous les deux.

Valerie, l'observant attentivement, nota ses yeux bouffis qui trahissaient un penchant pour la boisson. Mais cela n'en faisait pas un suspect pour autant. Elle se reprocha de n'avoir pas examiné son cas de plus près après son entretien avec Mme Gardner, mais à sa décharge, elle avait commencé par s'occuper de l'ex-mari de la jeune femme. Celui-ci s'était révélé un paisible citoyen qui avait d'ailleurs pu prouver qu'au moment du meurtre d'Amy Mills, il passait des vacances à Tenerife. L'hôtel qu'il avait indiqué avait confirmé son séjour.

– Nous avons eu une conversation avec le Dr Leslie Cramer, la petite-fille de Fiona Barnes, dit-elle à Tanner. Selon ses déclarations, vous avez eu samedi soir une violente altercation avec Mme Barnes.

– Ce n'était pas vraiment une altercation. Mme Barnes m'a agressé... vous connaissez sûrement le motif de l'agression. A la fin, j'en ai eu ma claque et je suis parti. C'est tout.

– Le Dr Cramer déclare que vous lui avez dit être rentré tout droit ici et vous être couché.

– C'est ça.

– Des témoins ?

– Non.

– Votre logeuse ?

– Elle regardait la télé. Elle n'a pas remarqué que j'étais rentré.

– Comment le savez-vous ?

– Parce que quand elle le remarque, elle me tombe dessus comme une fusée.

– Où avez-vous passé la soirée du 16 juillet de cette année ?

– Je... j'avais un rendez-vous.

– Ça vous vient comme ça, direct ? Moi, je serais bien incapable de dire spontanément ce que j'ai fait à une date précise qui remonte à trois mois.

Tanner lui décocha un regard vindicatif.

Il vient de comprendre que sa situation est assez précaire, se dit Valerie.

– C'est le 16 juillet que j'ai fait la connaissance de ma fiancée. Voilà pourquoi je parle de rendez-vous. Et voilà pourquoi je me souviens de la date.

Valerie consulta ses fiches.

– Votre fiancée... Mlle Gwendolyn Beckett, c'est ça ?

– Oui.

– Où avez-vous fait sa connaissance ?

– A l'école, la Friarage School. Je n'avais pas cours ce jour-là, mais j'étais allé chercher des documents que j'avais oubliés. Gwen Beckett suivait un stage. Au moment où elle est sortie, il pleuvait des cordes. Je lui ai proposé de la reconduire chez elle. Et elle a accepté.

– Je comprends. Il était quelle heure ?

– Nous sommes partis vers dix-huit heures. Je suis rentré aux environs de vingt heures trente.

– C'est tôt.

– Nous sommes arrivés à la ferme vers dix-huit heures trente. Mais nous avons passé plus d'une heure dans la voiture. Elle m'a raconté sa vie et réciproquement. Après, je suis rentré.

– Vous êtes resté ici ? Seul ?

– Oui.

– Votre logeuse peut le confirmer ?

Il se passa la main dans les cheveux, parut désemparé.

– Aucune idée. Si le 16 juillet n'est pas une date marquante pour elle, elle n'a pas de raison de se souvenir de ma présence chez moi ce soir-là. Mais vous pourriez peut-être m'expliquer ce que...

Valerie l'interrompit en changeant abruptement de sujet :

– N'avez-vous fait la connaissance de Mme Fiona Barnes que samedi dernier, ou la connaissiez-vous avant ?

– Je la connaissais déjà. Je l'avais rencontrée quelquefois à la ferme, quand j'allais chercher Gwen. Un jour, elle nous a invités ensemble chez elle. C'est une amie du père de Gwen.

– Il y avait déjà eu des heurts entre vous ?

– Non.

– Elle n'a jamais montré qu'elle se méfiait de vous ?

– Elle montrait qu'elle ne m'aimait pas. Elle était froide, distante, elle me regardait avec une certaine animosité. Mais ça m'était égal.

– Et avant-hier soir, ça ne vous a plus été égal ?

– Elle m'a agressé avec virulence. Non, ça ne m'a plus été égal. Je suis donc parti. Mais je ne l'ai pas tuée. Mon Dieu ! Je ne lui accorde pas assez d'importance, à cette pauvre vieille, ni à elle ni à ce qu'elle pense de moi !

Valerie embrassa la pièce du regard. Comme tous ceux qui y pénétraient, elle était surprise du désordre, de la crasse, des signes évidents de pauvreté. Le langage de Dave Tanner, son aspect, ses manières, révélaient une bonne éducation, de bonnes études, un bon milieu. Tanner ne cadrait pas avec cette maison, cette pièce.

La fonctionnaire en arriva logiquement à la conclusion que Fiona Barnes et Leslie Cramer n'avaient pu exclure. La ferme dont Gwen Beckett hériterait dans un avenir qui n'était plus très lointain constituait-elle une planche de salut pour Dave Tanner ? Dans quelle mesure craignait-il que Fiona Barnes, avec le poison distillé par ses flèches, ne détourne Gwen de son intention de l'épouser ? Il avait pu estimer que l'élimination de la vieille dame représentait pour lui une nécessité vitale.

Elle aborda alors un autre sujet :

– Vous saviez que votre collègue, Mme Gardner, employait une étudiante pour garder sa fille pendant qu'elle travaillait à l'école ?

– Oui. Elle me l'avait dit.

Tanner répondait à présent en prenant grand soin de choisir ses mots, même s'il était visible qu'il faisait un gros effort pour conserver son calme. Apparemment, il avait compris la stratégie de l'enquêteuse, avec ses brusques changements de sujet...

– Mais je ne connaissais pas son nom, ajouta-t-il. Je ne connaissais pas cette fille.

– Vous saviez où habitait Mme Gardner ?

– Non. Nous n'avions aucun contact.

– Mais vous auriez pu trouver son adresse au secrétariat de l'école.

– Oui, j'aurais pu. Mais je ne l'ai pas fait. Il n'y avait pas de raison.

A nouveau, les yeux de Valerie firent le tour de la pièce, mais, cette fois, avec une expression méprisante qui ne pouvait pas échapper à son occupant.

– Monsieur Tanner, je ne crois pas me tromper en estimant que votre situation financière n'est pas vraiment rose. Vous ne disposez d'aucun revenu en dehors de celui que vous procurent vos cours de langues ?

– Non.

– Ça vous permet tout juste de joindre les deux bouts, je suppose.

– C'est vrai.

Valerie en resta là. Elle se leva.

– Ce sera tout pour l'instant, monsieur Tanner. Nous allons très certainement avoir d'autres questions à vous poser. Vous n'avez pas l'intention de quitter la ville prochainement ?

– Non.

– Bien. Nous reprendrons contact.

Valerie et le sergent Reek sortirent. Dans le couloir, ils tombèrent sur la logeuse.

– Alors ? s'enquit-elle, les yeux luisants de curiosité. Il a fait quelque chose de mal ?

– Non, c'était un interrogatoire de routine, répondit Valerie. Dites, vous savez peut-être à quelle heure il est rentré, samedi soir, M. Tanner ?

Mme Willerton dut reconnaître à son grand regret qu'elle ne le savait pas.

– Je me suis endormie devant la télé, avoua-t-elle. Quand je me suis réveillée, il était presque minuit. Je ne peux pas vous dire si M. Tanner était chez lui.

Valerie le regrettait également. Une logeuse aussi curieuse et aussi indiscrète que Mme Willerton était en soi un véritable cadeau pour une enquêteuse. Dire qu'elle s'était endormie, ce soir-là entre tous ! Une vraie malchance.

Valerie ne se découragea pas pour autant :

– Vous vous souvenez du 16 juillet de cette année ?

Sur le visage de la logeuse s'inscrivit l'expression d'une intense réflexion. Son cerveau travaillait visiblement à plein régime.

– Le 16 juillet, vous dites ? Le 16 juillet ?

– C'est le jour où Amy Mills a été assassinée. Vous avez sûrement entendu parler de l'affaire.

Mme Willerton écarquilla les yeux.

– M. Tanner a quelque chose à voir avec ça ? demanda-t-elle à voix basse, l'air horrifié.

– Pour l'instant, nous n'avons aucune raison de le penser, éluda Valerie.

– Vous voulez sûrement savoir s'il était à la maison ce soir-là, en conclut son interlocutrice, au désespoir. Oh, mon Dieu, mon Dieu, ça, je n'en sais rien du tout !

– Pas grave, l'apaisa Valerie avec un sourire aimable. Ça remonte à trois mois ! On ne sait jamais, peut-être que quelques détails vous reviendront en mémoire...

– Je vous rappelle si jamais il y a quelque chose qui me revient, promit la logeuse.

Reek lui tendit sa carte. Elle la prit d'une main tremblante.

Valerie ne se faisait pas beaucoup d'illusions. Cette bonne femme était vieille, seule et désœuvrée. Sans doute fournirait-elle des informations complémentaires, mais celles-ci seraient à manier avec scepticisme. Il y avait de fortes chances pour que de minuscules événements, sans être des inventions pures et simples, subissent des transformations n'ayant qu'un lointain rapport avec la vérité. Dans son désir d'attirer l'attention sur elle, cette commère ne manquerait pas de fondre avec gourmandise sur Tanner, victime toute choisie. Dehors, Reek demanda :

– Qu'est-ce qu'on fait maintenant ?

– Cap sur la ferme Beckett, répondit-elle.

C'était de nouveau une journée particulièrement belle. Elle promettait d'être chaude.

3

Elle regarda fixement le téléphone, attendit qu'il sonne tout en sachant qu'il était mortel d'attendre qu'un téléphone sonne. Elle tendit l'oreille pour percevoir les bruits de l'appartement : le léger bourdonnement du réfrigérateur dans la cuisine, le tic-tac d'une pendule, le goutte à goutte d'un robinet qui n'était pas entièrement fermé. Au-dessus, quelqu'un marchait, faisant craquer de temps à autre une lame de parquet. Dehors, dans la baie, l'été indien attendait les promeneurs, déversant sa lumière sur les vagues, incendiant les feuillages dans les Esplanade Gardens. Le ciel était d'un bleu froid, trop clair. A la radio, ils avaient recommandé de profiter de la journée, car la pluie et le brouillard allaient faire leur apparition le lendemain.

Leslie tenta d'assimiler que sa grand-mère était morte.

Qu'elle ne reviendrait jamais dans cet appartement.

Que tout ce qu'elle voyait autour d'elle, les meubles familiers, les tableaux, les rideaux, un pull jeté négligemment sur un fauteuil, étaient des reliques, des objets abandonnés, des biens terrestres qui n'avaient plus d'importance pour celle à laquelle ils avaient appartenu. C'était impossible à imaginer, car la vie de Fiona continuait à s'exprimer dans les moindres détails. Son fromage préféré au frigo, la réserve de paquets de cigarettes, les roses, sur la table, dont elle venait de changer l'eau. Les bottes de caoutchouc, dans l'entrée, qu'elle mettait par temps de pluie pour faire sa promenade. Dans la salle de bains, sa brosse à dents, son peigne, son sèche-cheveux. Les quelques produits de maquillage qu'elle utilisait.

Elle ne rentrerait plus, ne retrouverait plus tout cela.

Elle ne rentrera plus pour me retrouver, pensa Leslie.

Fiona avait joué pour elle le rôle de sa mère. Fiona avait été sa mère. Elle venait de perdre sa mère.

Pendant que, le samedi précédent, elle pleurait de solitude et de froid, roulée en boule dans son lit, sa mère mourait, ou agonisait.

142

Elle n'était pas morte paisiblement dans son lit, n'avait dit adieu à personne. Elle avait été assassinée par un fou. Un fou qui l'avait guettée, lui avait enfoncé le crâne, l'avait abandonnée au fond d'une gorge boisée.

C'était impossible à imaginer. Cela dépassait les limites de la pensée, les limites de la perception. Leslie se savait en état de choc. Elle avait saisi clairement ce qui s'était passé, elle avait compris chacun des mots prononcés par l'inspecteur Almond la veille au soir, mais l'horreur, avec son caractère implacable, ne s'était pas encore introduite dans les arcanes de son cerveau. Un mur était toujours là, l'empêchant de prendre conscience qu'il s'était passé une chose qui marquerait à jamais la suite de son existence. Jamais elle ne parviendrait vraiment à surmonter la mort de sa grand-mère, le seul référent de son enfance et de sa jeunesse. A jamais, le crime, brutal, violent, ignoble, resterait associé à sa mort. Jamais elle ne pourrait aller se recueillir sur la tombe de Fiona sans penser à ses derniers instants. Jamais des phrases consolatrices comme : « Elle n'a pas souffert », ou « La mort a été une délivrance pour elle », ou « Au moins, c'est allé très vite », ne seraient prononcées. Car une chose était sûre : Fiona avait souffert. La mort avait été une délivrance dans la mesure où elle avait mis fin à son martyre, l'avait libérée de la violence d'un assassin. Et ce n'était pas allé très vite. Elle avait été brutalisée, traînée, poussée par ce monstre, quel qu'il fût, jusqu'à ce coin de prairie écarté. Elle avait compris le sort qui l'attendait. Dans sa mortelle angoisse, avait-elle appelé sa petite-fille au secours ?

Mais le choc avait eu pour effet de permettre à Leslie d'avoir une conversation étonnamment concrète avec Valerie Almond. L'enquêteuse l'avait informée de la mort violente de sa grand-mère en termes modérés, prudents.

– Je suis obligée de vous poser quelques questions, avait-elle ajouté ensuite, mais ça peut attendre demain.

Leslie, assise sur le canapé, hébétée, l'avait invitée à continuer :

– Non, allez-y, posez vos questions. Tout va bien.

L'entretien l'avait aidée à passer la première heure. De manière rationnelle, concentrée et détaillée, elle avait décrit la journée du samedi. Le fait de contraindre son cerveau à se souvenir des événements, y compris des petits détails, lui faisait du bien.

A la fin, elle avait demandé :

– Vais-je devoir identifier ma grand-mère ?

Valerie avait acquiescé d'un signe de tête.

– Cela nous aiderait, avait-elle dit. Il n'y a, hélas, aucun doute sur l'identité de la morte, mais cela nous apporterait la confirmation définitive. Pour le moment, elle est entre les mains du médecin légiste mais... il serait bon que quelqu'un puisse vous accompagner. Avez-vous d'autres parents à Scarborough ?

Leslie avait répondu par la négative :

– Non. Fiona était ma seule parente.

Valerie l'avait regardée avec compassion.

– Vous n'avez nulle part où aller ? Il vaudrait peut-être mieux que vous ne passiez pas la nuit seule dans cet appartement.

– Je préfère rester ici. Ça ira. Je suis médecin, avait-elle précisé.

Même si cette profession n'avait aucune influence sur le moment présent, Valerie Almond avait paru trouver cette précision convaincante.

Puis elle avait annoncé son intention de se rendre le lendemain à la ferme Beckett pour interroger ses habitants.

– J'irai aux alentours de dix heures. J'aimerais que vous y soyez aussi. Voulez-vous que je vous envoie un véhicule ?

– J'y serai. J'aurai ma propre voiture. Merci.

Valerie Almond était partie, non sans lui avoir tendu sa carte avec la recommandation de la contacter au cas où il lui reviendrait un détail quelconque susceptible d'avoir un lien avec l'assassinat de sa grand-mère.

– Même si ça vous paraît banal, avait-elle ajouté, ce pourrait être important pour nous.

Leslie avait appelé à la ferme et informé des événements une Gwen stupéfaite, qui l'avait abreuvée de questions, exprimé son effroi, son horreur, au point que Leslie s'était retenue de hurler.

– Ecoute, Gwen, tu peux comprendre que j'ai besoin d'un peu de calme, avait-elle réussi à prononcer en se maîtrisant au prix d'un gros effort. On se voit demain, d'accord ?

– Mais viens tout de suite, maintenant ! Tu ne peux pas rester seule ! Parce que ce n'est pas bon pour...

– A demain, Gwen ! avait-elle répondu en raccrochant.

Elle était incapable de se souvenir de la nuit qu'elle avait passée. Avait-elle erré sans but dans les pièces ? Etait-elle restée assise sur le canapé, les yeux fixés au mur ? S'était-elle couchée sur le lit de Fiona, sans dormir, les yeux grands ouverts ? Avait-elle feuilleté un vieil album de photos ? Le lendemain matin, des images imprécises lui étaient passées par la tête. Oui, elle avait dû faire tout cela au cours des heures interminables de cette affreuse nuit. Elle se rappelait avoir pris sa voiture et avoir roulé jusqu'à une station-service. Elle en était revenue avec une bouteille de vodka dont elle avait bu une bonne quantité. Elle avait honte de cette démarche, mais, bon Dieu, pourquoi Fiona n'avait-elle pas la moindre goutte d'alcool chez elle ?

Elle n'avait rien pu avaler pour son petit déjeuner. Depuis le dîner de l'avant-veille, elle n'avait mangé que trois bouchées du plat surgelé qu'elle avait déniché dans le congélateur. En contrepartie, elle avait picolé jusqu'à la limite du coma éthylique. Tant pis.

A huit heures et demie, n'y tenant plus, elle avait essayé de joindre Stephen à l'hôpital. On lui avait répondu qu'il était au bloc, mais qu'on lui transmettrait le message. Et maintenant, elle campait devant le téléphone. En grinçant des dents. Car deux ans auparavant, elle s'était juré de ne plus jamais solliciter l'aide de Stephen, sa proximité, son soutien. Elle avait tenu bon, même dans les moments les plus sombres, les plus tristes, qui avaient suivi la séparation. Y compris pendant les week-ends interminables qu'elle avait passés en larmes devant la télé, et devant une bouteille. Il eût suffi d'un signe pour qu'il se précipite dans ses bras. Mais elle n'avait pas flanché.

Jusqu'à ce jour fatal. Jusqu'à cette catastrophe dont elle ne savait pas comment elle se sortirait, passé son état de stupeur.

Le téléphone sonna.

Oubliant sa fierté, elle décrocha aussitôt.

– Allô ? Stephen ?

Silence à l'autre bout du fil.

– Stephen ? C'est Leslie.

On entendait respirer quelqu'un.

– Qui est à l'appareil ?

Une respiration. Puis on raccrocha.

Elle fit de même en secouant la tête. Au bout de quelques secondes, le téléphone sonna à nouveau. Cette fois, c'était la voix de Stephen.

– Leslie ? C'était occupé à l'instant. C'est moi, Stephen.

– Bonjour, Stephen. Je viens d'avoir un coup de fil étrange.

Elle chassa cette pensée. Un mauvais numéro. Ou une blague.

– Qu'est-ce qui se passe ?

– Fiona est morte.

– Quoi ?

– Elle a été assassinée. Samedi soir.

– Pas possible ! s'écria Stephen, horrifié.

– On l'a retrouvée hier. C'est… je n'arrive pas à y croire.

– On sait qui a fait ça ?

– Non. Pour l'instant, on ne sait rien.

– C'était pour la voler ?

– Son sac à main était encore là. Son portefeuille aussi. Non, ce n'était pas pour… de l'argent, précisa-t-elle d'une voix monocorde.

Il fallut quelques secondes à Stephen pour réussir à ordonner ses pensées.

– Ecoute, dit-il, je vais voir si je peux me faire remplacer. Et j'arrive à Scarborough le plus vite possible. Auprès de toi.

Elle secoua violemment la tête, même si Stephen ne pouvait pas la voir.

– Non, ce n'est pas pour ça que je t'ai appelé. J'ai simplement voulu…

Elle s'arrêta, prit une profonde inspiration. Qu'avait-elle voulu au juste ?

– Tu as peut-être besoin que quelqu'un te prenne dans ses bras, dit-il.

Sa voix était douce. Compatissante. Compréhensive. Chaleureuse. Au fond, c'était exactement cela qu'elle avait voulu. Quelqu'un qui la prenne dans ses bras. Quelqu'un à qui confier sa peine, son sentiment de culpabilité. Une épaule où poser sa tête.

Un rocher qui se dressait dans les brisants. C'était ce qu'il était pour elle autrefois. Et elle avait cru que ce serait pour toujours. Jusqu'à la fin des temps.

Malgré son chagrin et sa faiblesse, elle sentit remonter en elle la colère. Il l'avait trahie. Le choc, la douleur de ce moment revinrent la frapper avec violence. Il voulait la prendre dans ses bras ? C'était justement le geste qu'elle ne l'autoriserait plus jamais à faire.

– Garde ça pour les filles que tu rencontres dans les bars, se contenta-t-elle de répondre d'une voix sèche en raccrochant violemment.

Il n'avait peut-être pas mérité cette vacherie. Ce n'était pas lui qui avait eu l'idée de l'appeler.

Mais elle traduisait bien ses sentiments.

– Des appels anonymes ? répéta Valerie Almond d'une voix coupante. Quel genre ?

Chad Beckett réfléchit.

– Ben… personne ne parlait. Le téléphone sonnait, il y avait quelqu'un qui respirait à l'autre bout, mais il ne répondait pas aux questions et il raccrochait ensuite.

– Ça se passait depuis quand ?

– Elle ne me l'a pas dit exactement. Elle a dit « dans les derniers temps », je crois que c'est ça.

– Donc, c'est samedi soir que Fiona Barnes vous a raconté ça ?

– Oui. Après le départ de Dave Tanner, pendant que ma fille s'était enfermée dans sa chambre pour pleurer. Elle a demandé à me parler. Et c'est là qu'elle a mentionné les coups de téléphone.

– Cette affaire la tracassait, je suppose.

– Oui, elle était un peu inquiète.

– Est-ce qu'elle avait une idée de la personne qui pouvait l'appeler ?

– Non, répondit Chad en haussant les épaules.

– Elle ne pensait vraiment à personne ? A quelqu'un qui la détestait, à quelqu'un avec qui elle s'était fâchée un jour, quelqu'un avec qui elle avait eu des mots, que sais-je ? C'est le genre de choses qui arrive à tout le monde.

– D'accord, mais ce n'est pas une raison pour recevoir des coups de téléphone anonymes. Fiona ne voyait pas d'où ça pouvait venir.

– Et vous ? interrogea Valerie en regardant attentivement son interlocuteur. Vous voyez d'où ça pourrait venir ?

– Non. J'ai dit à Fiona ce que je pensais. J'ai dit que pour moi, c'était un détraqué qui prenait des noms au hasard dans l'annuaire. Un type fêlé, mais pas dangereux, qui se croit important parce que comme ça, ça lui donne du pouvoir sur les autres. C'est souvent des types comme ça.

– Bien sûr, mais on retrouve rarement leurs victimes assassinées au fond d'un ravin. Il faut prendre cet indice très au sérieux, monsieur Beckett. S'il vous vient une idée concernant le correspondant anonyme, il faut me donner son nom.

– Evidemment, confirma Beckett.

Le visage du vieil homme avait pris une teinte grise, sa peau brillait légèrement. Il semblait souffrir de problèmes circulatoires. Au cours de l'entretien, Valerie avait appris qu'il connaissait Fiona Barnes depuis ses quinze ans, depuis l'époque où celle-ci était arrivée à la ferme dans le train des enfants londoniens évacués. Ils s'étaient liés d'amitié pour la vie. La manière dont sa vieille amie avait trouvé la mort ne pouvait être qu'un cauchemar pour lui, mais il n'était visiblement pas le genre d'homme à s'épancher. Il garderait pour lui sa souffrance et les images atroces qui viendraient le visiter pendant ses nuits d'insomnie.

Valerie prit congé et quitta la pièce. Dans l'entrée, elle tomba sur Leslie et Jennifer qui s'entretenaient à voix basse. Valerie décida d'aborder immédiatement la question des appels.

– Dr Cramer, je suis contente que vous soyez encore là. Est-ce que votre grand-mère vous a parlé des appels anonymes qu'elle recevait depuis quelque temps ?

– Non, répondit Leslie, elle ne m'en a pas parlé.

Puis l'épisode de la matinée lui revint :

– J'ai eu moi-même un appel curieux ce matin. Quelqu'un a respiré à grand bruit dans l'appareil et a raccroché ensuite sans dire un mot. Mais ça m'était sorti de la tête.

– Ça se recoupe assez précisément avec la description que Fiona Barnes a faite à M. Beckett le soir de sa mort, fit remarquer Valerie. Pas un mot, mais une respiration. Ça s'est passé dans l'appartement de votre grand-mère ?

– Oui, confirma Leslie.

Valerie réfléchit. Elle avait rassemblé les habitants de la ferme dans la salle de séjour et leur avait posé des questions sur la soirée tragique, puis avait eu un entretien personnel avec chacun d'eux. Elle leur avait demandé si, à leur connaissance, la victime avait des ennemis. Cela n'avait rien donné. Le seul à entrer en ligne de compte semblait être Tanner. D'après les témoignages, Fiona l'avait cruellement humilié devant tout le monde. Mais tous avaient déclaré que cela n'en faisait pas pour autant un assassin à leurs yeux.

– Ce n'est pas le genre, avait affirmé Jennifer Brankley.

Valerie s'était retenue de répondre que lorsque quelqu'un s'apprêtait à commettre un meurtre, cela ne se voyait pas sur sa figure. Elle avait côtoyé des criminels auxquels on pensait pouvoir donner le bon Dieu sans confession.

– Si le mystérieux correspondant anonyme était l'assassin, il n'aurait pas appelé chez elle ce matin, fit observer Jennifer. Il était au courant de sa mort !

Valerie l'écouta d'une oreille distraite. A ce stade de l'enquête, elle ne pouvait éliminer aucune possibilité, mais, en même temps, elle ne possédait aucun élément plausible. Un correspondant anonyme qui en voulait à la vie de Fiona ? Comment savait-il qu'elle irait se balader seule en pleine nuit sur une route de campagne déserte ? Cet élément avait été impossible à prévoir. Seuls ceux qui avaient participé à cette lamentable fête de fiançailles étaient susceptibles d'être au courant. Mais lequel d'entre eux eût été capable d'assassiner la vieille dame de manière aussi barbare, et avec quel mobile ?

Elle prit congé des deux jeunes femmes et sortit dans la cour qui, malgré son état de délabrement, offrait un spectacle idyllique à la lumière resplendissante de ce début d'automne. Le vent qui montait de la mer transportait avec lui l'odeur des algues et le goût du sel.

Valerie réfléchit.

Selon ses propres déclarations, la petite-fille, Leslie Cramer, avait quitté la ferme un bon moment avant sa grand-mère et était entrée dans un pub, le Three Jolly Sailors à Burniston, pour se consoler avec quelques verres de whisky. Ce serait facile à vérifier. Dans cette région, une femme qui entrait seule dans un bar pour se torcher au whisky faisait sensation plus sûrement que l'apparition soudaine d'un martien.

Chad Beckett avait eu une conversation avec Fiona dans son bureau. Elle lui avait parlé des appels anonymes qui l'inquiétaient. Chad l'avait rassurée. Ils avaient encore évoqué des choses et d'autres, puis elle avait décidé de rentrer, et il était monté se coucher. Evidemment, il avait pu la suivre, mais Valerie en doutait. D'une part, elle ne voyait aucun mobile, et de l'autre, elle avait remarqué qu'il se déplaçait avec grande difficulté. Il semblait beaucoup souffrir en marchant ; c'était un vieil homme diminué. Fiona Barnes, au contraire, avait été décrite comme une personne en pleine forme et incroyablement agile pour son âge. Difficile de le

149

voir marcher jusqu'au ravin, et, de plus, trouver la force de frapper à mort une femme capable de lui échapper avec facilité.

Colin Brankley. Le vacancier qui avait commandé le taxi. Il avait dit au revoir à Fiona, était monté se coucher. Ce que sa femme ne pouvait confirmer, parce qu'elle était sortie promener ses chiens. En pensée, Valerie dessina un point d'interrogation derrière le nom de Colin. Un intellectuel, un rat de bibliothèque qui passait ses vacances dans cette vilaine ferme depuis des années.

– Ma femme est très attachée à ses chiens, avait-il expliqué, nous n'avons donc pas beaucoup de choix pour trouver un lieu de vacances. De plus, Jennifer et Gwen sont amies.

OK. Ça paraissait plausible. Pourtant, deux facteurs subsistaient : Colin avait environ quarante-cinq ans, il était costaud et adroit. Il possédait la condition physique lui permettant de tuer une vieille dame. Et il n'avait pas d'alibi. Valerie décida de vérifier ce qu'il faisait et où il se trouvait au moment où Amy Mills avait été tuée... tout en devinant que cela ne la mènerait pas bien loin. Il déclarerait qu'il dormait chez lui, dans son lit, et sa femme le confirmerait.

Sa femme. Jennifer. Valerie ne savait pourquoi, mais cette femme lui semblait opaque. Elle avait le regard fuyant et lui faisait l'effet d'une chaudière soumise à une pression trop haute et maintenue sous contrôle à grand-peine. Elle avait un problème. De plus, son nom, Jennifer Brankley, lui disait quelque chose. Elle l'avait déjà entendu, mais avec la meilleure volonté du monde, impossible de savoir dans quelles circonstances.

Elle finirait par trouver.

Après la fin brutale du dîner, Jennifer Brankley avait passé une heure et demie avec Gwen, effondrée dans sa chambre, pour la consoler.

Ensuite, elle l'avait convaincue de sortir les chiens avec elle. Jennifer avait déclaré qu'elles avaient marché pendant une bonne heure et demie.

Malheureusement, elles avaient pris la direction opposée, avaient gravi la colline et étaient descendues jusqu'à la mer en passant par un ravin.

– Vous voyiez clair ? s'était étonnée Valerie.

– Oui, la lune nous éclairait parfaitement, avait répondu Jennifer, et je connais bien le chemin. Les chiens aussi. Nous le prenons deux à trois fois par jour. J'emporte toujours une lampe de poche en cas de besoin.

Gwen Beckett avait confirmé les faits, précisant qu'elle avait commencé par refuser, mais que Jennifer avait insisté en lui disant que cela lui ferait du bien. Mais elle ne savait pas combien de temps avait duré leur promenade.

– J'étais... comme dans un état second, avait-elle murmuré. Je m'étais tellement réjouie de cette soirée... et tout a été gâché. J'étais désespérée. Je pensais que tout était fini.

Valerie fit quelques pas dans la cour, s'assit sur un tas de bois et balaya l'horizon du regard. La ferme était située au pied d'une colline qui s'élevait en pente douce, parcourue de murets de pierre. Çà et là, quelques arbres au feuillage rouge et doré resplendissaient au soleil. Selon Jennifer, un chemin, ou plutôt un sentier de randonnée, escaladait la colline pendant quelque temps, continuait ensuite tout droit vers le sud et aboutissait à une gorge traversée par un pont de bois. De l'autre côté du pont, des marches serpentaient jusqu'au fond de la gorge. En bas, on marchait pendant un certain temps sur un sentier envahi d'herbe. La gorge débouchait sur la plage et on se retrouvait dans une petite crique appartenant à la ferme Beckett.

– On peut se baigner là ? s'était enquise Valerie.

Gwen avait répondu par l'affirmative.

– Mais il y a beaucoup de cailloux, avait-elle précisé. Autrefois, mon père envisageait de faire apporter du sable et d'aménager une petite plage pour nos vacanciers. Mais il ne l'a pas fait.

Cette ferme pourrait être un bijou si on en faisait quelque chose et si on exploitait ses possibilités, se dit Valerie, sans savoir qu'elle suivait exactement le raisonnement de Fiona. Cela n'avait sûrement pas échappé à Tanner quand il avait commencé à fréquenter Gwen. Jusqu'où était-il capable d'aller pour éviter que sa fiancée, et son bien, ne lui échappent par la faute d'une vieille femme ?

Gwen elle-même s'était sentie menacée. Une fille plus toute jeune, insipide, qui avait vu arriver dans sa vie un homme intéressant prêt à l'épouser. Valerie avait immédiatement deviné que Gwen voyait en Dave son unique chance, et sans doute avait-elle raison. Fiona représentait un danger pour elle : si la vieille dame avait persisté dans son entreprise de démolition, combien de temps encore Tanner aurait-il tenu avant de jeter l'éponge ? Mais une

Gwen Beckett était-elle capable pour autant d'assassiner à coups de pierre une femme qu'elle connaissait depuis toujours, qu'elle aimait, à laquelle elle était attachée ? La douleur de Gwen ne paraissait pas jouée. A moins d'être une comédienne consommée, elle donnait l'impression d'avoir été prise par surprise et d'être profondément affectée par la mort de cette amie.

Je tourne en rond, se dit Valerie. Son instinct lui disait qu'elle ne connaissait pas encore le véritable mobile du meurtre. Tout ce qu'elle connaissait, c'était la querelle avec Tanner, le scandale pendant le dîner de fiançailles. Mais cela ne suffisait pas. L'assassinat avait été commis avec une violence, une brutalité pour lesquelles les attaques fielleuses de Fiona semblaient un mobile trop mince. Elle avait gâché la soirée. Mais c'était une vieille dame qui s'apprêtait à fêter son quatre-vingtième anniversaire l'année suivante. Qui la croyait encore capable d'influencer la vie des autres, voire de la détruire ?

Et quel était le rapport avec le meurtre d'Amy Mills ?

La prochaine étape, résolut Valerie, c'est le médecin légiste. Il faut que je sache si les deux meurtres ont pu être commis par la même personne.

Ce qui annihilait l'importance de la querelle qui avait eu lieu pendant le dîner.

Et remettait Tanner sur le devant de la scène. Car jusqu'alors, il était le seul à pouvoir être relié aux deux affaires... même si c'était par une construction élaborée avec des moyens tarabiscotés, il fallait le reconnaître...

Amy Mills avait-elle reçu, elle aussi, des appels anonymes ? Ce serait bon à savoir. Il y avait également Paula Foster. Qui aurait peut-être dû être la véritable victime. Quelqu'un pouvait très bien savoir qu'elle se rendait tous les soirs à la cabane. De même que quelqu'un savait qu'Amy Mills rentrait seule à travers le parc tous les mercredis soir. Deux jeunes femmes de type pas très éloigné. Dans ce cas, la mort de Fiona était un hasard. Parce qu'elle avait dérangé quelqu'un ? Pour quelle raison avait-elle emprunté le sentier menant au ravin au lieu de prendre le chemin de la ferme Whitestone ? Peut-être avait-elle rencontré son assassin sur la route, l'avait reconnu et ne pouvait donc rester vivante ? Cela n'expliquait pas pourquoi quelqu'un qui aurait jeté son dévolu sur Paula Foster se baladait dehors à onze heures du soir, alors que ce n'était pas l'horaire habituel de la jeune femme.

Valerie se leva et se dirigea vers sa voiture. Il fallait commencer par le légiste. Ensuite, dès qu'elle aurait le temps, elle ferait une recherche sur Jennifer Brankley. Cela ne lui apporterait peut-être pas grand-chose pour l'affaire en cours, mais elle allait vérifier les circonstances dans lesquelles elle avait déjà rencontré ce nom.

Elle ouvrit la portière. Elle était fatiguée... Les pièces du puzzle ne cessaient de s'amonceler devant elle, mélangées dans un grand désordre. Comment venir à bout de cette montagne ?

Elle se contraignit à observer la règle qu'elle s'était fixée des années auparavant : ne pas regarder la montagne, mais seulement l'étape suivante. Puis la suivante. Et encore la suivante. Elle avait tendance à s'affoler lorsque les éléments s'entassaient devant elle, trop opaques, trop emmêlés.

Et elle s'angoissait à l'idée de ne pas être à la hauteur.

Ce n'était pas vraiment un plus dans son métier. Il ne restait plus qu'à espérer qu'aucun de ses collègues ne s'en apercevrait.

Valerie démarra.

5

– Dr Cramer ? Je peux vous dire deux mots ?

Colin Brankley passa la tête par la porte. Puis il entra, muni d'une pile de papiers, tournant la tête en tous sens comme pour vérifier qu'ils étaient seuls.

Leslie se faisait couler un verre d'eau à l'évier. Elle avait soif, abrutie de fatigue et en même temps surexcitée. Il lui semblait sentir ses nerfs vibrer sous sa peau. Elle se demanda à quel moment elle éclaterait en sanglots, ou se mettrait à crier, à craquer. Les autres devaient la trouver curieusement calme, peut-être même indiffé-rente. Alors qu'en réalité, tous ses sentiments en rapport avec sa grand-mère, avec sa mort violente, mais aussi avec sa vie, la travail-laient au plus profond d'elle-même. Sans arrêt, des images surgis-saient, des scènes, des épisodes, des moments auxquels elle avait cessé de penser depuis une éternité, oubliés, effacés. C'était comme une fièvre.

Sans doute sa soif venait-elle de là, son besoin d'eau, aussi froide, aussi fraîche que possible.

– Leslie, répondit-elle, appelez-moi Leslie.

– Très bien, acquiesça Colin. Est-ce que vous avez un peu de temps à m'accorder ?

Il referma la porte.

Elle constata que sa main tremblait légèrement lorsqu'elle posa son verre à la bouche. Elle le reposa. Elle n'avait pas envie de s'éclabousser en présence de cet homme, même avec de l'eau.

– Oui, bien sûr. J'ai sûrement des tas de choses à faire, mais je ne sais pas...

Elle s'interrompit, indécise. Puis elle poursuivit :

– Pour le moment, je ne sais pas quoi faire.

Colin la couva d'un regard compatissant.

– Je comprends très bien. C'est un choc terrible. Pour nous tous, mais surtout pour vous. Aucun de nous... n'arrive à y croire vraiment.

Sa gentillesse la toucha. Elle sentit sa gorge se serrer. Elle avala avec difficulté. Pleurer lui aurait fait du bien, mais ce n'était pas le moment, dans cette cuisine, devant Colin. Elle le connaissait à peine, cet homme. Elle n'allait pas s'effondrer devant lui.

– Vous avez quelque chose à me montrer ? lui demanda-t-elle simplement avec un geste en direction des papiers qu'il tenait.

– Oui.

En hésitant, il posa la pile sur la table. A nouveau, il vérifia autour de lui, comme s'il redoutait une intrusion.

– C'est quelque chose qui... en fait, il faudrait le remettre à la police, mais...

– Mais ?

– Mais je crois que ce n'est pas à moi de le faire. Vous êtes la petite-fille de Fiona. C'est à vous de décider comment procéder.

– Qu'est-ce que c'est ?

Il baissa la voix pour répondre :

– Des fichiers. Annexés à des mails que Fiona Barnes a envoyés à Chad Beckett.

Elle le regarda, surprise.

154

– Chad Beckett sait se servir d'un ordinateur ? Et il a une adresse mail ?

– Se servir n'est pas le mot exact, mais oui, il a une adresse. Selon Gwen, c'est Fiona qui l'a obligé. Ils communiquaient assez souvent, tous les deux.

– Et ?

Colin chercha visiblement la meilleure manière de formuler ce qu'il avait à dire. Puis :

– Vous savez que Fiona et Chad se connaissaient depuis leur enfance. Et – sans doute parce qu'elle avait besoin de faire le point pour elle-même – Fiona a écrit leur histoire commune, du moins ce qu'elle considérait comme important. Elle a choisi un titre étrange, mais qu'on comprend au fil de la lecture : « L'autre enfant ». Elle replonge dans le passé, décrit leur première rencontre, vous connaissez l'histoire, l'évacuation des petits Londoniens, son accueil ici, à la ferme Beckett...

Leslie l'écoutait attentivement, de plus en plus intriguée.

– Oui, je connais l'histoire, Fiona me l'a souvent racontée, dit-elle. C'est très touchant de la mettre par écrit pour eux deux. Mais je ne comprends pas bien... comment est-elle arrivée entre vos mains ? Est-ce que ce ne sont pas des documents destinés uniquement à Chad ?

– Certes. C'est très clair, quand on les lit. Cela les concerne tous les deux. Quand on lit la vraie histoire...

– La vraie histoire ?

Colin répondit à mots lents :

– Je suis à peu près sûr que votre grand-mère ne vous disait pas tout. Gwen non plus ne connaissait pas toute la vérité. Ni nous.

Leslie, malgré son chagrin, sourit :

– Vous voulez dire que Fiona et Chad étaient amants ? Est-ce que ma grand-mère décrit leurs ébats passionnés dans la grange à foin ? Vous savez, elle ne l'a jamais dit, mais j'ai toujours été convaincue qu'il y avait eu quelque chose entre elle et Chad. Je n'en suis pas vraiment choquée. Et je ne pense pas que cela soit d'une utilité quelconque pour la police.

Il lui décocha un regard étrange.

– Lisez, dit-il. Vous déciderez ensuite de ce qu'il y a à faire.

Elle lui rendit son regard, mais avec froideur.

– D'où tenez-vous cela ? Comment avez-vous eu accès aux mails de Chad ?

– Gwen, se contenta-t-il de répondre.

– Gwen ?

– Oui. Elle utilise le même ordinateur que son père. Elle a... un peu fouiné. Elle n'a pas eu de mal à trouver le pseudo : *Fiona*.

Leslie avala sa salive.

Il l'aimait. Cela se confirmait.

– Et elle a fourré son nez dans ses mails ?

– Elle a ouvert les fichiers et elle a tout lu. Et à la fin, elle a été tellement bouleversée qu'elle les a imprimés pour les donner à lire à Jennifer dès notre arrivée, la semaine dernière. Hier matin, Jennifer me les a montrés avec l'accord de Gwen. Mais à ce moment, nous n'étions pas encore au courant du crime. J'ai tout lu pendant la nuit dernière.

– Dois-je donc comprendre que trois personnes sont au courant de choses qui ne regardent que Fiona et Chad ?

– Lisez, lui recommanda Colin une fois de plus.

Elle sentit la colère monter en elle. Quelles manières déloyales envers deux vieilles personnes qui avaient la nostalgie de leur passé ! Que Gwen n'ait pu se retenir de lire l'histoire de la vie de son père, puisqu'elle l'avait découverte, était à peu près compréhensible. Mais était-elle obligée de la partager avec deux étrangers ? Ces Brankley ne faisaient pas partie de la famille ! Malheureusement, il était trop tard pour protéger la vie privée de sa grand-mère.

– Je ne suis pas sûre de vouloir lire cela, dit-elle. J'ai toujours respecté la sphère privée de Fiona, vous savez.

– Fiona a été victime d'un crime affreux. Cette histoire pourrait jeter une certaine lumière sur les raisons de sa mort.

– Pourquoi n'avez-vous pas remis ce document à l'inspecteur Almond, tout à l'heure ?

– Parce que cette histoire jette aussi une certaine lumière sur Fiona elle-même. Si ce qui est écrit là-dedans – il désigna la pile de feuillets – devient public, ce à quoi il faut s'attendre au cas où cela tomberait entre les mains de la police, et s'il en découle un lien direct avec l'assassinat de Fiona, il se pourrait que cela entache le souvenir que laissera Fiona à Scarborough.

Leslie ne se donna plus la peine de cacher son irritation.

– Qu'est-ce qu'elle a fait ? Elle a braqué une banque ? Elle était kleptomane, nymphomane ? Elle avait des penchants pervers ? Elle trompait son mari ? Elle a trompé la femme de Chad avec Chad ? Elle était membre d'un groupe terroriste ? Quoi donc, Colin ? Qu'est-ce qu'elle a fait ?

– Lisez, répéta Colin pour la troisième fois. Emportez ces papiers chez vous. Pour l'instant, Gwen et Jennifer ne sont pas obligées de savoir que vous les avez.

– Pourquoi ?

– Gwen ne veut à aucun prix que la police connaisse leur contenu. Il s'agit de la personne de son père. Jennifer est de son côté, comme toujours. Elles m'en voudraient toutes les deux si elles apprenaient que je vous les ai donnés. Mais je trouve...

– Quoi ? insista Leslie, comme il s'interrompait.

– Je trouve que vous avez le droit de connaître la vérité, et c'est vous, vous seule, qui possédez le droit de décider de rendre cette vérité publique ou non. Je comprendrais parfaitement que vous ne le vouliez pas. Mais il est possible que ce soit dans ces textes que se trouve la résolution du meurtre. C'est à vous seule de décider si l'assassinat de votre grand-mère doit rester impuni. Peut-être est-ce ce que vous préférerez.

Elle fut saisie de crainte. Consciente de l'inutilité de sa question, elle insista malgré tout :

– Quoi donc, Colin ? Pour l'amour du ciel, qu'est-ce qu'il y a là-dedans ?

Il lui épargna un quatrième : « Lisez ! »

Il se contenta de la dévisager.

Elle crut déceler de la pitié dans ses yeux.

L'autre enfant.doc

4

La vie à la ferme Beckett n'était pas si désagréable, après tout. Au contraire, je m'y habituai en un temps relativement court.

Emma Beckett resta aussi gentille, aussi affectueuse, que lors de notre arrivée. Elle était plus douce que ma mère, et également plus facile à attendrir. On arrivait toujours à la convaincre de nous accorder quelque chose : une tartine entre les repas, un verre de jus de pomme maison, parfois même un bout de chocolat. Elle était persuadée que j'étais tourmentée par le mal du pays, et je ne la détrompais pas, car ainsi j'en obtenais beaucoup plus.

Chad, le fils, m'avait démasquée.

– Ah, tu es une maligne, toi, me dit-il un jour. Avec ma mère, tu fais ton petit agneau sans défense, alors qu'en vrai, tu n'as pas du tout envie de retourner à Londres !

Pas du tout... ce n'était pas exact. Notre ancienne maison, la rue, mes camarades de jeu, me manquaient. Parfois, aussi, maman me manquait, même si elle n'arrêtait pas de me critiquer. Mais de toute façon, depuis la nuit du bombardement qui avait fait de nous des sans-logis, ma maison avait disparu. Le logement surpeuplé de tante Edith ne m'avait pas laissé un bon souvenir. Mais je me rappelle avoir sangloté, une nuit, en pensant à mon père. Même s'il buvait et si maman n'avait jamais d'argent, c'était quand même mon père. Maman, je la reverrais, Londres aussi, j'en étais sûre. Mais mon père, je l'avais perdu pour toujours.

Ce n'était pas Arvid, le mari d'Emma, qui pouvait le remplacer. Il n'était pas vraiment désagréable envers moi, mais, au fond, pour

159

lui, je n'existais pas, et je ne devais jamais exister. J'avais eu dès le début le sentiment qu'il n'avait pas approuvé l'idée de sa femme de prendre un enfant évacué, et qu'il ne s'était pas laissé facilement convaincre. Peut-être s'était-il laissé persuader par l'argent versé pour cela par le gouvernement. Mais voilà qu'à la suite d'une erreur, ils se retrouvaient avec un deuxième enfant, *l'autre enfant*, comme il appelait Brian, et on ne touchait pas d'argent pour lui. Cela n'arrangeait rien à ses yeux.

– La Croix-Rouge va bientôt se charger de Brian, répétait Emma, quand Arvid rouspétait parce qu'il y avait une bouche de plus à nourrir.

Mais personne ne s'était jamais manifesté à son sujet, et je croyais deviner qu'Emma en était soulagée. Elle n'avait pas envie de voir Brian mis en orphelinat. Aussi n'entreprit-elle aucune démarche de son côté, car cela risquait de compromettre ses chances de rester avec nous.

J'aimais bien la vie à la ferme. Impossible de se représenter plus grand contraste avec Londres. Le calme qui semblait infini. Les vastes prairies parcourues de murets de pierre, parsemées de centaines de moutons qui paissaient paisiblement. J'aimais descendre jusqu'à la crique appartenant à la ferme ; c'était une entreprise aventureuse, mystérieuse, avec un passage par une profonde gorge et un sentier de forêt vierge, presque invisible au pied des rochers escarpés.

Je me frayais un chemin à travers les herbes et les fougères, sombres en hiver, puis, plus tard, sous le soleil estival, plongées dans une étrange lumière verte. Je jouais à être l'un de ces grands explorateurs dont on nous parlait à l'école, Christophe Colomb ou Vasco de Gama. Partout, à droite, à gauche, devant, derrière, les indigènes guettaient, des cannibales qu'il me fallait à tout prix éviter... Je serrais un morceau de bois entre mes dents, c'était un couteau, mon unique arme. Au moindre craquement dans les buissons, au moindre cri d'oiseau, je sursautais et ma peau se recouvrait de chair de poule. La seule chose qui me manquait alors, c'était la compagnie d'autres enfants. A Londres, dans notre rue, dans le dédale des arrière-cours, nous formions une véritable horde de dix, parfois quinze enfants. Là, j'étais toute seule. Je fréquentais l'école de Burniston et je m'entendais bien avec mes camarades de classe, pour lesquels j'étais quelqu'un d'exotique, mais nous habitions tous trop loin les uns des autres pour pouvoir jouer ensemble en dehors de l'école. Les fermes étaient isolées au milieu des prairies à moutons qui s'étiraient à perte de vue. Pour se rendre de l'une à l'autre à pied, le trajet prenait plusieurs heures.

J'étais une enfant joueuse qui jouissait de la liberté et des innombrables possibilités de la vie à la campagne, mais j'étais aussi une fille au seuil de la puberté. Maman avait toujours dit que j'étais en avance. Peut-être était-ce la vérité pour l'époque des années quarante. Dans la table de chevet de ma chambre, j'avais découvert des romans-feuilletons que je dévorais, le visage brûlant. Ils étaient usagés, lus et relus, et je me demandais si Emma les dévorait avec autant de passion que moi. « Passion » était le mot exact pour décrire le contenu de ces lectures. Car il n'était question de rien d'autre. De jolies femmes, d'hommes virils. Et ce qu'ils faisaient ensemble me mettait le rouge aux joues. Mon vœu le plus cher était de devenir moi-même adulte pour connaître enfin ce que je découvrais dans ces pages. Et, inévitablement, l'homme que j'imaginais à mes côtés ne pouvait être autre que ce héros, le beau, le viril Chad Beckett.

Je lui vouais une admiration sans bornes. Je crois même que j'étais amoureuse. Malheureusement, de son côté, il ne voyait en moi qu'une gamine sans intérêt, imposée par sa mère, et qu'il espérait voir disparaître très vite. Il me traitait avec, peut-être, encore plus d'indifférence que son père.

La seule personne de sexe masculin qui se tenait à mes côtés le plus souvent possible était Brian. « Le plus souvent possible », c'est-à-dire quand je n'arrivais pas à m'en débarrasser. Avec le temps, je devins experte dans l'art de me dissimuler à ses yeux. Il errait alors comme une âme en peine, en pleurant, ainsi que me le rapportait Emma, un doux reproche dans la voix.

Je lui opposais qu'il me tapait sur le système.

– Il est beaucoup plus jeune que moi. Et il ne dit jamais rien ! Qu'est-ce que je pourrais bien faire de lui ?

C'était vrai. Brian ne parlait toujours pas. Emma me demandait sans cesse s'il parlait, avant, en disant que je devais bien le savoir, puisque nous étions voisins.

Or, avec la meilleure volonté du monde, je ne m'en souvenais pas. On ne faisait pas attention à Brian, dans le voisinage. Je finis par répondre à Emma que, dans la rue, on racontait que les enfants

Somerville étaient arriérés tous autant qu'ils étaient. Cela mit Emma en colère – et c'était la première fois que je la voyais ainsi.

– Comment peut-on parler comme ça d'enfants sans défense ? s'énerva-t-elle. On ne juge pas en bloc !

Comme je n'avais pas envie de la fâcher encore plus, je me retins de lui faire remarquer que dans le cas de Brian, ça semblait être vrai. Un enfant de huit ans – peut-être même de neuf, car personne ne connaissait sa date de naissance – qui ne parlait pas ? Ce n'était pas normal. Les enfants de mon école avaient dit la même chose, un jour où Emma était passée m'apporter mon petit déjeuner que j'avais oublié d'emporter. Brian était assis sur le porte-bagages de son vélo. C'était la récréation. En me voyant, il était descendu du vélo en émettant des sons indéfinissables, le visage rayonnant de joie, et s'était précipité vers moi en bégayant des paroles que personne n'avait comprises.

– Ton frère, il lui manque une case, avait déclaré plus tard l'une de mes camarades.

– Ce n'est pas mon frère ! avais-je hurlé, avec un air si mauvais, sans doute, qu'elle avait reculé, effrayée.

– C'est bon, c'est bon, avait-elle répondu du ton apaisant qu'on emploie pour calmer un chien énervé.

Il était très important qu'on ne croie pas que j'étais une parente de ce petit demeuré. C'était le nom que je lui donnais en secret : petit demeuré. Je n'avais pas le droit de le dire tout haut, pas en présence d'Emma, en tout cas.

Tout cela paraît sans cœur, méchant. Et peut-être est-ce effectivement ce qu'on peut dire de moi : je ne me comportais pas très gentiment vis-à-vis de ce petit garçon perturbé. Mais il faut se remettre dans la situation où je me trouvais au début des années quarante, celle d'une enfant qui jouait les aventurières, et, en même temps, une préadolescente qui lisait des romans d'amour et éprouvait des sentiments troublants pour un garçon de quinze ans. Du jour au lendemain, j'avais été arrachée à mon environnement familier de Londres pour me retrouver sans transition dans une ferme du Yorkshire. Mon père était mort, ma mère était loin. Alors que j'étais coincée dans la cave, à Londres, notre immeuble avait été touché par une bombe et s'était écroulé sur nous. Cela faisait beaucoup d'un coup, je le sais aujourd'hui.

À l'époque, ce n'était pas aussi clair. Je sentais seulement que Brian, avec sa dépendance, avec son amour, m'étouffait. Que je me sentais dépassée. Que la présence de ce petit enfant mutique, traumatisé, était trop difficile à supporter pour moi. Je me défendais plutôt brutalement. Peut-être n'était-ce pas anormal pour mon âge.

Mais ce qui eût été normal, c'était de l'emmener voir un médecin. Ce petit avait besoin d'une aide, médicale ou psychologique, cela sautait aux yeux. Et sans doute Emma le voyait-elle. Je n'ai jamais eu l'occasion d'en parler avec elle, mais je crois maintenant qu'elle craignait de réveiller l'eau qui dormait en allant trouver un service officiel. Elle n'avait plus eu de nouvelles de Londres. Sans doute Brian avait-il été perdu quelque part dans le dédale des organismes officiels. Emma, persuadée qu'il lui fallait éviter à tout prix l'orphelinat, se réjouissait que personne ne se préoccupe de lui. Aussi fit-elle tout pour le rendre invisible. Elle renonça à aller voir le médecin, à l'envoyer à l'école. Car on comprenait au premier regard que Brian était loin d'avoir le niveau des enfants de son âge, et même plus jeunes.

Comme son mari n'accordait aucune attention à Brian, même si toute cette histoire l'énervait, elle put agir à sa guise. Chad se tenait lui aussi à l'écart ; à son âge, il avait autre chose en tête. Moi, de mon côté, je n'avais d'yeux que pour Chad, et Brian ne m'intéressait que dans la mesure où je devais déployer des trésors d'imagination pour trouver les ruses qui me permettaient de me débarrasser de lui.

Sauf pour Emma, il était devenu une sorte de *Personne*. C'est ainsi que Chad l'appela au bout d'un moment : *Nobody*.

Personne.

5

En février 1941, maman vint me rendre visite à Staintondale. Elle avait pensé venir au moment de Noël, mais on avait besoin d'elle dans la famille où elle faisait le ménage et elle n'avait pas voulu renoncer à l'argent ainsi gagné. Pour moi, cela n'avait pas été une catastrophe. La fête de Noël, à la ferme, avait été très belle, il avait même neigé un peu. Au cours des semaines précédentes, j'avais fait preuve d'un grand zèle, me rendant utile tant et plus, et j'avais amassé ainsi un beau petit pécule en argent de poche. Je m'en étais servie pour acheter à Chad le couteau dont je savais qu'il rêvait depuis longtemps. Quand il avait défait le paquet, une lueur s'était allumée dans ses yeux, et quand il m'avait remerciée, quelque chose dans son expression avait changé. C'était comme s'il n'avait plus seulement vu en moi la gamine idiote qu'on lui avait imposée, mais un être humain qu'il fallait commencer à prendre en considération. Ce regard et son sourire avaient été mon plus beau cadeau de Noël. Ainsi que le livre qu'il m'avait offert : *Les Quatre Filles du docteur March*, de Louisa May Alcott.

– Parce que tu aimes lire, avait-il précisé avec embarras.

J'avais eu une envie folle de l'embrasser, mais je n'avais tout de même pas osé. Je m'étais contentée de serrer le livre contre ma poitrine.

– Merci, avais-je murmuré en me jurant de garder ce livre toute ma vie.

Je m'y suis tenue. Je l'ai toujours.

Avec la cérémonie à l'église, les chants et le bon repas, la fête de Noël avait été très belle, et la lettre de ma mère dans laquelle elle justifiait son absence dans une longue lettre pleine de culpabilité, superflue. Au contraire, c'est en moi qu'elle avait déclenché un sentiment de culpabilité. Maman semblait croire qu'elle me manquait terriblement et sans doute était-ce ce que j'aurais dû ressentir. Je me demandais pourquoi je n'avais pratiquement pas le mal du pays et pourquoi je m'étais si bien acclimatée au bout de quelques semaines. Aujourd'hui, je crois connaître la réponse. Ce n'était pas seulement le fait d'être tombée amoureuse de Chad. Pas non plus parce que je me disputais souvent avec ma mère et que je m'entendais mieux avec la douce Emma. Je crois que j'avais trouvé là, sur la côte est du Yorkshire, mon pays. Je ne suis pas une femme des villes. Bien que née à Londres où j'ai passé les onze premières années de ma vie, je ne me sentais pas véritablement chez moi dans les rues, au milieu des gens et des immeubles. En revanche, les plaines vallonnées du Yorkshire, les adorables petits villages, l'horizon infini où se confondent le ciel et la terre, la proximité de la mer, les animaux et l'air cristallin m'avaient donné le sentiment d'être arrivée chez moi. Je me trouvais là où je devais être. Même si je ne le comprenais pas encore.

164

Ma mère constata que j'avais vraiment bonne mine quand elle arriva pour quelques jours à la mi-février. Le Yorkshire ne se présentait pas sous son meilleur jour, mais quel est le paysage qui y parvient en février ? Il faisait froid et il tombait de la neige fondue. La cour était boueuse et, derrière, le sommet des collines disparaissait dans les nuages gris et bas. J'aurais bien voulu montrer malgré tout à maman le pont, la gorge, la plage, mais elle refusa de me suivre.

– Il fait beaucoup trop froid et trop humide, dit-elle en se frottant les bras, alors que nous étions assis près de la cheminée. Non, excuse-moi, mais je ne vais pas m'amuser à crapahuter dans les rochers. Je n'ai pas envie de me casser une cheville.

J'avais l'impression que la ferme ne lui plaisait pas, que pour sa part elle n'aurait pas tenu une semaine, mais qu'elle trouvait que cela valait mieux que les bombes.

– Les Allemands continuent à faire des raids aériens, raconta-t-elle, moins qu'avant, mais je suis quand même contente que tu sois ici, en sécurité. Il y a beaucoup de gens qui ont fait évacuer leurs enfants à la campagne.

Elle vivait toujours chez tante Edith, et selon elle, c'était affreux.

– Trop de monde et trop peu de place. Et tu la connais, Edith. Elle ne se gêne pas pour montrer qu'on est de trop. Elle me traite comme une mendiante. Alors que je suis quand même la femme de son frère ! Je ne suis pas n'importe qui !

Son regard tomba sur Brian qui, comme toujours, était dans mes parages. Assis à nos pieds, il s'occupait à pousser d'avant en arrière une petite voiture en bois qui avait appartenu à Chad. Evidemment, il ne jouait à aucun jeu reconnaissable.

– Il nous comprend ? s'enquit-elle.

Je niai de la tête.

– Je ne crois pas. Et il parle à peine.

De fait, au début du mois de janvier, Brian avait pour la première fois tenté de former quelque chose comme des mots. Emma avait eu une réaction carrément euphorique, mais moi, je trouvais que ce succès était quand même très limité. Ce qu'il parvenait à prononcer à peu près, et à ma grande contrariété, c'était le mot *Fiona*. De plus, il réussissait à articuler ce qui semblait signifier : *viens* ! et *boby*. Emma cherchait à comprendre ce qu'il voulait dire par ce dernier mot. Chad et moi, nous étions sûrs qu'il cherchait à dire Nobody, le nom par lequel nous l'appelions quand nous étions seuls avec lui. Mais nous nous gardâmes bien de dévoiler le secret, car nous savions qu'Emma se serait mise en colère si elle l'avait appris.

Après s'être assurée que Brian ne pourrait pas colporter ce qu'il était éventuellement capable de saisir, maman en vint à l'information qui était probablement la vraie raison de son voyage dans le Nord.

– Peut-être que je ne vais pas rester très longtemps chez tante Edith, annonça-t-elle.

– On va reconstruire notre maison ?

– Non. Ça va sans doute prendre un certain temps. Ils enlèvent les gravats dans les rues, mais ce n'est pas la peine de reconstruire tant que les Allemands continuent à nous bombarder.

– Tu vas habiter où ?

Elle avait du mal à en venir au fait. Enfin, elle dit en baissant la voix, et très vite :

– J'ai rencontré quelqu'un...

Je ne compris pas immédiatement.

– Ah ?

– Il s'appelle Harold Kane. Il est... il travaille au chantier naval, à Londres. Comme chef d'équipe.

– Un homme ? lâchai-je, incrédule.

– Oui, évidemment que c'est un homme, répliqua maman d'un ton un peu contrarié. Qu'est-ce que tu veux d'autre ?

C'était comme si j'avais reçu un coup de massue sur la tête. Je n'étais pas partie depuis quatre mois que déjà ma mère s'était trouvé un soupirant. Pas besoin de me faire un dessin. Si elle me disait qu'elle avait rencontré un homme et, en même temps, m'annonçait qu'elle ne vivrait plus très longtemps chez tante Edith, cela voulait dire qu'elle était tombée amoureuse de cet Harold Kane et qu'elle allait bientôt s'installer chez lui. Elle avait fait drôlement vite ! Papa était mort, l'Angleterre était en guerre, Hitler se préparait à envahir le monde entier, il avait fallu m'évacuer... et au milieu de tout ça, ma mère n'avait rien trouvé de mieux à faire que de se chercher un nouveau mari. Cela ne m'enchantait pas du tout. Et à mon avis, c'était un manque de dignité.

De plus, je m'aperçus que j'étais un peu jalouse. Mon histoire d'amour avec Chad se déroulait de manière très unilatérale et n'avançait pas d'un pouce, mais dire que maman s'était dégoté un type en un tournemain, un type prêt à l'épouser, alors qu'en fait, c'était mon tour ! Moi, j'étais jeune. Maman qui, avec ses trente-deux ans, me paraissait dater de l'âge de pierre, avait déjà la plus grande partie de sa vie derrière elle.

– Pourquoi est-ce qu'il travaille au chantier naval ? interrogeai-je d'un ton plein de sous-entendus fielleux. Pourquoi il n'est pas à la guerre ?

Maman soupira, parce qu'elle avait compris la provocation et sentait venir les difficultés.

– Il est exempté, répondit-elle, parce qu'il fait un travail important pour l'effort de guerre.

Je fus sur le point de marmonner un mot comme « planqué ». Mais je n'osai pas. Je pressentais une réaction violente de sa part. De plus, ce n'était peut-être pas justifié. Arvid Beckett, lui aussi, était exempté parce qu'on avait besoin de lui à la ferme. Jamais il ne me serait venu à l'idée de le traiter de planqué. De toute façon, pour moi, quand un homme n'allait pas au front, c'était tant mieux. Tout comme Emma, je tremblais à l'idée que la guerre dure longtemps et qu'un jour, Chad parte pour le front. Sans doute maman était-elle contente que son Harold ait le droit de rester à Londres.

– Bon, je pense que maintenant, pour moi, c'est fini, je ne t'intéresserai plus, dis-je d'une voix sombre.

Evidemment, maman protesta vivement à cette remarque.

– Tu es mon enfant ! s'écria-t-elle en me prenant dans ses bras. Ça ne changera rien entre nous !

Elle le pensait sûrement. Mais même si mon expérience de la vie était encore restreinte, mon instinct me disait que cela changerait quand même quelque chose. Il y avait toujours du changement à l'arrivée d'un nouveau membre dans une famille. Et comment cet Harold se comporterait-il vis-à-vis de moi ? Il n'était sans doute pas enchanté à l'idée que sa fiancée amène une fille de près de douze ans dans la corbeille de mariage.

Le lendemain matin, en accompagnant maman sur la grand-route jusqu'à l'arrêt du bus de Scarborough qui passait une fois par jour, je formulai intérieurement le vœu de rester longtemps, très longtemps, à la ferme. Je ressentais moins que jamais le besoin de retourner à Londres. Le paradoxe était que la durée de mon séjour dans le Yorkshire dépendait de la durée de la guerre et personne ne pouvait raisonnablement souhaiter qu'elle dure encore longtemps.

D'autant plus que Chad fêterait son seizième anniversaire en avril et que la situation pouvait devenir critique pour lui.

Pendant que, du bord de la route, je faisais un signe d'adieu à ma mère qui s'éloignait, je sentis monter les larmes. Ma vie était compliquée, difficile. Mon avenir me parut soudain sombre, angoissant. J'étais seule, sans personne pour m'épauler. Ma mère moins que quiconque.

Et l'été suivant, ça y était. Quelques jours après mon douzième anniversaire, début août, je reçus un télégramme de maman. Elle m'annonçait qu'elle s'était mariée avec Harold.

6

La journée était chaude, l'air, sec, et le ciel, de ce bleu cristallin si typique du mois d'août. Les pommes mûrissaient dans les arbres. Le vent était chargé de l'odeur de la mer et de l'herbe fraîchement coupée. C'était une journée parfaite. Les vacances. La liberté. J'aurais pu lire, allongée sous un arbre, rêver, les yeux perdus dans les rares nuages qui se déplaçaient paresseusement au-dessus de moi.

Mais au lieu de cela, j'étais assise dans le sable sur un rocher, plongée dans mes pensées avec, à la main, le télégramme qui m'annonçait en termes secs que, depuis la veille, j'avais un beau-père. Un beau-père ! Je connaissais les belles-mères par ce qu'en disaient les contes. Les beaux-pères ne pouvaient pas valoir plus cher.

Je versai des torrents de larmes.

Je m'y étais attendue, j'avais toujours su que ce jour viendrait, mais, bizarrement, je n'en étais pas moins sous le choc. Je me sentais trahie, négligée. Maman aurait dû m'en parler avant, au lieu de me mettre devant le fait accompli par télégramme. Elle aurait dû me présenter Harold, voir si je m'entendais moi aussi avec lui, s'il était gentil avec moi, si nous nous comprenions. Et s'il me haïssait au premier regard... et inversement ? S'il me chicanait, me rendait la vie impossible, me criait dessus ? Qu'est-ce qui se passerait ? Est-ce qu'elle divorcerait ? Cela lui serait peut-être égal. Peut-être était-elle si grisée par sa conquête qu'elle ne voulait même plus savoir si son enfant allait bien.

Et avec le mot *enfant* me vint une idée terrifiante : et si maman et Harold avaient un enfant ensemble ? Sans doute maman n'était-elle pas encore trop vieille, sinon Harold ne l'aurait pas épousée. Dans ce cas, je serais complètement mise à l'écart. Maman ne s'occuperait plus que de son petit braillard, Harold mettrait son rejeton sur un piédestal, et moi, je serais dans leurs pattes. A la fin, ils me placeraient à l'orphelinat avec Brian. Sans doute Harold embêterait-il maman jusqu'à ce qu'elle soit d'accord.

J'étais tellement prise par mes sombres pensées, tellement occupée à pleurer et à imaginer le pire que je ne remarquai pas tout de suite que quelqu'un s'approchait. Je ne levai la tête, effrayée, qu'au moment où, du coin de l'œil, je perçus un mouvement à côté de moi.

C'était Chad. Il se tenait à quelques pas de moi, l'air pas très content de me voir.

– Tu es là ? fit-il. Moi qui croyais pouvoir être seul.

– Je viens souvent par ici, avouai-je.

Par bonheur, cela ne sembla pas le fâcher.

– Je comprends. Un bon endroit pour chialer, pas vrai ?

Je sortis un mouchoir de ma poche et me mouchai, mais je savais que mes yeux étaient rouges, gonflés, et mon visage parsemé de taches était sans doute plus vilain à voir que jamais.

– Ma mère s'est remariée, annonçai-je en agitant le télégramme.

Il répéta :

– Je comprends.

Puis il embrassa les environs d'un œil suspicieux.

– Nobody n'est pas dans les parages ?

Il n'aurait plus manqué que lui !

– Je m'en suis débarrassée. T'inquiète, il n'osera pas venir tout seul jusqu'ici.

Chad s'avança de quelques pas hésitants. Sans doute était-il frustré de sa solitude, mais quelque chose le retenait de ne pas me chasser comme une mouche importune ainsi qu'il n'y manquait jamais, au début. Mais maintenant, j'avais douze ans. Une fille de douze ans, on ne la chassait plus avec autant de mépris et d'impolitesse. Cette pensée me remonta un peu le moral.

– Tu ne l'aimes pas, ce type ? s'enquit Chad en désignant le télégramme.

J'avalai ma salive. Surtout, ne pas recommencer à pleurer.

– Je ne le connais même pas, fus-je forcée d'avouer. Quand maman et lui se sont rencontrés, j'étais déjà chez vous. Et depuis, je ne suis pas retournée à Londres.

– Elle aurait pu l'amener avec elle quand elle est venue te voir, si elle le connaissait déjà.

– Il n'avait pas le temps. Il travaille pour l'effort de guerre.

Au moins une petite chose dont on pouvait peut-être être fier à propos d'Harold.

Chad ne sembla pas considérer l'effort de guerre pour un trait d'héroïsme car il gonfla les joues et souffla avec mépris.

– Comme mon père ! Avec cette ferme minable ! L'effort de guerre ! En temps de guerre, la place d'un homme, c'est au front, et nulle part ailleurs !

Quand j'entendis ces mots, une sueur froide me parcourut l'échine, mais, en même temps, j'étais impressionnée. Ça paraissait si courageux, ce qu'il disait, si déterminé ! Chad avait fini sa scolarité cet été-là et était désormais employé aux travaux de la ferme avec son père, une activité qui ne lui plaisait pas beaucoup, source de nombreuses disputes avec Arvid. J'avais surpris une conversation quelque temps auparavant entre ses parents. Emma aurait aimé qu'il fréquente une école supérieure et peut-être, plus tard, l'université.

– Il en est capable ! avait-elle dit d'un ton suppliant. Ses maîtres le pensent aussi. Il a de bonnes notes.

Mais Arvid n'avait rien voulu entendre.

– Une école supérieure ! L'université ! Pour quoi faire ? Ce gosse héritera de la ferme, et pour ça, il n'a pas besoin de diplômes. Il apprendra le métier petit à petit, et un jour je lui laisserai le tout. Il peut s'estimer heureux ! Un domaine pareil, ça ne se trouve pas sous le sabot d'un cheval, et lui, ça lui tombera tout rôti dans la bouche.

Pour l'heure, poursuivre des études n'avait pas l'air d'être l'objectif premier de Chad. Il envisageait autre chose, et ça, ça m'inquiétait.

– Je viens de parler à mes parents, dit-il.

Ses joues étaient rougies, et cela ne provenait sans doute pas de sa descente au fond de la gorge.

– J'ai seize ans, je pourrais m'engager si mon père me donnait l'autorisation ! Je ne comprends pas pourquoi il refuse !

Il finit par s'asseoir sur le rocher à côté de moi, ramassa quelques petits galets et les lança dans l'eau d'un geste furieux.

– T'engager ? Tu veux dire… ? balbutiai-je.

– Au front, évidemment ! Je veux me battre. Comme les autres !

– Mais il n'y a pas beaucoup de garçons de seize ans qui partent à la guerre, objectai-je.

– Si, il y en a ! insista-t-il.

Un nouveau jet de pierres. Je l'avais rarement vu aussi furieux.

– Ton père a besoin de toi à la ferme.

– Mon pays a besoin de moi au front. Pendant que d'autres meurent pour l'Angleterre, moi, je suis là à m'occuper de moutons. Tu te rends compte de ce que ça veut dire pour moi ?

Il me regarda. Dans ses yeux, je vis qu'il n'était pas seulement en colère. Il était aussi triste. Quasiment désespéré.

Peut-être était-il dans le même état que moi.

– Tu sais ce que c'est comme type, Hitler ? me demanda-t-il.

Je n'en avais pas d'idée précise.

– Eh bien… non.

– C'est un fou, dit Chad, un toqué. Il veut conquérir le monde. Il attaque tous les pays. Maintenant, il s'attaque même à la Russie. Il faut être complètement fou pour faire ça !

– Si c'est ça, il ne va sûrement pas arriver à conquérir la Russie, dis-je timidement.

Je savais que Hitler avait envahi la Russie depuis l'été, mais cela ne m'avait pas fait grand effet. J'espérais ne pas paraître trop gourde aux yeux de Chad.

– Imagine que les Allemands envahissent l'Angleterre, poursuivit Chad, pas seulement en envoyant quelques bombes, même si c'est déjà assez grave. Mais imagine que d'un seul coup, ils soient là !

Je ne voyais pas en quoi ma situation empirerait dans ce cas. Hitler lui-même n'était pas un épouvantail pire que le fantomatique Harold Kane, mais je ne l'avouai évidemment pas.

– Oui, ce serait grave, acquiesçai-je.

– Ce serait une catastrophe, tu veux dire ! souligna Chad.

Il se tut pendant quelques instants.

– C'est surtout maman qui m'arrête, reprit-il au bout d'un moment. Je crois que papa, j'arriverais à l'avoir. Mais dès que je parle de ça, elle se met à hurler !

– Elle a peur pour toi.

– Peur ! Je suis pratiquement un adulte. Il est temps qu'elle arrête d'avoir peur pour moi. Elle n'a qu'à prendre Nobody s'il lui faut quelqu'un à câliner et à étouffer avec son affection. Moi, c'est fini. Il faut que je suive ma propre route. Que je suive mes propres convictions.

Je trouvais que ça sonnait très bien, ce qu'il disait. Comme toujours, il m'impressionnait énormément. Mais je n'avais pas envie pour autant qu'il parte à la guerre. A aucun prix. Pourtant, je me gardai bien de le dire. Il fallait qu'il voie en moi une alliée, et pas une version plus jeune de sa peureuse de mère.

– Ben voilà, dis-je, dans la vie, il arrive que ça ne marche pas comme on aimerait que ça marche.

Je ne disais pas cela pour faire l'intelligente, mais tout simplement parce que je le pensais.

Chad me dévisagea.

– Mais on n'est pas obligé d'accepter, rétorqua-t-il.

– Parfois, si ! répliquai-je en agitant le télégramme que je tenais à la main. Parfois, on ne peut pas faire autrement.

Il continuait à me regarder. Quelque chose avait changé. Son regard n'était plus le même, tout à coup... Il... oui, il me regardait comme s'il me voyait consciemment pour la première fois.

– Tu as de beaux yeux, dit-il, d'un ton presque surpris. C'est vrai... ils ont quelque chose de spécial. Avec des taches dorées.

Mes yeux sont verts avec un peu de brun dedans. Du brun, pas du doré.

Peut-être la lumière modifiait-elle la couleur, ou alors, il voyait ce qu'il voulait voir, je ne le sais pas. Mais pour moi ce fut comme si l'univers s'immobilisait soudain. Comme si les vagues avaient cessé leur mouvement, comme si les mouettes s'étaient tues, comme si le léger vent s'arrêtait de souffler. Ma bouche s'assécha, je déglutis. Le télégramme, avec sa nouvelle qui m'avait tant bouleversée, m'était devenu tout à coup indifférent.

– Je... commençai-je, sans avoir la moindre idée de ce que je devais dire.

Puis je parvins à sortir :

172

– Merci.

Décidément, je ne connaissais rien à la vie. Que disait-on en un moment pareil ? *Merci*, c'était une parole d'écolière ! Mais je ne trouvai rien d'autre.

Il va me prendre pour une idiote, pensai-je, abattue, et le moment particulier où le monde entier avait retenu son souffle s'effaça aussi vite qu'il avait surgi. Je n'étais plus qu'une fille qui perdait l'usage de la parole quand un garçon lui disait quelque chose de gentil.

Chad tendit la main vers le télégramme.

– Donne voir, dit-il.

Il ne lui fallut que quelques gestes pour en fabriquer un avion. Il se leva.

– Viens, dit-il, on va l'envoyer ailleurs.

Je me levai à mon tour. Chad vérifia la direction du vent et lança adroitement l'avion en l'air, de sorte qu'il fut pris par le courant et emporté au loin. Il vola assez longtemps avant de retomber dans la mer. Nous le vîmes encore danser pendant un moment sur les vaguelettes, puis il disparut de notre vue.

– Il est parti, dit Chad. Et maintenant, n'y pense plus.

Je ris. Ce n'était pas plus compliqué que ça. Et, oui, ma mère se retrouva très loin. Harold Kane encore plus. Mon avenir, ce qui allait se passer, ne m'intéressa plus. Seuls restaient réels le présent, la plage, la mer, le ciel. Et Chad, qui prit ma main tout naturellement.

– Viens, dit-il, on rentre.

Je me souviens que, sur le chemin du retour, j'ai pensé que je vivais l'instant le plus heureux de toute ma vie. Que jamais je ne pourrais être plus heureuse, que jamais la vie ne pourrait être aussi parfaite. Aujourd'hui encore, plus d'un demi-siècle plus tard, je ressens la magie de cet après-midi particulier. Il est des moments dont le charme continue à opérer des années plus tard quand on se les remémore, quel que soit le nombre d'années écoulées, quel que soit le cours ultérieur de sa vie. En cet après-midi particulier, j'avais quasiment reçu une déclaration d'amour, car c'est ainsi que je considérai la remarque de Chad sur mes yeux. Je ne me trompais pas. En effet, il devait me rendre par la suite les sentiments que je nourrissais pour lui en secret depuis si longtemps. Mais avec le recul, je sais que cet instant était autrement plus précieux, que ce n'était pas une simple rencontre romantique entre un garçon et une fille sur une

173

plage. C'était – mais je ne pouvais pas le deviner à l'époque – l'un des rares moments intenses entre Chad Beckett et moi encore marqués par l'innocence. Ce que j'écris n'est pas une figure de style : nous n'avions pas encore commis la faute.

Les choses changèrent par la suite. Je suis sûre aujourd'hui que si nous n'avons pas pu unir nos vies, c'est à cause de cela.

De notre faute.

Mardi 14 octobre

1

Elle se réveilla parce que le réveil sonnait, et il lui fallut quelques secondes pour comprendre que ce n'était pas possible, parce qu'elle était à Scarborough et non chez elle, à Londres, et qu'elle n'avait pas de réveil dans sa chambre. Elle devait avoir rêvé ou se l'être imaginé. D'autant plus qu'alentour, c'était le silence.

Elle s'assit dans son lit. Dehors, il faisait déjà jour et le brouillard opacifiait la fenêtre. Les prophètes de la météo ne s'étaient pas trompés : l'automne commençait.

Elle s'apprêtait à se laisser retomber dans ses oreillers lorsqu'on sonna à nouveau. Mais c'était à la porte. Elle chercha sa montre à tâtons. Bientôt neuf heures. Ce qui ne lui ressemblait pas. Puis elle repensa au whisky qu'elle avait acheté la veille et dont elle s'était sérieusement imbibée. C'était probablement grâce à lui qu'elle avait dormi aussi longtemps.

Ce soir, je bois du thé, se promit-elle, tout en ayant l'amer pressentiment qu'elle n'y parviendrait pas.

Elle se leva et traversa l'appartement pieds nus. En passant devant le séjour, elle aperçut par la porte ouverte la pile de feuillets imprimés que Colin lui avait remis la veille et qu'elle avait lus pendant toute la soirée. *L'autre enfant.doc.* A côté, le verre et la bouteille de whisky. Le lampadaire était encore allumé ; elle avait oublié de l'éteindre.

Elle déclencha l'ouverture de la porte de l'immeuble et ouvrit celle de l'appartement. Une minute plus tard, Stephen apparaissait dans

175

l'escalier, muni d'un sac de voyage et chaussé de baskets. Un Stephen qui semblait exténué.

– Je t'ai réveillée ? s'enquit-il.

Elle le regarda, perplexe :

– Oui. Non. Si, mais ça ne fait rien.

Elle recula d'un pas et l'invita à entrer.

Il s'exécuta, se secoua comme un chien mouillé. Il portait un anorak luisant d'humidité.

– Il y a longtemps que je n'étais pas venu et je me suis garé trop loin, expliqua-t-il d'un ton d'excuse. En bas, au spa. J'ai été obligé de passer par le parc... Et ça monte, et il y a un brouillard à couper au couteau...

Leslie, encore à moitié endormie, balbutia :

– Mais... tu viens d'où ?

– De Londres. Je suis parti ce matin vers quatre heures.

– Pourquoi donc ?

– J'ai réussi à prendre un congé, expliqua-t-il en s'extirpant de son anorak. Je me suis dit... j'ai pensé que tu avais peut-être besoin de moi. Parce que j'imagine que tu es dans un drôle d'état...

Elle croisa les bras sur sa poitrine dans un geste de refus.

– Je t'ai pourtant dit que je ne voulais pas que tu viennes.

– D'accord, répliqua-t-il, mais tu m'as bien appelé, non ?

– Je le regrette. C'était une erreur.

Il la regarda, l'air vexé.

– Leslie, tu pourrais peut-être...

– Rien du tout ! riposta-t-elle.

Ne pas faiblir. Ne pas mollir. Pense à ce qu'il t'a fait. Rappelle-toi comme il t'a fait mal quand il t'a avoué... Les moments que tu as passés après. La peur qu'il ne recommence. Le doute qui s'est installé en toi.

Sans tenir compte de son interruption, il poursuivit :

– Tu pourrais peut-être te souvenir que nous avons été mariés pendant dix ans, que nous avons été ensemble pendant quinze ans. Que ta grand-mère a également fait partie de ma famille. Moi aussi, j'ai subi une perte. J'ai le droit d'avoir du chagrin. J'ai le droit de savoir ce qui s'est passé.

– OK. Personne ne sait pour le moment ce qui s'est passé. Si tu viens pour ça, je regrette de te décevoir. Pour ce qui est du reste, tu

176

as évidemment le droit d'avoir du chagrin. Mais seul, s'il te plaît. Sans moi.

Debout face à lui, Leslie sentait monter en elle une sourde colère qu'elle tenta de juguler.

Stephen la regarda pensivement, puis prit l'anorak qu'il avait posé sur un dossier de chaise.

– Très bien. C'est clair. Je vais essayer de trouver un endroit où je pourrai prendre un petit déjeuner et...

Soudain, elle fut prise de honte. Se passa la main dans les cheveux avec embarras.

– C'est bon. Tu peux déjeuner ici. Je suis désolée de...

Il sourit, soulagé. Elle s'engouffra dans la salle de bains pendant qu'il se rendait à la cuisine.

Stephen connaissait la maison. Autrefois, ils venaient souvent passer leurs vacances dans le Yorkshire, chez Fiona. En examinant son visage bouffi dans la glace, elle s'avoua qu'en réalité, elle était heureuse de ne pas être seule. Peut-être la mort de Fiona marquerait-elle le début d'une nouvelle phase ; une phase qui lui permettrait de se défaire de son animosité et de sa blessure, une phase au bout de laquelle elle pourrait avoir des rapports amicaux avec Stephen.

Après sa douche, elle fut accueillie dans le séjour par l'arôme du café. Stephen avait mis la table devant la fenêtre, mais chichement. Un gros morceau de cheddar posé sur une assiette trônait à côté d'une coupe de crackers.

Son ex-mari se détourna de la vue bouchée par le brouillard pour l'apostropher :

– Dis donc, tu te nourris de quoi ? Le frigo est vide. Tout ce que j'ai trouvé dans cette cuisine, c'est du café et des cigarettes en quantité industrielle !

– Eh bien voilà, tu as trouvé : de café et de cigarettes.

– Pas terrible, comme régime.

– Je sais, je suis médecin moi aussi, répliqua-t-elle.

Elle s'assit, se servit de café et en but une gorgée avec délice.

– Ah, ça fait du bien !

Pendant leur maigre petit déjeuner, Leslie lui fit part du modeste résultat de l'enquête, de la désastreuse soirée de fiançailles, de la présence de Colin et Jennifer Brankley, de la querelle entre Dave

Tanner et Fiona. De la décision fatale de Fiona d'aller se balader seule pendant la nuit.

– Elle a dû rencontrer son meurtrier quelque part sur cette route isolée, dit-elle.

– Je suppose que ce Dave Tanner est le suspect principal, commenta Stephen. Il peut très bien s'être encore trouvé dans les parages. Et d'après ce que tu viens de me décrire, il devait être dans une rage meurtrière.

Stephen n'avait pas utilisé cette expression intentionnellement, mais Leslie la releva.

– Une rage meurtrière... Ce n'est pas ça. Il était en colère, oui, mais de là à la tuer... je n'arrive pas à l'imaginer.

– Qu'est-ce que c'est comme genre de type ?

– Un type pas clair. Mais pas au point de le croire capable de tuer. Plutôt dans le genre que voyait Fiona. Il est très possible qu'il ne joue pas franc jeu avec Gwen. C'est un beau mec, le genre tombeur, et il est à la limite de l'extrême pauvreté. Gwen, ou plus exactement la ferme, représente une véritable chance pour lui.

– Pour Gwen aussi, tomber sur un homme qui l'épouserait, avec lequel elle pourrait avoir des enfants, c'est une véritable chance, fit remarquer pensivement Stephen. Bien sûr, ce n'est pas très romantique, mais ce mariage présenterait un avantage pour les deux parties.

– A condition que l'heureux élu résiste au charme des jolies filles, objecta Leslie. Et nous savons bien, toi et moi, à quel point c'est dur pour un homme.

Stephen parut vouloir répliquer à cette pique, mais renonça.

Au bout d'un moment, il désigna la petite table où étaient posés les feuillets imprimés, le verre et la bouteille qui trahissaient la manière dont Leslie avait passé la soirée de la veille.

– C'est intéressant, ce qui est écrit là ?

– C'est la vie de Fiona. Tout du moins une partie. Elle l'avait écrite pour Chad et la lui avait envoyée par Internet.

En quelques mots, Leslie lui fit le résumé de sa lecture.

– Ce que j'ai appris de nouveau, c'est qu'elle a été vraiment amoureuse de Chad, comme je l'ai toujours supposé, d'ailleurs, et qu'il y a eu entre eux une sorte de relation. Mais je n'ai pas encore poussé plus loin.

Avec un haussement d'épaules, elle précisa :

– Comme tu peux le constater, j'ai noyé mon chagrin dans l'alcool, ce qui fait qu'au bout d'un moment, j'ai été incapable de comprendre ce que je lisais.

Elle réfléchit. Quelque chose se détacha du brouillard de ses souvenirs, un mot...

– Faute, dit-elle, elle fait allusion à une faute qu'ils auraient commise, Chad et elle. Mais je ne suis pas encore arrivée jusque-là.

– Quel genre de faute, d'après toi ?

– Je ne sais pas. La seule chose qui me vienne à l'esprit, c'est qu'ils aient eu une liaison même après le mariage. Mais... elle écrit qu'ils ont été empêchés d'unir leurs vies à cause d'une faute ; cela signifie que ça ne peut pas concerner leurs conjoints ultérieurs.

En plissant le front, elle reprit :

– Est-ce que je t'ai dit que Fiona recevait des appels anonymes depuis quelque temps ? L'interlocuteur se contente de se taire et de respirer de façon audible. Elle n'a rien dit à personne, sauf à Chad. Le soir de sa mort. Ces appels devaient lui faire peur.

– Est-ce que, selon Chad, elle avait une idée de... ?

– Non. Aucune idée.

Stephen posa sa tasse et, se penchant en avant, dévisagea son ex-femme, l'air grave :

– Leslie, je crois que cette histoire, là, dit-il avec un signe de tête en direction des feuillets, il faut la remettre à la police. C'est là-dedans qu'on va peut-être trouver un indice décisif.

– Pour l'instant, ce n'est que l'histoire d'une vie. Une histoire d'amour.

– Elle parle de faute.

– Mais...

– Ne fais pas semblant. Elle parle de faute. Elle reçoit des appels anonymes. Elle finit par être assassinée. Ça signifie que la police doit avoir accès à tout ce qui peut donner un aperçu de la vie de Fiona.

– Stephen, ce récit est de nature très personnelle. Moi-même, sa petite-fille, je ne me sens pas très à l'aise en le lisant. Ce sont des souvenirs qu'elle ne voulait partager qu'avec Chad. Et maintenant, Gwen, Jennifer et Colin les ont déjà lus. Et bientôt, moi. Honnêtement, j'en veux un peu à Gwen d'avoir joué les espionnes. Surtout, elle n'aurait jamais dû les mettre entre les mains de deux personnes qui ne font même pas partie de la famille. Ils n'ont pas à savoir ce que ressentait Fiona quand elle était petite, quand elle était jeune.

— Il y a peut-être là-dedans des choses que Gwen ne pouvait pas garder pour elle. Ecoute...

Avec un geste d'impatience, Leslie alluma une cigarette.

— Oui. OK. Je le lis, tu vois bien. Et s'il y a là-dedans une chose importante, j'informe évidemment la police.

— A condition d'être capable d'estimer ce qui est important ou pas, objecta Stephen. De plus, Leslie, tu sais que tu n'as pas le droit de garder quoi que ce soit pour toi. Même si tu lis une chose qui... une chose pas très reluisante pour ta grand-mère. L'important, c'est qu'on retrouve son meurtrier. C'est ce qui compte avant tout.

— Stephen, tu ne le sais pas encore, mais en juillet, une jeune femme a été assassinée ici, à Scarborough. De la même manière que Fiona. Il se peut très bien que le meurtre de Fiona n'ait aucun rapport avec l'histoire de sa vie. Elle peut simplement avoir eu la malchance de tomber sur un psychopathe qui se balade dans le secteur et qui cible les femmes.

— Possible. Tout est possible.

Elle se leva. Stephen lui parut soudain trop proche. La pièce, trop étroite. Le café, par-dessus le marché, était froid.

— Tu sais quoi, annonça-t-elle, je crois que j'ai faim, et ce petit déjeuner ne m'a pas calée. On va sortir prendre un vrai petit déjeuner. Après, on fera des courses. On va faire... quelque chose de normal... n'importe quoi !

Dans les yeux de son ex-mari, elle lut ce qu'il pensait : il se disait que, pour un bon bout de temps, il n'y aurait plus rien de normal dans sa vie.

Que sa fuite hors de l'appartement, sa fuite dans le brouillard, ne lui procurerait qu'un court moment de répit, rien de plus.

2

Il y avait eu du bon et du moins bon au cours de la matinée, mais Valerie Almond résolut de rester optimiste et de donner plus d'importance aux bons résultats.

Elle avait tapé dans le mille avec Jennifer Brankley. Sa mémoire n'avait certes pas pu restituer tous les détails lorsqu'elle avait entendu son nom, mais, au moins, avait actionné un signal très clair. Elle en avait eu la confirmation en consultant son ordinateur. Brankley avait été impliquée dans un scandale sept ans plus tôt.

Professeur dans un établissement scolaire de Leeds, très aimée des élèves, respectée de ses collègues, estimée par les parents, Jennifer était connue pour avoir des relations très directes, très intenses avec les adolescents. Sa définition de l'enseignement ne se limitait pas à la transmission du savoir : elle voulait être pour ses élèves une partenaire, une confidente, une personne de référence. Elle avait été plusieurs fois élue professeur préférée de l'année et il eût été sans doute difficile de dénicher une personne susceptible d'émettre une opinion autre que positive à son sujet. Tout au moins sur la Jennifer *d'avant* l'affaire. Car ensuite...

– Là, elle est allée trop loin, témoignait dans l'édition électronique d'un journal l'un de ses collègues sous couvert d'anonymat. Elle n'aurait jamais dû faire ça !

Ça, c'était avoir procuré de puissants calmants à une élève de dix-sept ans et ce, pendant plusieurs mois. L'adolescente souffrait depuis toute sa scolarité de violentes crises d'angoisse au moment des examens, et à l'approche du dernier, ses crises avaient gagné en intensité et en fréquence. Dans son désespoir, elle s'était confiée à Jennifer Brankley. Cette dernière lui avait alors fourni pendant la préparation d'une épreuve que la lycéenne appréhendait particulièrement des tranquillisants qui avaient eu un effet miraculeux. Les épreuves s'étaient étendues sur près de quatre mois au cours desquels la lycéenne, détendue et enchantée des excellents résultats qu'elle avait obtenus, n'avait plus voulu renoncer aux médicaments. Les journaux écrivaient que Jennifer Brankley avait déclaré avoir agi en ayant pleinement conscience de se trouver sur la corde raide, mais qu'elle avait été incapable de résister aux supplications de l'élève.

La catastrophe s'était déclenchée le jour où la lycéenne s'était confiée à une amie, laquelle en avait informé ses parents. Ceux-ci avaient aussitôt averti les parents de l'élève en question. La direction de l'école et la police étaient entrées dans le circuit, la presse avait été mise au courant. Jennifer Brankley s'était retrouvée du jour au lendemain au centre d'une violente tourmente et avait dû faire face à la méchanceté, au mépris, à la colère qui s'étaient déchaînés de tous côtés. Les journaux, particulièrement, s'en étaient donné à cœur joie.

Valerie avait trouvé des titres tels que : *Un professeur pousse délibérément une de ses élèves à la dépendance aux médicaments*. Ou : *Quel était l'objectif du jeu pervers du professeur Jennifer B ?*

Le public avait également appris que Jennifer Brankley, parfois, prenait elle-même des tranquillisants pour faire face à son quotidien, un détail qui ne regardait personne compte tenu du fait qu'elle accomplissait remarquablement son travail et qu'elle n'était nullement dépendante. Après avoir été prise dans le tourbillon des soupçons, des accusations et du sensationnalisme, elle s'était trouvée en butte à toutes les exagérations et à toutes les calomnies, jetée en pâture aux médias de la région de Leeds et de Bradford.

A la fin, elle avait été licenciée et soumise à l'interdiction d'exercer son métier.

Valerie se leva et prit sa veste.

Le sergent Reek, assis en face d'elle, leva la tête.

– Inspecteur ? s'enquit-il.

– Je pars voir Paula Foster, indiqua Valerie. Je ne crois pas que Fiona Barnes ait été tuée à la suite d'une confusion, mais j'aimerais en avoir le cœur net. Et peut-être que j'irai aussi faire un saut chez les Beckett.

En s'acheminant vers sa voiture, elle se consacra cette fois aux nouvelles peu constructives de la matinée. Le médecin légiste avait remis son rapport, mais sans élément véritablement exploitable. Selon lui, la victime avait certainement rencontré son assassin sur la route et, soit pour s'enfuir, soit par contrainte, avait pris l'étroit sentier appartenant au domaine de la ferme Trevor. A l'aide d'une grosse pierre, le meurtrier l'avait frappée par-derrière à plusieurs reprises, avec une force et une brutalité croissantes. Comme le médecin l'avait supposé sur le lieu du crime, Fiona Barnes était toujours vivante quand l'assassin l'avait laissée sur place. Elle n'avait succombé qu'aux premières heures de la matinée du dimanche à une hémorragie cérébrale due à une fracture du crâne. L'agression avait sans doute eu lieu entre vingt-trois heures et vingt-trois heures trente.

Fiona avait très certainement perdu conscience dès le premier coup reçu, ou, du moins, perdu sa faculté de mouvement, car elle ne portait aucune trace de lutte. Il n'y avait ni cellule épithéliale sous ses ongles ni corps étranger quelconque.

Malgré la minutie des recherches, l'arme du crime n'avait pas été retrouvée dans la zone de découverte du cadavre. Le terrain était parsemé de pierres. Cela tendait à prouver que le meurtrier n'était pas armé lorsqu'il était tombé sur sa victime et qu'il avait choisi son arme spontanément en fonction de la situation. Il avait ensuite été assez malin, soit pour emporter l'arme, soit s'en débarrasser loin du lieu du crime. Les environs étaient parcourus de petites rivières. S'il l'avait jetée dans l'une d'elles, il était quasi impossible de la retrouver.

On retrouve là aussi une forte ressemblance avec l'affaire Amy Mills, se dit Valerie en montant dans sa voiture, là non plus, l'assassin n'était pas armé. Il a utilisé le mur pour tuer sa victime. Soit il connaissait parfaitement l'endroit, soit il a compté sur l'inspiration du moment. Dans les deux cas, il semblait ne pas avoir longuement planifié son acte. Toutefois, il pouvait fort bien avoir mûrement réfléchi à l'endroit de ses agressions. De plus, dans l'affaire Mills, l'assassin portait des gants. Mills traversait les Esplanade Gardens tous les mercredis. On ne s'expliquait toujours pas pourquoi son chemin habituel avait été barré par le grillage. Cela pouvait parfaitement avoir fait partie de la préparation du crime.

En revanche, il était impossible de prévoir que Fiona Barnes emprunterait la route déserte ce soir-là. Elle-même ne le savait pas encore avant d'en prendre spontanément la décision. Normalement, il était prévu qu'elle rentre en voiture avec sa petite-fille.

Normalement…

Valerie quitta la cour du commissariat en roulant au pas. Le brouillard était devenu si dense qu'on n'y voyait pas à plus d'un mètre. Elle alluma ses phares en pensant avec nostalgie à la superbe journée de la veille. Le matin, elle s'était levée avec plaisir et s'était joyeusement précipitée dans le travail. Mais avec ce brouillard, le monde entier pesait des tonnes, comme pris dans cet univers ouaté qui avalait les bruits et brouillait les images.

Une sale journée, se dit Valerie.

Au vu des éléments entourant le meurtre de Fiona Barnes, l'assassin appartenait selon toute probabilité au cercle des convives de ce repas de fiançailles gâché par une dispute lourde de conséquences. Restait un problème : le mobile. Au fond, seul Tanner – et peut-être aussi Gwen Beckett – en avait un et cela ne semblait pas suffisant pour un meurtre exécuté avec tant de barbarie.

La veille, elle s'était longuement entretenue avec le médecin légiste.

– Un homme ou une femme ? Quel est votre avis ? lui avait-elle demandé.

Le médecin avait hésité.

– Difficile à dire. L'assassin me semble avoir agi sous le coup de la fureur. Je pense qu'il était fou de rage, qu'il s'est laissé emporter par la violence. Le coup mortel a été porté avec une grande puissance.

– Plus de puissance que celle qu'on attribue à une femme ?

– Pas obligatoirement. Quand on agit sous le coup de la haine, la puissance est multipliée par trois. Non, je ne peux pas exclure que l'assassin soit une femme. Et, incontestablement, il était droitier.

Magnifique, pensa Valerie avec ironie, ça limite vraiment le cercle des assassins potentiels ! Droitier, comme les trois quarts des gens, et homme ou femme, au choix. Ça m'avance beaucoup.

Elle sentit le poids qu'elle connaissait si bien se poser sur sa poitrine. Il lui faudrait présenter une piste, ou, mieux, résoudre l'affaire, si elle voulait éviter que la hiérarchie ne s'en mêle. Si ce devait être le cas, elle serait rayée des cadres, dépossédée de l'enquête avec le sentiment d'avoir complètement loupé ces deux affaires. S'il se confirmait qu'il s'agissait d'un meurtrier récidiviste dont une enquêteuse relativement jeune était incapable de trouver la trace, on lui mettrait quelqu'un de Scotland Yard dans les pattes. Elle avait absolument besoin d'un point de départ.

Jennifer Brankley. Cette femme lui avait paru bizarre dès le début. Et pas uniquement parce qu'elle prenait ses vacances dans cette ferme décrépite et ne se séparait quasiment jamais de ses deux énormes chiens. Il y avait encore autre chose, et maintenant qu'elle avait lu les extraits d'articles, Valerie savait de quoi il s'agissait : Jennifer Brankley était une femme profondément aigrie. Les autres, la vie, l'avaient traitée injustement. Elle n'avait jamais surmonté, digéré, le fait d'avoir été licenciée. Cette histoire la rongeait encore, des années après.

Comment se présentait son profil psychologique ?

Elle souffre du syndrome du saint-bernard, pensa Valerie, car ce qu'elle a fait avec son élève n'est pas normal. Elle aurait pu faire bien des choses pour cette gamine : parler aux parents, l'adresser à un médecin, à un psychologue... Mais elle a voulu l'aider elle-même, spontanément, directement, et elle a tout mis en jeu. Sa profession, sa carrière. Cette histoire aurait même pu lui coûter son couple. Toutes les saletés répandues dans les journaux avaient de quoi briser un ménage. Colin Brankley travaille dans une banque. Ses supérieurs n'ont probablement pas été ravis de cette publicité. Cette affaire lui a causé des ennuis, pas de doute là-dessus. Cela n'a pas empêché Jennifer de prendre le risque. Comme si plus rien n'existait en dehors de la détresse de cette élève.

Aujourd'hui encore, elle est convaincue d'avoir été traitée de façon injuste. Cela se voit. On lui a craché à la figure alors qu'elle avait simplement voulu rendre service.

Que représente Gwen pour elle ?

Elles sont très liées, cela se sent. Jennifer est un peu sa mère, sa grande sœur, sa confidente. Que serait-elle prête à faire pour Gwen ?

A-t-elle vu le bonheur de Gwen, son avenir avec Tanner, si menacé, ce soir-là, qu'elle a décidé d'éliminer la source du danger, autrement dit Fiona Barnes ?

Peut-être n'était-ce pas prévu au départ. Quelqu'un – Jennifer ? Dave ? – a essayé de discuter avec Fiona, lui a demandé des comptes sur son intervention. La situation a dégénéré en dispute et il y a eu escalade de la violence...

Valerie frappa le volant du plat de la main. Je suis en plein brouillard. Je joue aux devinettes, je réfléchis, je rejette. Je n'ai rien. Aucun point de départ, rien.

Concentre-toi, se recommanda-t-elle, revois tout en détail. Essaie de ne rien oublier.

Pourquoi avait-elle décidé d'examiner Tanner de plus près ?

Non seulement parce qu'il avait un mobile – même s'il n'était pas vraiment convaincant – de s'en prendre à Fiona, mais aussi parce qu'il était le seul à avoir été relié à Amy Mills, même si c'était une construction un peu tirée par les cheveux. Existait-il encore une personne susceptible d'avoir connu Mills ?

Tout en réfléchissant, Valerie s'engagea sur la bifurcation menant à Staintondale. Avec ces nappes de brouillard posées sur la terre comme de gigantesques coussins, elle ne parvenait à suivre le tracé de la route que grâce aux hautes herbes mouillées qui se pliaient au-dessus de l'asphalte luisant d'humidité.

Gwen Beckett. Elle suivait un stage à la Friarage School. Linda Gardner enseignait dans cette école. Amy Mills travaillait pour Gardner.

C'était un lien. Même s'il était absurde d'en tirer des conclusions. Gwen Beckett dans le rôle d'une double meurtrière, c'était une idée quasiment inenvisageable. Dans le cas Mills, il n'y avait aucun mobile apparent. Concernant Fiona, celle-ci avait gâché son repas de fiançailles. Etait-ce suffisant ?

L'instinct de Valerie lui disait : non !

Amy Mills. Elle se repassa mentalement les détails concernant la jeune fille assassinée et se redressa brusquement. Comment n'avait-elle pas été frappée plus tôt ?... Amy Mills était originaire de Leeds. Avait fréquenté le lycée là-bas. Jennifer était professeur à Leeds... C'était une faible possibilité, mais c'en était une.

Elle appela aussitôt le sergent Reek.

– Reek, vérifiez s'il vous plaît le lycée d'Amy Mills à Leeds. Et le lycée où enseignait Jennifer Brankley. Pour l'une et l'autre, il peut y en avoir plusieurs. Vérifiez s'il y a un recoupement, si les deux se connaissaient.

– D'accord. Mais selon ses déclarations, Mme Brankley n'avait jamais entendu le nom d'Amy Mills auparavant.

– Les déclarations peuvent être vraies ou fausses, Reek. C'est à nous de le découvrir.

– OK, répondit le sergent.

Valerie raccrocha. Son cœur battait plus fort. L'excitation. L'excitation du chasseur. Un sentiment qu'elle attendait avec impatience. Enfin, un pas en avant, enfin, une piste. Qui pouvait devenir chaude.

Elle décela juste à temps la petite route qui menait à la ferme où vivait Paula Foster. Elle donna un brusque coup de volant. Il fallait à présent se concentrer sur la jeune fille. Exclure qu'elle était la victime visée et donc toujours en danger.

Alors qu'en réalité, elle avait déjà éliminé cette hypothèse.

3

– C'est vrai, Dave. Rien, absolument rien de ce que Fiona a dit ce soir-là ne m'a fait changer d'avis. Je suis toujours... je t'aime toujours. J'ai toujours envie de me marier avec toi.

Gwen le dévisagea intensément.

Vêtue comme le plus souvent d'une longue jupe de laine et d'un pull tricoté main d'une couleur indéfinissable, un grand sac posé à côté d'elle, elle était installée sur une chaise, dans la chambre de Dave. Le trajet avait été long, alternant la marche et le voyage en bus. L'humidité avait transformé ses cheveux en une sorte de barbe à papa qui frisait dans tous les sens. Ses yeux sombres ressemblaient à deux morceaux de braise luisant dans un visage singulièrement pâle. Un peu de fard à joues eût peut-être amélioré un tantinet l'impression générale, un soupçon de rouge à lèvres...

Elle ne va jamais apprendre à se rendre plus présentable, se dit Dave en l'examinant.

Assis sur son lit, il avait réussi à repousser discrètement du pied le collant laissé par Karen. Par bonheur, Gwen n'avait rien remarqué. Elle était tellement occupée à parler, à le convaincre, qu'il était aussi parvenu à faire disparaître le tube de rouge à lèvres en préparant le thé. Gwen était venue sans s'annoncer. Elle avait sonné en bas, à la porte, petite silhouette fragile surgie du brouillard. Sa logeuse n'était pas chez elle, aussi avait-il ouvert lui-même. Au moins, il avait déjà passé ses vêtements, un vrai miracle, car en se réveillant dans la matinée, un seul regard par la fenêtre l'avait convaincu qu'il pouvait aussi bien passer la journée au lit, n'ayant pas cours avant le soir. Une certaine nervosité, compréhensible dans sa situation, l'avait poussé à se lever. Il ignorait quelle serait la suite des événements. Surtout, il se demandait dans quelle mesure l'enquête sur la mort de Fiona Barnes pouvait devenir critique pour lui.

Il était évidemment le suspect numéro un et il était clair que son bref interrogatoire par l'inspecteur Almond n'y avait rien changé. Les enquêteurs n'avaient aucun élément concret, mais ils le soupçonnaient. S'ils n'avaient aucune autre piste, ils se jetteraient sur lui et l'étau se resserrerait. Il était un homme sans réputation, un homme qui vivait dans des conditions inhabituelles, ce qui n'améliorait pas son cas. Toute cette affaire pouvait le mettre en mauvaise posture, c'était clair.

Qu'elle aille au diable, cette vieille Barnes, s'était-il dit en buvant son café pour se réchauffer. Il faisait froid, ce jour-là, mais, comme d'habitude, sa logeuse faisait des économies de chauffage.

Qu'ils aillent tous au diable ! Laisse tomber Gwen et éloigne-toi de ce sac de nœuds. Ça ne t'a pas porté chance, la ferme et tout ce qui va avec. Trouve-toi une autre solution.

Facile à dire. Il ne voyait pas d'autre solution. Et ce, depuis des années. Peu probable qu'il s'en présente une nouvelle.

En entendant la sonnette, il avait cru que la bonne femme de la police revenait le cuisiner. Il avait brièvement songé à ne pas ouvrir. Mais il s'était repris. Mieux valait regarder les faits en face. Savoir ce qu'ils avaient contre lui.

Mais ce n'était pas la Almond, c'était Gwen. Qui était là, dans sa chambre, depuis un quart d'heure, à le noyer sous un flot de paroles. Elle était arrivée si transie de froid qu'il avait commencé par lui faire du thé. Au moins, elle ne râlait pas contre le chaos qui l'entourait, pas comme Karen. Gwen n'était montée que deux fois et n'avait jamais fait de remarques. Malgré tout, il n'aimait pas la voir chez lui. Il considérait sa chambre comme une grotte, un lieu de repli. Il avait besoin d'un espace de liberté, d'une sorte de zone tabou pour elle.

Il se dit alors qu'il aurait peut-être préféré recevoir l'inspecteur Almond au lieu de sa fiancée. S'ils étaient vraiment fiancés... vu la façon dont le repas de fiançailles s'était terminé. Peut-être n'était-elle que sa presque fiancée. Et cela aussi représentait une menace.

– Ça va, c'est bon, dit-il en s'apercevant que Gwen avait cessé de parler et le regardait d'un air interrogateur. Non, vraiment, Gwen, je ne t'en veux pas. Tu n'es pas responsable des élucubrations de Fiona.

– Honnêtement, je ne regrette pas trop qu'elle soit morte, avoua soudain Gwen avec une véhémence inhabituelle. Je sais, c'est un péché, on n'a pas le droit de penser des choses comme ça, mais elle est vraiment allée trop loin cette fois. Elle m'a toujours voulu du bien, mais quelquefois... On n'a pas le droit de se mêler de tout, pas vrai ? Juste parce que mon père et elle, avant...

Elle ne termina pas sa phrase.

188

Dave devina ce qu'elle avait voulu dire. Il y avait déjà pensé lui-même.

– Ils étaient ensemble autrefois, c'est ça ? interrogea-t-il. Je crois que tout le monde s'en doute un peu. Ça se sent.

– Si seulement il n'y avait que ça, répondit Gwen.

L'expression troublée de ses yeux n'échappa pas à son interlocuteur.

– Mon père et Fiona étaient... ils ont... bafouilla-t-elle.

– Quoi donc ? insista Dave.

– Il y a longtemps, murmura Gwen, peut-être que tout ça n'a plus d'importance.

En temps normal, la vie de Chad Beckett et de Fiona Barnes – qu'il détestait cordialement l'une comme l'autre – ne l'intéressait pas, mais compte tenu de sa situation, il ne pouvait laisser échapper aucun élément.

C'est pourquoi il se pencha légèrement un peu en avant pour l'inciter à poursuivre :

– Peut-être que ça a quand même une importance, qui sait ? Parce qu'après tout, Fiona a quand même été tabassée à mort.

Elle le regarda, l'air choqué comme s'il lui apprenait la nouvelle, alors qu'on en faisait des gorges chaudes dans toute la région.

– Mais... ça n'a rien à voir avec l'histoire entre elle et mon père, dit-elle. Le meurtrier est sans doute le même que celui qui a tué Amy Mills, il n'y a aucun lien !

– D'où te vient l'idée que le meurtrier soit le même ?

– C'est ce que j'ai compris d'après ce que m'a dit l'inspecteur Almond, expliqua Gwen, déstabilisée.

Almond lui avait mis une photo d'Amy Mills sous le nez. Il savait que la police réfléchissait au lien éventuel entre les deux affaires, mais il avait eu l'impression que l'enquêteuse n'avait pas le début d'une preuve.

– Possible, dit-il, mais ça peut aussi être quelqu'un d'autre. Gwen, si tu sais la moindre chose qui pourrait intéresser la police, tu devrais...

– Dave, je... il vaudrait mieux qu'on n'en parle plus.

Elle avait les larmes aux yeux.

Alors pourquoi mettre ça sur le tapis, lui demanda-t-il en pensée avec agressivité, si tu ne veux pas en parler !

– Tu sais que pour la police je suis l'un des principaux suspects, hein ? dit-il.

Elle le savait sûrement, mais elle sembla effrayée de l'entendre évoquer ce fait de manière aussi directe.

– Mais... commença-t-elle.

Il l'interrompit.

– Evidemment, ce n'est pas moi qui l'ai fait. Je n'ai tué ni Amy Mills ni la vieille Barnes. Amy Mills, je ne la connaissais pas du tout, et Fiona Barnes... Bon Dieu ! Ce n'est pas parce qu'elle a déversé sa haine sur moi que je vais aller lui foutre des coups de caillou sur la tête. J'étais furieux samedi soir, mais je ne prends pas une bonne femme de quatre-vingts ans assez au sérieux pour aller la tuer parce qu'elle me traite comme un moins que rien.

– Ils ne croient pas vraiment que c'est toi, et si tu n'as rien fait, tu n'as rien à craindre, dit-elle d'un ton affirmatif qui révélait sa foi profonde dans le travail d'enquête de la police.

Dave qui, dans un temps encore récent, ne parlait des policiers qu'en les traitant de salauds de flics, ne partageait pas cette confiance. Il était lucide : Valerie Almond, comme tout le monde, voulait grimper les échelons de sa carrière. Pour cela, il lui fallait résoudre l'énigme des « meurtres des hautes landes », ainsi que l'avait baptisée un journal soucieux de situer les faits sous l'angle de la géographie. La condition préalable à son ascension était l'arrestation d'un coupable. Plus elle tâtonnait, plus elle se cramponnerait au minuscule point de repère qu'elle avait, et, hélas, c'était lui. Grâce au fait que la Barnes l'avait traîné dans la boue devant un tas de témoins, il se retrouvait au beau milieu du sac d'embrouilles. Il avait évidemment un joker dans sa manche, et il le sortirait en cas de besoin, mais ce serait quand il n'aurait plus le choix.

– Gwen, tu sais... commença-t-il.

A la vue de son visage exprimant toute sa naïveté, son absolue soumission, il s'arrêta.

Il avait envisagé de lui parler de la fréquence des erreurs judiciaires commises par des policiers ambitieux et des juges corrompus ; de la pression exercée par la presse sur les enquêteurs, les poussant dans de mauvaises directions ; de la manière dont, dans les hautes sphères politiques, on tirait les ficelles, sacrifiant allègrement un individu insignifiant en s'en servant de tremplin pour une carrière. Il n'avait jamais cru qu'il suffisait de ne pas avoir commis un délit pour ne pas être accusé. Il n'avait jamais cru au système judiciaire, l'avait toujours considéré comme étant cynique et corruptible, et c'était à cause de cette conviction qu'il s'était brouillé vingt ans plus tôt avec son père, ce serviteur zélé du système, et qu'il n'avait plus le moindre contact avec sa famille depuis.

Comment expliquer à Gwen que s'il menait cette vie marginale qui le faisait passer aux yeux des autres, et à ses propres yeux parfois, pour un raté, c'était parce qu'il se trouvait dans l'incapacité de pactiser sur un terrain quelconque avec son pays, avec l'Etat, avec la structure politique et sociale dans son ensemble ? Qu'il lui était impossible d'appartenir à cette société britannique qu'il rejetait et méprisait, et que c'était là son gros problème ? Comment expliquer à cette femme le dilemme qui s'était cristallisé avec une force croissante au fil des années ? Lui expliquer qu'il faisait partie à son corps défendant de ce système, qu'il était dans l'obligation de s'arranger avec lui, ce qui lui donnait le sentiment aigu de trahir ses idées, de se trahir lui-même ?

Dans celle qu'il allait épouser, il eût aimé trouver un être auquel il pourrait s'ouvrir, parler de ses propres contradictions. Mais Gwen était incapable de le suivre. Son univers était la ferme. Son merveilleux papa. Les romans d'amour, les téléfilms niais, l'attente du grand bonheur. Elle n'était certainement pas stupide. Mais sa vie étriquée était marquée par la solitude, l'asociabilité, la timidité et l'ignorance. Un jour, alors qu'il évoquait sa participation aux manifestations contre le stationnement des missiles Cruise, elle avait ouvert des yeux égarés comme s'il avait parlé chinois. Il avait alors sombré dans un long monologue sur la politique, mais son interlocutrice n'avait absolument aucune opinion en la matière. Gwen se moquait éperdument de connaître le nom du parti au pouvoir, travailliste ou conservateur, car cela ne changeait rien à sa situation personnelle. Elle excluait tout ce qui ne se déroulait pas dans son environnement direct.

— Oh, rien, se contenta-t-il donc de dire. Promets-moi simplement que si tu sais quelque chose d'important sur Fiona, tu le communiqueras à la police.

C'était bien là le point de départ. Fiona et son père avaient commis un méfait que Gwen avait du mal à digérer. Ce pouvait être important.

Ou non, pensa-t-il.

Elle le dévisagea. Elle était de nouveau ailleurs. Auprès de son point de départ à elle.

– Tu resteras... nous resterons... enfin... est-ce qu'il y a quelque chose de changé ?

Maintenant, lui dit une voix intérieure, maintenant, tu pourrais quitter le navire. Avec une assez bonne raison. Elle serait désespérée, mais elle n'aurait pas à se rendre responsable de l'échec de votre histoire. Toute la faute en incomberait à Fiona, ce vieux dragon qui a craché son venin, et elle pourrait la haïr jusqu'à la fin des temps sans avoir à se flageller pour ses lacunes. Rends-lui ce service. Utilise ce moment de grâce.

C'était impossible. Même sachant que c'était ce qu'il fallait faire, il ne pouvait s'y résoudre. Elle représentait la porte de sortie. C'était elle qui l'extrairait de cette chambre glaciale, de cette vie à la limite du minimum vital. De ses journées passées à dormir, ses nuits à boire. Du sentiment d'être un irrécupérable bon à rien.

– Non, Gwen, dit-il d'une voix rauque de l'effort qu'il faisait pour supporter ce moment. Non. Il n'y a rien de changé.

Elle se leva. Elle sourit.

– Je voudrais coucher avec toi, Dave, dit-elle. Maintenant. Ici. J'en ai tellement envie !

Oh mon Dieu ! gémit-il intérieurement, horrifié.

4

Le téléphone sonna alors que Colin commençait à penser sérieusement au repas de midi. Il était déjà deux heures et demie de l'après-midi et il avait faim. Personne, à la ferme, ne semblait se soucier de faire la cuisine. Gwen avait disparu dans la matinée on ne savait où et Chad s'était barricadé dans sa chambre... littéralement, car la porte était fermée à clé et quand Colin avait frappé avec précaution, il avait été rembarré par un grognement irrité.

L'inspecteur Almond était là. Elle avait surgi à l'improviste en déclarant qu'elle désirait s'entretenir seule à seule avec Jennifer. Elles se trouvaient en bas, dans la salle de séjour, pendant que lui, de son côté, patientait à l'étage en proie à une inquiétude croissante. Et à une faim non moins croissante.

Il courut décrocher dans le bureau. Au moins cela lui donnait-il l'occasion de se rapprocher avec une raison valable de la salle de séjour.

– Allô ? dit-il tout en tendant désespérément l'oreille pour tenter de saisir des bribes de la conversation qui se déroulait à côté.

– Allô ! Qui est à l'appareil ?

C'était une voix de femme, à peine audible et de ce fait difficile à comprendre.

– Colin Brankley, répondit-il.

– Oh, Colin ! Vous êtes le mari de Jennifer, n'est-ce pas ? Ena Witty à l'appareil.

Colin n'avait pas la moindre idée de l'identité de son interlocutrice.

– Oui... ?

– Je... je suis une amie de Gwen Beckett. Est-ce que Gwen est là ?

– Non, désolé, répondit Colin, elle n'est pas là. Est-ce que je peux lui transmettre un message ?

Cette nouvelle parut déstabiliser Ena Witty.

– Elle est sortie ? demanda-t-elle d'un ton incrédule.

– Oui. Vous voulez qu'elle vous rappelle ?

– Oui. C'est que... j'aurais à lui parler d'une affaire importante. En tout cas, je crois qu'elle est importante. Mais je n'en suis pas sûre, alors... peut-être... que je vais rappeler...

Ce que lui racontait cette femme était assez confus. Il fallait s'en dépêtrer au plus tôt car, justement, il entendait la porte d'entrée se refermer. Aussitôt après, un moteur se mit en route dans la cour. Ouf ! La Almond débarrassait le plancher. Il ne lui restait plus qu'à s'occuper de sa femme.

– Donc, madame Witty, dit-il d'un ton impatient, je vais dire à Gwen que vous avez appelé. Est-ce qu'elle a votre numéro ?

Ena ne le savait pas. Elle le lui dicta et, après un moment d'hésitation durant lequel elle réfléchissait sûrement pour savoir si elle pouvait en dire plus à cet inconnu, elle ajouta :

– Vous savez... j'ai... j'ai un très gros problème... Je ne sais pas quoi faire, et il fallait que je parle à quelqu'un. C'est urgent. Mais je sais, bien sûr, que... enfin... Gwen a d'autres soucis. C'est en lisant le journal que j'ai appris qu'on avait commis ce crime affreux près de la ferme. Ils disent que la victime est une amie très proche des Beckett. C'est horrible pour Gwen !

– Nous sommes tous là pour elle, répondit Colin.

Inutile d'aller plus loin. Il ne connaissait pas cette bonne femme et il ne savait pas si elle était très liée à Gwen.

– Très bien, madame Witty... poursuivit-il et elle comprit enfin qu'il était pressé.

– Excusez-moi de vous avoir dérangé, dit-elle. Et, s'il vous plaît, demandez à Gwen de m'appeler absolument. C'est vraiment très important.

Après lui avoir affirmé une fois de plus qu'elle pouvait compter sur lui, il raccrocha et courut rejoindre Jennifer, très pâle, installée sur le canapé du salon. Elle semblait bouleversée.

– Enfin, elle est partie ! s'exclama-t-il. Tu veux que je fasse du thé ? Tu veux manger quelque chose ?

Jennifer refusa :

– Je n'ai pas faim. Mais si toi...

– Je n'ai pas envie de manger tout seul, affirma Colin.

Puis il ajouta avec un frisson :

– Brr ! Quel froid ! Que c'est désagréable !... Et ce brouillard, en plus ! Affreux, tu ne trouves pas ?

Elle ne répondit pas.

D'un mouvement décidé, il alla s'agenouiller devant la cheminée et l'encouragea :

– Allez, viens m'aider. Si personne ne s'en occupe, c'est à nous de prendre les choses en main.

Pendant qu'ils s'affairaient, il s'enquit d'un ton négligent :

– Qu'est-ce qu'elle voulait encore, la Almond ?

Jennifer reposa la bûche qu'elle lui tendait :

– Elle est au courant, murmura-t-elle.

– De quoi ?

– De l'histoire. Elle sait que j'étais prof et... enfin, tout. Elle me l'a dit.

– Quel est le rapport avec le crime ?

– Elle voulait savoir si je connaissais Amy Mills. Tu sais, la jeune fille qui a été assassinée ici en juillet.

– Comment pourrais-tu la connaître ?

– Elle était originaire de Leeds. Elle aurait pu être mon élève.

Colin la dévisagea.

– Mais ce n'est pas le cas, n'est-ce pas ? Tu as bien dit que tu n'avais jamais entendu ce nom et que...

– Non. Je ne la connais pas.

Délaissant la cheminée, il alla s'accroupir devant elle et prit ses deux mains dans les siennes, des mains glacées.

– Tu es sûre que tu ne la connais pas ?

– Non.

– C'est vraiment...

Il sentit la colère monter en lui et la maîtrisa à grand-peine.

– Ils n'ont rien, dit-il d'un ton amer, rien du tout. Pas le plus petit indice, et c'est pour ça qu'ils se mettent à fourrer leur nez dans le passé des gens. Cette femme flic ne sait plus quoi faire. Elle se rabat sur de vieilles histoires pour essayer de monter un scénario à partir de ça. On se demande ce qu'elle va encore aller chercher !

– Elle sait qu'à l'époque je prenais parfois des médicaments.

– Et alors ? C'est interdit ?

– Elle m'a demandé si j'en prenais encore.

– Qu'est-ce que tu as répondu ?

– La vérité. Que je prends parfois un tranquillisant avant de descendre en ville, par exemple, ou de faire quelque chose d'inhabituel. Mais que ce n'est pas fréquent.

– C'est vrai. Et c'est ce que font un tas de gens. Ecoute, elle n'a pas le droit de poser ce genre de questions. Et toi, tu n'es pas obligée d'y répondre. Ça ne la regarde pas.

– Elle ne m'a pas crue, murmura Jennifer.

– Qu'est-ce qu'elle n'a pas cru ?

– Que je vivais tout à fait normalement. Elle m'a regardé bizarrement. Je crois qu'elle voudrait absolument me coller un problème de dépendance, parce qu'alors on pourrait affirmer que je suis imprévisible et peut-être dangereuse. Et son collaborateur est déjà en train de vérifier ma déclaration auprès des établissements scolaires de Leeds et des parents d'Amy Mills.

– Il ne va rien trouver qu'elle pourrait utiliser contre toi.

– Sans doute pas, répondit Jennifer, d'une voix monocorde, découragée.

Colin resserra son étreinte sur ses mains.

– Ma chérie, qu'est-ce qui se passe ? Pourquoi es-tu si inquiète ? Ils n'ont rien contre toi, et ils n'auront rien. Ne te laisse pas intimider.

Elle le regarda sans répondre. Il sentit sa peur. Sentit sa colère contre cette enquêteuse, cette bonne femme indélicate.

Avec précaution, il tenta de la faire parler :

– Tu ne supportes pas de devoir reparler de tout ça, hein ? Parce que tu revis tout ce que tu as subi à l'époque...

Elle confirma d'un hochement de tête.

Elle était en train de replonger, c'était visible. Elle déprimait, comme pendant les trois premières années qui avaient suivi la fameuse histoire. Mais depuis, elle avait bien remonté la pente. Pourtant, il ne s'était jamais fait d'illusions : avec son état mental instable, elle était facile à déstabiliser, particulièrement quand on agissait intentionnellement.

Cette Almond... pour le coup, il avait des envies de meurtre !

– Ça ne s'arrêtera jamais, chuchota-t-elle.

– Mais si ! C'est fini. C'est terminé, même si une idiote de flic s'amuse à ressortir les vieux dossiers.

– L'école, les filles... c'était toute ma vie.

– D'accord, mais il y a des tas d'autres choses pour remplir une vie. Il n'y a pas que le travail.

– Je...

– Il y a moi, par exemple. Nous sommes ensemble, nous formons un couple uni, heureux. Il y a des tas de gens qui aimeraient être à notre place. Nous avons une belle maison, de bons amis. Sans oublier nos deux superbes chiens, des toutous tellement mignons !...

Il sourit, espérant la dérider un peu. Elle essaya de lui rendre son sourire, mais n'y parvint pas.

– Eh bien, tu vois, dit-il malgré tout.

Avec tendresse, il déplaça la mèche de cheveux qui lui barrait le front.

– Ecoute, la Almond ne reviendra pas t'embêter, je ne crois pas. Elle patauge lamentablement. Elle est en plein brouillard, suffit de regarder par la fenêtre ! Elle n'arrivera pas très loin en allant chercher du côté de Leeds. Elle laissera bien vite tomber cette piste. Mais indépendamment de tout ça, à l'heure du crime, tu étais en train de promener les chiens. Gwen t'accompagnait, elle peut en témoigner. Tu l'as bien dit à la flic ?

Mais sa femme, détournant la conversation, répondit par une autre question :

– Qui est-ce qui vient d'appeler ?

Avec un geste pour signifier le peu de cas qu'il accordait à l'affaire, il répondit :

– C'est une certaine Ena Witty, ou quelque chose comme ça. Assez confuse, comme fille. Elle a un problème dont elle veut parler d'urgence à Gwen. Elle avait l'air assez excitée. J'ai dit que Gwen la rappellerait.

Jennifer sembla fouiller sa mémoire. Puis :

– Ah oui, Ena Witty ! Celle qui a un copain qui parle fort. Elle suivait le même stage que Gwen. J'ai fait sa connaissance vendredi dernier.

Au bout d'un instant de silence, elle ajouta en secouant la tête :

– J'ai l'impression que tout ça, c'est déjà très loin, dans un autre monde...

– Notre monde va redevenir tout à fait normal, affirma Colin. Calme et serein. J'en suis sûr.

– Oui, approuva Jennifer, pareille à une écolière qui acquiesce docilement à une parole à laquelle elle ne croit pas.

Il y avait longtemps que son monde n'était plus normal.

5

Stephen lui avait évidemment proposé avec insistance de l'accompagner, et elle avait senti combien il était blessé de son refus. Comme toujours quand elle parvenait à lui infliger de la souffrance, elle en éprouvait une satisfaction dont elle savait dès le départ qu'elle s'envolerait très vite pour laisser la place à un grand vide. En effet, depuis quelque temps, lui faire du mal n'avait plus le pouvoir de soulager sa propre blessure, de réparer sa confiance brisée, d'effacer la déception. Elle n'obtenait qu'une brève anesthésie, rien de plus.

Elle s'était rendue seule à Hull pour identifier la dépouille de sa grand-mère. Ils l'avaient bien préparée. Les vilaines blessures de la tête étaient à peine visibles. Elle n'avait pas le visage paisible qu'on espère toujours voir sur un mort, mais pas non plus l'expression torturée. Plutôt un peu indifférente. Leslie s'était dit que même au moment ultime, Fiona avait opposé à sa propre mort de la froideur et du dédain.

197

D'un hochement de tête, elle confirma qu'il s'agissait de sa grand-mère et sortit très vite. Dans le hall, elle alluma une cigarette qu'elle fuma en la tenant d'une main tremblante.

Valerie Almond, qui l'avait accompagnée, lui proposa un verre d'eau, mais Leslie déclina.

– Merci. Je préférerais de l'alcool.

Valerie sourit, compréhensive :

– Mais vous devez prendre la route.

– Bien sûr. Je plaisantais.

– Vous arriverez à rentrer ?

Leslie avait horreur de montrer de la faiblesse.

– Inspecteur, je suis médecin, répliqua-t-elle. La vue d'une morte ne me met pas dans tous mes états.

– Vous teniez beaucoup à votre grand-mère, n'est-ce pas ?

– C'est elle qui m'a élevée. Ma mère est morte quand j'avais cinq ans. A partir de là, Fiona a été toute ma famille.

– De quoi est morte votre mère ?

Leslie aspira une bouffée de sa cigarette avant de répondre :

– Ma mère était une hippie. Une enfant du flower power. Elle courait les festivals. Toujours sous l'effet d'une drogue quelconque. Ça faisait partie de la fête. Le haschich, le LSD... l'alcool... Un beau jour, elle a pris un cocktail qui mélangeait le tout et elle en est morte. Son cœur et ses reins n'ont pas supporté.

– Je suis désolée, dit Valerie.

– Oui... répondit Leslie.

Après avoir laissé passer une sorte de minute de silence, Valerie se lança :

– Connaissez-vous bien Jennifer Brankley ?

– Jennifer ? En fait, je ne la connais pas. Je n'ai fait sa connaissance personnelle que samedi dernier, lors de cette... ce repas de fiançailles.

– Mais vous aviez entendu parler d'elle avant ?

– Oui. Gwen en parlait dans ses lettres et ses coups de fil. Elles avaient l'air très amies. Les Brankley passaient leurs vacances à la ferme au moins deux ou trois fois par an, et moi, j'étais contente que Gwen puisse se faire un peu d'argent par ce moyen. De plus, il lui fallait absolument une amie. Gwen était... est... très solitaire.

– Avez-vous l'impression que Jennifer Brankley se considère un peu comme sa protectrice ?

– Jennifer a dix ans de plus que Gwen. Il est possible qu'elle essaie de la materner un peu. Pourquoi me demandez-vous ça ?

– J'essaie de comprendre le fonctionnement des gens et d'ordonner les choses, répondit Valerie, un peu vague.

Leslie réfléchit puis éclata de rire.

– Vous ne voulez quand même pas dire que Jennifer Brankley a tué ma grand-mère pour sauver la relation entre Gwen et Dave Tanner ? En agissant comme une déesse mère de Gwen, en quelque sorte ?

– Dr Cramer, je ne crois rien du tout. Je ne voudrais surtout pas tirer de conclusions hâtives. J'ai deux solutions possibles : soit Fiona Barnes a été tuée par un étranger rencontré par hasard – ce qui, vu l'heure à laquelle elle est sortie, et vu la situation de cette ferme isolée, n'est pas tout à fait plausible. La seconde solution me semble plus logique : c'est quelqu'un qui a assisté au repas de fiançailles.

– Ce qui signifie que vous me soupçonnez moi-même, ainsi que Colin et Jennifer Brankley, Dave Tanner, Gwen et Chad Beckett.

– Je n'en suis pas là. Comme je vous l'ai dit, je cherche à ordonner les choses. J'essaie de regarder dans les coulisses.

– C'est absurde, inspecteur. Impossible d'imaginer que ce soit l'un d'entre nous, quel qu'il soit.

– Est-ce que vous pouvez me l'affirmer en toute certitude ? Les seuls que vous connaissiez vraiment bien sont Chad et Gwen Beckett. Tous les autres étaient – sont – des étrangers pour vous.

Leslie réfléchit à cette phrase pendant le trajet du retour sur la route de la côte, d'où la vue magnifique sur la mer était bouchée par le brouillard. De plus, il commençait à faire nuit. Du brouillard, de l'obscurité, du froid... une atmosphère parfaitement adaptée pour cette journée où elle avait dû aller identifier le corps de la dernière parente qu'elle avait au monde.

Maintenant, je suis vraiment seule, se dit Leslie en frissonnant, alors qu'elle avait mis le chauffage à fond. Quand je me suis séparée de Stephen, il me restait Fiona. Maintenant, je n'ai plus personne.

Elle se raccrocha aux paroles de Valerie Almond pour éviter de s'abandonner à ces pensées. Elle avait réussi à résister aux larmes pendant toute la journée, ce n'était pas maintenant qu'elle allait commencer.

C'était exact, elle ne connaissait personne en dehors de Gwen et de Chad. En y réfléchissant, elle avait immédiatement ressenti une sensation bizarre en faisant la connaissance de Jennifer. De Colin aussi, du reste. Il avait l'aspect d'un employé de banque petit-bourgeois, mais quelque chose lui disait que ce n'était qu'une apparence. Il était sans doute plus profond que cela. Seulement, il ne parvenait pas à s'épanouir… un homme peut-être, qui n'avait jamais été estimé à sa juste valeur.

Mais nous avons tous notre côté sombre, se dit Leslie, et ce n'est pas pour autant que nous devenons des assassins. Comment l'inspecteur Almond me décrirait-elle ? Frustrée, solitaire, belle réussite professionnelle, mais vie privée ratée. Déçue des hommes, peut-être aussi déçue de la vie. Enfance difficile avec une mère droguée. Ensuite, élevée par sa grand-mère, ce qui n'était toujours que le substitut d'une vraie famille intacte.

Oui, j'aurais tout à fait le potentiel requis pour péter les plombs et massacrer une vieille dame. Valerie Almond est peut-être en train de se demander si je n'avais pas quelques comptes à régler avec Fiona.

Et voilà, elle en était arrivée malgré elle à Fiona. Il fallait absolument éviter de se laisser gagner par la sentimentalité.

Donc, les vieux comptes :

Bon Dieu, comme tu étais froide ! Incroyablement froide. Alors que quand je pense à ma mère, je me blottis dans sa chaleur. Qu'elle était chaleureuse ! Et gaie ! Cinglée, peut-être, droguée jusqu'à la moelle, toujours stone, mais je ne pouvais pas le savoir, à l'époque. Elle me touchait beaucoup, me prenait dans ses bras, me serrait contre elle. La nuit, elle dormait tout contre moi…

Attention, Leslie, se reprit-elle. Ne l'idéalise pas. Elle multipliait les histoires de… cœur. C'est Fiona qui te l'a dit, mais tu te souviens toi-même vaguement d'un tas de types chevelus qui prenaient le petit déjeuner avec vous le matin. Il y a sûrement eu des nuits où elle t'a éjectée du lit sans pitié pour t'envoyer dormir ailleurs. Dur pour une petite fille habituée à se pelotonner contre sa mère.

Fiona représentait la stabilité. Tout était à sa place. Jamais elle ne t'aurait prise dans son lit, mais jamais elle ne t'aurait chassée parce qu'elle avait envie d'autre chose. J'avais ma chambre, j'avais mon lit. Tout était prévisible. Tout était froid.

Leslie se dirigea vers une aire de stationnement dont elle distinguait vaguement l'entrée dans le brouillard. S'arrêta, sortit une cigarette de son paquet. Il fallait qu'elle cesse de penser à Fiona, à son enfance. Elle s'aventurait en terrain trop mouvant. Les choses s'enchaînaient trop vite, l'aspiraient dangereusement. Elle avait de bons mécanismes de protection. Il ne fallait pas les laisser se détraquer à cause de la mort de Fiona.

Elle fut presque soulagée lorsque son téléphone portable sonna, même si c'était sûrement Stephen qui s'inquiétait, alors qu'il n'en avait plus le droit.

Mais c'était Colin Brankley.

— Excusez-moi de vous déranger, Leslie... J'ai appelé chez votre grand-mère, mais c'est un monsieur qui m'a répondu et m'a donné votre numéro...

Elle ne vit pas la nécessité de lui expliquer que ce *monsieur* était son ex-mari. Parce qu'elle n'aimait pas Colin Brankley, elle s'en apercevait tout à coup. Il était impénétrable. Pas franc du collier, sans doute.

— Oui ? se contenta-t-elle donc de dire.

— C'est... ma femme s'inquiète. Gwen a quitté la maison ce matin et elle n'est pas encore rentrée.

— C'est si inhabituel que ça ?

— Oui. Les rares fois où elle sort, elle dit au moins où elle va.

— Elle est peut-être chez son ami. C'est une possibilité, non ?

— Si, bien sûr... émit Colin sans trop de conviction.

— Elle doit être en train de se réconcilier avec lui. C'est ce que je souhaite, en tout cas. Après ce qui s'est passé, ils ont sûrement des tas de choses à mettre au clair.

— Je n'ai pas le numéro de téléphone de Dave Tanner, dit Brankley.

Leslie savait qu'il agissait sous la pression de sa femme et que cette dernière était guidée par l'inquiétude, mais elle ne put réprimer un sentiment de contrariété. Gwen avait trente-cinq ans. Elle pouvait rester absente le temps qu'il lui plaisait sans rendre des comptes à quiconque, et encore moins à ses locataires. Colin Brankley n'avait pas à la poursuivre de ses coups de fil.

Elle répondit d'une voix un rien trop sèche :

— Moi non plus, je n'ai pas le numéro de Tanner. Et je crois que nous n'avons pas à surveiller Gwen. Elle est assez grande pour savoir ce qu'elle fait.

— Bien sûr, bien sûr. Mais après ce qui s'est passé...

— ... je ne vois aucune raison de lui courir après pour l'espionner.

– Je n'avais pas l'impression que nous agissions comme des espions, Jennifer et moi, répliqua Colin d'un ton froid avant de raccrocher brutalement.

Il l'avait mal pris. Et alors ? Qu'est-ce qu'elle en avait à faire, des Brankley ?

Elle poursuivit sa route, un peu inquiète malgré tout. Gwen n'était plus une petite fille, elle avait une relation stable avec un homme qu'elle voulait épouser, et il n'y avait strictement rien d'anormal au fait qu'elle passe une journée et une nuit sans rentrer chez elle. Rien d'anormal… Mais qu'y avait-il donc de normal dans la vie de Gwen ? Pouvait-on lui appliquer les critères de mesure habituels ?

Et d'ailleurs, toute cette situation était-elle normale ? Une jeune fille avait été assassinée dans un coin isolé de la ville. Une vieille femme avait été tuée à coups de pierre au bord d'une prairie à moutons. Parmi les suspects que la police avait particulièrement à l'œil, il y avait le fiancé de Gwen…

Leslie fut tentée de faire un saut chez Dave Tanner. Simplement pour aller voir si tout allait bien. Mais comment justifier cette démarche ?

Salut, Gwen, je viens simplement voir si tout va bien. Parce qu'on s'inquiète, nous, tu comprends…

Cette fille n'était jamais devenue vraiment adulte, le problème était là. Peut-être le deviendrait-elle enfin, maintenant qu'elle avait quelqu'un. Ne valait-il pas mieux la soutenir, au lieu de continuer à la traiter comme une gamine ?

Elle repoussa l'idée d'aller voir chez Tanner et rentra directement à l'appartement.

Les fenêtres étaient éclairées, et cela faisait du bien, il fallait le reconnaître. Elle rentrait après avoir dit définitivement adieu à sa grand-mère, dans un brouillard à couper au couteau, et retrouver une maison froide, sombre n'avait rien d'engageant.

Dès l'entrée, elle fut accueillie par des odeurs alléchantes de curry, de coriandre… des parfums appétissants, qui réchauffaient le cœur. Par la porte du séjour entrouverte, elle vit des bougies brûler sur la table.

Stephen sortit de la cuisine, un torchon noué autour des hanches, un verre de vin blanc à la main.

– Ah, te voilà !

L'espace d'une seconde, il sembla vouloir poser son verre et la prendre dans ses bras, mais quelque chose le retint. Il s'arrêta devant elle, indécis.

– Ça va ?

Elle ôta son manteau.

– On ne peut pas dire que ce soit la grande forme, répondit-elle. Mais ça va à peu près.

– C'est sûr ?

– Oui, je te dis !

Elle lui prit le verre des mains, en but une grande gorgée.

– On a eu une bonne idée de faire les courses.

– Je t'ai préparé ton repas préféré.

– C'est gentil, merci.

Il sourit.

Elle se dit soudain : « Comme il est doux ! Comme il se donne du mal ! Comme il est... servile ! En fait, notre histoire se serait mal terminée tôt ou tard. Il n'est pas du tout l'homme dont j'ai besoin. L'homme que je veux avoir. »

Cette constatation était tout à fait nouvelle. Elle avait jailli en un éclair, là, à la porte de la cuisine. Elle en fut profondément surprise. Stephen et Leslie, le couple idéal pour la vie. Qui avait capoté simplement parce que Stephen, dans un moment de faiblesse, avait succombé aux flatteries d'une autre. Furieuse et assoiffée de vengeance, elle était toujours partie de ce principe.

Peut-être s'était-elle trompée. Peut-être n'avait-il fait qu'accélérer ce qui aurait fini par arriver d'une manière ou d'une autre.

Il avait observé son jeu de physionomie.

– Qu'est-ce qui se passe ? s'inquiéta-t-il.

– Rien.

Elle se secoua comme un chien, vida son verre à gorgées rapides. Surtout, ne pas penser à ça maintenant.

– Et ici, il y a du nouveau ? s'enquit-elle à son tour.

– Un certain M. Brankley a appelé. Il est à la ferme Beckett, et ils se font du souci pour Gwen. Je leur ai donné ton numéro de portable.

– Je sais, je l'ai eu. Je trouve qu'ils se font du souci pour rien. Je suppose que Gwen est au lit avec Dave et qu'elle prend du bon temps.

– Ce serait bien.

Il hésita. Elle sentit qu'il y avait autre chose.

– Oui ? l'encouragea-t-elle.

– Il y a encore eu un coup de fil, dit-il avec embarras.

Leslie fut aussitôt en alerte.

– Quand même pas… ?

– Un appel anonyme, confirma Stephen. Exactement comme tu l'as décrit. Un silence. Une respiration. Et on raccroche.

Elle le dévisagea intensément. Puis :

– Mais Fiona est morte !

– Peut-être que celui qui appelle ne le sait pas. Ce n'est sans doute pas son meurtrier.

– A moins que sa mort ne lui suffise pas, répondit Leslie en réfléchissant. Il va peut-être s'en prendre à nous tous, à toute la famille.

– Mais c'est absurde ! répliqua Stephen.

Il n'en paraissait pas tout à fait convaincu.

L'autre enfant.doc

7

A quel moment Emma tomba-t-elle malade ? Plus exactement, à quel moment nous en sommes-nous aperçus ? Je suis incapable de le dire aujourd'hui. Je n'avais plus que Chad en tête. Pendant l'automne 1941 et le printemps 1942, il y avait des moments où si une bombe était tombée en plein sur la ferme, je ne l'aurais pas remarqué. J'étais amoureuse, amoureuse folle, et plus rien d'autre ne m'intéressait. Je n'avais pas encore treize ans, mais je crois que mon parcours avait fait de moi une fillette précoce – ainsi que l'avait souvent souligné ma mère. Mon père alcoolique, notre incessante misère financière, puis la mort de mon père, la guerre, les bombes, la nuit au cours de laquelle la maison s'était écroulée sur nous, dans l'abri antiaérien... La séparation brutale avec ma mère et, pour finir, l'impression d'avoir été trahie pour un inconnu... tout cela m'avait pris une grande partie de mon enfance, de mon innocence. Je me sentais adulte. En cela, je me trompais bien sûr, mais j'étais plus mûre qu'on ne l'était généralement à douze ans. Mentalement et physiquement, j'étais pubère depuis longtemps.

Chad et moi profitions de tous les moments qui s'offraient à nous pour nous retrouver. Ce n'était pas facile, car j'allais à l'école et je perdais beaucoup de temps en longs trajets aller et retour, et Chad travaillait à la ferme aux côtés de son père du matin au soir. Mais nous parvenions à voler des instants bénis. Notre lieu de rencontre était la portion de plage caillouteuse en bas, dans la crique, y compris pendant l'hiver, alors que nous étions offerts sans protection aux assauts du vent d'est qui faisait rage au-dessus de la mer et soufflait en bleuissant nos nez. Mais j'aimais ce froid mordant, peut-être parce que les bras de Chad étaient alors particulièrement réconfortants et me donnaient le sentiment d'être à l'abri dans un havre sûr.

Nous n'avons pas eu de rapports sexuels à cette époque, je crois que nous n'osions nous lancer ni l'un ni l'autre. Mes sentiments étaient d'ailleurs plutôt de nature romantique, je n'éprouvais pas encore de désir physique, et si j'en sentais les prémices, c'était plutôt avec une certaine angoisse. Il n'en allait sûrement pas de même pour Chad, mais il gardait encore la tête froide et me trouvait trop jeune. Lorsque le printemps arriva et, avec lui, des journées ensoleillées et de longues soirées, et que nous aurions pu nous aimer en toute tranquillité en bas, sur notre plage secrète, il fut soumis maintes fois à la tentation, mais, chaque fois, s'écarta de moi en s'éloignant le plus possible.

Nous passions donc notre temps à parler. Toujours des mêmes sujets, et je me demande aujourd'hui pourquoi nous n'en avons pas été lassés au bout d'un moment, mais tout était excitant à l'époque, y compris les histoires reprises à l'envi. Plus exactement, il s'agissait des lamentations de Chad à propos de la guerre et du fait qu'il ne pouvait pas y participer. Il en ressentait une terrible frustration, parfois, il se mettait en colère, puis tombait dans l'abattement. Je me souviens qu'un jour, j'objectai timidement :

– Mais si tu partais au front, tu ne pourrais plus être avec moi !

– Mais ça n'a rien à voir !

– Si. Soit tu es à la guerre, soit tu es avec moi. Si tu n'étais pas là, tu me manquerais tellement que j'en deviendrais folle !

– Tu ne comprends peut-être pas encore. Il ne s'agit pas de tes sentiments ou des miens, il s'agit de l'Angleterre. Il s'agit d'un dictateur fou qui attaque des pays étrangers. Il faut se battre contre lui !

Je n'étais pas persuadée que le départ de Chad au front précipiterait l'élimination de Hitler, mais je comprenais ce qu'il voulait dire et je me taisais. Malgré tout, j'étais triste. Je sentais la différence. Dans la vie de Chad, il y avait une seconde passion qui était très grande, plus grande, peut-être, que ses sentiments pour moi.

Dans ma vie à moi, en revanche, il n'y avait que lui.

Quoi qu'il en soit, je crois me souvenir que pendant l'hiver, et pendant une bonne partie du printemps, Emma était souvent malade, que nous nous en apercevions, mais sans comprendre que c'était à une fréquence inquiétante. Les accès de maux de gorge se succédaient ; à peine s'était-elle sortie d'un gros rhume qu'elle attrapait une bronchite. L'hiver était très rude, et sans doute avait-elle escompté aller mieux quand le temps se radoucirait. Mais en mai 1942, un mois particulièrement chaud et sec, elle était atteinte d'une toux qui menaçait de la faire étouffer, et après s'être traînée au travail jour après jour, à bout de souffle, elle fut prise d'une fièvre si forte qu'Arvid, qui ne s'occupait que très peu, voire jamais, de sa femme, finit par appeler le médecin. Celui-ci diagnostiqua un début de pneumonie et lui prescrivit de garder la chambre.

– Normalement, Emma, vous devriez être transportée à l'hôpital, dit-il, mais je sais que ce n'est pas la peine de vous le proposer, car je connais votre réponse d'avance.

– Je ne veux pas partir de chez moi, confirma aussitôt Emma d'une voix rauque.

Il se tourna vers moi. C'était moi qui l'avais amené auprès du lit de la malade, et je me tenais à la porte, apeurée. Pour répondre à la question que je posais en préambule, à savoir à quel moment nous nous sommes aperçus qu'Emma était en mauvaise santé : je crois que c'est à ce moment. Très tard, et j'en avais honte.

– Tu vas t'occuper d'Emma, me dit le médecin. Tu vas lui préparer du bon bouillon bien nourrissant et veiller à ce qu'elle le prenne. Il faut qu'elle boive beaucoup d'eau. Et qu'elle reste au lit, compris ? Je ne veux pas qu'on me dise qu'elle descend faire la cuisine pour la famille ou qu'elle s'occupe de la maison. Il lui faut un repos intégral.

Je promis de faire tout ce qu'il disait. J'avais peur. Je voulais absolument m'occuper d'Emma.

Après le départ du médecin, elle me dit quel était son souci principal : évidemment, c'était Nobody.

– Il faut que tu t'occupes de Brian pendant que je suis malade, dit-elle en chuchotant. S'il te plaît, Fiona, il n'a personne d'autre. Arvid ne peut pas le voir, et pour Chad, il n'existe pas. C'est un pauvre petit...

Elle fut prise d'une quinte de toux et chercha à reprendre son souffle, le visage défiguré par la douleur.

J'aurais bien aimé lui dire que moi non plus, je ne pouvais pas voir Nobody et que je réglais le problème en le traitant comme un moins que rien, mais ce n'était pas le moment d'énerver Emma.

Aussi me contentai-je de répondre :

– Mais je suis à l'école pendant la moitié de la journée !

– Je vais demander à Arvid de le surveiller pendant ce temps, dit-elle de sa voix rauque, mais l'après-midi, tu pourrais...

– Quand est-ce qu'on va l'envoyer à l'orphelinat ? Il ne pourra pas rester ici, de toute façon, rétorquai-je avec humeur.

Emma ferma les yeux, épuisée.

– Il serait perdu à l'orphelinat, murmura-t-elle. Fiona, s'il te plaît...

Que faire d'autre ? Les après-midi qui suivirent, j'avais Nobody collé à moi comme une glu. Arvid le surveillait le matin en pestant et en jurant, comme si la ferme allait s'écrouler parce qu'il devait faire son travail avec « l'autre enfant », selon son expression, accroché à ses basques. Dès que je rentrais de l'école, il poussait Nobody vers moi sans me laisser le temps de poser mon sac. A ma vue, Nobody rayonnait de joie et s'accrochait à moi. Il était là en permanence, alors que je croulais sous la tâche. J'avais mes devoirs pour l'école, les repas à préparer, la maison à entretenir, les poules à nourrir, les œufs à ramasser, le potager à cultiver. Impossible de me débarrasser de Nobody. Quand, après avoir fini de ramasser les mauvaises herbes, je me relevais et me retournais, je me cognais contre lui parce qu'il se tenait derrière moi en me dévorant du regard. Quand je donnais à manger aux poules, il était dans mes jambes. Et, à la cuisine, il me rendait carrément folle, car je détestais cuisiner, et le regard étrangement attentif, cherchant toujours à comprendre, avec lequel il accompagnait le moindre de mes mouvements plus qu'incertains me rendait encore plus nerveuse.

Evidemment, j'étais de très mauvaise humeur parce que je ne pouvais pratiquement plus voir Chad en dehors des repas. Même quand j'avais fini mon travail, en fin d'après-midi, comment aller le retrouver sur la plage avec Nobody qui me suivait comme une ombre ? Un jour, je l'enfermai dans sa chambre et filai en douce, mais je devais le regretter en revenant. Nobody avait été tellement perturbé qu'il avait fait dans sa culotte et avait vomi. Il puait terriblement, comme toute la chambre, et son visage était boursouflé par les larmes. Par bonheur, Emma ne s'était rendu compte de rien. Je dus lui ôter ses vêtements, le plonger dans la baignoire et nettoyer le sol en prime, tout cela sans me faire remarquer. Une fois de plus, je me demandai avec fureur pourquoi Emma ne lui cherchait pas une place dans un orphelinat. Car il était maintenant évident qu'il était demeuré et qu'il deviendrait une charge de plus en plus lourde.

Pour lui faire payer le surcroît de travail qu'il m'infligeait, je le frottai vigoureusement en le rinçant à l'eau glacée, mais il ne me fit pas le plaisir de gémir ou de pleurer. Au contraire, j'avais même l'impression qu'il m'était reconnaissant de cette manière de m'occuper de lui, qu'il était prêt à tout accepter de moi. Il tremblait de froid et ses lèvres bleuissaient, mais cela ne l'empêchait pas de me contempler avec des yeux brillants où je pouvais lire la dévotion et même l'idolâtrie.

– Fiona, bégaya-t-il en souriant, et-et Boby.

– Tu ne t'appelles pas Boby ! lui criai-je méchamment, tu t'appelles Nobody ! Tu sais ce que ça veut dire, Nobody ? Ça veut dire Personne ! Ça veut dire Rien !

Sans doute ne comprenait-il pas ce que je disais, car il rayonnait comme si je venais de lui faire une déclaration d'amour.

– Boby, répéta-t-il. Puis :

– Fiona !

Il tendit la main vers mes cheveux.

Je détournai aussitôt la tête.

– Arrête ! Et maintenant, sors de la baignoire, que je t'essuie.

Obéissant, il s'exécuta et resta planté sur le caillebotis, tremblant, claquant des dents. Je regardai ce petit être malingre, frigorifié, et éprouvai une sorte de mauvaise conscience. J'avais été cruelle, odieuse de l'avoir aspergé d'eau glacée pendant plusieurs minutes. Parce que, finalement, s'il s'était sali, c'était par désespoir. Je l'avais enfermé et laissé seul pendant deux heures, et sans doute avait-il eu peur à un point dont je n'avais pas idée. Mais, nom d'une pipe, j'allais bientôt avoir treize ans, j'étais amoureuse et j'avais envie de goûter un peu à la vie ! Ce n'était pas à moi de m'occuper d'un gamin de neuf ou dix ans, et demeuré, en plus !

Avec le recul, et sans vouloir le moins du monde me faire passer pour meilleure que je n'étais, je dois dire que mon comportement était assez normal. Si Brian avait été mon petit frère, j'aurais, dans le même cas, tout essayé pour échapper à cette tâche, et sans doute ne l'aurais-je pas traité très gentiment. La plupart des filles de mon âge auraient agi de même. Le problème est que Brian ne pouvait se défendre comme un enfant normalement développé. N'importe quel autre à sa place aurait hurlé à la mort, aurait tapé contre la porte à coups de poing et à coups de pied et aurait été délivré en quelques minutes par un adulte. Il n'aurait pas non plus accepté d'être aspergé d'eau glacée. Il aurait trouvé une stratégie pour s'affirmer vis-à-vis de moi, l'aînée.

Mais Brian n'était pas comme tout le monde. Et moi, j'étais trop jeune pour comprendre et apprécier réellement à quel point il était impuissant, entièrement livré aux autres. J'hésitais entre la pitié et les accès d'exaspération, et cette dernière était de beaucoup la plus forte. S'il n'avait pas été si collant, si obsédé par moi, si fermé à la raison et à la conversation, j'aurais peut-être adopté une attitude un peu plus amicale. Mais je me heurtais à son cerveau obturé et je n'avais pas la patience, pas le calme nécessaires pour m'expliquer avec lui.

Cependant, je fus si effrayée de mon comportement de ce jour-là que je me donnai un peu plus de mal les semaines suivantes. Avec pour conséquence le fait que Nobody se colla à moi encore un peu plus et que je ne pouvais plus du tout être seule avec Chad. Ce qui ne m'incita pas à le porter davantage dans mon cœur.

En juin, Emma, affreusement amaigrie, devenue l'ombre d'elle-même, put quitter le lit. Dans les premières semaines, elle eut encore fréquemment besoin de mon aide, mais elle put recommencer à s'occuper de Nobody, ce qui me permit de rejoindre Chad quasi quotidiennement dans la crique. A la chaleur du mois de mai succéda celle du mois de juin, et celle, encore plus forte, de juillet. Avec des journées sans nuages qui sentaient bon l'herbe et les fleurs, une mer bleu saphir à nos pieds, de longues soirées au cours desquelles le soleil couchant faisait flamber un feu grandiose à l'ouest de l'horizon. La guerre était très loin, je ne m'en préoccupais pas. Si Chad n'avait pas parlé sans cesse de son désir de partir au front, je crois que j'aurais oublié qu'il existait quelque part des champs de bataille et des bombes, du malheur et des larmes. Je me sentais en sécurité parce qu'Emma ne laisserait pas son fils s'engager. Je vivais le plus bel été de ma vie. C'était ce que je ressentais sur le moment, et je sais aujourd'hui que ce furent réellement les plus belles semaines de ma vie.

J'eus mes treize ans le 29 juillet 1942. La lettre que je reçus ce jour-là de ma mère mit fin à tout cela – aux insouciantes semaines d'été, à l'amour naissant, à la liberté infinie de la ferme qui était devenue ma maison, mon foyer.

Ma mère écrivait que les bombardements avaient considérablement diminué et qu'il n'y avait aucune raison pour que je continue à vivre aux crochets des Beckett (c'est ainsi qu'elle le disait, alors qu'ils étaient payés pour m'accueillir chez eux !). Elle allait venir me chercher à la fin août pour me ramener à Londres. De plus, il était temps que je fasse la connaissance de mon beau-père.

Le sol se déroba sous mes pieds. Je viens d'écrire que l'été 1942 avait été le plus beau de ma vie, mais cela ne concerne que la période précédant ce mercredi ensoleillé de la fin juillet. A dater de ce jour-là, je sombrai dans un profond désespoir.

Le mois d'août qui suivit fut le pire de ma vie.

8

Le 1er septembre, je rentrai à Londres. Je n'avais pas desserré les dents de tout le trajet, ce qui avait rendu ma mère si furieuse qu'elle s'était mise à se ronger les ongles et ne m'avait plus regardée. Il faisait très beau, mais Londres me parut laid, triste et absolument insupportable. Là, on pouvait voir et sentir cette guerre qui s'était tenue si loin du Yorkshire, laissant des maisons détruites, des montagnes de gravats, des trams brûlés. Les gens se hâtaient, tête basse, sur les trottoirs ; beaucoup étaient habillés comme des pauvres et paraissaient avoir faim. Nous dûmes gagner notre logement à pied depuis la gare – plus exactement celui d'Harold Kane, logement que je m'étais juré de ne jamais considérer comme ma maison. Au lieu du parfum du vent, du sel et du foin, j'étais entourée de la puanteur de l'essence et de la poussière. Maman portait ma valise, et je traînais le sac dans lequel Emma m'avait emballé du pain, de la viande et du fromage, une vraie montagne de nourriture, en me disant qu'à Londres, on manquait de tout, et elle avait raison, ainsi que je ne tardai pas à m'en apercevoir. Maman avait proposé du bout des lèvres de prendre aussi Nobody et de le « remettre aux institutions compétentes », mais, comme c'était à prévoir, Emma avait refusé avec effroi. Jamais je n'avais autant envié Nobody qu'en ce jour qui signifiait pour lui de rester dans un lieu paradisiaque et pour moi un adieu douloureux. Il avait pleuré quand nous quittâmes la cour, maman et moi, et j'avais eu le temps de voir Emma lui mettre des bonbons dans la bouche pour le consoler.

Chad s'occupait des moutons et n'avait pas réapparu, appliquant ce que nous avions décidé la veille au soir, et c'était mieux ainsi. Je ne voulais pas pleurer, et c'est ce que j'aurais fait s'il avait été là, aux côtés de sa mère et de Nobody, à me faire des signes d'adieu. Le seul moyen pour moi de surmonter tout cela était cette colère froide que j'avais en moi. La vue de Chad eût rompu les digues.

Devant l'état de la ville détruite, j'adressai la parole à ma mère pour la première fois de la journée :

– Tu dis qu'il ne tombe plus de bombes ? On a plutôt l'impression qu'il en pleut toutes les nuits !

– Tiens, tiens, répondit maman, tu as encore ta langue !

Je lui décochai un regard furieux.

– Ce sont les destructions de la fin 1940 et du début 1941. Pour l'instant, c'est vrai, il n'y a presque plus rien. Plus d'alerte depuis des semaines.

– Ah bon, répondis-je, maussade.

C'était une idée de gamine, mais à ce moment, j'espérais que des dizaines de bombardiers allemands viendraient larguer sur la ville des tonnes de bombes. Maman verrait alors qu'elle avait commis une erreur et me renverrait par retour du courrier dans le Yorkshire.

Ma mère s'arrêta un instant pour s'éponger le front. Ma valise était lourde, il faisait très chaud.

– Fiona, nous formons une famille, toi, Harold et moi. Il ne faut pas que nous devenions des étrangers les uns pour les autres.

– Pas de risque que je devienne une étrangère pour ton Harold, puisqu'il ne m'a jamais vue.

– C'est d'autant plus grave. Il est ton père depuis un an et...

– Mon beau-père.

– D'accord, ton beau-père. Il faudra vous habituer l'un à l'autre, trouver un moyen de vivre ensemble, c'est important.

– Et si on n'en trouve pas ?

– Nous en trouverons. Fiona, tu devrais être contente d'avoir encore une famille ! Il y a des enfants qui ont tout perdu à cause de cette guerre ! Pense à ce pauvre Brian Somerville qui n'a plus personne au monde !

– Je préfère ne pas penser à lui, répliquai-je avec colère, sinon je vais exploser d'envie. Il a pu rester, lui, et pas moi !

A présent, maman me regardait, peinée, mais je trouvais qu'elle l'avait bien cherché. Nous accomplîmes le reste du chemin en silence. Il était inutile de chercher à se parler, ce jour-là.

L'appartement d'Harold Kane se trouvait à Stepney, dans une maison affreuse comme je n'en avais jamais vue. Un immeuble triste, gris, en retrait de la rue, derrière deux autres immeubles plus hauts de quelques étages qui empêchaient la lumière d'arriver jusqu'à lui. Dans la rue, seul un immeuble avait été entièrement détruit, mais presque tous les autres avaient dû avoir les vitres brisées par l'onde de choc, car partout, je vis d'horribles réparations de fortune sous forme de bâches et de planches de bois. La rue était étroite et sombre, même sous le soleil. En hiver, elle était sûrement sinistre. Moi qui étais désormais habituée à l'espace et à la liberté de la campagne... j'avais envie de pleurer.

Harold Kane était déjà rentré. J'avais espéré qu'il serait encore à son travail, ce qui m'aurait permis de prendre un peu d'avance et de m'acclimater quelque peu au logement. Mais il nous ouvrit la porte au quatrième étage, après que nous eûmes gravi les marches de l'escalier plongé dans l'obscurité, en soufflant et en traînant nos bagages. Il était grand et lourd, et son visage était d'un rouge malsain dont je ne savais pas encore qu'il trahissait son penchant pour la boisson. Je le trouvai laid et désagréable. Je le détestai au premier regard.

– Donc, c'est toi, Fiona, dit-il en me tendant la main. Bienvenue à Londres, Fiona !

Il s'efforçait d'être aimable, mais je ne lui fis pas confiance. Mon instinct me disait que l'idée de me faire revenir était celle de ma mère et non la sienne. Que lui importait cette gamine de treize ans qui venait s'immiscer dans l'intimité de leur couple ? Ils s'étaient installés dans leur nouvelle vie depuis un an, ma mère et lui. De son point de vue, je ne pouvais être qu'une gêneuse.

Le logement était très petit et assez pauvrement aménagé. Même nous, qui n'avions jamais un sou vaillant, nous vivions mieux dans notre ancien logis. Il y avait deux pièces et une petite chambre, et toutes donnaient sur l'arrière, butant sur l'immeuble suivant, si proche qu'on avait l'impression de pouvoir en toucher les murs en tendant la main. On ne voyait strictement rien du soleil qui brillait dehors. On aurait tout aussi bien pu être au mois de novembre.

La première pièce était utilisée comme cuisine-séjour, la deuxième était celle de maman et d'Harold. La petite chambre – je l'avais deviné – m'était réservée. Elle avait de quoi contenir un lit et une étroite armoire qui la remplissaient entièrement. J'avais à peine assez de place pour me retourner.

– Et où tu veux que je fasse mes devoirs ? demandai-je d'un ton furieux.

– Sur la table de la cuisine, répondit ma mère avec une bonne humeur jouée. Tu auras de la place, tu ne seras pas dérangée.

Je dus faire un gros effort pour ne pas éclater en sanglots. C'était encore pire que ce que j'avais imaginé. Et pourtant, je n'avais jamais été très gâtée. A la ferme, les pièces étaient également petites et sombres, la maison, assez délabrée et ma chambre, pour être sincère, n'était pas beaucoup plus grande que celle-là. Mais quand il faisait beau, le soleil entrait par toutes les fenêtres et on avait la vue sur une immense étendue de prairies qui se fondaient à l'horizon avec le ciel. De l'une des pièces de l'étage, par-delà une colline, on voyait la mer. Dans le Yorkshire, j'éprouvais un sentiment de liberté sans limites. Tandis que dans ce taudis, je me sentais enterrée vivante, enfermée derrière les murs d'une prison.

– Je passe mes journées sur le chantier naval, expliqua Harold, sans doute pour tenter de me réconforter, et ta maman n'est pas là non plus parce qu'elle continue malheureusement à faire des ménages, même si elle n'en a plus besoin. Tu auras tout le logement pour toi.

– Nous avons bien besoin de mon argent, intervint maman.

– On arriverait à s'en sortir sans, répliqua Harold.

J'avais l'impression d'assister à une querelle qui durait depuis longtemps. Apparemment, les ménages de maman étaient un sujet brûlant.

– On tirerait le diable par la queue, insista-t-elle.

Je commençai à me demander pourquoi elle avait épousé ce M. Kane. Il n'était pas beau et il ne semblait pas avoir d'argent non plus. Nom d'une pipe, qu'est-ce qu'elle lui trouvait ? C'était une très jolie femme, elle aurait pu se dégoter quelqu'un de mieux que ce gros lard bouffi. Mon pauvre père avait beau avoir été un ivrogne, il était très bel homme. Petite, j'étais très fière de lui quand nous nous promenions dans la rue et que je remarquais les regards des femmes que nous croisions. Ce n'était pas imaginable pour un Harold.

Est-ce que maman avait besoin de ça ?

Aujourd'hui, je peux évidemment la comprendre. Pour les critères actuels, ma mère était encore très jeune à trente-cinq ans, mais à l'époque, elle était déjà considérée comme une femme mûre. Elle était veuve, avec un enfant à charge, et sans argent. Elle n'avait pas envie de rester seule pendant le restant de ses jours, mais, dans sa situation, les hommes ne se bousculaient pas au portillon. D'autant plus que la majorité de ceux de son âge étaient partis au front. Maman avait toujours été une personne pragmatique. Elle avait vu en Harold Kane sa seule véritable chance et elle l'avait saisie. Et elle était désormais décidée à en tirer le meilleur parti. Pour cela, il fallait que je joue le jeu, et tout en moi se révoltait à cette idée.

Au dîner, nous eûmes des pommes de terre et de la viande, une viande si filandreuse que nous passions notre temps à retirer les fibres de nos dents, et les pommes de terre me parurent très pâteuses. Maman remarqua que j'avais du mal à manger.

– La nourriture était sans doute meilleure à la campagne, dit-elle, et pour la première fois depuis qu'elle m'avait retirée de force de Staintondale, ce fut avec un léger ton d'excuse. Ici, en ville, nous sommes rationnés à cause de la guerre.

Je ne répondis pas. Qu'aurais-je pu dire ? Il n'y avait pas que la nourriture… tout était mieux là-bas. Le soir tombait. A cette heure, j'aurais couru jusqu'à la crique pour mon rendez-vous avec Chad. Nous serions tombés dans les bras l'un de l'autre, j'aurais senti battre son cœur contre le mien. Nous nous serions raconté notre journée, et ensuite, il serait reparti dans une tirade contre ses parents qui refusaient de le laisser partir au front…

Je repoussai mon assiette. Je ne pouvais pas penser à Chad, c'était trop dur. Je ne pus avaler une bouchée de plus.

Harold non plus ne mangeait d'ailleurs pas beaucoup, ainsi que je le remarquai, mais en revanche, il ingurgitait des quantités de bière. Plus que de raison. Sans doute ses bourrelets venaient-ils de là, et non des talents limités de ma mère en matière de cuisine. Encore un ivrogne ! A l'époque, le commun des mortels ne se piquait pas encore de psychologie, autrement j'aurais sans doute compris que ma mère reproduisait toujours le même schéma fatal : son père était alcoolique, son premier mari aussi, puis, à présent, son deuxième. Elle était attirée par les ivrognes et ne parvenait visiblement pas à interrompre la spirale infernale. Je ne comprenais pas qu'elle était

215

simplement prisonnière d'elle-même. Incrédule, je me répétais la question à l'envi : pourquoi ? pourquoi ? pourquoi Harold Kane ?

Après le repas, j'allai me coucher immédiatement sans même aider à la vaisselle. Comme on m'accordait l'excuse de la fatigue de la journée, on me laissa faire. Mais, alors que je me déshabillais tant bien que mal, coincée dans mon étroite chambre, j'entendis à côté Harold se plaindre à ma mère :

– Elle peut pas me piffer ! Je l'ai vu tout de suite !

– La journée a été difficile pour elle, il faut qu'elle se réadapte, m'excusa ma mère. Elle s'est beaucoup attachée à la famille Beckett et maintenant, elle se sent déracinée. Elle rejette tout, ici. Il ne faut pas le prendre pour toi.

– Je pense que c'est une erreur de l'avoir amenée ici contre sa volonté, dit Harold.

Je me figeai, remplie de l'espoir insensé qu'ils reconnaîtraient peut-être que...

Mais maman détruisit mon rêve immédiatement :

– Non, répondit-elle avec fermeté, ce n'est pas une erreur. Au contraire, il était grand temps. Elle était en train de s'intégrer entièrement dans cette autre famille, j'aurais dû intervenir beaucoup plus tôt.

– C'est toi qui as eu l'idée, à l'époque, de l'envoyer à la campagne !

– Tu sais bien qu'il y avait des bombardements toutes les nuits. Je n'avais pas envie de perdre ma seule enfant. Mais je ne veux pas non plus la perdre d'une autre façon, tu comprends ? Je ne veux pas qu'elle considère une autre femme comme sa mère !

– Nous faisons tout pour qu'elle ne reste pas ta seule enfant, répliqua Harold, et, malgré mon jeune âge et mon inexpérience, il ne m'échappa pas, pendant que j'écoutais aux portes dans ma chambre, que son ton avait changé. On devrait peut-être réessayer tout de suite, qu'est-ce que tu en penses ?

– Il faut que je range la cuisine. Et Fiona ne dort pas encore. Elle peut entrer d'un moment à l'autre.

– Mais non ! Elle est crevée. Elle va plus bouger.

– Harold... arrête... j'ai vraiment peur que Fiona... Arrête !

Une chaise tomba. J'entendis maman émettre un petit rire. Horrifiée, je retins mon souffle. Ils n'allaient tout de même pas... maintenant...

Les bruits qui me parvinrent peu après étaient sans équivoque. Ma mère et Harold Kane couchèrent ensemble tout de suite après le repas dans la cuisine en se fichant pas mal de moi qui entendais tout, mais alors, tout.

C'était insupportable. Absolument insupportable.

Je ne continuai pas à me déshabiller, mais je me glissai telle que j'étais, avec la robe d'été à fleurs que m'avait cousue Emma, et mes chaussettes, dans mon lit aux draps qui sentaient mauvais. J'enfouis mon visage dans l'oreiller et me bouchai les oreilles des deux mains pour ne plus rien entendre de la chose répugnante qui se passait à côté. Pendant toute la journée, la longue, l'horrible journée, j'avais pu me contenir, mais à présent, je ne le pouvais plus.

Je pleurai, et je crois que ce furent les larmes les plus chaudes, les sanglots les plus violents de toute ma vie.

9

Je ne rendis pas la vie facile à ma mère et à Harold pendant les semaines et les mois qui suivirent. Ma colère d'avoir été ramenée malgré moi à Londres ne passa pas, au contraire, elle se renforça. Avec l'arrivée de l'automne, du brouillard, de l'obscurité précoce, mon moral tomba à zéro.

Harold m'évitait, et réciproquement... dans la mesure où c'était possible dans le minuscule logement. Mais, effectivement, il passait pratiquement toute la journée sur le chantier naval où il occupait un poste de contremaître et quand il rentrait, il se soûlait assez vite puis s'endormait sur le petit canapé branlant de la cuisine-séjour. Il ronflait et puait l'alcool. A chaque fois que je devais passer devant lui, j'en étais secouée.

– C'est un ivrogne, maman, dis-je un jour à ma mère. Comment as-tu pu épouser un ivrogne ?

– Tous les hommes boivent, affirma-t-elle, ce qui, de son point de vue et selon son expérience, était vrai.

Je contestai.

– Non ! Arvid Beckett par exemple...

J'avais évidemment touché un point sensible.

– Arrête avec tes Beckett ! cria ma mère. Pour toi, ces gens, c'est le bon Dieu ! Mais ce sont des gens normaux, comme toi et moi et Harold !

– Ils ne boivent pas, eux ! insistai-je.

– Alors ils ont d'autres vices. Les gens ont tous un vice, tu peux me croire !

Elle avait peut-être raison, je n'en savais rien. En tout cas, le vice d'Harold et la vue de sa figure bouffie me répugnaient tant que j'en ai conçu pour toute ma vie une sainte horreur de l'alcool et que je n'y ai jamais touché. Je haïssais ce truc. Aujourd'hui encore, je ne supporte pas la présence d'une bouteille chez moi, fût-ce d'un digestif.

J'allais à l'école, faisais consciencieusement mes devoirs et passais mes moments de liberté à écrire d'interminables lettres à Chad. Je lui racontais mon sinistre quotidien, la triste atmosphère de Londres bombardée, le logement sombre, la rareté des denrées alimentaires. Harold tenait la plus grande place dans mes lettres. Je le décrivais comme un épouvantail, de sorte que Chad avait l'impression que ma mère avait épousé un monstre gras, stupide, et toujours ivre. J'attendais qu'il me console, mais il me répondait rarement. Il m'informait qu'il n'aimait pas écrire et qu'il y avait beaucoup de travail à la ferme, mais que je lui manquais et qu'il pensait souvent à moi. Il fallait que je me contente de cela. C'était un homme, après tout. Les hommes avaient peut-être du mal à coucher leurs sentiments sur le papier.

A la fin novembre, je reçus de lui une lettre dans laquelle il se plaignait comme d'habitude d'être bloqué dans un élevage de moutons au lieu de se battre pour son pays. « La chance tourne, écrivait-il, les Allemands peuvent être vaincus, et moi, j'aimerais participer à la bataille ! » A la fin de la lettre, il ajoutait que sa mère était à nouveau gravement malade. « La toux, la fièvre, et elle a très mauvaise mine. Le temps froid et humide ne lui vaut rien, mais nous n'avons pas l'argent nécessaire pour l'envoyer dans le Sud, et les temps ne s'y prêtent pas. Les îles Anglo-Normandes ne seraient pas mal, mais il y a les gars d'Hitler. Sans compter que je ne sais pas comment nous arriverions à nous débrouiller ici sans elle. »

Je pensai à Nobody. Qui s'occupait de lui si Emma était à nouveau obligée de garder le lit pendant des semaines ? Peut-être allaient-ils enfin le mettre dans un orphelinat. C'était ce qu'il y avait de mieux pour tous.

Noël me réservait une surprise particulière. Le matin de Noël, après la distribution des cadeaux – j'avais surtout eu des objets pratiques, un châle, un bonnet et des gants – maman m'annonça que j'allais avoir une petite sœur en juillet.

– Un petit frère, rectifia Harold, assis sur le canapé, qui, pour fêter l'événement, était en train de siffler son premier coup de gnôle de la journée à neuf heures du matin.

– Mais on ne peut pas encore le savoir, objecta maman.

– Je le sais, s'entêta Harold, ce sera un garçon. Tu vas voir !

– Alors, tu es contente ? me demanda maman.

– En juillet... fis-je. Donc, le bébé naîtra peut-être le même jour que moi.

Il ne manquait plus que le fils d'Harold, qui ressemblerait certainement à son père, vienne usurper ma date d'anniversaire.

– Non, me rassura maman. Le docteur dit que c'est pour début juillet. Peut-être même fin juin. Il n'y a pas de risque que vous vous marchiez sur les pieds.

Elle avait les yeux brillants et une expression de douceur au visage. Dire qu'elle était contente d'attendre un enfant de cet alcoolique rougeaud !

Une idée me traversa l'esprit :

– Mais il n'y a pas de place ici pour une personne de plus ! On sera beaucoup trop à l'étroit !

Peut-être verraient-ils enfin la nécessité de me renvoyer à Staintondale ?

Mais maman ne sembla pas y songer.

– La première année, il dormira dans notre chambre. Et après, nous verrons. Nous trouverons peut-être un logement un peu plus grand.

– Evidemment, il n'y a pas de problème ! renchérit Harold.

J'avais envie de lui demander s'il pensait avoir de quoi payer un loyer plus élevé, puisque la majeure partie de son salaire passait dans la boisson. Mais je me retins. C'était Noël et je n'allais pas gâcher cette journée.

Mais nous n'aurions pas dû nous inquiéter ni de la date de naissance ni de la chambre, car l'affaire se termina par un drame.

Fin février, maman fit une mauvaise chute sur le verglas devant notre immeuble. Elle se traîna jusque chez nous, défigurée par la douleur, et se laissa tomber sur le canapé où elle resta assise en gémissant doucement. Je lui fis du thé, mais elle n'en but que quelques gorgées.

– J'ai mal, Fiona, murmura-t-elle, j'ai mal !

– Maman, je vais aller chercher un médecin !

Elle refusa d'un signe de tête.

– Non. Tout ce qu'il va faire, c'est me fiche la trouille. Je vais rester un peu au calme et tout se passera bien.

En réalité, ses douleurs se firent de plus en plus fortes, à en juger par ses gémissements et par la manière dont elle appuyait les mains sur son bas-ventre. Je commençai à m'inquiéter sérieusement. En dehors d'un rhume occasionnel, ma mère n'avait jamais été malade ; je l'avais toujours vue solide et en bonne santé. A présent, elle avait le visage jaune pâle, les lèvres blanches, et elle se tordait dans tous les sens. Lorsqu'elle se leva pour faire quelques pas dans l'espoir de diminuer la douleur, j'aperçus une grande tache rouge sur le canapé.

– Maman, tu saignes ! m'écriai-je, effrayée.

Elle regarda fixement la tache.

– Je sais. Mais... ça arrive... ça ne veut rien dire...

– S'il te plaît, laisse-moi chercher un médecin ! la suppliai-je.

Elle qui pouvait à peine tenir sur ses jambes trouva la force de crier :

– Non ! Surtout pas ! Ne t'y avise pas !

– Mais pourquoi, maman ? Je...

Elle serra les lèvres, puis répéta entre ses dents : « Non ! » avant de se traîner vers le canapé et de s'y asseoir avec difficulté. J'étais au désespoir.

Je ne comprenais pas pourquoi elle se défendait avec tant de véhémence contre la venue d'un médecin. Elle avait mal, elle perdait beaucoup de sang... Pensait-elle réellement que tout disparaîtrait simplement sur commande ? J'étais trop jeune pour comprendre que ma mère était en état de choc, qu'elle était sur le point de perdre son bébé, que son subconscient le lui disait, mais qu'elle s'en défendait de toutes ses forces. Elle voulait à tout prix offrir à Harold le fils qu'il appelait de ses vœux, elle avait mis assez de temps à être enceinte. Son instinct maternel également la poussait à se cramponner à l'enfant qu'elle portait, à essayer de le protéger ainsi qu'elle-même du diagnostic probablement destructeur du médecin. Elle refusait la réalité, mettant ainsi sa vie en jeu. Moi, je restai à côté d'elle, impuissante, intimidée par le ton coupant qu'elle avait utilisé pour m'interdire d'aller chercher du secours.

Vers le soir, les douleurs devinrent insupportables et elle parut comprendre qu'il fallait faire quelque chose.

– Cours jusqu'au chantier naval, chuchota-t-elle, cours le plus vite possible ! Va chercher Harold et dis-lui de venir tout de suite !

Il eût été plus utile d'aller directement chercher le médecin, mais je fus soulagée de transférer la responsabilité sur un adulte. Le trajet n'était pas très long, peut-être vingt-cinq minutes à pied. Je crois qu'en ce mois glacial de février 1943, je l'accomplis en dix minutes à peine. La rue était glissante, couverte de dangereuses plaques de verglas, mais je volais entre les rangées d'immeubles, le cœur battant à tout rompre, avec un point de côté, la bouche desséchée et la respiration sifflante. Ma panique me donnait de la force. Mon instinct me disait depuis des heures que maman pouvait mourir si on ne la soignait pas. Nous avions perdu beaucoup trop de temps. J'espérais ardemment qu'Harold ne serait pas déjà vautré dans l'un des pubs miteux du quartier des docks, en train de picoler. Car dans ce cas je n'aurais aucune chance de le retrouver. Par bonheur, je l'attrapai au vol alors qu'il était en train de quitter ses collègues. Il me regarda avec incrédulité en me voyant surgir brusquement de l'obscurité.

Haletante, courbée en deux par des points de côté, je parvins à articuler :

– Maman. Il faut y aller tout de suite. Elle est... elle va très mal !

Harold me surprit en se mettant en route sans hésitation, et sans poser la moindre question. Je fus étonnée de voir que cet homme grand et massif était capable de se déplacer aussi vite. Il avait le visage cramoisi et brillant de sueur quand nous arrivâmes, mais il ne s'était pas arrêté une seconde. Sans doute avait-il évité de peu la crise cardiaque.

Nous trouvâmes maman recroquevillée sur le canapé, les deux bras passés autour du ventre. Son nez ressortait, pincé, sur son visage jaunâtre et creusé. Je ne comprenais pas comment cela avait pu se passer en si peu d'heures, mais elle semblait avoir vieilli de plusieurs années au cours de l'après-midi et avoir perdu plusieurs kilos. Elle regarda son mari en ouvrant des yeux immenses.

— Harold, dit-elle dans un sanglot, je crois... notre fils... il est...

— Mais non, dit Harold, nous allons avoir le plus beau fils du monde, tu vas voir !

Il l'accompagna à l'hôpital. L'espace d'un instant, j'aperçus son visage à un moment où il ne le composait pas par amour pour maman. Il ne disait rien de bon.

Je n'ai que des souvenirs imprécis de cette soirée et de la nuit qui suivit. Je crois que je cherchai un dérivatif en rangeant la maison et en essayant de laver le sang qui tachait le canapé. Je n'y parvins pas tout à fait. Il devait en garder longtemps la trace sombre et, le jour où maman ne put plus supporter sa vue, elle demanda à Harold de s'en débarrasser. Je n'ai jamais su où il l'avait emporté.

Puis quand je n'eus plus rien à faire, j'attendis. Je me fis du thé, m'assis et contemplai les murs, en proie à une affreuse culpabilité. En secret, je ressentais un tel rejet de cet enfant que j'avais souvent souhaité qu'il ne vienne jamais au monde, et à présent, mon désir secret semblait avoir été comblé de la manière la plus horrible. A la fin, j'allais perdre ma mère en prime. Elle avait une mine terrible, elle avait perdu tellement de sang... Et si elle ne rentrait pas ? Pourquoi avais-je obéi à son interdiction, pourquoi n'avais-je pas couru chercher le médecin ? Je pleurai, m'ensevelis sous les reproches, et pour la première fois de ma vie, constatai que l'attente pouvait être la plus terrible des tortures.

Il était minuit lorsque j'entendis les pas d'Harold dans l'escalier. Lourds, lents. Il semblait se cramponner à la rampe pour se hisser. Je me précipitai à la porte. Je l'eus devant moi, les yeux injectés de sang, puant l'alcool. Sans doute s'était-il arrêté dans tous les bars sur le chemin du retour.

— Fiona... prononça-t-il difficilement.

— Alors ? le pressai-je. Comment va ma mère ?

Il entra en chancelant et se dirigea aussitôt vers le buffet, d'où il sortit une bouteille. J'eus envie de lui taper dessus.

— Harold ! S'il te plaît ? Comment va maman ?

— Elle va s'en sortir. Ils l'ont op-opérée.

Je fermai les yeux. J'eus un vertige, un vertige de soulagement. Maman n'était pas morte. Maman allait me revenir.

— L'enfant, chuchota Harold.

Sa langue trébucha. Il prit une longue gorgée au goulot, se tourna vers moi.

– C'était v-v-v-vraiment un ga-garçon. Mon fils est... m-mort.

Je dois reconnaître que cette information ne m'émut pas outre mesure. Je n'avais rien à voir avec le fils d'Harold Kane, demi-frère ou pas. La seule pensée qui m'occupait l'esprit était : maman est vivante ! Maman est vivante !

Un poids lourd de plusieurs tonnes m'était tombé du cœur.

Harold, en revanche, était en proie à une horrible crise. Il était au désespoir. Enchaînant les coups de gnôle, il gémissait et se plaignait d'une voix de plus en plus imprécise de la mort de son fils. De l'enfant qui représentait tout pour lui. L'enfant qui aurait dû changer sa vie.

Au bout d'un moment, j'en eus assez et je dis avec une certaine irritation :

– Mon Dieu, Harold, vous n'aurez qu'à avoir un autre enfant, et c'est tout !

Il baissa la bouteille qu'il s'apprêtait à porter à sa bouche :

– Plus... ja-jamais, bafouilla-t-il, p-plus jamais. L-le d-docteur a d-dit, p-plus ja-jamais.

– Oh, je suis désolée, dis-je gauchement.

Que dire d'autre ? Harold me regarda fixement, puis, à mon grand effroi, se mit à pleurer.

– Oh, mon Dieu, gémit-il, oh, mon Dieu !

Il s'avança vers moi en chancelant.

– F-fiona, F-fiona, prends-moi d-dans... p-prends-m-moi...

Je reculai d'un bond et me cognai le dos sur le bord de l'armoire.

– Harold ! criai-je.

Il était tout près de moi. Il puait si affreusement l'alcool que j'en eus presque la nausée. De plus, j'avais peur. Que voulait-il ? Nous ne nous étions jamais embrassés, même si maman l'aurait bien voulu. Je ne le voulais pas, et il respectait mon désir. Mais à présent, dans l'état émotionnel où il se trouvait, ses barrières semblaient tomber.

– N'avance pas ! lui intimai-je d'une voix rauque.

– Fiona... gémit-il à nouveau, en tendant la main vers moi.

J'esquivai sa main et me retrouvai devant la porte. J'étais plus agile que lui et, de plus, sobre. Mais il était évidemment beaucoup plus fort et si nous devions lutter, je n'avais aucune chance. Aucune chance... s'il se passait quoi, exactement ?

Par la suite, je devais me rendre à l'évidence qu'Harold n'avait aucunement l'intention de m'agresser sexuellement. Ni avant cette fameuse nuit, ni après, il n'y eut de signe dans ce sens. Au contraire, je compris à un certain moment qu'il était entièrement absorbé par ma mère. Les autres femmes lui étaient visiblement indifférentes.

Sans doute n'avait-il cherché que le réconfort. Il était désespéré. Un monde s'était écroulé. Homme ou femme, il se serait jeté dans n'importe quels bras pour s'y réfugier, se consoler. Mais j'étais très jeune. Très sensible. Je lui fis face, remplie de répugnance et de méfiance. J'étais au bout du rouleau après l'horrible après-midi passé auprès de ma mère tordue de douleur. Mes nerfs se trouvaient en piteux état.

– Je crie ! Si tu fais un pas en avant, je crie, j'ameute toute la baraque ! l'avertis-je.

Il s'arrêta, interloqué.

– T-tu ne c-crois quand m-même pas… ?

Je n'attendis pas la fin de la phrase. Je me retournai en un éclair et filai dans ma chambre, claquai la porte derrière moi et m'adossai dessus. Il n'y avait pas de clé, détail que j'avais souvent regretté, mais jamais comme cette nuit-là. Je me sentais sans protection, vulnérable. Harold pouvait me suivre à tout moment. Dans ce cas, je ne pourrais pas me défendre. La seule chose que je pouvais faire, c'était rester éveillée par tous les moyens. Et s'il se risquait sur mon territoire, je me battrais, je hurlerais. Il n'arriverait pas à me surprendre dans mon sommeil.

Aussi montai-je la garde toute la nuit, assise par terre, le dos appuyé contre la porte, les yeux fixés sur l'obscurité. J'étais épuisée et en même temps complètement réveillée, mon cœur battait la chamade et les idées se bousculaient dans ma tête. Je ne pouvais pas rester là, c'était décidé. Harold avait dit que maman avait été opérée, ce qui signifiait qu'elle devrait rester à l'hôpital pendant quelque temps. Au moins dix jours, peut-être quinze. Il n'était pas question que je reste dans cette baraque avec son soûlographe de mari. Je ne pouvais pas le voir. J'avais peur de lui.

Il n'y avait qu'un seul endroit au monde où je me sentais en sécurité. Il ne me restait plus qu'à espérer que mes économies sur mon argent de poche suffiraient à payer un billet de train pour Scarborough. Quand je serais là-bas, on verrait pour la suite. Je me doutais bien que ma mère et Harold n'accepteraient pas aisément ma fuite, mais maman était hors d'état de se battre et Harold n'avait pas droit à la parole. Et l'essentiel était ma sécurité.

Oui, c'était le plus important.

Je restai ainsi, à ruminer ces pensées jusqu'à l'aube. Harold ne faisait aucun bruit, et il n'essaya pas non plus de me suivre dans ma chambre. J'avais dû m'assoupir quelque temps, car je fus réveillée en sursaut par le bruit de la porte d'entrée qui se refermait, premier son depuis des heures. Tout de suite après, des bruits de pas dans l'escalier. Dieu merci, Harold partait à son travail comme chaque jour.

Je me levai, les membres raides, les yeux brûlants de fatigue. Malgré tout, j'étais décidée à ne pas m'accorder de sommeil, ne fût-ce qu'une demi-heure. Je me laverais, me changerais, emballerais le strict nécessaire. Et je me mettrais immédiatement en route vers la gare.

Ma prochaine nuit, je la passerais à la ferme.

10

J'avais l'impression d'un voyage sans fin. J'avais eu assez d'argent pour le billet, et j'arrivai à Scarborough l'après-midi même. Mais je mis un temps fou à trouver quel était le bus à prendre, et le véhicule arriva au bout de ce qui me parut une éternité. D'après l'horaire affiché, il était très en retard, mais quand je m'en plaignis auprès du chauffeur, celui-ci se contenta de hausser les épaules :

– Nous sommes en guerre, ma petite dame, déclara-t-il, me remontant d'un seul coup le moral en m'appelant ainsi, les chauffeurs sont presque tous au front. Nous, les extras, on ne peut pas se couper en morceaux.

Nous fûmes bientôt à Staintondale. J'appuyais le nez contre la vitre, buvant littéralement à la dernière lueur du jour les images de ce paysage que j'aimais tant. Avec le froid et la grisaille de cette journée de février, les champs se perdaient à l'horizon dans un brouillard humide, mais j'aurais volontiers serré contre mon cœur le moindre champ, le moindre pré, le moindre muret de pierre, la moindre clôture de guingois. Je savais à quoi ils ressembleraient quand, bientôt, les jonquilles jailliraient du sol, que, sous un ciel d'un bleu irréel, les feuilles commenceraient lentement à pointer leur nez sur les arbres.

Mon Dieu, priais-je intérieurement, faites que je reste ici, s'il vous plaît, faites que je puisse rester ici !

Depuis l'arrêt de bus, le chemin était encore long et même si je n'avais pas emporté beaucoup de choses, mon sac pesait lourd. Mais maintenant, mon but était à portée de main, et cette certitude renouvelait mes forces. Je n'avais pas dormi depuis trente-six heures, mais j'étais bien réveillée. Bientôt, je reverrais Chad. Emma me prendrait dans ses bras.

Bientôt, je serais chez moi.

La ferme était obscure, ce qui me surprit un peu. La nuit commençait à tomber. A l'ouest cependant, l'horizon d'un gris plus clair donnait l'aspect de bizarres ombres chinoises aux arbres nus se découpant devant la maison. Le vent qui s'était réveillé soufflait de la mer, froid et salé. J'avais chaud sous l'effort. Je m'arrêtai devant la porte et examinai le bâtiment. Emma avait l'habitude de bien éclairer sa maison pour lui donner de la chaleur et de la lumière, et j'avais été témoin de nombreuses querelles entre elle et Arvid à ce sujet. Il trouvait évidemment cette manie trop coûteuse. Mais elle s'était imposée, alors qu'elle était habituellement plutôt soumise à son mari.

Sans doute n'y avait-il personne. Pourtant, où avaient-ils bien pu aller, un soir de semaine ?

Je me rapprochai lentement de la porte d'entrée et appuyai sur l'ouverture d'un geste hésitant. La porte s'ouvrit. Un chat en jaillit et disparut dans l'obscurité.

Il flottait une mauvaise odeur à l'intérieur, je m'en aperçus immédiatement. Cela sentait l'air vicié, la nourriture rance, la poussière. La maison d'Emma, malgré la pauvreté, avait toujours été propre et fraîche. Exhalant un parfum de fleurs, ou de bougies, ou de feu de bois, elle souhaitait la bienvenue à tous les visiteurs. Mais là... La ferme pouvait-elle avoir changé à ce point en six mois ? Ou était-ce moi qui avais changé ?

– Hé ho ! appelai-je timidement, sachant qu'il y aurait obligatoirement quelqu'un, car ils fermaient toujours à clé quand personne n'était à la maison.

Je longeai le couloir, jetai un coup d'œil dans le séjour. Il n'était pas éclairé. Il faisait froid. Pas de feu dans la cheminée, pas de bougies à la fenêtre.

Je continuai et répétai :

– Hé ho ! Il y a quelqu'un ?

Devant la cuisine, j'aperçus un faible rai de lumière sous la porte. Je respirai, soulagée. Il y avait quelqu'un. Pourtant, ma sourde crainte subsista.

Quelque chose clochait.

J'ouvris la porte.

Le plafonnier était éteint, seule était allumée la lampe au-dessus de l'évier. Il faisait assez froid, même si un petit feu semblait brûler dans le fourneau. Assis à la table, il y avait Arvid, grand, sombre, muet. Devant lui, une tasse et une théière qui répandait faiblement l'odeur de la tisane de tilleul qu'Emma avait coutume de préparer le soir, avant le coucher.

– Arvid !

J'entrai, craignant de l'effrayer, mais il ne sursauta même pas. Il m'avait entendue entrer et appeler, mais n'avait pas réagi.

– Arvid, c'est moi, Fiona.

Il leva les yeux. Je savais qu'il n'était pas bavard, mais, en ce moment, il ne me parut pas simplement silencieux et de mauvaise humeur comme le plus souvent. Il semblait... figé.

– Arvid, où est Emma ? Où est Chad ?

Il se contenta de me regarder. Je sentis l'angoisse se lever en moi.

– Où sont-ils ? le pressai-je.

A cet instant, j'entendis des pas dans l'escalier. Un bruit de course dans le couloir. Je me retournai, et Nobody se jeta dans mes bras. Le visage rayonnant de joie, il se mit à pousser des cris inarticulés. Le seul mot distinctement audible au milieu de ses borborygmes était : « Fiona ! Fiona ! », mot qu'il répétait en me caressant le visage et en bavant de bonheur.

Mes dispositions à son égard n'avaient pas changé, mais j'étais si soulagée de tomber sur un autre être vivant que je serrai le petit garçon contre moi.

– Brian ! Tu as drôlement grandi pendant l'hiver !

Il gloussa, éclata de rire. Son développement mental ne suivait toujours pas son développement physique, à ce qu'il semblait.

Je me tournai à nouveau vers Arvid.

– Arvid, où est Chad ? Je t'en prie, réponds-moi.

Quelque chose dans son visage se modifia. Ses yeux sans regard parurent enfin prendre conscience de ma présence. Il remua les lèvres mais dut s'y prendre à deux reprises avant de pouvoir articuler et, l'espace de quelques secondes, il ressembla de manière très troublante à Nobody.

– Chad s'est engagé vendredi dernier.

J'avalai ma salive.

– Quoi ?

– Pas pu l'empêcher. Voulais pas d'ailleurs. C'est un homme. Doit savoir ce qu'il fait.

– Mais... Emma... que... qu'est-ce qu'elle en dit ?

Elle ne pouvait pas avoir donné son accord. Jamais elle ne l'aurait permis. C'était la chose qu'elle craignait le plus...

Un nouveau silence. Nobody lui-même s'arrêta de bégayer. Le silence s'épaissit autour de moi, un silence où j'entendis gronder la vérité, si fort et si distinctement que je compris avec horreur avant qu'Arvid parvienne à prononcer :

– Emma est morte il y a quinze jours.

J'avais pris un chemin qui ne m'avait menée nulle part. Telle était la conclusion à laquelle j'étais arrivée cette nuit-là après avoir retrouvé ma chambre à la ferme, une nouvelle nuit d'insomnie malgré la fatigue, où je guettais les bruits familiers de la maison, le craquement des lames de parquet, le léger tintement des vitres sous le vent, et les soupirs des arbres, dehors, quand il caressait leurs branches nues. Avec quelle ardente nostalgie j'avais rêvé du moment où je pourrais retrouver cette maison, cette chambre ! Sauf que je m'étais représenté les choses autrement : Emma était là et me prenait dans ses bras, et Chad aussi, bien sûr. Avec Chad, je descendais dans notre crique, le souffle court, le cœur battant, je me livrais à ses paroles, à sa voix, à ses mains tendres... Au lieu de cela...

Emma, morte ! C'était impossible à croire. Chad au front, ça, au moins, c'était logique, il avait toujours été évident que ce serait la première chose qu'il ferait quand la résistance de sa mère aurait lâché, quelle qu'en fût la raison. Apparemment, il avait aussitôt sauté sur l'occasion. Sans m'en dire un seul mot ! Il ne m'avait dit ni qu'il s'engageait ni que sa mère était morte. Quelle importance avais-je dans sa vie ? Il pensait beaucoup moins à moi que moi à lui. J'étais blessée, triste. Et perdue.

J'avais encore passé un moment dans la cuisine avec Arvid et, pour la première fois depuis que je le connaissais, nous avions parlé. C'était désormais un homme solitaire, dépassé depuis un certain temps par la tâche que représentait cet élevage de moutons, et plus encore maintenant qu'il n'avait plus l'aide de son fils. La ferme allait se dégrader de plus en plus. On le remarquait déjà à l'état pitoyable de la maison, décrépitude qu'Emma avait réussi à camoufler quelque peu. Mais Arvid n'avait pas le temps, la force et pas non plus, sans doute, les moyens.

Il me raconta qu'elle s'était battue pendant tout l'hiver contre une sévère bronchite qui s'était une fois de plus transformée en pneumonie au mois de janvier.

– Elle a encore refusé d'aller à l'hôpital. Je m'inquiétais beaucoup... elle avait tellement de fièvre, pendant des jours entiers... mais je n'avais pas envie de la faire partir si elle n'était pas d'accord. Et c'est allé très vite. Elle était trop faible pour résister.

Je pensai à l'Emma que j'avais rencontrée pour la première fois par une sombre soirée de novembre sur une prairie des environs de Staintondale. Une femme saine, au physique délicat, certes, mais pas fragile. La maladie l'avait prise brutalement, sans s'annoncer. Ses rhumes répétés. Sa toux persistante... L'année d'avant, la grave pneumonie qu'elle avait eu beaucoup de mal à surmonter. Et dont elle ne s'était jamais vraiment remise.

Dans cette cuisine où j'étais assise, frissonnante, car le fourneau ne chauffait pas assez, l'idée me vint pour la première fois que cette ferme qui, pour moi, représentait le paradis sur terre, avait sans doute été un vrai bagne pour Emma. Cette maison humide, pleine de courants d'air ; les poêles qu'il fallait allumer chaque matin ; l'eau qu'on puisait à la cuisine au moyen d'une pompe qu'on actionnait au prix de gros efforts physiques avaient eu raison de sa santé. A la ferme, le temps était arrêté, tout était encore pareil que cent ans auparavant, à part l'électricité et donc l'éclairage, mais Chad m'avait raconté que le raccordement n'avait été fait qu'en 1936. La lessive, la cuisine, le repassage, toutes les tâches qu'Emma accomplissait quotidiennement exigeaient une quantité phénoménale de temps et de forces. Elle s'échinait du matin au soir, sans se plaindre et sans nous demander beaucoup d'aide, à nous les enfants. Il était plus important à ses yeux que nous fassions nos devoirs correctement, et que nous trouvions aussi le temps de jouer. Lentement, silencieusement, elle s'était consumée.

– Arvid, avais-je dit après avoir bu ma troisième tasse de tisane, Arvid, est-ce que je peux rester ici ? Je ne veux pas retourner à Londres.

Arvid s'était dandiné sur sa chaise avec embarras.

– Non, pas possible, avait-il fini par dire.

– Si, il faut que ce soit possible. Je suis malheureuse comme une pierre là-bas. Je ne m'entends pas du tout avec... mon beau-père. Il boit, il est dégoûtant.

– Tu as quel âge ?

– Presque quatorze ans.

Nous étions encore loin de la fin juillet, mais je n'étais pas à quelques mois près.

– Donc treize ans. Tu es une écolière !

– Je pourrais m'occuper de la maison. Faire la cuisine, le ménage, la lessive... je sais faire tout ça !

– Il faut que tu ailles à l'école. Et en plus, tes parents n'accepteront jamais. Si j'avais le téléphone, je serais obligé de les prévenir. Je pourrais avoir les pires ennuis, tout seul ici avec une gamine comme toi ! Non, Fiona, non, non. Je risque la prison si je te prends avec moi comme ça !

– Et si ma mère est d'accord ?

– Elle ne le sera pas, prédit Arvid. Ta mère était d'accord pour t'envoyer ici pendant les bombardements, quand il y avait une famille. Maintenant, c'est plus pareil. Elle va revenir te chercher en courant.

Couchée au fond de mon lit, en proie à toutes les pensées qui tournaient en rond dans ma tête et en m'efforçant de digérer les nouvelles des dernières heures, j'en arrivai à la conclusion qu'il avait sans doute raison. Maman ne voulait déjà pas que je retourne à la ferme à l'époque où Emma était encore vivante, elle n'allait donc pas m'y laisser seule avec Arvid et Nobody.

Le lendemain matin, il tombait de la neige fondue, mais cela ne m'empêcha pas de passer la moitié de la journée dehors. Toujours suivie de Nobody qui se collait à moi, transfiguré, j'allai revoir les endroits familiers en versant des larmes silencieuses, sachant que la menace d'un nouveau départ planait sur moi. Je descendis à la crique, m'assis longuement sur un rocher, contemplai la mer, d'un gris sinistre ce jour-là, et pensai à Chad, à notre dernière soirée de l'été précédent. Les cris des mouettes résonnaient, aigus et désespérés à mes oreilles, comme en écho à mes lugubres réflexions. Où était Chad ? Etait-il en danger, au moment où je songeais à lui, assise dans notre crique ? Survivrait-il à la guerre ? Le reverrais-je un jour ?

Je donnai libre cours à mes larmes. Nobody, assis à côté de moi, ne troubla ni mes pleurs ni mes pensées. Comme de coutume, il lui suffisait d'être à mes côtés. Au bout d'un moment, je me souvins de sa présence et tournai la tête vers lui. Il tremblait de tout son corps sous l'effet du froid et ses lèvres avaient pris une teinte violette. Sans doute n'étais-je pas en meilleur état. Je n'avais pas remarqué que je me transformais peu à peu en glaçon. A présent, la neige tombait dru et la mer était devenue presque invisible. Je me levai.

– Viens, on rentre à la maison, dis-je, sinon, on va attraper la mort !

Il me suivit instantanément. Il aurait couru se jeter dans la mer à ma suite si je le lui avais demandé.

En rentrant, j'allumai le feu dans la cheminée, fis du thé chaud, rangeai la cuisine, allai inspecter la réserve pour préparer le repas du soir. Je voulais qu'Arvid remarque que je possédais plus de qualités que n'importe quelle autre fille de treize ans, et qu'il pourrait tirer avantage d'une présence féminine à la ferme.

Pendant que je balayais le sol et nettoyais le plan de travail, Nobody, installé à table, but du thé et mangea quelques gâteaux très secs que j'avais dénichés, sans cesser de me dévorer de ses yeux brillants. Je ne pouvais m'empêcher de penser à ce qu'il allait devenir. Il était sans doute âgé de dix ans, à présent, et il avait l'âge mental d'un enfant de cinq ans au mieux, incapable, de plus, d'apprendre à parler, et sans doute resterait-il toujours ainsi. A la mort d'Emma, il avait perdu sa mère pour la seconde fois. Pour des raisons que je ne m'expliquais pas, j'étais son grand amour, et je pouvais, de son point de vue, compenser la perte d'Emma. Sauf que, malheureusement, il y avait toutes les chances pour que je reparte. Que deviendrait-il ? Arvid n'avait jamais voulu de lui, ne s'en était jamais occupé. Que pouvait-il faire, dans sa situation, d'un petit garçon handicapé mental ?

L'orphelinat, pensai-je, il n'y aura vraiment plus moyen de faire autrement.

J'étais mal à l'aise à cette idée. Mais qu'y faire ?

Le soir venu, la maison resplendissait de propreté. L'atmosphère humide et glaciale était remplacée par une bonne chaleur bien sèche, fleurant bon le feu de bois et le repas que j'avais préparé. Des bougies brûlaient aux fenêtres. De plus, j'avais donné un bain à Nobody, lui avais passé des vêtements propres, et je m'étais faite aussi belle que possible. Il fallait faire passer à Arvid l'envie de me renvoyer. Dehors, la neige tombait à gros flocons. A l'intérieur, deux chats ronronnaient, couchés sur le canapé du séjour. Arvid ne pourrait pas ne pas remarquer le changement quand il reviendrait, harassé et frigorifié, d'une longue journée de travail.

Quand j'entendis ses pas devant la porte, je me levai, lissai ma jupe du plat de la main et sortis dans le couloir, le sourire aux lèvres. Je l'entendis taper ses pieds contre les marches pour ôter la neige de ses souliers.

La porte s'ouvrit sur deux hommes.

C'étaient Arvid et Harold.

– On va causer franchement, dit Harold.

Il avait l'air fatigué, et il n'était pas soûl. C'était la première fois que je le voyais sobre. Il me parut changé.

Nous étions assis à la cuisine. Arvid était allé se reposer dans le séjour. J'avais envoyé Nobody se coucher, mais il me semblait entendre de temps à autre dans les escaliers un craquement révélant qu'il se cachait là et recherchait sans doute ma proximité. Nous avions mangé tous ensemble mais, incapable d'avaler une bouchée, je n'avais pas pu non plus me réjouir des compliments d'Arvid, prononcés à sa manière, avec une grande économie de mots.

– Bien, la maison. C'est bon, ce que tu as fait à manger.

Ils s'étaient rencontrés devant le portail, lui et Harold. Arvid revenait d'une prairie à moutons, Harold arrivait à pied de l'arrêt de bus. Sans doute Arvid avait-il aussitôt deviné à qui il avait affaire.

– Je sais que tu ne peux pas me voir, poursuivit Harold, les mains posées sur la table, étroitement nouées par la nervosité. Je me demande pourquoi, d'ailleurs, parce que je ne t'ai rien fait... mais c'est comme ça.

Je ne répondis pas. Qu'aurais-je pu dire ?

– Je te dirais bien oui, reste ici, si M. Beckett est d'accord, même si ce n'est pas une bonne solution, d'après moi... mais ce que je pense, ça ne compte pas. Fiona, non, ce n'est pas possible. A cause de ta maman. Je ne peux pas te laisser ici. Elle ne supporterait pas.

– Elle a bien supporté pendant presque deux ans ! objectai-je.

– Parce qu'il y avait une raison. Tu risquais ta vie à Londres. Plus maintenant.

– La guerre n'est pas finie.

– Elle ne va plus durer longtemps, prédit Harold. La chance est en train de tourner pour les Allemands. Ça va bientôt être terminé pour eux.

Ce sujet ne m'intéressait pas du tout.

Harold sortit un mouchoir de sa poche et essuya son front humide de sueur.

– J'ai pris une journée pour venir, et j'ai raconté un gros mensonge à ta mère, pour expliquer pourquoi je ne vais pas aller la voir pendant deux jours à l'hôpital. Il ne faut absolument pas qu'elle apprenne que tu as fichu le camp. Il ne faut pas qu'elle s'inquiète.

– Comment as-tu su que j'étais là ?

– Je ne savais pas, j'ai deviné.

– Tu n'aurais pas dû venir.

– Et qu'est-ce que je vais dire à ta mère, qui est à l'hôpital en train de souffrir et qui pleure toutes les larmes de son corps parce qu'elle a perdu notre enfant ? Qu'est-ce que je vais lui répondre si elle me demande pourquoi tu ne viens pas la voir ? Et qu'est-ce que je vais lui répondre quand elle rentrera, et qu'elle me demandera où tu es ?

Je me mordis les lèvres. Je n'avais pas vraiment réfléchi à ce que j'infligeais à ma mère.

– Fiona, ce que je fais là, c'est pour ta mère, dit Harold, et je crus déceler, sur ses traits mous, une expression déterminée que je ne lui avais jamais vue. Moi, ce n'est pas la question, et toi non plus. La question, c'est ta mère. Il faut que tu rentres avec moi. Si tu ne rentres pas, elle sera très malheureuse.

– Mais elle t'a, toi ! lançai-je.

Balayant ma remarque d'un geste de la main, il objecta :

– Tu ne peux pas comparer. Tu es son enfant. Sa seule enfant. Et, oui, je te l'ai dit, tu resteras sans doute la seule.

Sa voix contenait une vraie douleur. La perte de son fils l'avait profondément atteint. Ce n'était plus le même Harold. Il était blessé, inconsolable, mais en même temps assez fort pour ne pas s'abandonner à son chagrin. Plutôt que de se mettre dans un coin et de se soûler à mort comme on s'y serait attendu, le connaissant, il pensait tellement à sa femme qu'il avait pris le train pour Scarborough, m'avait retrouvée, et maintenant, essayait de me persuader de rentrer avec lui. Je ne me faisais pas d'illusions, il n'allait pas s'arrêter de picoler pour autant, mais il avait en lui une autre facette, et cette facette, il me la montrait. Pour la première fois, je ressentis une amorce de respect pour lui.

Lors du repas, il avait appris les profonds changements intervenus à la ferme.

– Et tu vois ça comment, toi ? reprit-il. Toi et cet Arvid, tout seuls ici… c'est pas possible !

– Il y a encore Brian !

– Un petit garçon ! Bon sang, Fiona, tu crois sérieusement que ta mère accepterait ça ? Même pas une journée !

Je me recroquevillai sur moi-même. Ils étaient tous contre moi : maman, Harold, Arvid. Je n'avais aucune chance.

A ce moment, Arvid entra dans la pièce et s'enquit :

– Je peux avoir du thé ?

Je fus contente de pouvoir me retourner pour actionner la pompe et remplir la bouilloire. Comme ça, les deux hommes ne voyaient pas que mes yeux se remplissaient de larmes.

– Faut qu'elle rentre à Londres avec moi demain, annonça Harold.

– Je crois aussi, renchérit Arvid.

Je posai la bouilloire sur la cuisinière. Ma main tremblait un peu.

– Ma femme… la mère de Fiona… elle ne va pas très bien, précisa Harold, qui semblait prendre confiance en cet Arvid avare de paroles. Elle vient de perdre un enfant. Notre fils. Il devait naître en été.

– C'est terrible, répondit Arvid, mal à l'aise.

– Oui. Ç'a été terrible, vraiment terrible.

Harold repassa son mouchoir sur son front. Cela m'étonna, car la pièce était chaude, mais pas surchauffée. Plus tard seulement, je compris ce qui le travaillait autant : il était en manque. D'ordinaire, à la même heure, il était en train de siffler son litre d'alcool. Son corps réagissait à l'abstinence.

– J'en aurais un pour vous, de garçon, déclara Arvid.

Il désigna la porte où on voyait rôder Nobody vêtu de son pyjama crasseux.

– L'autre enfant, là, poursuivit-il. Sais pas quoi en faire !

– C'est pas votre fils ?

Arvid fit non de la tête.

– Il est arrivé de Londres. Avec Fiona, à l'époque. Mais il a plus personne au monde.

– Toute sa famille a été tuée par une bombe qui est tombée sur leur maison, expliquai-je.

– C'est des parents à vous ?

– Non.

– Pauvre gosse, compatit Harold, avant de se tapoter significativement le front. Il est un peu toc-toc, non ?

– Oui, complètement idiot, confirma Arvid.

Un silence. Il était clair que Harold non plus n'était pas chaud pour prendre Nobody.

– Faudrait le mettre dans une maison, finit-il par dire.

– Sûr. Y a longtemps.

– Ecoutez, je l'emmènerais bien à Londres pour vous, mais j'ai trop d'embêtements en ce moment, dit Harold, dont le visage luisait à nouveau de sueur. Mon patron est contrarié à cause des deux jours de congé, ma femme va me cuisiner et il ne faut pas qu'elle soit mise au courant, pour Fiona. Je suis… je peux pas…

– Ça se comprend.

Arvid paraissait déçu. Il avait espéré pouvoir se débarrasser de Nobody sans se compliquer la vie.

– Y a sans doute des orphelinats par chez vous, reprit Harold.

Arvid hocha la tête, l'air perdu. Malgré mon jeune âge, je comprenais instinctivement son dilemme. Il avait toujours plaidé pour qu'on « emmène l'autre enfant ailleurs », comme il disait, et au fond, plus personne, maintenant qu'Emma était morte, ne pouvait l'en empêcher. Mais c'était justement la mort d'Emma qui le freinait. Emma aimait Brian comme son propre enfant, elle l'avait défendu et protégé tel son ange gardien. Malgré sa rudesse et son manque de sensibilité, l'idée d'entreprendre tout de suite après l'enterrement de sa femme une démarche qu'elle n'aurait acceptée à aucun prix avait déclenché un conflit en lui. Il pouvait nous remettre Brian la conscience tranquille, en se convainquant que nous ferions le nécessaire. Mais prendre l'enfant par la main et le conduire jusqu'au prochain orphelinat, c'était une autre paire de manches. La situation qui en résultait était évidemment la plus mauvaise possible pour le petit Nobody, car Arvid n'en voulait pas, tout en n'arrivant pas à s'en débarrasser. L'enfant serait ainsi livré sans défense à la froideur et à l'amertume de cet homme désormais solitaire.

Lorsque, tôt le lendemain matin, je m'apprêtai à quitter la ferme avec Harold pour me diriger vers l'arrêt de bus, le petit se cramponna à moi. Les larmes ruisselaient sur son visage pâle.

– Fiona ! cria-t-il. Fiona, Boby !

Je lui caressai les cheveux. Je parvins même à être douce envers lui.

– Fiona va revenir, assurai-je. Fiona va revenir chercher Boby. Promis.

Ses yeux bleus étaient posés sur moi, pleins d'espoir, de confiance, remplis d'amour et de foi. L'espace d'un instant, j'eus mauvaise conscience : oui, je reviendrais sûrement. Mais pour le chercher, non. Je supposais qu'Arvid, au bout de quelques semaines ou de quelques mois, ne se sentirait plus redevable au souvenir de sa défunte femme et emmènerait le petit garçon à l'orphelinat.

J'étais convaincue que je ne reverrais jamais Nobody et je ne me trompais pas. Je ne le revis jamais.

Voici la dernière image que j'ai de lui :

La cour de la ferme Beckett par un matin enneigé, très froid, de l'hiver 1943. Un ciel gris et bas, des nuages chassés par un vent coupant. Un décor sinistre, désolé, à des années-lumière du printemps. Un petit garçon est au portail, habillé beaucoup trop légèrement, tremblant de froid. Il nous regarde partir. Il pleure. Il essaie de sourire à travers ses larmes. Il nous fait des signes de la main.

J'avais réussi à lui donner la foi, et cette foi lui permettait de supporter ce moment. Car j'allais revenir.

Il le croyait vraiment.

Mercredi 15 octobre

1

Elle marchait le long du port, la tête basse, les bras passés autour du torse, mal protégée contre la pluie par sa veste imperméable trop fine. Il était encore tôt, et le brouillard flottait sur la baie et les terres. Le temps était aussi mauvais que la veille. De temps à autre, des mouettes émergeaient, venues de nulle part, pour retourner dans le néant. Parfois, le son d'une corne de brume trouait l'opacité. C'était une journée de travail ordinaire, mais il y avait encore très peu de monde dans les rues. Peut-être les gens étaient-ils invisibles, engloutis par le brouillard.

Elle était sortie très tôt, poussée par le besoin de se libérer la tête. Réveillée aux petites heures du matin, elle n'avait cessé de se retourner dans son lit, ou plus exactement, le lit de Fiona. Car elle avait attribué la chambre d'amis à Stephen.

Stephen.

Ils avaient dîné sans évoquer davantage le correspondant anonyme. Ensuite, Stephen avait rangé la cuisine pendant qu'elle-même, installée au salon, lisait les lettres de sa grand-mère à Chad. L'atmosphère était paisible, intime. Elle avait presque oublié combien il était agréable de ne pas se retrouver seule chez soi le soir.

Elle avait constaté que sa lecture la rapprochait de Fiona. Elle avait appris des détails qu'elle ignorait jusqu'alors, commençait à comprendre certains traits de caractère, certains comportements. Mais, surtout, elle sentait peu à peu poindre une sourde menace, l'arrivée imminente du malheur. Fiona avait parlé de faute. Quelle terrible découverte attendait sa petite-fille ?

237

Elle avait abandonné sa lecture à regret lorsque Stephen était venu l'interrompre. Il paraissait un peu mal à l'aise.

– Leslie, il faut que je te parle, avait-il déclaré. Tu as le temps ?

Devant ses yeux interrogateurs, il avait répondu à sa question muette :

– Il y a longtemps que je voulais t'en parler... mais tu ne m'as jamais donné l'occasion d'avoir une conversation prolongée avec toi.

Avec un frisson d'appréhension, elle l'avait invité à poursuivre :

– Oui ? Quoi donc ?

Il s'était assis. Avait hésité un peu, sans doute réfléchi à la meilleure façon d'entamer son histoire. Puis s'était lancé.

– Après notre séparation, quand tu as décidé que je devais partir... j'ai commencé une thérapie. Elle a duré à peu près un an.

– Ah bon ?

– La thérapeute était spécialisée dans les problèmes de couple. Je voulais savoir pourquoi c'était arrivé.

Elle se souvint que sa bouche s'était asséchée brutalement. Ce qui se passait chaque fois qu'on lui rappelait la fameuse soirée. Pourquoi donc n'arrivait-elle pas à passer outre, à prendre la chose avec détachement ?

– Sa première question a été pour me demander quelles étaient les insatisfactions que je rencontrais dans notre couple. J'ai répondu qu'il n'y en avait pas.

Pour dissimuler sa nervosité, elle avait caressé de la main les feuillets posés devant elle. Il venait l'agresser, en quelque sorte, alors qu'elle était tranquillement assise en train de lire, plongée dans un autre monde, un autre temps. Qu'elle était en train de se rapprocher de Fiona, de ses racines et aussi de sa mère. Qu'elle s'était éloignée provisoirement de l'horrible réalité. Quel besoin avait-il de la confronter sans transition à l'une des situations les plus traumatisantes de sa vie ?

J'aurais dû le fiche à la porte, se dit-elle. J'aurais dû refuser de lui parler. Je n'avais aucune raison de m'intéresser au résultat de sa thérapie.

Elle avait compris confusément où il voulait en venir. Elle lui avait décoché un regard froid en apparence, mais, intérieurement, elle tremblait.

– Et donc, toi et ta thérapeute, vous avez eu de longues conversations dont il est ressorti qu'il y avait quand même des insatisfactions ?

– C'est bien ce que tu as toujours dit ! Quand j'essayais de t'expliquer que ce n'était qu'une… erreur, une bêtise, due à l'imprudence combinée à l'alcool, tu insistais. Tu disais qu'il y avait autre chose, qu'il devait y avoir une insatisfaction quelque part, que ce genre de choses n'arrivait pas comme ça sans crier gare, et ainsi de suite.

– Stephen, je…

Il l'avait interrompue :

– Je veux simplement te dire que tu avais raison. Oui, c'est vrai. Ce qui s'est passé n'est pas arrivé par hasard.

Je ne veux pas le savoir. Plus maintenant, s'était-elle défendue intérieurement.

Pourquoi s'était-elle contentée de le penser ? Pourquoi ne l'avait-elle pas exprimé à voix haute ? Pourquoi n'avait-elle pas réussi à ouvrir la bouche ?

Parce que je ne me suis pas encore remise du choc que j'ai reçu à l'époque, se répondit-elle, fendant le brouillard.

– Je crois que je te trouvais souvent froide et que je ne voulais pas me l'avouer, avait poursuivi Stephen. Je me sentais en état d'infériorité parce que j'étais celui qui aimait le plus. Je vivais dans la crainte que tu ne me quittes le jour où tu rencontrerais un homme plus intéressant, plus excitant. Je…

Elle avait enfin réussi à prononcer :

– Donc, tu as préféré prendre les devants ? Tu t'es débrouillé pour provoquer la séparation, c'est ça ?

Il avait sursauté devant son ton coupant.

– J'ai simplement cherché à m'affirmer un peu. Cette femme… elle aurait pu être n'importe qui. Elle me regardait avec admiration. Elle me donnait le sentiment d'être un type très désirable. Ça m'a fait… du bien.

– … de la sauter ?

– D'être un objet de désir.

Elle s'était levée, avec une certaine faiblesse dans les jambes.

– Qu'est-ce que tu cherches à me dire, Stephen ? Que j'ai oublié de t'admirer comme tu le méritais ? De te considérer comme un demi-dieu ? De te réaffirmer tous les jours que tu m'impressionnais et que ton physique viril me faisait grimper aux rideaux ?

– Bien sûr que non ! J'ai simplement voulu...

– C'est exactement ce que tu m'as raconté à l'instant. Tu es entré dans un bar, une gamine t'a regardé avec admiration et ça t'a fait tellement de bien, à toi qui souffrais depuis des années de la froideur de ta femme, du sentiment d'infériorité qu'elle te donnait, que tu as commencé aussi sec à flirter avec elle et qu'ensuite tu l'as emmenée chez toi pour la sauter, vu que ton épouse avait eu la bonne idée de partir en déplacement. Après, tu as culpabilisé, mais maintenant, c'est sûrement fini, puisqu'une thérapeute vachement intelligente t'a expliqué que tout était la faute de ta femme. Froide. Inabordable. Obsédée par sa carrière ! Et après ça, elle s'étonne d'être trompée !

– Tu as tout compris de travers, avait protesté Stephen, dont l'expression trahissait qu'il regrettait amèrement d'avoir abordé cette question.

Pourquoi en avait-elle été si perturbée ? Elle avait été incapable de continuer sa lecture. Elle avait bu de la tisane pour tenter de se calmer un peu, mais n'avait pas réussi à dormir vraiment. Et à présent, elle se retrouvait dehors, à se balader dans le brouillard, parce qu'elle ne supportait plus d'être enfermée.

Elle passa devant la bâtisse de briques rouges à toit bleu abritant le canot de sauvetage qu'on sortait en cas de besoin. La rangée de petites boutiques de sandwiches et de boissons qui lui succédaient était fermée à cette heure matinale. Elle regarda sans les voir les bateaux de pêche, les grands panneaux proposant les excursions en mer, le phare blanc à la sortie du port. Le Luna Park avec sa grande roue, ses balançoires et ses kiosques, silencieux et abandonnés dans le brouillard, était triste comme s'il n'avait jamais résonné sous le bruit et les rires. Elle monta sur les pontons de bois surélevés qui quadrillaient le port à marée. En dessous, on voyait se balancer les bateaux qui, bientôt, allaient se trouver sur le sec. La mer était en train de se retirer.

Elle s'arrêta. Par beau temps, on distinguait l'immeuble où avait vécu sa grand-mère. On pouvait voir resplendir le grand bâtiment blanc depuis à peu près n'importe quel point de la South Bay.

Stephen devait encore être en train de dormir.

Elle songea à toutes les années qu'ils avaient partagées. Il avait raison, c'était elle la plus ambitieuse. C'était elle qui avait engrangé les meilleures notes pendant leurs études. Qui avait passé son doctorat la première. Sa spécialité. Qui avait continué à se former, tandis que Stephen s'était satisfait de son état et de son train-train quotidien.

D'ailleurs, c'était au cours de l'une de ses absences pour cause de formation que Stephen avait commis sa trahison.

Etait-ce toujours un problème, en plein XXIe siècle ? Les hommes éduqués, intelligents, étaient-ils toujours incapables de supporter la réussite de leur femme, une réussite supérieure à la leur ?

Et ce reproche de froideur ? Etait-ce le produit de l'imagination de Stephen, s'en était-il convaincu afin d'éviter de s'avouer qu'il n'acceptait pas son succès, ses ambitions ? Ou alors... était-elle réellement froide ?

Plus que jamais, au cours de la nuit, elle avait eu conscience du froid dont elle avait souffert pendant son enfance et sa jeunesse aux côtés de Fiona. Sa grand-mère était pourvue d'un grand nombre de qualités fort estimables, mais, d'évidence, la chaleur et la sensibilité n'en faisaient pas partie. On ressentait auprès d'elle un besoin, une faim jamais satisfaits. Dans quelle mesure ces manques ne l'avaient-ils pas façonnée ? Dans quelle mesure était-elle incapable elle-même de donner de la chaleur, de l'amour et de la tendresse ?

– Je ne sais pas, dit-elle à voix haute. Je ne le sais pas !

– Qu'est-ce que vous ne savez pas ? entendit-elle une voix prononcer derrière elle.

Surprise, elle pivota sur elle-même. Elle se retrouva face à Dave Tanner, comme surgi du brouillard, vêtu d'une veste imperméable noire, la capuche enfoncée sur la tête. Il semblait frigorifié.

– Excusez-moi, dit-il, je n'ai pas voulu vous faire peur. Je vous ai vue depuis le quai, et j'ai pensé...

Il ne révéla pas ce qu'il avait pensé.

– Ah, c'est vous, murmura-t-elle. Je n'aurais pas imaginé rencontrer qui que ce soit à une heure pareille, ni par un temps pareil...

Il répondit en souriant :

– Parfois, on a besoin de prendre l'air, même par mauvais temps.

Peut-être fuyait-il quelque chose, lui aussi, peut-être était-ce simplement sa chambre sinistre. Comment passer une journée dans ce taudis, quand on n'avait rien à faire, qu'on était seul, sans perspective ?

C'est alors qu'elle se souvint du coup de fil de Colin Brankley :

– Au fait, est-ce que Gwen était avec vous ? Colin et Jennifer se faisaient du souci pour elle.

Tanner confirma :

– Oui, elle a passé la journée chez moi. Et la nuit aussi. C'est la première fois.

– Elle n'a jamais passé la nuit chez vous ? s'étonna Leslie.

Elle pensa au collant noir qu'elle avait vu dans sa chambre. Peut-être y avait-il eu des rendez-vous pendant l'après-midi, à l'issue desquels Gwen rentrait bien sagement à la ferme. Il était temps que tout cela change, oui, il était grand temps.

– Non, répondit-il, jamais.

Il avait l'air malheureux. Déprimé. Soucieux.

Tout à coup, Leslie comprit : c'était *elle* qu'il fuyait ! Voilà pourquoi il se promenait dehors à cette heure matinale.

Comme s'il avait lu en elle, il s'enquit :

– Et vous ? Qu'est-ce qui vous a poussée à descendre au port si tôt le matin ?

– Mon ex-mari. Je me suis disputée avec lui, une fois de plus.

Devant son regard intrigué, elle ajouta :

– Il est venu me rejoindre sans prévenir, pour me soutenir après la mort de ma grand-mère. Il a cru bien faire. Mais nous deux sous le même toit... ça ne marche pas, c'est tout.

Il ne répondit pas, mais Leslie eut l'impression qu'il la comprenait. Puis :

– Avez-vous pris votre petit déjeuner ?

La voyant nier d'un geste de tête, il la prit simplement par le bras et l'entraîna.

– Venez. Je ne sais pas pour vous, mais moi, je suis trempé et je grelotte. J'ai besoin d'un bon café.

Elle le suivit, reconnaissante et soulagée.

2

– Bingo ! s'écria Valerie. Je le savais !

Elle raccrocha. Le sergent Reek l'avait interrompue pendant son petit déjeuner, ce qu'elle n'appréciait pas d'ordinaire, car c'était le seul repas de la journée qu'elle prenait à peu près tranquillement – des toasts, un œuf sur le plat, du café et les informations à la radio.

Le reste du temps, c'était principalement un sandwich qui avait le goût de son emballage en plastique et, le soir, elle rentrait si tard, si fatiguée, qu'elle n'avait plus le courage de se faire à manger.

Mais Reek lui avait transmis une bonne nouvelle, et son moral était remonté d'un coup.

Après avoir confirmé les déclarations de Leslie Cramer – « Elle était bien au Three Jolly Sailors au moment des faits, et le patron n'a pas encore compris comment on pouvait boire autant de whisky et arriver à marcher droit après ! » – il en était venu à la nouvelle :

– Amy Mills n'a pas terminé ses études secondaires dans l'établissement où enseignait Jennifer Brankley, mais elle a passé deux ans, entre l'âge de douze et quatorze ans dans une autre école... et devinez où ?

Valerie avait précipitamment avalé le morceau de toast qu'elle avait dans la bouche.

– Celle de Jennifer Brankley ?

– Tout juste. Un collègue a fait des recherches. Il m'a envoyé un mail.

Visiblement, Reek s'installait très tôt devant son ordinateur. Bravo ! l'avait-elle félicité intérieurement.

– Mais, avait poursuivi le policier, pas dans la classe de Mme Brankley. Elle n'a pas forcément menti en disant qu'elle ne connaissait pas son nom. C'est un très grand établissement. Elle ne pouvait pas connaître tous les élèves.

– D'accord, mais il peut très bien y avoir eu un contact. Elle a peut-être fait des remplacements, par exemple. Est-ce qu'elle jouait déjà les professeurs de confiance ? Amy Mills a pu s'adresser à elle pour un problème quelconque.

– Je ne sais pas, avait avoué Reek.

– A vous de le découvrir. Mais c'est du bon boulot, Reek. Merci.

Ensuite, elle avait été trop excitée pour prolonger son repas.

Elle avait tenté de se raisonner.

Elle avait une propension à agir de manière précipitée quand ses affaires n'avançaient pas assez vite, et celle d'Amy Mills traînait déjà depuis trop longtemps. Sa hiérarchie attendait des résultats. Personne ne le lui avait dit en face, mais elle sentait qu'elle se trouvait à un point crucial de sa carrière. Elle avait une réputation de fonctionnaire douée, intelligente, mais nerveuse, raison de sa stagnation. Son avancement était bloqué parce qu'on n'était pas sûr, en haut lieu, que ses nerfs tiendraient le coup.

Il fallait résoudre ces deux affaires rapidement, mais en se gardant de toute démarche prématurée. Il ne fallait ni considérer comme acquis le fait que les deux meurtres aient été commis par le même assassin, ni foncer sur Jennifer Brankley uniquement parce que celle-ci avait perdu son boulot et donnait des signes de fragilité psychique.

Mais il n'y a pas que cela, se dit-elle. Brankley connaissait aussi les deux victimes. Fiona Barnes, en tout cas. Et pour Amy Mills, il y a une forte probabilité.

Si cela se confirmait, il y aurait lieu de se demander pourquoi elle avait affirmé n'avoir jamais entendu le nom de la jeune fille avant qu'il soit connu de toute la population de Scarborough et des environs.

Elle résolut de se rendre à la ferme Beckett à la mi-journée. Elle allait confronter Jennifer Brankley avec ce qu'elle venait d'apprendre et observer sa réaction.

Son entretien de la veille avec Paula Foster n'avait pas donné grand-chose. Plus exactement, il l'avait conduite à rayer la jeune fille de la liste des victimes potentielles, sauf si on partait du point de vue qu'un tueur avait choisi de s'en prendre aux jeunes femmes en général. Paula Foster ne connaissait ni Dave Tanner ni Jennifer Brankley. Elle était trop occupée à la ferme, où elle travaillait depuis peu, pour nouer des contacts à l'extérieur. Elle retournerait dans le Devon à la fin de l'année et le fait d'avoir retrouvé le cadavre d'une vieille dame dans la prairie aux moutons constituerait sans doute son souvenir le plus marquant de son séjour dans le Yorkshire.

Valerie prit son sac et sortit. Du brouillard, et encore du brouillard. Pourtant, elle était d'humeur positive. Elle sentait qu'elle tenait entre les mains le début d'un fil qui lui permettrait de dénouer l'écheveau. Celui-ci n'en paraissait pas moins inextricable, mais elle avait désormais l'espoir d'en venir à bout.

3

– Gwen est rentrée ? s'inquiéta Jennifer.

Suivie des deux chiens géants qu'elle venait d'essuyer avec une serviette, elle pénétra dans le couloir. Au même moment, Colin sortait de la cuisine.

– Ma parole ! Vous êtes complètement trempés !

– Le brouillard, expliqua son épouse en ôtant sa veste. On n'y voit pas à deux pas. Un véritable mur d'eau.

Colin la couva d'un regard tendre, ému par ses cheveux emmêlés et humides, ses joues rougies, son vieux pull plein de poils de chien, son jean maculé de boue. C'était quand elle rentrait d'une expédition quelconque avec ses chiens qu'elle lui semblait la plus vraie. Alors, elle était simplement Jennifer, reposée, détendue, délivrée. Joyeuse, naturellement, simplement. Elle était beaucoup mieux qu'avant, quand elle rentrait de l'école, déprimée, en décrivant sa vie comme un fiasco complet. Souvent, il lui rappelait à quel point elle était tendue, nerveuse, souvent surmenée, quand elle travaillait au lycée.

Elle ne manquait jamais de l'interrompre en jetant, sarcastique :

– Ah oui, et maintenant, je nage dans le bonheur, n'est-ce pas ?

– Non, bien sûr, ce n'est pas ce que je veux dire. Mais tu enjolives ta vie d'alors. Et tu refuses de voir ce qu'il y a de bon dans ta vie actuelle.

– Il n'y a pas grand-chose de bon à voir quand on est une ratée.

– Tu n'es pas une ratée...

Un dialogue classique, au cours duquel ils tournaient en rond, et qui plongeait Jennifer dans une tristesse profonde dont il était difficile de la tirer ensuite.

C'est pourquoi Colin évita soigneusement toute observation. Evita de lui dire combien elle semblait heureuse, en harmonie avec elle-même. Elle aurait contesté ses paroles. C'était comme si elle refusait d'accepter qu'il lui arrivait, de temps en temps, d'aller bien. Il avait souvent l'impression qu'elle considérait sa dépression comme un châtiment, qu'elle s'y cramponnait, s'y réfugiait, parce qu'elle l'estimait juste. Elle s'interdisait d'aller bien. Elle considérait qu'elle n'en avait pas le droit, après avoir démérité sur toute la ligne.

Pendant qu'elle montait se changer, il rejoignit Chad, installé devant une tasse et une assiette à laquelle il n'avait pas touché. Le vieil homme remuait son café, perdu dans ses pensées. En l'espace de quelques jours, il semblait avoir vieilli de plusieurs années. Colin songea aux textes de Fiona. Chad et elle n'avaient jamais formé un vrai couple, mais depuis leur prime jeunesse, ils avaient été unis par un lien qui les avait accompagnés pendant toute leur existence. Ils s'étaient mariés chacun de leur côté, avaient fondé chacun sa propre famille, mais ce fil n'avait jamais été rompu. Chad avait peut-être perdu l'être qui avait compté le plus dans sa vie et ce, de manière brutale, imprévisible. Evidemment, il ne s'en ouvrait à personne, mais sa souffrance était criante.

– Gwen n'est toujours pas rentrée, annonça Colin.

Chad leva les yeux.

– Elle est sans doute chez son fiancé, répondit-il.

– Elle passe souvent la nuit dehors ?

Jennifer, la confidente de Gwen, affirmait que celle-ci n'avait jamais passé la nuit chez Dave, et c'était sans doute vrai.

– J'en sais rien, grommela Chad. Je ne crois pas. Mais elle a l'âge. Et ils ont sans doute des tas de choses à régler après l'histoire de samedi.

– Hum, fit Colin.

Apparemment, personne ne s'en inquiétait en dehors de lui-même et de sa femme. Ni le propre père de Gwen ni cette Leslie Cramer qui, de plus, avait réagi avec une certaine agressivité. Il pensa à leur conversation téléphonique de la veille avec contra-riété. Il n'avait jamais trouvé cette femme très sympathique, et cela se confirmait.

– Je sais, ce n'est pas bien de la part de Gwen de ne pas rentrer préparer le petit déjeuner, poursuivit Chad. Quand on loue à des vacanciers, on s'occupe d'eux. On vous fera une remise à votre départ.

– Mais non, je vous en prie ! Ce n'est pas pour cela que je vous parle de son absence. Je nous considère plutôt comme des amis que comme des vacanciers, et nous ne voyons pas d'inconvénient à préparer le petit déjeuner nous-mêmes. Simplement, Jennifer et moi, nous ne sommes pas tranquilles. Ce n'est pas le genre de Gwen de passer la nuit dehors sans rien dire à personne.

– C'est ça, les jeunes, se contenta de marmonner Chad.

Une fois de plus, Colin se demanda si cet homme considérait sa fille comme ce qu'elle était ou si, pour lui, elle ne représentait qu'une sorte de meuble, au même titre que le canapé ou la table de la cuisine. Quand il disait : « C'est ça, les jeunes », il en parlait comme d'une adolescente, non comme d'une femme de trente-cinq ans, et encore moins de Gwen. Car une chose était certaine, Gwen n'avait jamais fait partie des « jeunes ». C'était justement ce qui constituait sa différence, mais aussi son drame. Son père semblait n'avoir rien compris de tout cela.

Colin s'assit et se servit de café. Il fut tenté d'évoquer la question des messages que lui avait envoyés Fiona et que tout le monde avait lus, à présent, mais il n'osa pas. Chad ignorait que sa fille avait farfouillé dans sa messagerie, et encore plus qu'elle avait transmis les textes à d'autres. D'un autre côté, ces écrits contenaient un potentiel qui, compte tenu des événements… Mais c'était à Leslie de décider, quand elle aurait fini sa lecture. Lui-même et son épouse étaient extérieurs à l'affaire. Ils n'avaient pas à s'en mêler.

Jennifer entra dans la pièce, changée, coiffée. Une fois de plus, Colin se dit qu'avec un soupçon de gaieté dans le regard, elle serait très attirante. Sa tristesse avait profondément marqué ses traits. Seuls Cal et Wotan parvenaient à les détendre. Aucun être humain, pas même son mari, n'avait ce pouvoir.

Elle s'installa à table en annonçant qu'elle avait l'intention de se rendre à Scarborough faire un peu de lèche-vitrines. A quoi son mari rétorqua avec un sourire :

– Et comme par hasard, tu en profiteras pour passer chez Dave Tanner, histoire de vérifier si Gwen n'est pas chez lui.

Jennifer ne se laissa pas démonter.

– Oui, peut-être. Il faut bien que quelqu'un se préoccupe de son sort.

Cette pique lancée à Chad n'eut aucun effet sur son destinataire qui buvait son café en silence. Il flottait dans l'air une certaine tension mais, par bonheur, aucun d'eux n'avait envie de déclencher l'orage.

– Je ne sais pas si je serai rentrée à midi, dit Jennifer au bout d'un moment. Ce serait gentil si tu pouvais sortir les chiens, Colin.

Il lui promit de le faire. Il était content. Sa femme avait envie de bouger, c'était bon signe, même si, en réalité, elle agissait par sollicitude pour Gwen. Mais peut-être irait-elle effectivement faire un tour dans les boutiques, déjeuner dans une pizzeria. C'était un début. Après son licenciement, elle s'était enterrée pendant près d'un an sans mettre le nez dehors. Colin se félicitait chaudement de l'avoir convaincue d'accueillir les deux chiens. Depuis, elle sortait.

– Tu prendras la voiture ? s'enquit-il, même s'il connaissait la réponse.

Jennifer réfléchit une seconde, puis eut un geste de dénégation.

– Non, j'irai en bus. Tu sais bien...

– Je sais, confirma Colin, résigné.

Autrefois, sa femme prenait la voiture sans aucun problème, mais, depuis *l'histoire*, elle n'osait plus se mettre au volant. Colin ne voyait pas le rapport, mais il avait l'impression qu'elle n'osait plus, tout simplement. Et plus le temps passait, plus il semblait improbable qu'il y eût un changement.

Il regarda par la fenêtre. Le brouillard s'était encore densifié. L'atmosphère était étrange. Silencieuse. Les mouettes elles-mêmes restaient muettes.

Il était inquiet. Sans savoir pourquoi.

C'était sans doute à cause du brouillard.

4

– Ma logeuse m'a donné mon congé pour le 1er novembre, annonça Dave.

Ils étaient les seuls clients du King Richard III, un café du port proposant un petit déjeuner. Le jeune homme qui leur avait apporté de mauvaise grâce du café et des scones faisait semblant de travailler au comptoir.

– Ce n'est pas vraiment accueillant ici, l'avait prévenue Dave alors qu'ils entraient dans une salle dont la vitrine donnait sur la promenade du port déserte et sur les mâts des voiliers qui se dessinaient sur fond de brume. Mais ils ont des scones à la confiture pas mal du tout.

Le café aussi, bien fort, fut une bonne surprise. Exactement ce qu'il fallait pour se réchauffer.

– Elle a le droit de vous mettre à la porte dans un délai aussi court ? s'enquit Leslie.

– Je crois que oui. Nous n'avons pas de contrat de location. J'habite chez elle au noir, je n'ai rien d'écrit. Je ne peux donc pas porter plainte. De plus... ce n'est pas comme si je tenais à ce taudis par toutes les fibres de mon corps, vous vous en doutez.

– Qu'a-t-elle donné comme raison ?

– Elle prétend que la fille d'une amie va venir faire ses études à Scarborough et qu'elle aimerait habiter chez elle. Je vous fiche mon billet que cette amie n'existe pas. La vérité, c'est qu'elle a peur de moi. Elle se demande si ce n'est pas moi qui ai tué Amy Mills et Fiona Barnes en prime. Elle tremble à l'idée d'être la prochaine victime. Elle ne dort plus chez elle, elle s'incruste chez une voisine et j'ai l'impression qu'elle répand des histoires horribles sur mon compte. Dès que je pointe le bout de mon nez dans la rue, je sens des centaines d'yeux qui m'observent derrière les carreaux. Mais ça m'est bien égal. Je me fiche de ce que les gens pensent !

– Comme vous avez l'intention de vous marier avec Gwen en décembre, ce n'est pas très grave. Vous n'avez qu'à vous installer à la ferme en novembre.

– Oui, dit-il.

Il ne soupira pas, mais son « Oui » était un soupir.

Leslie entoura sa tasse des deux mains. La chaleur se répandit dans ses doigts, monta le long de ses bras. C'était une agréable sensation qui ne chassait pas seulement le froid, mais apaisait aussi son bouleversement intérieur.

Quelque chose dans le regard de Dave Tanner lui donnait l'impression qu'il avait envie de parler. Peut-être allait-elle trop loin, mais elle prit le risque de lui poser franchement la question qui lui brûlait les lèvres :

– Vous n'êtes pas vraiment fou d'amour pour Gwen, n'est-ce pas ?

Tanner ne s'en offusqua pas.

– C'est assez évident, non ? répondit-il.

Se penchant vers elle, il ajouta :

– Je ne l'aime pas du tout, Leslie, le problème est là. Et ce n'est pas parce qu'elle n'est pas sexy. Il y a des femmes laides qui sont

fascinantes, et Gwen n'est même pas laide. Mais la fascination...
c'est le point crucial. Elle n'a rien, mais absolument rien, pour me
fasciner.

– En général, la fascination se dissipe au bout d'un moment.

– D'accord, mais c'est le déclencheur. Il faut qu'il y ait quelque
chose, n'importe quoi, qui vous captive chez l'autre, qui éveille votre
curiosité, qui ne vous lâche plus. Vous connaissez cela, non ? Pourquoi avez-vous épousé votre mari ?

Cette dernière phrase prit Leslie par surprise, la déstabilisa
pendant quelques secondes.

– Parce que j'étais tombée amoureuse, dit-elle enfin.

– De quoi ?

– De l'homme tout entier.

Il insista :

– Et rien ne vous dérangeait chez lui, rien du tout ?

– Si, évidemment.

Sa passivité, pensa-t-elle. Son besoin d'harmonie. Son côté béni-
oui-oui. Son absence de réaction devant le manque d'égards, le
mien ou celui des autres. Sa faiblesse.

– Mais il possédait quelque chose qui surpassait ce qui vous
dérangeait, reprit Tanner. Ce qui fait que vous êtes quand même
tombée amoureuse, et vous l'avez épousé.

– C'est vrai. Ce qui me plaisait en lui était plus important.

– Qu'est-ce que c'était ?

– Sa sollicitude, répondit-elle, sa chaleur. Je me sentais en sécurité auprès de lui.

Il la regarda pensivement.

– Vous recherchiez la sécurité ? Gwen m'a dit que vous aviez
grandi auprès de votre grand-mère. Après avoir vu de quoi Fiona
Barnes était capable, j'imagine facilement...

– Je ne veux pas parler de ma grand-mère, l'interrompit Leslie
d'un ton coupant.

Dave battit aussitôt en retraite.

– OK. Excusez-moi si je m'occupe de ce qui ne me regarde pas.

– Nous parlions de vous et de Gwen. C'est vous qui avez une
décision à prendre, pas moi. Moi, j'ai pris la mienne il y a deux ans :
je me suis séparée de mon mari.

– Mais j'ai l'impression qu'il a toujours le pouvoir de vous perturber. Parce que c'est bien à cause de lui qu'on vous retrouve le matin de bonne heure à errer sur le port en parlant à voix haute.

Décontenancée, elle prit une gorgée de café et se brûla la bouche sans s'en apercevoir. Puis elle avoua :

– Il m'a trompée. Il y a un peu plus de deux ans. Avec une femme rencontrée par hasard pendant que j'étais en formation. Je n'aurais jamais dû l'apprendre, mais malheureusement, sa conscience l'a tellement travaillé qu'il me l'a avoué. Après, je n'ai plus supporté de vivre avec lui. Nous sommes divorcés depuis la semaine dernière. Voilà. Il n'y a pas grand-chose à ajouter.

– Qu'est-ce qui vous a tant perturbée ce matin ?

– Hier soir, il a éprouvé le besoin de me dire qu'en réalité, tout est de ma faute. C'est grâce à une thérapeute qu'il a eu cette révélation. S'il a fauté, c'est uniquement à cause de ma froideur, de mon ambition et de son sentiment d'infériorité vis-à-vis de moi. Et s'il a avoué, ce n'est pas pour soulager sa conscience, mais parce qu'il m'appelait au secours. Malheureusement, moi, non seulement je n'ai pas compris, mais en plus, je l'ai fichu à la porte. Le pauvre ! Comme il a souffert !

Dave la regarda sans rien dire.

La porte du café s'ouvrit et deux hommes entrèrent en même temps qu'un souffle d'air humide. Après un temps d'arrêt trahissant leur surprise de trouver des clients, les nouveaux venus se dirigèrent vers le comptoir et commandèrent un café avant de s'entretenir à voix basse avec le garçon.

Leslie repoussa son assiette contenant un scone entamé.

– Je crois que je n'arriverai pas à avaler, dit-elle. Quand je pense à mon ex-mari, j'ai l'appétit coupé.

Puis, avec un regard de défi, elle lança à Tanner :

– Et vous ? Vous arrivez à manger quand vous pensez à Gwen ?

– Oh, ce n'est pas si terrible que ça.

– Qu'est-ce que vous avez comme compensation, Dave ? Elle n'exerce aucune fascination sur vous, et c'est un handicap. Malgré tout, vous voulez l'épouser et passer le reste de votre vie avec elle. Pourquoi ? Qu'est-ce qui compte plus que tout ce que vous n'aimez pas chez elle ?

Il la regarda comme s'il cherchait à évaluer si elle était sérieuse ou si c'était de la provocation.

– Vous me le demandez vraiment ?

– Oui.

Il eut un sourire las.

– Vous le savez bien, dit-il. Et votre grand-mère le savait aussi.

Leslie opina du chef :

– Donc c'est vrai. C'est la ferme qui vous attire.

Tanner semblait résigné, trop épuisé pour vouloir enjoliver les choses.

– Oui, c'est ça, reconnut-il.

– Qu'est-ce qui vous pousse à vouloir vivre avec elle à la ferme ?

A son tour de repousser son assiette. A croire que la question de son avenir lui coupait l'appétit, à lui aussi.

– J'aimerais en finir avec la vie que je mène, déclara-t-il. Il *faut* que je m'en sorte. Je ne peux pas continuer comme ça. Mais il me faut quelque chose... pour pouvoir repartir. Je n'ai rien à proposer, à part des études interrompues et une longue liste de petits boulots qui me permettent de survivre à peu près depuis vingt ans.

– Vous voudriez faire repartir l'élevage de moutons ?

Il eut un geste de dénégation.

– Je ne crois pas être compétent. J'aimerais développer ce que Gwen a amorcé modestement, et de manière non professionnelle, c'est-à-dire faire venir les touristes. Le Yorkshire attire de plus en plus de monde, et la ferme offre mille possibilités sans qu'il soit nécessaire de modifier son charme, son authenticité. Il faut des chambres d'hôtes confortables. Il faut aménager un chemin pratique et sans danger pour permettre aux gens de descendre dans la crique sans avoir passé un diplôme d'alpinisme. Il faut aussi leur donner la possibilité de se baigner... Organiser des circuits de randonnée, transformer les étables en écuries pour poneys... Vous savez, s'enthousiasma-t-il en élevant la voix, j'ai de bonnes idées. Je peux en faire quelque chose de bien, de cette propriété.

– Et l'esprit d'entreprise nécessaire, vous l'avez ?

– Vous en doutez ?

– Je vous connais trop peu, rétorqua Leslie. Mais d'après tout ce que vous m'avez raconté de votre parcours, je pense que l'esprit d'entreprise et de décision ne fait pas partie de vos points forts. Comprenez-moi. J'ai toujours un doute sur les gens qui ont besoin de quelque chose de grandiose – dans votre cas, une vaste propriété – pour prendre le départ. Souvent, ce sont des gens qui se racontent des histoires, qui croient que c'est à cause des vents contraires qu'ils n'ont pas encore pu prendre leur envol. Ceux qui réussissent sont des gens qui commencent avec rien et parviennent à leur but à la force du poignet.

L'expression de son vis-à-vis resta imperturbable. Impossible de savoir si ses paroles directes l'atteignaient.

– Vous êtes très franche, répondit-il finalement, mais d'après vous, est-ce que Gwen a le choix ? Elle vit exclusivement de la retraite de son père. Quand il mourra, et ce moment approche forcément, elle se retrouvera sans moyens d'existence. Elle n'a aucun revenu personnel. Ce n'est pas avec ce que lui rapportent les séjours des Brankley qu'elle arrivera à s'en sortir.

– Elle pourrait vendre la ferme.

– Sa maison ? Le seul endroit qu'elle connaisse et où elle soit heureuse ?

– Parce qu'elle est heureuse ?

– Est-ce qu'elle serait plus heureuse sans la ferme ? Vous la voyez dans un immeuble en ville ?

– Elle pourrait se trouver un boulot, sortir enfin de son isolement. Peut-être rencontrer un homme qui l'aime vraiment.

– Ouais... fit Dave.

Au bout de quelques instants de silence, il reprit :

– Vous allez donc tout faire pour la convaincre de rompre ?

– Non ! répondit Leslie. Je ne vais pas m'en mêler. C'est à elle de voir.

La regardant bien en face, il déclara sans transition :

– Au fait, je n'ai pas couché avec elle la nuit dernière. Je n'ai jamais couché avec elle.

Leslie repensa au collant noir qui traînait dans sa chambre. Mais ça ne te regarde pas, se réprimanda-t-elle intérieurement.

– Non ? dit-elle.

– Non. Elle en avait envie, mais je... ne... n'y arrive pas. J'ai déjà du mal à la toucher, alors...

Il ne finit pas sa phrase.

– Mais alors, insista Leslie, qu'est-ce que vous ferez quand vous serez marié avec elle ?

Il ne répondit pas.

5

Jennifer avait trouvé un papier avec l'adresse de Dave Tanner dans la chambre de Gwen où, poussée par l'inquiétude, elle était entrée dans l'espoir de trouver un indice sur la raison de son absence.

Le trajet jusqu'à l'arrêt de bus lui sembla plus long que d'ordinaire, mais elle se dit que si elle avait du mal à respirer, c'était à cause de l'humidité ambiante. Par bonheur, le véhicule arriva à peu près ponctuellement. Trois quarts d'heure plus tard, elle descendait non loin de la rue où demeurait Dave Tanner.

Jennifer sonna à la porte de la petite maison accolée.

La logeuse ouvrit au bout de deux coups de sonnette et la dévisagea avec méfiance.

– Oui ?

– Bonjour, je m'appelle Jennifer Brankley. Est-ce que Dave Tanner est là ?

A l'évocation du nom de Tanner, le visage de la vieille dame se ferma encore plus.

– Vous êtes qui ?

– Jennifer Brankley. Une amie de Gwen Beckett. La fiancée de M. Tanner.

– Il n'est pas là.

Jennifer jeta un regard involontaire derrière la vieille dame, dans le couloir sombre.

– Ecoutez, je suis montée tout à l'heure, il n'est pas là, insista la logeuse. Sa veste, elle n'est pas là non plus. Il est sorti.

– Vous savez s'il était chez lui la nuit dernière ?

Son interlocutrice lui décocha un regard furibond.

– Non, ça, j'en sais rien ! Et vous voulez savoir pourquoi ? Parce que je ne peux même plus dormir chez moi, dans ma propre maison ! Mes voisins en ont assez de m'héberger, mais moi, j'ai trop peur de dormir sous le même toit que ce type ! J'en ferme pas l'œil de la nuit ! Ce type, il a peut-être deux meurtres sur la conscience, et moi, j'ai pas du tout envie d'être la troisième victime !

– Qu'est-ce qui vous fait croire qu'il a deux meurtres sur la conscience ? questionna Jennifer, surprise de l'assurance avec laquelle la vieille femme avançait son accusation.

– Vous me prenez pour une idiote ? La police est venue m'interroger sur le soir où Fiona Barnes a été tuée, et aussi sur le soir où la petite étudiante a été massacrée, la pauvre. Vous voyez ! Les deux fois, ils m'ont demandé si M. Tanner était chez lui. Ça veut dire qu'ils pensent que c'est un tueur. Seulement, ils ne peuvent pas le prouver. Qu'est-ce que vous voulez, aujourd'hui, c'est comme ça. On laisse les tueurs en liberté soi-disant qu'on ne peut pas les enfermer sans preuve. Comme ça, ils peuvent recommencer tranquilles. Parce que les politiciens, ils en ont rien à faire !

– Donc, vous ne savez pas si Mlle Beckett était avec M. Tanner la nuit dernière ?

– Bien sûr que non ! jeta la logeuse. Et d'ailleurs, bientôt, je le saurai encore moins, parce que je lui ai donné son congé, à M. Tanner. A partir du 1er novembre, il sera à la rue, bon débarras !

Sur ces mots, elle claqua la porte à grand bruit, plantant là sa visiteuse.

Désemparée, Jennifer leva la tête et scruta la façade comme pour y trouver un indice quelconque. Mais elle ne savait pas quelle était la fenêtre correspondant à la chambre de Dave, ni même si la pièce donnait sur la rue.

Elle tourna les talons, découragée. Cette visite ne l'avait pas fait avancer d'un pouce. Tanner sorti – la logeuse n'avait sûrement pas menti – et aucune trace de Gwen…

Elle avait un mauvais pressentiment. Elle se demanda s'il était justifié.

Elle songea à retourner à la ferme, mais y renonça, car ce serait reconnaître aux yeux de tous qu'elle ne s'était rendue en ville que pour partir à la recherche de Gwen. Peut-être allait-elle saisir l'occasion pour faire réellement ce qu'elle avait annoncé à Colin : du lèche-vitrines, boire un café quelque part…

Un détail pour la plupart des gens. Un grand progrès pour elle.

Elle flâna quelque temps dans les allées du centre commercial. Là, on était au sec et au chaud. Elle contempla les babioles et les divers articles exposés dans les minuscules boutiques débordantes de marchandises, fouina dans un magasin d'antiquités et tomba en arrêt devant un service à thé, l'un des rares objets dignes d'intérêt : un joli cadeau de mariage pour Gwen – si mariage il y avait.

Elle se rendit ensuite dans la zone piétonne, où elle acheta une écharpe de laine moelleuse pour Colin et un bonnet tricoté pour elle-même. Elle paya les deux articles avec l'argent de son mari, ce dont elle n'avait que trop conscience. Autrefois, elle gagnait sa vie. A présent, tous les frais étaient à la charge de Colin, du crédit pour la maison aux notes de vétérinaire en passant par les vacances dans le Yorkshire.

Pour la première fois, elle songea à chercher du travail. Elle ne pourrait pas reprendre l'enseignement, mais pourquoi ne pas essayer autre chose ? Cela lui permettrait de se faire plaisir sans culpabiliser, tout en soulageant Colin du même coup.

Elle avait été mise à la porte, certes, mais cela ne signifiait pas qu'elle était fichue. Même si c'était ce qu'elle ressentait, ce qu'elle avait ressenti dès le début. Sans savoir comment combattre la paralysie qui la maintenait prisonnière.

Je vais peut-être m'en sortir, se dit-elle en contemplant sans les voir des lustres et des bijoux anciens exposés derrière une vitrine. Si je réussis à faire le premier pas, je crois que je...

– Madame Brankley ! appela une voix derrière elle, et elle se retourna avec surprise.

En fronçant les sourcils, elle regarda la jeune femme qui venait de prononcer son nom. Elle était sûre de l'avoir déjà vue, mais où ?

Devant sa perplexité manifeste, la jeune femme se présenta, légèrement rougissante :

– Ena Witty.

Enfin, Jennifer retrouva la mémoire : la cour de l'école, quelques jours auparavant... les gens qui sortaient du stage suivi par Gwen... Ena Witty et son ami.

– Oh, mademoiselle Witty, je me souviens ! La semaine dernière, à l'école... Ah, mon Dieu, mon mari m'a dit hier que vous aviez appelé. Vous cherchiez à joindre Gwen. Je regrette, mais elle n'est toujours pas rentrée. En tout cas, elle ne l'était pas quand j'ai quitté la ferme. C'est pour cela que nous n'avons pas...

– Ça ne fait rien, l'interrompit Ena. D'ailleurs, j'avais beaucoup hésité à l'appeler, parce qu'elle a évidemment autre chose en tête, avec ce qui lui arrive. J'ai lu dans le journal qu'elle était très liée à la femme qui a été assassinée...

– C'est vrai, nous sommes tous bouleversés, confirma Jennifer.

– Ça se comprend. Je n'aurais pas appelé si… J'ai un gros problème, et j'aimerais bien en parler à quelqu'un, mais je ne vois pas à qui. Je ne connais pas très bien Gwen, nous nous sommes rencontrées à ce fameux stage, nous avons tout de suite sympathisé, et je me suis dit… j'avais envie de lui parler un peu… elle connaît aussi Stan, mon ami, parce qu'il venait me chercher après…

– Ne vous inquiétez pas, Gwen vous rappellera le plus vite possible, affirma Jennifer, tout en devinant la nature du problème qui tourmentait son interlocutrice. Sans doute s'appelait-il tout simplement Stan. Surgi dans sa vie tel un ouragan, ce type dominateur avait sans doute apporté dans son sillage une quantité de difficultés.

Ena sembla un peu soulagée. Puis, avec un effort visible, elle se jeta à l'eau :

– Je ne voudrais pas m'imposer, mais si vous avez… si vous avez un peu de temps… est-ce qu'on pourrait aller prendre un café ensemble ?

Sans doute avait-il fallu une bonne dose de courage à cette grande timide pour faire sa proposition, mais le stage d'estime de soi semblait avoir été efficace. Ce n'était pas le moment de lui couper les ailes.

Jennifer consulta sa montre. Il n'était que midi et demi, trop tôt pour rentrer. Et n'avait-elle pas décidé d'aller prendre un café ? L'ennui était qu'Ena semblait éprouver un grand besoin de s'épancher, alors qu'elle-même ne se sentait pas d'humeur à lui prêter une oreille attentive, compte tenu de tous les problèmes dans lesquels elle se débattait…

– Eh bien, dit-elle, je crois…

Ena sentit sa réticence.

– S'il vous plaît, insista-t-elle, ça me ferait vraiment plaisir.

Jennifer n'avait jamais réussi à refuser son aide à quiconque. Et il s'agissait bien de cela : Ena demandait son aide. Elle n'avait pas un simple problème mineur. Elle appelait vraiment au secours.

– D'accord, accepta-t-elle, résignée, allons prendre un café.

Après tout, c'était justement ce qu'elle avait résolu de faire : aller vers les autres au lieu de les éviter !

Peut-être pourrait-elle réellement aider Ena. Ne fût-ce qu'en l'écoutant.

Peut-être Ena se coucherait-elle ce soir-là avec le sentiment qu'il existait encore des gens pour s'intéresser à son sort.

Jennifer décida de s'en réjouir.

6

– Eh bien, c'est dommage, monsieur Brankley, dit Valerie Almond qui venait de sonner à la porte, j'aurais beaucoup aimé avoir un entretien avec votre femme.

Colin Brankley ne l'avait pas priée d'entrer. Il s'était contenté de lui annoncer d'un ton froid que Jennifer était absente et qu'il ne connaissait pas l'heure de son retour.

Il avait compris qu'elle avait Jennifer dans le collimateur. Cela s'entendait à la nuance d'animosité contenue dans sa voix.

– J'ai découvert qu'Amy Mills avait fréquenté pendant deux ans l'école où enseignait votre femme à Leeds, ajouta-t-elle.

L'espace d'une seconde, Brankley ne put cacher sa surprise. Il semblait ignorer ce fait. Ce qui ne signifiait pas automatiquement que Jennifer l'ignorait également. Elle ne racontait peut-être pas tout à son mari.

– Ah bon ? lâcha-t-il ensuite.

Il la regarda à travers ses lunettes rondes. Dans ses yeux vifs, Valérie lut que cet homme était plus profond que ne le laissait supposer son physique insignifiant.

– Elle ne vous a jamais laissé entendre qu'elle avait connu Amy Mills, même vaguement ? Ou au moins de nom ? interrogea-t-elle.

– Non, inspecteur. Elle ne m'a rien dit d'autre que ce qu'elle vous a déclaré.

Valerie se détourna, frustrée.

– Je reviendrai, dit-elle.

Elle se demanda si Brankley se murait dans le silence ou s'il commençait à faire certains recoupements.

Lesquels ? Lesquels ? Si Jennifer Brankley avait connu Amy Mills, quelles étaient les raisons qui pouvaient l'avoir poussée à assassiner sauvagement la jeune étudiante ?

Son portable sonna alors qu'elle regagnait sa voiture. Au même moment, elle vit Gwen Beckett sortir d'un taxi devant le portail de la ferme. Elle avait l'air gelé, fatigué.

D'où elle sort, celle-là ? s'interrogea l'enquêteuse. Mais personne ne répondrait à cette question, c'était certain.

– Oui ? dit-elle en décrochant son portable tout en déverrouillant la portière de sa voiture, pressée de fuir l'humidité et le froid.

C'était le sergent Reek. Sa voix vibrait d'excitation.

– Inspecteur, il y a du nouveau. Mme Willerton a appelé, vous savez, la logeuse de Dave Tanner. Une de ses voisines prétend avoir vu Tanner sortir vers vingt et une heures de chez Mme Willerton la nuit du meurtre de Fiona Barnes.

– Vers vingt et une heures ? Dans ce cas, il a fait demi-tour presque aussitôt.

– Apparemment. On ne peut pas savoir si ce témoin est digne de foi, mais je pense que ça vaut le coup de l'interroger.

– Absolument. Vous avez son adresse ?

– Oui. Elle habite en face de chez la Willerton.

Valerie se mordit les lèvres. Elle n'avait pas fait interroger les voisins sur l'emploi du temps de Tanner. C'était peut-être une erreur.

– Allez-y, Reek. Je viens vous rejoindre. Et vérifiez si Tanner est chez lui. Si oui, ne le laissez pas sortir.

– Très bien, inspecteur.

Elle se laissa tomber derrière son volant. Elle était nulle ! Elle se dispersait, procédait sans méthode, négligeait le b.a.-ba. Une simple audition des témoins : pourquoi n'y avait-elle pas pensé ? La voisine était peut-être une affabulatrice, ce qui arrangerait ses affaires. Son omission serait plus facile à cacher que si les déclarations de la bonne femme étaient dignes de foi. Dans ce dernier cas, elle aurait du mal à se justifier auprès de sa hiérarchie.

Elle tenta de se calmer. Ce n'était pas le moment de perdre le nord. Il fallait foncer, entendre la voisine, interroger Tanner.

Concentre-toi, Valerie. Ne t'énerve pas. Tout ira bien.

Elle jeta un coup d'œil vers la porte du bâtiment où Gwen et Colin étaient plongés dans une conversation. La jeune femme avait le teint très pâle, presque gris. Valerie eut le temps d'entendre Colin s'écrier d'un ton horrifié :

– Donc, Tanner est au courant de cette histoire lui aussi ?

– Pas si fort ! le rabroua Gwen d'un ton furieux.

Valerie ferma la portière et démarra en trombe dans un grand crissement de pneus.

Le témoin s'appelait Marga Krusinski, approchait de la trentaine, portait un bébé dans les bras et était en train de noyer un sergent Reek impuissant à l'arrêter dans un flot de paroles débitées en mauvais anglais.

Après son divorce, ladite Mme Krusinski était venue s'installer à Scarborough, mais son mari la poursuivait, l'épiait, l'avait menacée à plusieurs reprises de lui enlever l'enfant et d'obtenir sa garde. Elle avait obtenu un jugement provisoire lui interdisant de s'approcher à moins de cent mètres de la maison, mais elle doutait qu'il s'y tienne. Trop préoccupée par ses propres problèmes pour se souvenir du motif de la visite de la police, elle appelait le sergent Reek au secours.

Valerie, en découvrant la scène, se demanda s'il existait effectivement un problème de crédibilité du témoin. Cette femme n'inventait-elle pas des histoires afin d'attirer l'attention de la police sur son cas ?

Mais mieux valait se garder des préjugés.

Dans le séjour pauvrement aménagé de Mme Krusinski, elle tomba sur Mme Willerton, vautrée dans un fauteuil, un verre de brandy à la main. A en juger par son nez rougi, elle n'en était pas à sa première tournée.

A la vue de Valerie, la logeuse l'apostropha séance tenante :

– Alors, qu'est-ce que vous attendez pour l'arrêter ? Vous attendez peut-être qu'il massacre d'autres malheureuses sans défense ?

– M. Tanner avait parfaitement le droit de ressortir, répondit Valerie avec calme, ce n'est pas un crime. Mais il est curieux qu'il nous l'ait caché. Il va falloir qu'il nous explique très précisément où il est allé et pourquoi.

A quoi Mme Willerton répliqua :

– Il va vous raconter des histoires à dormir debout et...

Reek, très énervé, lui coupa la parole :

– Je n'ai pas pu avancer d'un poil ! dit-il à l'adresse de sa supérieure.

Mme Krusinski se détourna aussitôt de lui pour se jeter sur sa nouvelle proie :

– Dites, vous faire quelque chose pour moi ?

– Pour commencer, c'est à vous de faire quelque chose pour nous, répliqua Valerie. Vous avez bien dit à Mme Willerton que M. Tanner était sorti de chez lui samedi vers neuf heures du soir ?

– Oui.

– A partir de quel endroit l'avez-vous observé ?

– Ici, cette fenêtre. Je vois maison Mme Willerton.

Valerie s'avança à la fenêtre et regarda à travers les rideaux. On voyait avec précision la maison de l'agressive logeuse, la porte d'entrée et les quelques marches qui descendaient jusqu'à la rue. Une lanterne était placée juste devant le jardinet.

– Il faisait nuit. Comment avez-vous pu... ?

– Lanterne, confirma Marga. Très claire. J'ai bien vu M. Tanner, j'ai bien reconnu.

– C'est par hasard que vous avez regardé par la fenêtre ?

Avec un mouvement de tête en direction du sergent Reek, la jeune femme répondit :

– J'ai tout raconté.

– Euh... oui, se hâta de confirmer Reek. Inspecteur, vous avez entendu que Mme Krusinski a des problèmes avec son ex-mari. Elle a déclaré qu'il a débarqué sans prévenir et l'a interceptée au moment où elle revenait de promenade avec son fils. Il l'a menacée et a essayé de l'intimider. Mais des voisins sont arrivés et il a pris la tangente.

– Faisait-il déjà l'objet de l'interdiction à ce moment-là ?

Avec un geste de dénégation, Reek précisa :

– Depuis lundi seulement.

– Je comprends. Et...

– Et Mme Krusinski n'était évidemment pas rassurée. Elle a passé toute la soirée à guetter par la fenêtre.

– Ce qui explique pourquoi elle a vu sortir M. Tanner.

– Oui, répondirent en chœur Reek, Marga et Mme Willerton.

Valerie se tourna alors vers la jeune femme :

– Vous êtes tout à fait sûre qu'il s'agit de Dave Tanner ?

– Dites, protesta la logeuse, vous croyez qu'il y a beaucoup d'hommes qui sortent de chez moi le soir ?

En effet. Difficile d'imaginer un défilé d'hommes chez cette vieille toupie.

– Etre M. Tanner, insista Marga, je reconnaître. Tout à fait sûre !

– Vous êtes sûre de l'heure aussi ?

– Assez sûre, mais pas pour minutes. Très peur, je regarder l'heure tout le temps. Dernière fois, un quart d'heure avant neuf heures. Et je vois M. Tanner peut-être un quart d'heure ou vingt minutes après.

– Qu'a fait exactement M. Tanner ?

– Pris auto et parti.

– Seul ?

– Oui. Seul. Auto pas démarrer tout de suite. Normal. Auto très cassée.

– Vous ne l'avez pas vu rentrer ?

Marga fit non de la tête.

– Je rester longtemps debout. Presque minuit. Je couchée, mais pas dormir. Je peur.

– Donc, il n'est pas rentré avant cette heure-là… pas avant minuit ?

– Non. Je regarder toujours dans rue, mais auto pas revenue. Demain seulement. Je lever à neuf heures. Auto est là.

Valerie se frotta les tempes du bout des doigts. Elle sentait s'installer peu à peu la douleur. *Négligence, négligence, négligence,* disait la douleur.

Mais il lui fallait poser la question malgré tout, retourner une fois encore le couteau dans la plaie, ce que le sergent Reek ne manquerait pas de noter, même si les deux femmes ne s'en apercevraient pas :

– Qu'est-ce qui vous a décidée à parler de vos observations à Mme Willerton ?

– C'est moi qui ai mis ça sur le tapis, intervint Mme Willerton, non sans fierté. Si je dors plus chez moi, c'est que j'ai une bonne raison pour. Ce matin, je suis venue voir Mme Krusinski et je lui ai demandé si je pouvais dormir chez elle, et c'est comme ça qu'on a parlé de M. Tanner, et je lui ai dit comme ça que je ne savais pas si à l'heure du meurtre de Mme Fiona Barnes, donc samedi soir tard, il était à la maison, et alors elle me fait : « Mais moi je sais, il était pas chez lui ! » Et c'est là qu'elle me raconte tout !

La commère s'interrompit dans son récit pour s'octroyer une bonne rasade de brandy. Puis elle jappa :

– Ne comptez plus sur moi pour prendre un locataire, plus jamais ! Je lui ai donné congé pour le 1er novembre, mais si vous ne l'arrêtez pas aujourd'hui, je vous jure que je le jette dehors aussi sec ! Je ne vais pas le garder un jour de plus !

– Il n'est pas chez lui, je suppose ? demanda Valerie à Reek.

Ce dernier secoua le tête :

– Non, répondit-il, j'ai vérifié.

– Vous auriez pu avoir l'idée tout seuls d'interroger les voisins, lança Mme Willerton d'un ton de reproche. C'est pas à moi de résoudre cette affaire !

Ravalant la réplique cinglante qu'elle avait sur le bout de la langue, Valerie se tourna vers le sergent Reek et lui dit avec calme :

– Vous allez attendre un peu ici, sergent. Le mieux, c'est dehors, dans la voiture. Quand Tanner arrivera, emmenez-le au commissariat pour l'interrogatoire.

– OK, inspecteur.

Puis, s'adressant à Mme Krusinski :

– Je vous remercie de votre déclaration, madame. Il va sans doute falloir faire un procès-verbal, mais je vous appellerai avant pour vous prévenir.

Après avoir salué froidement la logeuse, elle sortit.

Elle s'adossa au mur de la maison et souffla. Elle avait les joues brûlantes. Pour la première fois de la journée, elle trouva que le brouillard faisait du bien.

Là, comme ratage, tu as fait fort, se dit-elle.

Elle s'efforça de respirer à fond.

Tout va bien se passer, se persuada-t-elle.

7

Le brouillard allait se lever, c'était évident. Il était toujours présent, tel un mur cotonneux amortissant tous les bruits, mais il était transpercé çà et là par un faible rai de lumière qui s'allumait, brièvement, comme par erreur. Pourtant, ce petit signe était un messager qui annonçait l'existence d'un ciel bleu quelque part, qui prédisait la disparition prochaine de la chape posée sur la baie et la ville.

Leslie et Dave longeaient la promenade du Marine Drive, un large chemin fortifié qui faisait le tour du château et menait à la North Bay.

A gauche, le chemin était bordé de rochers découpés, et, à droite, il était limité par un mur de pierre clair auquel venaient s'ajouter de gros blocs de béton brise-lames.

Derrière, c'était la mer, à peine visible, cachée par le brouillard.

Sortis pour faire simplement quelques pas, ils avaient été happés par la délicieuse fraîcheur et continuaient à marcher sans but précis, en bavardant.

A la demande de Dave, Leslie parlait de sa mère.

– Elle était toujours gaie, disait-elle. Elle portait de longues robes bariolées... Ses cheveux étaient très longs, blonds comme les miens, mais elle les teignait au henné. Elle s'en mettait aussi sur les mains. Quand je pense aux mains de ma mère, je les revois orange.

« Je crois que si elle était toujours gaie, c'est parce qu'elle était toujours sous l'effet du haschich. Elle courait les festivals hippies. Je revois des feux de camp, beaucoup d'hommes et de femmes habillées comme elle, qui jouaient de la guitare et faisaient passer les joints. Je crois qu'ils prenaient aussi du LSD et d'autres substances. Ma mère dansait avec moi, autour du feu de camp, mais aussi à la maison. Elle aimait Simon et Garfunkel. Elle écoutait *Bridge over troubled water* jusqu'à la nausée.

« Quant à mon père... Elle ne savait pas qui c'était. Ma grand-mère non plus. Ma mère disait parfois qu'elle m'avait *attrapée* pendant un festival, que j'étais un magnifique papillon qui était venu voler vers elle et qui était resté. Plus tard seulement, j'ai compris qu'elle avait une fois de plus couché à droite et à gauche sans se poser de questions ; qu'elle s'était retrouvée enceinte à moins de dix-huit ans sans pouvoir dire de qui. Je ne sais toujours pas qui est mon père, et je ne le saurai jamais. Enfant et adolescente, je m'en inventais à la pelle. Des types formidables, toujours en voyage à travers le monde, et qui n'étaient donc jamais là.

– Ce doit être difficile de ne pas savoir qui est son père, de ne pas avoir le moindre indice, observa Dave. Je suppose qu'on ne peut pas faire de recherches.

– Non, bien sûr. Le plus souvent, elle couchait avec des types qu'elle ne connaissait pas, tellement défoncée que cinq minutes après elle n'aurait pas reconnu le type en question. Moi, j'étais trop petite pour savoir où nous étions, et encore moins qui étaient ces gens. C'était la fin des années soixante, le début des années soixante-dix.

Avec précaution, Dave fit remarquer :

– Elle se droguait, dis-tu. Ça veut dire... enfin... elle ne peut pas avoir été seulement drôle, tendre, attentive à toi... Les gens qui se droguent...

Il ne poursuivit pas, mais elle comprit.

– Le pire, Dave, c'est que quand j'y pense, je ne vois que les moments merveilleux. Mais quand je réfléchis, sciemment, consciemment... ce sont d'autres choses qui remontent, et ces choses-là ne sont pas belles. Je la vois dormir toute la journée, et moi, je suis à côté, j'essaie de la réveiller parce que j'ai faim. Et j'ai froid. Mais elle ne se réveille pas. Je ressens la peur qui me prenait quand je me réveillais, la nuit, et qu'elle n'était pas là. Je suis toute seule dans la maison. Je la cherche partout, dans les moindres recoins, jusque dans la cave... Nous avons habité à Londres pendant un certain temps, dans une cabane de jardin en ruine qu'elle louait pour un loyer ridicule. Toutes les poutres craquaient, le moindre coup de vent faisait trembler les vitres. C'était plein de courants d'air. On ne pouvait chauffer qu'avec un poêle en fonte, mais cela impliquait que quelqu'un achète du bois. Qu'*elle* achète du bois. L'a-t-elle jamais fait ? Ma grand-mère Fiona m'a dit plus tard qu'elle se demandait comment j'avais pu survivre à ma petite enfance. D'après elle, il faisait toujours un froid de canard chez nous, le frigo était toujours vide et d'étranges types à cheveux longs étaient avachis dans les coins en train de se rouler des cigarettes. Il est vrai que ma grand-mère venait rarement nous voir, car ma mère et elle ne s'entendaient pas. Maman s'était tirée de chez elle à seize ans pour aller vivre dans un foyer. Elle était revenue ensuite pour repartir avant ses dix-huit ans, et elle était tombée enceinte. Elle s'en sortait en faisant des petits boulots. Elle était obligée de maintenir le contact avec sa mère si elle voulait pouvoir lui pomper de l'argent. Fiona m'a dit qu'elle l'avait toujours aidée, et que c'était pour moi, car autrement, elle aurait coupé les ponts. Elle m'a confié aussi qu'elle avait même intenté un procès à sa fille pour obtenir le droit de garde quand j'avais trois ans, parce qu'elle était convaincue qu'elle était incapable de m'élever. Tu imagines, intenter un procès à sa propre fille ? Elle a perdu, mais elle n'a

265

jamais arrêté de ramener cette histoire sur le tapis pour me prouver à quel point elle s'était battue pour mon bien et me faire comprendre que je lui devais de la reconnaissance. Et peut-être que je lui dois effectivement de la reconnaissance.

Avec effroi, Leslie s'aperçut alors que les larmes lui montaient aux yeux. Elle lutta de toutes ses forces pour les ravaler et poursuivit :

– Pendant des années, j'ai entendu les amis de Fiona me dire en me caressant les cheveux que j'avais beaucoup de chance d'avoir une grand-mère comme elle, et que c'était une bénédiction pour moi que les choses aient pris ce tour. En d'autres termes, le fait que ma mère soit morte si jeune était une bénédiction.

Cette fois, elle ne put retenir les larmes qui se mirent à couler sur ses joues.

– Donc, j'étais reconnaissante, reprit-elle, et je faisais ce que Fiona me demandait. J'ai bien travaillé en classe, j'ai étudié la médecine. Je suis médecin. J'ai réussi. Fiona voulait me voir mariée à quelqu'un de solide, aussi ai-je épousé Stephen. Nous avions un bel appartement, nous gagnions de l'argent. Nous étions des gens en vue. Et moi, j'étais contente quand Fiona me montrait qu'elle était satisfaite de moi. Je réparais ce que sa fille lui avait fait. Sa fille, la hippie morte d'une overdose. Moi, au moins, j'étais une petite-fille modèle. Mais il y a un plaisir que j'ai refusé de lui faire : elle voulait que je voie ma mère telle qu'elle était, c'est-à-dire quelqu'un d'irréaliste, d'irresponsable, de faible. Mais je ne peux pas, Dave, dit-elle, la voix déformée par les sanglots.

Voilà que je chiale comme une gamine, se morigéna-t-elle avec honte.

– Je veux garder les autres images, Dave, celles où elle chante, où elle danse, où elle rit. Et celles où elle me dit que je suis le plus beau cadeau que lui ait fait la vie. Elle m'aimait. Elle savait aimer. Fiona ne le savait pas. Elle n'a jamais su. Jusqu'à la fin.

Elle pleurait comme si elle n'allait plus jamais s'arrêter.

Tout à coup, elle se demanda comment c'était possible. Comment Dave s'y était pris pour qu'elle lui raconte tout cela. Comment il s'y était pris pour qu'elle s'écroule en larmes. Jamais elle n'avait parlé ainsi à Stephen, jamais elle n'avait pleuré devant lui.

Elle ne bougea pas lorsqu'il la prit dans ses bras et l'attira contre lui. Quelque part, un oiseau marin cria. Debout sur la rive plongée dans le brouillard, elle enfouit son visage dans l'épaule d'un inconnu et pleura.

Elle pleurait la mort de sa grand-mère. La perte de sa mère.

Elle pleurait parce qu'elle avait froid. Et parce qu'elle avait froid depuis toute sa vie.

8

– J'ai peur de commettre une erreur, dit Ena, ou de regretter ma décision plus tard. C'est que je suis restée seule si longtemps, vous comprenez. Et quand Stan est arrivé… mais… je ne sais pas… ça ne marche pas. Ce n'est pas comme ça devrait être.

Elles étaient installées dans un petit café du centre-ville, autour de deux tasses vides et deux verres d'eau posés sur une petite table de bistrot. La salle était pleine de gens réfugiés là pour échapper au mauvais temps. L'atmosphère était chargée de l'odeur des vêtements mouillés et chaque nouvelle entrée ou sortie amenait une bouffée d'humidité.

Jennifer se pencha en avant pour l'interroger :

– Qu'est-ce que c'est que cette erreur qui vous fait peur ?

Ena prit une profonde inspiration avant de se lancer :

– J'ai peur que ce soit une erreur de me séparer de lui. Mais en même temps, j'ai peur que ce soit une erreur de rester. Je n'ai pas envie de me tromper.

– Qu'est-ce que vous faites dans la vie ?

– Je travaille chez un avocat.

– Vous ne travaillez pas aujourd'hui ?

– Non. J'ai pris un jour de congé. Pour réfléchir. Parce que… je n'arrive pratiquement plus à me concentrer. Ni à dormir.

Jennifer fit signe à la serveuse et commanda deux autres cafés. Leur conversation menaçait de durer longtemps.

– Depuis combien de temps êtes-vous avec Stan ?

Ena n'eut pas à fouiller dans sa mémoire. La réponse jaillit :

– Depuis le 20 août, un mercredi. Il m'a invitée à prendre un café après le cours et m'a dit que… qu'il était tombé amoureux de moi.

– Ça vous a surprise ?

– Gwen m'affirmait depuis le début que j'avais un ticket. Il y avait des travaux à l'école et le soir, Stan restait plus longtemps que les autres ouvriers, il se débrouillait toujours pour travailler dans la salle où on avait cours. Il me regardait... et ça, c'était nouveau, qu'un homme me regarde.

– Mais vous n'y étiez que le mercredi, il ne peut pas vous avoir vue souvent avant de vous déclarer ses sentiments.

– C'est vrai, et j'avais du mal à le croire. Mais Stan croit au coup de foudre. Il dit que quand il tombe amoureux, il le sait tout de suite. Il dit que ça se passe dès le premier instant, ou alors, ça ne se passe pas. Pour moi... eh bien, ça s'est passé dès le premier instant.

– Vous ne le croyez pas ?

– Si, répondit Ena, mal à l'aise, si...

La serveuse apporta les cafés. Jennifer, pour occuper ses mains, se mit à remuer sa cuillère dans sa tasse où elle n'avait mis ni sucre ni lait.

– Alors... qu'est-ce qui vous dérange ? insista-t-elle. Pourquoi avez-vous l'air si... malheureux, si découragé ? Pourquoi envisagez-vous de vous séparer de lui ?

Ena hésita, puis :

– Il ne me laisse plus respirer, dit-elle. Il m'étouffe. C'est lui qui décide de tout. De ce qu'on mange, de ce qu'on boit. Si on sort ou pas. De ce qu'on regarde à la télé. De l'heure où on va se coucher, se lever. Comment je dois m'habiller, me coiffer. Tout. Vous comprenez ? Je ne peux plus décider de rien. Sauf quand il est au travail. Là, je peux faire comme maintenant, prendre un café avec vous. Mais ce soir, il va falloir que je passe au rapport, que je lui raconte ma journée en détail. Il sait que je ne travaille pas aujourd'hui. Je n'aurais pas pu le lui cacher, parce qu'il m'appelle souvent au bureau, et d'ailleurs ça contrarie mon patron. Mais quand je le lui ai dit, il s'est mis en colère et il m'a dit de chercher autre chose, et qu'il m'appellerait autant qu'il en avait envie.

Elle se tut un instant, avant de poursuivre à mi-voix :

– En même temps, il est très attentionné. Ce qui fait que je culpabilise et que je me demande si je ne m'imagine pas tout ça. Il me faut peut-être juste un peu de temps pour m'habituer. Peut-être qu'il est tout à fait normal. Et que moi, je réagis comme une hystérique, parce que je suis déjà tellement zinzin que je...

Elle ne termina pas sa phrase. Jennifer eut un soupçon :

– C'est lui qui vous l'a dit ? Il vous dit que vous êtes hystérique et zinzin, et que c'est lui qui est normal ?

– Oui, c'est ce qu'il me fait comprendre.

Jennifer choisit ses mots avec soin avant de répondre :

– Ena, je vous connais à peine, et je ne connais pas non plus votre ami. Je n'ai pas à juger de votre situation, mais ce que vous me racontez... moi aussi, quand je l'ai vu, j'ai spontanément ressenti son instinct de domination. Il veut peut-être bien faire, mais il est clair qu'il ne tient pas compte de vous ni de vos désirs. Il ne faut peut-être pas envisager tout de suite la séparation, mais prenez de la distance. Demandez une pause de quelques semaines pour faire le point. Vous verrez bien ce que vous ressentez loin de lui. Cela lui donnera aussi l'occasion de réfléchir, de changer son comportement. Peut-être ne sait-il même pas qu'il vous étouffe.

Ena se montra sceptique :

– Il ne sera pas d'accord.

– Il va falloir qu'il l'accepte.

Ena hocha lentement la tête, sembla réfléchir. Puis elle regarda Jennifer, les yeux remplis d'une détermination nouvelle.

– Jennifer, est-ce que vous accepteriez de me rendre service ?

– Si je peux...

– Il y a autre chose. Une chose qui me travaille plus que le reste. C'est de ça que je voulais parler à Gwen. Il faut que j'en parle à quelqu'un, sinon je vais devenir folle.

– Ena, je...

– Je n'ai personne. J'ai besoin de l'avis de quelqu'un d'extérieur, sinon je ne sais pas ce que je vais devenir. Je n'en dors plus.

Inquiète de la véhémence de ces paroles, Jennifer s'enquit :

– C'est encore au sujet de Stan ?

– Oui, mais ça n'a rien à voir avec notre relation.

Ena prit son sac accroché au dossier de sa chaise et en sortit un trousseau de clés qu'elle agita :

– Les clés de son appartement. Il n'est pas chez lui. Est-ce que vous accepteriez de m'accompagner ?

Jennifer était extrêmement embarrassée. Elle ne connaissait ni cette Ena Witty ni ce Stan Gibson. Elle n'avait pas la moindre envie d'aller fouiner chez un parfait étranger.

– Vous ne pouvez pas m'en parler ici ? demanda-t-elle.

– Non, j'aurais quelque chose à vous montrer.

– Franchement, ça ne me plaît pas beaucoup.

– Je vous en prie. Ça ne sera pas long. Dix minutes. Vous avez le temps ?

Il était treize heures trente. Le bus suivant pour Staintondale partait à seize heures quinze. Il lui restait tout ce temps à traîner en ville au hasard. En rendant ce service à son interlocutrice, elle s'évitait une trop longue attente.

– J'ai le temps, répondit-elle, mais je… Bon, d'accord, je vous accompagne. Mais je ne veux pas passer plus de dix minutes chez lui.

Le soulagement d'Ena était quasi palpable.

– Je vous remercie. Oh, merci beaucoup ! s'exclama-t-elle. Stan habite tout près d'ici, à St Nicholas Cliff.

– Alors, allons-y, dit Jennifer en sortant son porte-monnaie. Vous êtes sûre qu'il ne rentre pas déjeuner le midi ? Ça pourrait nous mettre dans une situation embarrassante.

– Aujourd'hui, il est sur un chantier à Hull. Il ne rentrera pas. D'ailleurs, Stan dit que chez lui, c'est chez moi. Vous êtes une bonne amie de Gwen. Il n'aurait rien à redire.

Elles réglèrent l'addition et sortirent. Il avait commencé à pleuvoir. Le brouillard s'était levé, mais le soleil ne percerait pas avant longtemps.

– Il faut prendre la Bar Street, dit Ena.

Pourquoi est-ce toujours à moi que les gens adressent leurs appels au secours ? se demanda Jennifer. Pourquoi suis-je condamnée à jouer ce rôle qui m'a déjà coûté mon boulot, ma confiance en moi et mon indépendance ?

Elle descendit la rue à la suite d'Ena.

9

– Chez toi ou chez moi ? demanda Dave alors que, gravissant l'escalier escarpé qui montait à la ville, ils se trouvaient pris sous une averse battante qui menaçait de se renforcer.

Leslie hésita.

– Je ne sais pas ce que tu en penses, poursuivit Dave, mais moi, j'ai envie de me mettre à l'abri. Et je n'ai pas envie de me retrouver dans un café surpeuplé où on ne s'entend pas parler.

Elle plongea ses yeux dans les siens. De beaux yeux intelligents, contenant une vivacité qu'elle n'avait jamais trouvée chez Stephen. Les yeux d'un homme qui ne parvenait pas à donner une direction à sa vie, mais n'était pas un raté : il affrontait trop vaillamment les aléas de l'existence. Dave Tanner l'attirait. Cette idée la remplit de crainte.

L'instant suivant, la crainte s'effaça, laissant la place à une constatation qui l'emplit d'une joie étrange. Cet homme était la réponse à la question qu'elle ne cessait de se poser depuis deux ans, la question de l'après. De la vie après Stephen. Qu'est-ce que la vie pouvait bien avoir à offrir à une femme au seuil de son quarantième anniversaire, divorcée, pouvant se prévaloir de sa réussite professionnelle, mais se retrouvant avec angoisse devant la perspective d'un avenir solitaire ? Elle rentrerait seule chaque soir dans un appartement sombre ; prendrait son petit déjeuner seule tous les dimanches matin ; passerait tous ses samedis soir seule devant la télévision en consommant trop d'alcool. Tout cela pour les trente, quarante années à venir...

Et puis non. En cet instant précis, elle comprit qu'il existait un avenir. Qu'elle allait un jour rencontrer quelqu'un. Pas immédiatement après la mort de Fiona. Pas Dave. C'était le fiancé de Gwen. Mais il y en avait d'autres. D'autres auxquels elle réussirait à s'ouvrir.

C'était comme si l'infidélité de Stephen avait posé sur elle une sorte de cloche de verre, de sorte qu'elle était capable de voir le monde et la vie, mais se trouvait si hermétiquement enfermée qu'elle ne pouvait y prendre part, que rien ne pouvait l'approcher. Elle faisait son travail, maîtrisait son quotidien de manière énergique et compétente tout en restant froide à l'intérieur, distante, seule. Inapte à reconnaître les sentiments que lui portaient les autres, et encore plus inapte à les accepter.

Tout cela était en train de changer. Là, sous la pluie qui tombait à verse sur la côte de Scarborough, elle s'apercevait qu'elle était capable de ressentir de l'attirance pour un homme. Elle réagissait à son contact. Elle avait pleuré dans ses bras.

Une semaine avant, elle eût considéré une telle scène comme exclue.

Le docteur Leslie Cramer s'était jetée dans les bras d'un homme qu'elle ne connaissait pratiquement pas en pleurant à gros sanglots sur son enfance et sa jeunesse.

Cette idée était si grotesque qu'elle faillit éclater de rire.

Devant son silence, Dave se crut obligé de préciser sa proposition :

– En tout bien tout honneur, rassure-toi. Nous pourrions boire du thé, parler, écouter de la musique peut-être...

Quel mal y avait-il à cela ?

– Chez moi, ou plutôt chez Fiona, ce n'est pas très indiqué, répondit-elle, sauf si tu as envie de faire la connaissance de mon ex.

– Pas vraiment, concéda Dave.

– Donc, chez toi.

Leslie préférait ne pas imaginer ce que Gwen penserait de cette escapade avec Dave si elle l'apprenait. Mais même si l'explication se trouvait dans le fait que Tanner et elle-même se sentaient pris dans une situation mal définie et déstabilisante, choqués comme ils l'étaient par le crime intervenu si brutalement dans leur vie, à un moment où ils étaient tous deux dans l'incertitude de leur avenir, mieux valait éviter de mettre Gwen au courant.

Et c'est moi qui déciderai de ce qui se passera dans la chambre, résolut Leslie.

Ils poursuivirent leur chemin en silence, comme par un accord tacite.

La Friarage Road paraissait triste et abandonnée. La pluie ruisselait sur les vitrines, dégoulinait des gouttières et détrempait les minuscules jardinets. Une musique clinquante s'échappait d'un immeuble. Devant le centre commercial, quelques jeunes, les écouteurs aux oreilles, buvaient de la bière en envoyant des coups de pied dans les canettes vides. A leur vue, ils crièrent des obscénités et éclatèrent d'un rire qui révélait leur état d'ébriété.

Au moment où ils atteignaient la maison de Mme Willerton, un homme descendit de sa voiture garée de l'autre côté de la rue. Il remonta le col de sa veste avec un juron et se précipita vers eux sous les trombes d'eau. Leslie crut vaguement reconnaître son visage, mais sans pouvoir l'identifier.

Le type s'arrêta devant eux et leur barra la route en leur mettant sa carte sous le nez.

– Sergent Reek, se présenta-t-il. Monsieur Tanner ?

– Bonjour, sergent, répondit poliment Dave.

Reek rangea sa carte dans la poche intérieure de son manteau.

– Monsieur Tanner, je vous demande de m'accompagner au commissariat. L'inspecteur Almond a une série de questions à vous poser.

– Maintenant ?

– Oui, maintenant.

– Est-ce que ça veut dire que vous m'arrêtez ? s'enquit Dave, semblant plus intrigué qu'inquiet.

– Monsieur Tanner, il s'agit uniquement de vous poser quelques questions auxquelles il nous faut absolument une réponse. Nous avons des doutes sérieux concernant votre emploi du temps de samedi soir. Il est dans votre intérêt de lever ces doutes au plus tôt.

Toute courtoisie mise à part, les mots et le ton de Reek signifiaient clairement que Dave n'avait d'autre choix que d'obéir à son injonction.

Dave baissa les yeux sur ses vêtements mouillés.

– Est-ce que j'ai le temps de me changer ? J'aimerais autant éviter de tomber malade, trempé comme je suis.

– Je vous accompagne, dit Reek.

Dave se tourna vers Leslie :

– Désolé. Tu vois, il n'y a rien à faire.

– Qu'est-ce qu'ils peuvent avoir contre toi ?

– Aucune idée, répondit-il en haussant les épaules. Je pense que ça va se régler très vite. Mais j'aimerais que tu saches, Leslie, que quoi qu'ils puissent me reprocher, je n'ai pas tué ta grand-mère. Amy Mills non plus. Je te jure que je ne sors jamais la nuit pour assassiner les femmes sans défense. Je t'en prie, ne doute pas de moi.

Elle acquiesça d'un mouvement de tête, mais il sentit son incertitude, car il leva la main et, d'un geste impuissant et tendre à la fois, lui caressa la joue.

– Je t'en prie, répéta-t-il.

– Je ne doute pas, déclara-t-elle, obéissante, en se demandant ce qui la poussait à aller dans son sens.

Le sergent Reek le rappela à l'ordre :

– Monsieur Tanner !

273

– J'arrive !

Les deux hommes se dirigèrent vers le domicile de Dave. Debout sous la pluie, Leslie observa cette scène irréelle. Elle vit Dave sortir la clé, ouvrir la porte. Le vit entrer avec le policier. Vit la porte se refermer sur eux.

Dave Tanner ne s'était pas retourné une seule fois.

10

– Curieux, dit Colin depuis le seuil du bureau, Jennifer n'est pas encore rentrée.

Gwen en train de tapoter sur l'ordinateur, leva la tête :

– Qu'est-ce qu'il y a de curieux ? s'étonna-t-elle.

– Il est bientôt deux heures de l'après-midi. Je me demande ce qu'elle peut bien faire en ville par un temps pareil.

– Elle s'est installée dans un café et elle attend que la pluie diminue avant de ressortir prendre le bus, expliqua Gwen avec le pragmatisme dont elle était dotée, et dont les autres n'avaient pas souvent conscience. Et si elle a raté le bus de treize heures, le suivant ne passe pas avant seize heures quinze. N'oublie pas qu'ici, c'est la campagne !

– Hum, émit Colin.

Les deux chiens l'avaient suivi. Wotan gémissait doucement.

– Les chiens l'attendent, ajouta-t-il.

– Elle va bientôt rentrer, affirma Gwen distraitement.

Colin entra tout à fait dans la pièce.

– Où est ton père ? s'enquit-il.

– Il s'est allongé. Il ne va pas bien. Je crois que la mort de Fiona l'a démoli.

– Oui, c'est sûr... murmura-t-il.

Ils échangèrent un regard.

– Tu m'as dit tout à l'heure... que Dave Tanner connaissait toute l'histoire ? demanda Colin en baissant la voix pour éviter d'être entendu, car Chad pouvait descendre de l'étage à tout moment.

Elle prit une profonde inspiration avant de répondre :

– Oui.

– Tu lui as donné à lire ?

– Oui.

– Comment a-t-il réagi ?

– Il n'a rien dit.

– Ce n'est pas ça qui va lui donner une meilleure opinion de Fiona.

– Sans doute que non, concéda Gwen.

Cette dernière semblait fatiguée. Fatiguée et triste. Les vingt-quatre heures passées avec son fiancé n'avaient pas dû être exaltantes.

Colin résolut de la laisser tranquille, mais une dernière question le tracassait :

– Tu ne crois pas que tu devrais aller raconter tout ça à la police ? demanda-t-il d'un ton prudent.

Gwen le regarda tristement.

– Alors, mon père saura que j'ai lu les mails que Fiona lui a envoyés, objecta-t-elle, et que je les ai donnés à lire à toi, à Jennifer, à Dave... Il ne me le pardonnera pas.

– Peut-être que cela lui sera plutôt égal. Ton père est tellement pris par son chagrin que le reste ne l'intéresse pas.

– Peu importe. Je ne veux pas qu'il l'apprenne, ce qui veut dire qu'il ne faut pas non plus que la police l'apprenne.

Il ne lui avait jamais vu semblable détermination. Connaissant son adoration pour son père, il comprenait qu'elle ne veuille pas prendre le risque de se brouiller avec lui. De même, elle refusait de salir sa réputation en dévoilant son passé à la police et, ce faisant, le jeter en pâture à l'opinion publique. Et c'était également valable pour Fiona.

– Gwen... risqua-t-il, mais elle l'interrompit d'un ton sec :

– Tu sais, Colin, la police devrait d'abord être mise au courant d'une autre chose. D'une chose qui me semble plus importante que les histoires anciennes.

– Quoi donc ?

– Jennifer, se contenta-t-elle de jeter.

– Jennifer ? répéta-t-il sans comprendre.

En détournant le regard, elle répondit :

– Je me pose la question depuis le début. Tu sais que nous avons tous été interrogés sur ce que nous faisions samedi soir à l'heure du crime.

– Oui, je sais. Et alors ?

Elle sembla en proie à une lutte intérieure. Plus tard, Colin devait penser qu'elle s'était sentie acculée, obligée de le détourner de l'histoire de Fiona en portant son attention sur quelqu'un d'autre. Cependant, il ne douta pas un instant qu'elle dît la vérité lorsqu'elle lui raconta la visite de sa femme venue lui proposer un alibi pour la soirée du samedi, en lui faisant comprendre qu'elle pourrait être soupçonnée du meurtre, car elle avait un mobile.

– Quoi ? Un alibi ? répéta-t-il, abasourdi.

– Oui, d'après elle, il fallait que je dise que je l'avais accompagnée dans la crique pour promener les chiens, et qu'elle confirmerait. J'étais tellement... retournée, j'avais tellement peur, que j'ai accepté.

Colin en fut horrifié.

– Ça veut dire qu'en réalité, tu n'étais pas... ?

– Non, je ne suis pas descendue avec elle dans la crique. Nous sommes restées un long moment ensemble dans ma chambre, elle me consolait, mais après... après, elle est partie seule et moi je suis restée ici. Toute la nuit. Et il n'y a aucun témoin pour le confirmer.

Il secoua la tête.

– Gwen, tu sais ce que tu es en train de dire ?

– Je ne te le dis qu'à toi. Je ne le dirai à personne d'autre, mais... je n'arrête pas de penser à Jennifer... elle était seule dehors, au moment du crime. J'ai tout de suite pensé que ce pouvait parfaitement être le contraire, tu comprends ?

– Le contraire ? articula-t-il difficilement.

Il était sonné. Comment Jennifer avait-elle pu être aussi stupide ?

– Oui, il ne s'agissait peut-être pas de me donner un alibi à moi, mais à elle. Je ne veux pas dire qu'elle... enfin, je ne crois pas un instant qu'elle pourrait avoir tué Fiona. Je ne vois pas pourquoi elle l'aurait fait. Mais c'est curieux, tu ne trouves pas ? Pourquoi a-t-elle menti à la police ? Pourquoi a-t-elle pris ce risque ? Pourquoi a-t-elle absolument voulu se couvrir ?

11

Les grands immeubles de St Nicholas Cliff avaient tous un aspect un peu miteux, y compris le Grand Hotel, dont la façade avait particulièrement souffert du vent et du sel dans les dernières années. L'immeuble où demeurait Stan Gibson, en haut de la rue, était très défraîchi. Au rez-de-chaussée se trouvait un magasin de vêtements destiné à une clientèle féminine d'âge mûr aux moyens modestes. Au-dessus, les appartements étaient équipés de petites fenêtres dont on voyait dès l'extérieur qu'elles fermaient mal et ne laissaient pas passer beaucoup de lumière.

Je n'aimerais pas vivre là, se dit Jennifer.

Très embarrassée, elle suivit Ena dans l'escalier sombre aux marches raides qui craquaient sous les pas. Un horrible papier peint à fleurs était collé au mur. Il flottait sur le tout une mauvaise odeur.

– Ce n'est pas joli, mais chez lui, c'est mieux, déclara Ena.

Elle s'arrêta au troisième étage et ouvrit une porte.

– Il a fait les transformations lui-même, expliqua-t-elle. Son propriétaire était d'accord. Je trouve que le résultat est pas mal.

Elle s'effaça pour laisser entrer Jennifer.

Effectivement, Stan avait tiré le meilleur parti de cet appartement en abattant visiblement plusieurs murs pour obtenir une grande pièce d'aspect agréable. La cuisine américaine était aménagée d'appareils en acier miroitant, et un grand canapé d'angle faisait le tour d'une fausse cheminée d'assez bel effet. Les meubles scandinaves n'étaient certes pas des meubles de prix, mais ils étaient de bon goût. Une porte peinte en blanc conduisait à la chambre. La salle de bains se trouvait derrière.

– Il a refait le sol et il a installé une belle douche et un grand lavabo et plein de glaces...

Au moins, si Stan ne te plaît pas, son appartement te plaît, lui dit Jennifer en pensée. C'est déjà ça !

Elle s'avança jusqu'à la fenêtre. A cette hauteur, on avait vue sur la mer. En bas, c'était la rue à double sens séparée au milieu par le parking et, en face, quelques immeubles, des magasins, le Grand Hotel.

Pas mal, finalement, se dit Jennifer.

Ena s'approcha d'elle sans bruit, la faisant sursauter.

– Linda Gardner habite juste en face, déclara-t-elle.

L'immeuble ressemblait à une longue dent fine qui aurait perdu un morceau.

– Qui est Linda Gardner ? s'enquit Jennifer.

– La dame chez qui Amy Mills faisait du baby-sitting. L'étudiante qui...

– Oh, oui, je sais, l'interrompit Jennifer. Affreuse, cette histoire.

Et si semblable à la nôtre, ajouta-t-elle en pensée.

– C'est de cet immeuble-là qu'elle est sortie la nuit où elle a été tuée, poursuivit Ena, elle a pris le pont, là, et ensuite, les Esplanade Gardens. L'appartement de Mme Gardner est à la même hauteur que celui de Stan.

Les fenêtres, en face, n'étaient que des trous sombres entourés de rideaux à volants.

Elle eut un frisson, mais c'était peut-être à cause de l'atmosphère grise, pluvieuse, qui enveloppait le paysage. Elle délaissa la fenêtre.

– Ena, vous vouliez me montrer quelque chose, dit-elle.

– Oui, confirma Ena, c'est ça que je voulais vous montrer. L'immeuble d'en face, l'appartement. Et encore ça.

Elle désigna un angle où se trouvait un trépied sur lequel était fixée une longue-vue noire.

Elle prit l'appareil et le posa devant la fenêtre.

– Il l'observait d'ici, dit-elle.

Jennifer ne comprit pas tout de suite.

– Qui ? Qui observait qui ?

– Stan. Il observait Amy Mills quand elle était en face. On voit parfaitement à l'intérieur de l'appartement, le soir, quand c'est allumé. Et de toute façon, elle ne venait que le soir.

– Quoi ? émit Jennifer, comprenant enfin la portée de ce qu'elle entendait, mais espérant malgré tout avoir mal compris. Qu'est-ce que vous dites, Ena ?

– C'est la vérité. Je n'invente rien. C'est lui qui me l'a raconté il y a quelques jours. Il m'a montré comment il observait Amy Mills dans l'appartement d'en face et il m'a fait essayer la longue-vue. On voyait tout ce qui se passait. Mme Gardner était en train de faire la lecture à sa fille et...

– Il vous a raconté qu'il observait Amy Mills ??

– Oui. Il a fait ça pendant des mois. Il avait l'air... d'en être très fier. Il m'a dit : « La petite qui est morte, je la connaissais bien », et il est allé chercher ce truc. Ça m'a fait un choc terrible, mais il ne l'a pas remarqué, parce qu'il était trop occupé à fanfaronner avec sa super longue-vue. Il m'a dit qu'il connaissait même la couleur de son slip, parce qu'on voit jusque dans les toilettes.

Jennifer porta les mains à ses tempes. Elle les sentit battre légèrement.

– C'est... je comprends que vous soyez perturbée... balbutia-t-elle.

– Mais ce n'est pas tout ! ajouta Ena, visiblement soulagée de pouvoir se confier à quelqu'un. Avant-hier, j'ai trouvé une chose qui... Depuis, ça ne va plus du tout. Je sais que je n'ai pas le droit de garder ça pour moi...

Elle attira Jennifer vers une petite commode, s'agenouilla et entreprit à grand-peine d'ouvrir le dernier tiroir.

Jennifer se retourna nerveusement vers la porte d'entrée. Elle était à présent parcourue de frissons qui n'avaient rien à voir avec la fraîcheur ambiante.

– Vous êtes sûre qu'il ne va pas s'amener sans prévenir ?

– Non, non, il est à Hull, il ne peut pas rentrer déjeuner, affirma Ena, mais son ton n'était pas tout à fait convaincu. Vite, regardez ça !

Le tiroir était rempli à ras bord de photos – des photos de toutes les tailles, en couleur, en noir et blanc, certaines encadrées, d'autres passées dans des passe-partout en papier. Ena en prit une pile et la tendit à Jennifer qui s'était agenouillée à côté d'elle.

– Tenez !

C'étaient exclusivement des photos de jeunes femmes, des clichés au grain grossier pour la plupart, et pris de loin. On y voyait des femmes se promenant sur les falaises ; sur la plage ; dans la rue ; sortant d'un supermarché ; attablées dans un McDonald's ; à l'intérieur d'une maison ; en train de lire ; de regarder la télévision ; de regarder par la fenêtre.

– Et celle-ci, qui est-ce ? demanda Jennifer d'une voix rauque, bien que connaissant la réponse.

– C'est Amy Mills. Je le sais parce que j'ai vu sa photo dans les journaux après le meurtre. C'est elle sous toutes les coutures. Vous voyez, il y en a plein le tiroir.

– Elles ont presque toutes été prises au téléobjectif, dit Jennifer. Amy ne semblait pas s'apercevoir qu'on la photographiait.

– Il a dû la suivre partout, surtout pendant le week-end, quand il n'était pas sur un chantier. Ou pendant ses vacances, ou le soir...

Jennifer, la gorge sèche, avala sa salive. De nouveau, elle jeta un regard inquiet vers la porte.

– Il vous les a montrées ?

Ena nia d'un geste de tête.

– Comme je vous l'ai dit, je les ai trouvées par hasard. Et je ne lui en ai pas parlé. Vous savez, rien que cette histoire de longue-vue, ça ne me plaisait pas, mais j'ai essayé de me convaincre que s'il photographiait Amy aussi souvent, c'était parce qu'il la voyait dans l'immeuble d'en face, et que si elle a été tuée ensuite, c'est le hasard. Mais ces photos... c'est comme si...

– Il était obsédé, déclara Jennifer. Ce que nous voyons là, Ena, c'est du harcèlement. Même si la victime n'en a rien su.

– Mais les harceleurs ne sont pas forcément des meurtriers, rétorqua Ena.

Le mot « meurtrier » résonna comme une fausse note dans cet appartement silencieux. Une fausse note aussi forte et aussi incommodante qu'une odeur pestilentielle, un coup de fouet qui fit sortir Jennifer de sa stupéfaction.

Elle se redressa, les photos à la main.

– C'est de ça que vous vouliez parler à Gwen ? demanda-t-elle.

Ena acquiesça.

– Oui, je voulais lui demander conseil. Je ne pouvais plus le garder pour moi.

Jennifer tenait les photos dans sa main crispée. De nouveau, son regard glissa vers la porte.

– Il faut partir d'ici. Si jamais il nous surprenait...

– Vous croyez qu'il... ?

– Je ne sais pas. Je ne sais pas s'il est impliqué dans le meurtre d'Amy Mills, et je ne sais pas si nous sommes en danger ici, mais ça, au moins, je ne veux pas le savoir. Venez. Il faut partir.

– Et ensuite ?

– J'emporte ces photos. Et nous irons trouver la police avec. Il faut dire tout ce que vous savez à la police, il le faut.

D'un seul coup, toute l'énergie qui avait porté Ena pendant la dernière demi-heure sembla retomber.

– Et moi ? gémit-elle. Qu'est-ce que je vais devenir ? Il ne va plus vouloir rester avec moi.

– Vous avez vraiment envie de rester avec quelqu'un qui... qui a peut-être commis un horrible crime ?

– Et si ce n'est pas lui ?

Jennifer agita les photos :

– Rien que ça, ce n'est pas normal ! La longue-vue, ce n'est pas normal ! Cet homme est dérangé, d'une manière ou d'une autre. Et de toute façon, vous n'êtes pas heureuse avec lui, c'est bien ce que vous m'avez raconté en long et en large ! Allez, Ena, venez, nom d'une pipe ! Il faut partir d'ici !

Enfin, Ena se mit en mouvement. Elle referma le tiroir.

– Très bien. Je voudrais juste emballer certaines choses, parce que j'ai déjà apporté quelques affaires personnelles ici, et je ne sais pas si...

Elle avait la voix tremblante. Jennifer la pressa :

– Dépêchez-vous !

Elle retourna surveiller la fenêtre pendant qu'Ena s'affairait dans l'appartement. La pluie. La pluie. Et, en face, les fenêtres sombres de l'appartement où Amy Mills passait ses mercredis soir. Des fenêtres sombres qui, quand elles étaient éclairées, étaient livrées aux regards.

Stan Gibson : un voyeur ? Un harceleur ?

Ou un assassin ?

La pluie.

Tout à coup, elle sut pourquoi elle était si inquiète. Pourquoi elle ne cessait de regarder la porte. Pourquoi elle avait le cœur battant.

Il pleuvait des cordes. Impossible de travailler sur un chantier par un temps pareil. Et le temps n'avait pas l'air de vouloir s'arranger.

Elle se tourna vers Ena, en train de placer dans un sac en plastique deux cadres qu'elle venait d'enlever du manteau de la cheminée.

– Ena ! Je parie qu'il va rentrer plus tôt. Vous avez fini ? Il faut partir d'ici !

– Tout de suite, répondit Ena.

Jennifer scruta la rue.

D'une voix vibrante, elle exhorta la jeune femme :

– Vite, vite, dépêchez-vous !

12

Stephen n'était pas à l'appartement quand Leslie rentra. D'abord, elle le crut sorti pour quelques instants, mais en passant la tête dans la chambre d'amis, elle vit que son sac de voyage avait disparu.

Elle entra. Le lit était fait avec soin, les portes de l'armoire ouvertes révélaient que l'intérieur avait été vidé. Le doute n'était pas permis : l'occupant de la chambre était reparti.

Sur la table de chevet, elle découvrit un bout de papier revêtu de la petite écriture griffonnée de Stephen :

Chère Leslie,

J'ai l'impression que je te dérange. Tu as sans doute ressenti mon arrivée comme une intrusion, et j'en suis désolé. Je n'ai pas envie que ma présence soit pour toi un fardeau supplémentaire venu s'ajouter au chagrin de la perte de Fiona. Telle n'était pas mon intention. Au contraire, je suis venu pour te soutenir au cas où tu aurais besoin de la présence d'un proche à tes côtés ; et je pense que, malgré tout, c'est ce que je reste pour toi : un proche.

Je maintiens ma proposition d'être là pour toi, d'être à ta disposition pour parler de tous les sujets que tu voudras. Mais je crois qu'il est bon de mettre un peu de distance entre nous. J'ai pris une chambre au Crown Spa Hotel, tu sais, un peu plus bas dans la rue. Je vais rester encore quelques jours, mais je ne vais pas t'importuner. Si tu as besoin de moi, viens me voir.

Cela me fera plaisir.

Stephen.

C'était tout à fait lui. Plein d'égards, prévenant. Met au second plan ses propres désirs, mais instille subtilement un sentiment de culpabilité chez l'autre. Devant lui, on se sent toujours le plus méchant des deux.

Leslie se souvint alors qu'il en avait été de même après sa trahison : quand elle avait rompu, elle l'avait fait avec mauvaise conscience, alors que le coupable, c'était lui ! C'était lui qui s'était vautré dans le lit conjugal avec une pouffe rencontrée dans un bar !

D'un geste rageur, elle roula le papier en boule et l'envoya valser dans un coin.

Avec la pluie qui tombait à verse, la solitude de ce grand immeuble où avait vécu sa grand-mère lui apparut avec plus d'acuité encore. D'ordinaire, la vue magnifique, la lumière étincelante du soleil qui jouait sur les eaux bleues de la baie, ou les impressionnantes formations de nuages qui filaient dans le ciel, avaient le pouvoir d'occulter tout le reste. La South Bay avait autant de charme livrée aux assauts du vent et de la tempête que baignée de soleil. Or cette atmosphère plombée n'avait rien d'autre à offrir que la désolation.

Pas un bruit dans l'immeuble. Pas un claquement de porte, pas un couinement de fenêtre, pas un éclat de rire, pas un bruit de pas, pas un bruit de voix. La plupart des appartements étaient vides et le resteraient pendant tout l'automne et tout l'hiver. Le bâtiment respirait le froid et le vide.

L'espace d'un instant dont l'intensité la submergea, Leslie sentit la solitude dans laquelle avait vécu sa grand-mère et en fut saisie d'une douleur presque physique. Il y avait eu pour Fiona beaucoup de journées comme celles-là, grises, froides et silencieuses. Elle avait supporté ces journées, d'une façon ou d'une autre, sans jamais se plaindre. Mais elle avait souffert. Leslie le sut tout à coup, sans savoir d'où elle tenait cette certitude. Peut-être venait-elle simplement de ces murs, encore tellement pleins de l'énergie de Fiona qu'il était impossible de l'ignorer.

A la cuisine, elle fit chauffer de l'eau pour le thé. Avec une sourde inquiétude, elle se demanda ce que la police possédait contre Dave. Des doutes à propos de ses déclarations sur la soirée de samedi soir ?

Ce n'était pas lui. Il n'avait pas tué Fiona. Elle en était absolument sûre, sans pouvoir se reposer sur autre chose que son instinct, et celui-ci était peu entraîné à juger des pulsions criminelles chez les autres. Et même pas entraîné du tout. Dave avait affirmé qu'il était rentré se coucher. Si c'était faux, pour quelle raison avait-il travesti la vérité ?

Pendant que le thé infusait, elle laissa son regard errer à l'extérieur. Dans le petit parc bien entretenu qui arrondissait joliment l'angle de l'Esplanade et de la Prince of Wales Terrace, elle aperçut une vieille dame qui, bravant le mauvais temps, avançait d'un pas traînant sur le chemin boueux. Etait-elle solitaire, elle aussi ?

Etait-ce parce qu'elle n'y tenait plus dans son logement silencieux qu'elle prenait le risque de sortir ? Certaines personnes considéraient la solitude comme la pire des maladies, pire encore que la mort. Fiona en faisait-elle partie ?

Leslie se détourna de la fenêtre. Son regard tomba sur un petit tableau métallique suspendu à côté du réfrigérateur, où des papiers étaient fixés par des aimants. Une liste de courses y était inscrite d'une main qui ne tremblait pas encore : du sucre, de la salade et des fruits.

A côté, une carte postale, celle qu'elle lui avait envoyée l'été précédent, pendant un séjour en Grèce avec deux consœurs. Une baie ensoleillée, entourée de rochers, surmontée d'un ciel bleu presque artificiel.

A côté... Leslie se rapprocha. Une invitation à la fête de Noël du complexe spa. Une fête où se produisait un ventriloque muni d'une poupée vert pomme. Le programme datait de l'année précédente. Pourquoi était-il encore fixé là ? Fiona s'y était-elle rendue ? Rien, dans ce programme, n'était fait pour plaire à sa grand-mère, une femme cultivée qui n'avait pas de mots assez durs pour fustiger les émissions débiles de la télévision.

Mais elle était seule, ne savait comment passer la soirée de Noël. L'explication était là. Noël, l'écueil le plus problématique de l'année pour les gens seuls. Un écueil qui pouvait paraître si noir, si sévère et si inquiétant qu'on préférait le plus affligeant des spectacles à la solitude de son logement vide.

Pourquoi ne m'en a-t-elle rien dit ? se demanda Leslie.

Elle songea à ce dernier Noël. Elle-même s'était portée volontaire pour assurer la garde à l'hôpital. Elle avait passé la veillée dans un pub avec deux consœurs beaucoup plus âgées, dont l'une était veuve, l'autre célibataire. Elle s'était plutôt bien sortie de ces journées difficiles. Avec mauvaise conscience, elle se demanda pourquoi elle n'avait pas pensé une seconde à sa grand-mère. Et pourtant, le plus naturel eût été de prendre une semaine de congé et de monter dans le Yorkshire. Pourquoi ne l'avait-elle pas fait ?

Parce que personne au monde n'imaginait qu'une période comme les fêtes de Noël était susceptible de donner des maux d'estomac à cette vieille dure à cuire. De toute façon, rien ne semblait jamais problématique, insécurisant, déprimant pour elle. Peut-être avait-elle éprouvé des sentiments comme le chagrin ou la peur, mais, dans ce cas, pourquoi n'en avait-elle jamais rien laissé deviner ? Sans doute n'y avait-il rien eu de prévu non plus à la ferme Beckett. Chad, ce misanthrope, n'en avait pas eu l'idée, Gwen ne prenait jamais de décision par elle-même et Fiona était trop fière pour demander.

Et peut-être avait-elle attendu jusqu'à la dernière minute que sa petite-fille se manifeste ?

Le téléphone sonna, arrachant Leslie à ses cogitations. Elle décrocha en hésitant, craignant un nouvel appel anonyme.

Mais c'était Colin. Cette fois, il était à la recherche de Jennifer, et on entendait à sa voix combien il lui était pénible d'adresser un nouvel avis de disparition à cette Leslie si peu sympathique.

– Son programme, c'était de faire des courses et de déjeuner quelque part. Je sais qu'il y avait un bus à treize heures et que le suivant n'est qu'à seize heures, mais...

– Où est le problème ? Il est quatorze heures trente. D'ici deux heures, elle sera rentrée au bercail.

– Le problème, c'est ce temps. Qu'est-ce qu'il y a d'intéressant à faire avec une pluie pareille ? J'ai pensé aller la chercher si je savais où elle est. Donc... elle n'est pas chez vous ?

– Non, répondit Leslie. A propos, Colin, vous voyez que ce n'était pas la peine de vous mettre martel en tête pour Gwen, parce qu'elle a passé la nuit chez Dave Tanner. Je m'en doutais d'ailleurs.

– C'est vrai, Gwen est rentrée, et j'avoue que je me suis fait du souci pour rien. Mais ma femme avait l'intention d'aller voir chez Tanner si... et ça m'inquiète un peu.

– Qu'est-ce qui vous inquiète ?

– Vous pouvez vous en douter !

Voulait-il insinuer que le soupçon qui pesait sur Dave concernant la mort de Fiona n'était toujours pas levé ?

– J'ai rencontré Dave Tanner ce matin sur le port, rétorqua-t-elle, et je l'ai quitté il y a trois quarts d'heure. Si elle est allée voir chez lui, elle a trouvé porte close.

– Hum, fit Colin.

Leslie poussa un léger soupir.

– Colin, vous avez vraiment un problème. Dès que les femmes de votre entourage...

– Non, moi, je n'ai pas de problème, la coupa sèchement son interlocuteur, mais ma femme en a, et voilà pourquoi je m'inquiète.

– Mais non, rassurez-vous, il ne lui est rien arrivé !

Colin lui raccrocha pratiquement au nez, après un « Au revoir » asséné d'une voix sèche.

Leslie prit sa tasse de thé et alla s'installer dans le séjour. Dave Tanner. En ce moment même, il se trouvait dans une situation délicate. Peut-être avait-il besoin d'aide. Peut-être découvrirait-elle un indice dans les notes de Fiona. Il était temps d'en terminer la lecture.

Elle s'assit sur le canapé et but son thé à petites gorgées.

Elle s'aperçut alors qu'elle était morte de fatigue.

Elle s'allongea et s'endormit instantanément.

13

Ce n'était pas un interrogatoire. Du moins Valerie ne voulait-elle pas en donner l'impression. Elle avait fait entrer Dave Tanner dans son bureau en l'invitant à s'asseoir en face d'elle. Quand les choses devenaient sérieuses, elle utilisait une autre pièce, nue, sans fenêtre, meublée uniquement d'une table et de quelques chaises. Mais elle n'en était pas là avec lui. Cela tenait peut-être au fait qu'il n'était pas son suspect favori – même si elle se gardait bien de l'exprimer à haute voix. Tous ses sens et son instinct lui conseillaient de chercher ailleurs. Malgré tout, il ne fallait pas négliger les contradictions flagrantes dans les déclarations de Tanner. Il ne fallait pas se précipiter. Il ne fallait pas que l'impatience qu'elle sentait grandir dans les étages supérieurs la pousse à des conclusions hâtives.

Il ne fallait pas, il ne fallait pas, il ne fallait pas…

Elle se demanda à quel moment elle cesserait de se répéter comme une écolière les tables de la loi de l'enquêteur ; à quel moment elle ne consacrerait plus la moitié de son énergie à se contrôler et à se structurer. Et à brider son anxiété.

Mais ce n'était pas le moment de réfléchir à cela.

Elle observa Tanner. Il était en train de boire une gorgée de café, avec une légère grimace parce que la boisson était brûlante. Il ne semblait pas crouler sous le poids de la culpabilité, mais n'en paraissait pas très à l'aise pour autant. Cela ne signifiait nullement qu'il avait quelque chose à se reprocher. Les interrogatoires de police n'étaient pas la distraction préférée du commun des mortels.

– Monsieur Tanner, comme vous l'a dit le sergent Reek, il y a quelques... bizarreries dans vos déclarations concernant votre emploi du temps de la soirée de samedi dernier, commença-t-elle. Nous possédons la déclaration de l'une de vos voisines...

Il posa alors sa tasse sur la table et la dévisagea avec attention.

– Une dame qui habite en face de chez vous vous a vu quitter la maison de votre logeuse aux environs de vingt et une heures trente, monter dans votre voiture et partir, précisa-t-elle.

Tanner poussa un soupir :

– La Krusinski, c'est ça ? Cette femme passe ses jours et ses nuits à observer la rue parce qu'elle vit dans la hantise de voir rappliquer son ex-mari. Elle vous paraît digne de foi ?

– Là n'est pas la question pour l'instant. Je voudrais savoir ce que vous avez à dire à propos de cette déclaration.

Valerie vit littéralement les idées se bousculer dans sa tête. Il avait des traits si expressifs qu'elle parvint même à lire le moment où il capitula.

– C'est vrai, avoua-t-il. Je suis ressorti.

– Pour aller où ?

– Dans un pub du port.

– Lequel ?

– Le Golden Ball.

Valerie connaissait ce pub. Elle écrivit son nom sur son bloc.

– Vous étiez seul ? poursuivit-elle. C'est-à-dire... vous aviez un rendez-vous ?

Tanner hésita imperceptiblement.

Elle se pencha vers lui et dit en détachant les mots :

– Monsieur Tanner, il faudrait vraiment que vous me disiez la vérité. Ceci n'est pas un jeu. C'est une enquête pour homicide. Après ce qui s'est passé pendant votre repas de fiançailles, vous faites partie du cercle restreint des suspects. Vos fausses déclarations ne jouent pas précisément en votre faveur, vous le comprendrez facilement. N'aggravez donc pas les choses. Ne cachez plus rien, ne travestissez plus rien.

Tanner, battu, se jeta à l'eau.

– J'avais rendez-vous avec une femme, avoua-t-il.

– Qui ?

– C'est important ?

– Oui. Il va falloir qu'elle confirme vos déclarations.

– Karen Ward.

– Karen Ward ? répéta Valerie, surprise.

Elle avait déjà interrogé deux fois cette étudiante à propos de l'affaire Amy Mills. Sans grand résultat. Karen Ward ne connaissait la victime que superficiellement et n'avait pas été d'un grand secours.

Le monde est décidément petit, pensa Valerie.

– C'est une étudiante, dit-elle. Elle habite dans une colocation à Filey Road, si je me souviens bien, à l'angle de Holbeck Road.

Il acquiesça.

– Oui. Je sais que vous l'avez déjà contactée. A cause...

– D'Amy Mills, oui. Continuons. Donc, vous avez retrouvé Mlle Ward.

– Je l'ai appelée sur son portable. Le samedi, elle travaille souvent au Newcastle Packet. C'est...

– Je connais. C'est également sur le port. Un bar karaoké.

– Oui. Elle était fatiguée et elle m'a dit que son patron l'avait autorisée à rentrer à neuf heures. J'ai proposé d'aller la chercher et d'aller prendre un pot quelque part. Nous nous sommes retrouvés au Golden Ball.

– Vers vingt et une heures quinze, vingt et une heures vingt, je suppose ?

– Oui.

– Nous allons interroger Mlle Ward et le personnel du Golden Ball. Je me vois obligée de vous demander quelles sont vos relations avec Mlle Ward.

Le ton désinvolte avec lequel il répondit était un rien surjoué.

– Nous avons été ensemble un moment. Pendant environ un an et demi.

– Vous étiez amants ?

– Oui.

– Et quand vous avez rencontré Gwen Beckett, vous avez rompu ?

– Oui, peu après. Mais ça ne marchait déjà plus très bien avant. De mon côté en tout cas.

– Ah bon. Mais cela ne vous a pas empêché de tenir à la voir après ce repas de fiançailles raté ?

Il fit la grimace.

– Non, je n'y tenais pas particulièrement, mais j'étais énervé par ce qui s'était passé et je savais que je n'arriverais pas à dormir. J'ai ressenti le besoin de sortir. Nous sommes bons amis, Karen et moi. Voilà pourquoi je l'ai appelée.

– Vous êtes bons amis ? Alors que vous l'avez quittée il y a trois mois pour une autre ?

Il ne répondit pas.

– Mlle Ward sait-elle que vous êtes pratiquement fiancé ? poursuivit Valerie. Connaît-elle l'existence de Gwen Beckett et le rôle qu'elle joue dans votre vie ?

– On le lui a dit, oui.

– Mais vous ne l'avez pas informée vous-même ?

– Non, mais je n'ai pas non plus contesté. Ç'a été... dites, inspecteur, il s'agit de quoi, là ? De ma vie sentimentale ?

– De votre crédibilité.

Il eut un geste d'impatience.

– Ma situation... ma vie privée... est difficile en ce moment. Mais ça ne fait pas de moi un assassin !

– Je suppose que pendant tout ce temps, vous avez... gardé Mlle Ward au chaud... pour les moments où vous n'en pouviez plus ? Parce que Gwen Beckett n'est pas vraiment la femme de vos rêves, n'est-ce pas ?

– Est-ce que vous êtes en train d'évaluer ma moralité ?

– Pourquoi n'avez-vous pas déclaré immédiatement que vous étiez au Golden Ball avec une vieille amie ?

– Pour éviter d'avoir des tas d'histoires avec Gwen si elle l'apprenait.

– Vraiment ? Elle est si jalouse que ça ? Des tas d'histoires uniquement parce que vous prenez un verre dans un pub avec une vieille amie ?

– Je ne voulais pas risquer une dispute.

– Et après, où êtes-vous allés ? poursuivit Valerie.

Il la scruta du regard.

– Après ?

– Eh bien oui ! Après, vous avez bien fini par quitter le pub. Notre témoin a veillé très tard en continuant à observer la rue, mais elle n'a pas revu votre voiture. Le Golden Ball n'est pas resté ouvert indéfiniment !

C'était un coup de poker. La dernière heure indiquée par Marga Krusinski était minuit. Le pub avait pu rester ouvert jusqu'à cette heure-là.

– OK, inspecteur, après tout, ça n'a plus d'importance. Je suis allé chez Karen.

– Et vous êtes resté jusqu'à...

– Environ six heures du matin. Ensuite, je suis rentré chez moi. Je ne voulais pas que ma logeuse sache que j'étais parti, c'est pourquoi je suis rentré pendant qu'elle dormait encore. J'ai pris une douche et je suis allé faire une longue promenade. Il faisait très beau.

– Donc, vous avez passé toute la nuit avec Karen Ward.

– Oui.

Et elle était d'accord, alors que vous êtes sur le point d'épouser quelqu'un d'autre ?

– Bien sûr ! Sinon, elle ne m'aurait pas emmené chez elle !

La situation commençait à se dessiner clairement dans la tête de Valerie. Fiona Barnes avait tapé dans le mille avec ses insinuations. L'intérêt de Tanner pour Gwen Beckett était du pur calcul, destiné uniquement à mettre la main sur la propriété des Beckett. A côté, il couchait avec son ex-petite amie, une jeune étudiante très jolie qui lui correspondait beaucoup mieux que l'insignifiante Gwen Beckett. L'ex connaissait l'existence de Gwen et souffrait sans doute le martyre, mais elle se cramponnait à l'espoir de pouvoir reconquérir Tanner et se laissait donc mener par le bout du nez.

D'autre part, Dave Tanner n'avait pas renoncé à épouser Gwen Beckett. Car Karen Ward était en mesure de lui fournir un alibi concernant l'heure du crime. Malgré sa situation inconfortable concernant cette affaire, il avait choisi de ne pas utiliser cet alibi devant la police – par peur de perdre Gwen. Il tenait avec elle une chance de changer de vie. Cela semblait très important pour lui.

Elle vérifierait ses déclarations, mais elle était presque sûre qu'il disait la vérité.

Elle se leva.

– Parfait, monsieur Tanner. Ce sera tout, vous pouvez partir. Nous allons avoir un entretien avec Mlle Ward et avec le patron du Golden Ball. Je pars du principe qu'ils confirmeront tous les deux vos déclarations.

Dave se leva à son tour. Il ne dit rien, mais Valerie comprit qu'il se posait des questions.

– Je n'ai aucune raison d'informer les gens de votre entourage de cette conversation, le rassura-t-elle. Si ce que vous m'avez affirmé concernant la nuit du meurtre est confirmé, vous serez définitivement rayé de la liste des suspects. Je vais évidemment faire un rapport, mais il restera interne.

Il sourit. D'un sourire chaleureux et vivant.

Valerie se dit que Karen Ward était idiote de se laisser manipuler par ce type, mais elle comprenait parfaitement qu'une femme ait des difficultés à le quitter. Il y avait une éternité qu'un homme ne lui avait plus souri de cette façon.

– Merci, inspecteur, dit Dave en lui tendant la main.

Elle la serra et lui déclara :

– Je n'ai évidemment pas le droit de vous faire la morale, monsieur Tanner, mais je peux vous donner un conseil : prenez une décision et tenez-vous-y. Sérieusement. Sinon... vous allez droit dans le mur.

A sa surprise, il la regarda d'un air grave.

– Je sais. Et merci encore, inspecteur. Pour tout.

Il sortit.

Elle le suivit des yeux un peu trop longuement, puis se rappela à l'ordre. Arrête, Valerie ! Les femmes ne sont pas heureuses avec ce genre de mecs. C'est aussi sûr que deux et deux font quatre. Occupe-toi plutôt de l'affaire.

Il fallait envoyer Reek au Golden Ball. Ensuite, essayer de prendre contact avec Karen Ward.

Et après, Tanner serait hors circuit concernant le meurtre de la vieille Barnes.

Son téléphone sonna. C'était Reek.

– Inspecteur, j'ai Jennifer Brankley sur l'autre ligne. Je peux vous la passer ? Elle dit que c'est urgent.

La Brankley l'appelait ? Qu'est-ce qu'elle lui voulait ?

– Bien sûr, répondit-elle, passez-la-moi.

Peut-être que les choses allaient enfin commencer à bouger.

– Ces photos sont effectivement... suspectes. Très suspectes, dit le sergent Reek.

Il avait inspecté minutieusement le contenu du tiroir trouvé chez Stan Gibson mais sans y découvrir d'éléments concrets concernant le meurtre de la jeune femme. Mais c'était bel et bien Amy Mills qu'on voyait sur les photos. Et il était tout aussi certain que la victime, avant sa mort, avait été poursuivie par Stan Gibson – s'il était l'auteur des photos. Il avait dû passer tout son temps libre à la suivre et à la photographier. A cela s'ajoutait la déclaration d'Ena Witty, selon laquelle il l'observait chez Linda Gardner à la longue-vue.

Depuis l'appel de Jennifer Brankley, la fièvre avait gagné Valerie. Ce ne pouvait pas être un hasard. Un type qui vivait juste en face de l'appartement où Amy Mills avait passé la dernière soirée de sa vie ; qui s'était vanté auprès de sa petite amie de l'avoir observée jusque dans ses activités les plus intimes lors de ses gardes hebdomadaires ; dont le tiroir de commode débordait de photos de la jeune morte... Comment croire que ce mec n'était qu'un doux dingue ?

Mais il n'avait pas été facile d'obtenir le mandat de perquisition.

Elle avait rejoint les deux femmes chez Ena Witty. Cette dernière était livide et visiblement retournée par sa découverte. Son nouvel ami s'était peut-être rendu coupable d'un crime horrible et, il fallait l'avouer, pareille constatation avait de quoi déboussoler la personne la plus solide. Jennifer Brankley, de son côté, semblait garder la tête froide. C'était elle qui avait eu la présence d'esprit d'emporter une pile de photos, de sorte que Valerie avait en main, dans le sens littéral du terme, quelque chose de concret à présenter au juge.

– Tout est allé tellement vite, avait expliqué Jennifer. Je mourais de peur à l'idée que Gibson puisse arriver. J'ai pris ces photos, Ena a emballé quelques affaires personnelles, et on a vite filé.

Valerie avait questionné Ena Witty avec tact, malgré son impatience de recueillir le maximum d'informations en un minimum de temps, mais la jeune femme semblait si bouleversée qu'il valait mieux y aller doucement.

– Il vous a dit qu'il observait Amy Mills à la longue-vue quand elle gardait l'enfant de Linda Gardner ?

– Oui. Il me l'a dit plusieurs fois. Il m'a aussi montré la longue-vue. Elle est dans son salon. Il était très fier de pouvoir la voir aussi bien !

Plus les photos... Il fallait aller chez ce type avant qu'il flaire le danger et fasse disparaître le matériel compromettant.

– Mais il n'est pas rentré pendant que vous vous trouviez chez lui ? Et il ne vous a pas vue pendant que vous sortiez de l'immeuble ?

– En tout cas, nous n'avons rien remarqué, avait répondu Jennifer Brankley, et je crois qu'il nous aurait abordées s'il nous avait vues. J'avais très peur à cause de la pluie. Ena dit qu'il est sur un chantier à Hull, mais quand il pleut des cordes comme aujourd'hui, les ouvriers ne peuvent pas travailler. J'étais persuadée qu'il allait rentrer d'un moment à l'autre.

– Nous allons vérifier où il se trouve, avait affirmé Valerie. Il doit bien être quelque part. Mademoiselle Witty, il va falloir que nous ayons un entretien aujourd'hui encore. Vous ne quittez pas votre domicile ?

– Bien sûr. Je... je ne sais pas où je pourrais aller. J'ai peur. Parce qu'il va être furieux, inspecteur. Peut-être qu'il n'a rien à voir avec l'assassinat d'Amy Mills. Il ne me pardonnera jamais d'être allée trouver la police.

– C'était la seule solution, Ena, je vous l'ai déjà dit, avait assuré Jennifer d'une voix douce, révélant ainsi à Valerie que si le comportement suspect de Gibson avait été signalé à la police, c'était grâce à elle.

En raccompagnant Valerie à la porte, elle avait annoncé :

– Je reste un peu avec Ena. Je crois qu'on ne peut pas la laisser seule pour le moment.

Valerie avait eu le sentiment que cette situation donnait de la force à cette femme, que le fait de se sentir utile lui faisait du bien. Elle paraissait plus calme, plus sûre d'elle.

Le juge n'avait pas manifesté un grand enthousiasme quand Valerie avait sollicité un mandat de perquisition. Il était plus de seize heures, et il n'avait visiblement nulle envie de se mettre un problème délicat sur le dos en fin de journée : si Gibson n'était qu'un paisible citoyen un peu zinzin, les médias ne se priveraient pas de hurler à

293

l'atteinte aux droits de l'homme pour peu qu'ils aient vent de l'affaire.

– Vous n'avez rien de plus à présenter que ce simple soupçon ? avait-il demandé, maussade.

Avec un geste en direction des photos qu'elle avait éparpillées sur son bureau, elle avait protesté :

– C'est plus qu'un soupçon, ça ! Ces photos sont des faits ! Il a poursuivi Amy Mills pendant des mois et l'a photographiée à son insu.

– Tant que la victime ne porte pas plainte, il n'y a pas délit !

– La victime ne peut plus se plaindre. Elle est morte.

– Inspecteur...

– Il l'observait à la longue-vue depuis la fenêtre d'en face ! Il était obsédé ! Il fantasmait sur elle, c'est évident ! Comme elle n'a pas voulu lui céder, il l'a tuée. La sauvagerie avec laquelle elle a été assassinée prouve que l'assassin était mû par la rage, par la haine. Exactement ce qu'on peut attendre d'un homme qui a été repoussé après avoir vécu dans... dans un univers mental aussi bizarre ! avait-elle dit en désignant les photos.

– Ce sont de simples suppositions de votre part !

– Je pourrai peut-être les confirmer au vu de ce que je trouverai chez lui.

– Pourquoi n'interrogez-vous pas Gibson d'abord ?

– Nous ne savons pas où il se trouve en ce moment. Le sergent Reek s'est mis en rapport avec l'entreprise de bâtiment qui l'emploie. Il a été envoyé sur un chantier à Hull, mais le travail a été interrompu à midi à cause de la pluie. Personne ne sait où il est allé après. Le chef de chantier dit qu'il est peut-être allé boire un coup avec des collègues.

– Ce n'est pas interdit.

– Non, mais quand il rentrera, il prendra contact avec son amie. Il remarquera qu'il se passe quelque chose, parce que la pauvre fille est complètement tourneboulée. Je veux perquisitionner la baraque avant qu'il puisse détruire tout ce qui pourrait me servir d'indice !

Le juge avait émis un grognement. Selon la loi, la perquisition pouvait être autorisée pour sécuriser des preuves importantes dans le cadre d'une enquête. De plus, il était possible de perquisitionner un appartement sans en informer l'occupant quand les preuves risquaient d'être détruites par lui auparavant.

Valerie avait joué son va-tout. Rien de fracassant, mais une petite pièce du puzzle.

– Le sergent Reek a encore appris autre chose. L'entreprise où travaille Gibson a également exécuté des travaux aux Esplanade Gardens. Gibson y a participé. C'est le chantier où deux barrières ont été déplacées pour barrer le chemin le plus direct à Amy Mills et l'obliger à traverser la partie la plus sombre du parc.

– N'importe quel passant peut avoir déplacé les barrières. On n'était pas obligé de travailler sur le chantier pour y avoir accès.

– Non. Mais quand on travaille là et qu'on a ces barrières devant soi toute la journée, on peut facilement avoir l'idée de les utiliser pour orienter les pas d'Amy Mills dans la direction souhaitée. Oui, j'admets que pris séparément, tous ces indices sont légers. Mais mis ensemble, ils montrent Stan Gibson sous un jour très suspect. Je trouve la perquisition justifiée.

Elle avait remporté le morceau. Peut-être uniquement parce que le juge avait envie de rentrer et comprenait qu'il aurait du mal à se débarrasser de cette enquêteuse qui s'éternisait dans son bureau. Elle pouvait être très obstinée. Particulièrement quand elle avait le dos au mur. Et qu'elle voyait enfin un point de départ qui lui permettrait peut-être de dérouler le fil.

Pourtant, ce ne semblait pas être le cas. Chez Gibson, ils avaient trouvé la longue-vue, ainsi qu'environ cinq cents photos supplémentaires. C'était tout.

Pas assez pour l'accuser de meurtre, se dit Valerie.

Il commençait à faire sombre dehors. La nuit n'allait pas tarder à tomber. La pluie s'atténuait.

Quatre policiers avaient retourné tout l'appartement sans parvenir à un résultat probant. De quoi hurler de frustration ! Déjà, elle avait dû éliminer Dave Tanner de la liste des suspects. Et voilà que tout indiquait qu'elle allait devoir éliminer le suspect suivant, alors même qu'il n'avait pas encore tout à fait pris cette place.

– Avec ça, on est bien loin de la mise en examen pour meurtre, marmonna-t-elle, découragée.

Reek ne pouvait qu'être d'accord.

– Ça ne suffit même pas pour l'arrêter, renchérit-il.

– L'arrêter ! Si je vais voir le juge avec ça, il va me fiche dehors ! Déjà qu'il va être furieux de s'être laissé baratiner à propos du mandat de perquisition !

– Il faut interroger Gibson. Nos cartes ne sont pas très bonnes, mais ce n'est pas comme si nous n'en avions aucune. Il a harcelé une femme, a violé son intimité, et cette femme a été ensuite assassinée sauvagement dans un parc. Il nous doit quelques explications !

Valerie fit la grimace.

– Par exemple, il va falloir qu'il me dise où il se trouvait la nuit où Fiona Barnes a été assassinée.

Un rire retentit derrière elle. Elle se retourna. Reek fit de même.

L'homme qui venait d'apparaître sur le seuil, un gars jeune, en jean et baskets, ne pouvait être que le locataire du logement. Stan Gibson.

– Je peux vous le dire ! lança-t-il.

Il arborait un aimable sourire, ce qui, compte tenu du désordre ambiant dans la pièce et de la présence des policiers, était assez étrange.

– J'étais à Londres, reprit-il, chez mes parents, du samedi matin jusqu'au dimanche en fin d'après-midi. Avec mon amie, Ena Witty, pour faire les présentations. Mes parents et mon amie pourront vous le confirmer.

Il fallut une seconde à Valerie pour se remettre de sa surprise et du malaise causé par l'absurdité du moment. Puis elle s'avança vers l'arrivant.

– Stan Gibson, j'imagine ? demanda-t-elle d'une voix coupante. Vous pouvez prouver votre identité ?

Il farfouilla dans la sacoche qu'il portait. Trouva son portefeuille, en sortit un papier et le brandit sous le nez de Valerie.

– Ça va, vous êtes contente ? ironisa-t-il sans se départir de son sourire. Et... et vous, madame, vous pouvez prouver votre identité ?

Elle sortit sa carte en agitant en même temps son mandat de perquisition.

– Inspecteur Valerie Almond. Et ça, c'est l'autorisation délivrée par le juge pour venir jeter un petit coup d'œil dans votre appartement.

– D'accord. Le gardien m'a prévenu qu'il avait dû ouvrir mon logement à des policiers. Ce serait sympa si vous m'expliquiez...

– Sans problème. Mais pour ça, je vous prierai de bien vouloir m'accompagner au commissariat. Nous allons avoir une conversation assez longue. A propos d'Amy Mills. De son assassinat.

– Vous m'arrêtez, inspecteur ?

– Il s'agit uniquement d'une conversation, répondit Valerie poliment, alors qu'elle tempêtait intérieurement : « Avec plaisir, salopard ! Tu n'imagines pas à quel point j'aimerais te foutre en taule, avec ton sourire de faux cul ! »

Ce mec n'agissait pas normalement. Quand on rentrait chez soi et qu'on trouvait sa baraque mise sens dessus dessous par les flics, on n'avait pas envie de rigoler. En tout cas, pas quand on était innocent. Stan Gibson était tout sauf clair, Valerie en était convaincue, et s'il souriait de toutes ses dents, c'était parce qu'il se sentait en sécurité. Cette situation l'amusait. Il avait envie de jouer un peu avec la police.

Fais gaffe ! lui dit-elle en pensée.

– Vous pouvez faire appel à un avocat, le prévint-elle à contrecœur.

Mais, après un moment de réflexion mal simulé, il eut un geste de refus :

– Pour quoi faire ? Je n'ai pas besoin d'avocat. Allez, venez, inspecteur, on y va !

Il la regarda comme s'il venait de l'inviter à boire une bière. Joyeux. En copain.

Ne te laisse pas déstabiliser, s'enjoignit-elle tandis qu'ils descendaient tous trois l'escalier, c'est exactement ce qu'il cherche, et il n'y arrivera pas. Il n'a qu'à bien se tenir. L'envie de rigoler va bientôt lui passer.

Elle avait un flair particulier pour les psychopathes.

Elle était prête à parier tout ce qu'on voulait qu'elle en avait un devant elle. Un psychopathe de pire espèce.

Un type d'une intelligence supérieure.

L'autre enfant.doc

11

Je ne revis pas la ferme Beckett avant très, très longtemps. Je dus attendre la fin de la guerre et même un an de plus. A cause de ma mère. C'était une femme changée qui était rentrée de l'hôpital, et elle n'était jamais redevenue comme avant. Je l'avais connue énergique, résolue, parfois un peu dure et sèche, mais aussi joyeuse et assurée. Prenant le taureau par les cornes, comme on dit. Mais après la perte de cet enfant, ce fils qu'Harold avait tant désiré, son optimisme et son allant avaient disparu. Non seulement elle était souffreteuse, frêle, mais elle paraissait découragée, déprimée, très malheureuse. Elle éclatait souvent en sanglots sans raison apparente. Elle passait des heures assise devant la fenêtre, sans rien faire, à regarder dehors. Tout l'affectait démesurément, la guerre, la ville bombardée, les gens mal habillés, les denrées alimentaires rationnées. C'était d'autant plus attristant qu'avant, c'était justement quelqu'un qui ne se laissait pas ébranler par ce genre de contrariétés.

« Ça pourrait être pire », avait-elle l'habitude de dire *avant*.

Après, elle disait : « La vie est devenue épouvantable ! »

En réalité, nous avions toutes les raisons d'espérer. La chance était en train d'abandonner les Allemands. Ils allaient perdre la guerre, même les plus grands pessimistes – hormis ma mère – en étaient convaincus. Tout le monde se demandait pourquoi ils s'acharnaient encore.

Le destin des nazis se scella définitivement le 6 juin 1944, lors du fameux D-Day, le jour où les Alliés déclenchèrent l'opération

Overlord, où les armées d'un grand nombre de pays débarquèrent par milliers sur les longues plages de Normandie.

La France serait bientôt libérée, tout le monde le disait, et ensuite, les Allemands connaîtraient défaite sur défaite. A l'est, une immense armée se dirigeait vers les frontières de l'Allemagne. Quand on écoutait la BBC, on se demandait pourquoi Hitler n'ordonnait pas la capitulation immédiate.

Au lieu de quoi il renforçait ses troupes et semblait décidé à ne pas renoncer, prêt à sacrifier tous les soldats jusqu'au dernier.

– Un fou, disait souvent Harold. Il est complètement fou !

Harold ne s'y connaissait pas en politique, mais je lui donnais raison sur ce point. De toute façon, il ne fallait pas être un génie pour juger de la folie du Führer.

Donc, pendant que tout le monde attendait la fin de la guerre en forgeant des plans d'avenir, ma mère voyait tout en noir.

– Oui, peut-être que la guerre va bientôt finir, concédait-elle, mais qui sait ce qui va se passer après ? Peut-être que ce sera pire qu'avant. Peut-être qu'il ne se passera plus que des horreurs, et que nous dirons que même les bombes de 1940 n'étaient pas aussi graves que ce qui est arrivé après !

Devant sa dépression, j'avais renoncé à me battre pour retourner dans le Yorkshire, au moins provisoirement. Même lorsque, en riposte à Overlord, dans une sorte de dernier sursaut, les nazis recommencèrent à bombarder violemment Londres, cette fois avec leurs fameuses V2, je ne songeai pas une seconde à reprendre le large. Il était clair que maman avait besoin de moi, l'enfant qui lui était resté. Je n'avais pas le droit de la laisser en plan, elle se cramponnait à moi, m'attendait anxieusement dès que j'avais une demi-heure de retard en rentrant de l'école ou quand je traînais en faisant les courses. J'acceptais son état car je n'avais pas le choix.

De toute façon, je n'aurais pas vu Chad à Staintondale, maintenant qu'il était au front. Nous n'entretenions plus aucune correspondance, je n'avais pas d'adresse où lui écrire et lui... bon, il n'aimait pas écrire. Plus tard, je devais apprendre qu'il avait participé au débarquement de Normandie et rétrospectivement, je me réjouis de ce manque de contact. Je serais devenue folle de peur, car on nous avait dit aux nouvelles qu'un nombre incalculable de soldats avaient payé ce débarquement de leur vie. Ensuite, je fus évidemment très fière de lui, qui avait participé à ce haut fait.

Je souffrais moins d'être obligée de vivre à Londres, en partie parce que l'état moral de maman me conférait une responsabilité qui me donnait de l'importance. Ma présence dans la capitale avait un sens.

De plus, Harold changea, lui aussi. Pas profondément, certes, mais la faiblesse de maman fit ressortir ses points forts. Quand il rentrait du travail, il ne passait plus son temps à boire, avachi sur le canapé, mais s'occupait activement avec moi de l'entretien de la maison. Il ne se soûlait qu'après, et c'était un progrès. Je le voyais avec d'autres yeux car le drame de la fausse couche et ma fuite dans le Yorkshire m'avaient montré qu'il aimait vraiment ma mère et qu'à sa façon, il voulait à tout prix la rendre heureuse. Il avait avant tout voulu éviter que je ne la fasse souffrir. C'est pourquoi je m'en tins strictement à notre accord et ne soufflai mot à ma mère de mon voyage éclair à Staintondale. Elle n'en a jamais rien su jusqu'à sa mort, en 1971.

En mai 1945, ce fut la fin de la guerre et les gens dansèrent dans les rues. Winston Churchill se montra avec la famille royale au balcon de Buckingham Palace, et ils furent acclamés par des milliers de gens qui chantaient *God Save the King* et *Rule, Britannia*. J'y étais, et je versai des flots de larmes quand nous nous prîmes tous par la main pour chanter la chanson la plus populaire – et la plus senti-mentale – des temps de guerre :

There'll be blue birds over the white cliffs of Dover... tomorrow, when the world is free...

Il y aura des oiseaux bleus au-dessus des falaises blanches de Douvres... demain, quand le monde sera libre...

De nombreuses familles avaient subi des pertes, et des rues entières étaient encore en ruine, mais on se tournait vers l'avenir, en débarrassant les gravats, en entamant la reconstruction ; on était heureux de savoir les maris, les fils et les amis hors de danger, d'oublier la menace des bombardements aériens et de ne plus trem-bler devant la perspective de l'invasion nazie.

Le cauchemar était terminé.

En 1946, je quittai l'école sans savoir ce qui m'attendait. L'euphorie de la fin de la guerre était retombée, et c'était désormais à moi de prendre ma vie en main pour de bon, mais sans savoir où me diriger. A quoi avais-je consacré mes pensées pendant les années écoulées ? J'avais rêvé du Yorkshire et, hormis cela, je n'avais fait qu'affronter la vie au jour le jour. J'avais peint mon avenir en rose, mais sans forger de projets réalisables.

A la fin juillet, alors que nous étions assis autour d'un café et d'un gâteau (avec des œufs en neige en guise d'ersatz de crème Chantilly) pour mon dix-septième anniversaire, et que je me plaignais de ne savoir quoi faire, ma mère me conseilla :

– Fais quelque chose qui ait un rapport avec les enfants ! Puéricultrice, c'est un métier magnifique !

Depuis qu'elle avait perdu celui d'Harold, elle n'avait plus que les enfants en tête. Sans se faire payer, elle s'occupait de ceux du voisinage, allait les promener, leur faisait la lecture ou les aidait à faire leurs devoirs. Cela nous énervait beaucoup, Harold et moi, mais nous ne disions rien, car ces activités lui servaient en quelque sorte de thérapie. Mais je n'avais moi-même aucune attirance pour les gens de moins de quatorze ans, quels qu'ils fussent. Aussi refusai-je énergiquement :

– Non, maman, je ne sais pas m'occuper des enfants, tu le sais bien !

– Moi, je pense que le mieux, ce serait d'apprendre la comptabilité, suggéra Harold. On cherche toujours du monde dans les bureaux, et tu pourras grimper les échelons petit à petit.

Cela semblait ennuyeux à mourir.

– Non. Je ne sais pas... Mon Dieu, je crois que je n'aurai jamais d'idée ! soupirai-je en regardant fixement le mur d'en face.

Comptable, puéricultrice... Autant me laisser enterrer vivante.

C'est alors que ma mère me fit une proposition surprenante.

– Peut-être que tu as besoin de t'éloigner un peu de Londres, de t'éloigner de nous, dit-elle. Quand je te regarde, j'ai l'impression de te voir tourner en rond comme si tu étais enfermée dans une cage. Comme si tu ne voyais plus que les barreaux et pas au-delà.

Je regardai maman, étonnée. Elle avait mis le doigt sur la plaie.

– Tu t'es tellement plu dans le Yorkshire pendant la guerre, poursuivait-elle. Tu devrais peut-être aller y passer quelques semaines. Comme ça, tu pourrais te promener au bord de la mer, prendre l'air. Il suffit quelquefois de changer d'air pour trouver des solutions.

Harold et moi échangeâmes un regard surpris.

– Comment s'appelait-elle, déjà... la dame qui t'a recueillie à l'époque ? Emma Beckett, c'est ça ? Elle va peut-être accepter de t'héberger à nouveau ? Nous la paierions, bien sûr, nous arriverons bien à réunir la somme.

Maman ne savait rien de mon escapade, et ignorait par conséquent qu'Emma n'était plus en vie. Et il valait mieux qu'elle ne l'apprenne pas, car je doutais qu'elle me laisse vivre auprès de trois hommes : Chad – s'il avait survécu à la guerre –, Arvid et Nobody.

– Maman, tu es sérieuse ? lui demandai-je.

A son tour d'être surprise :

– Et pourquoi pas ?

J'échangeai un nouveau regard avec Harold, et je compris qu'il ne piperait mot concernant la mort d'Emma.

Mon cœur se mit à battre la chamade. La journée avait été sombre et sans perspectives. A présent, l'horizon s'éclairait, se peignait de couleurs resplendissantes.

Je reverrais tout ce que j'aimais. Chad, la ferme, la mer, notre crique. Les vastes prés ondulants du Yorkshire.

Et tout cela, avec la bénédiction de maman.

12

J'arrivai à Scarborough en août 1946. En posant le pied sur le quai de la gare, je sus que j'étais arrivée chez moi et que plus jamais je n'en repartirais.

Il avait fallu tricher un peu avec ma mère.

Elle avait envisagé de se mettre en rapport avec Emma, mais j'avais prétendu être en contact épistolaire régulier avec les Beckett, et affirmé qu'ils renouvelaient leur invitation dans toutes leurs lettres. L'affection que j'éprouvais pour Emma n'avait pas échappé à maman, aussi ma fable lui parut-elle crédible. Nous n'avions pas le téléphone, les Beckett encore moins, et l'acheminement du courrier, en ces temps d'après-guerre, était très long et peu fiable. J'avais fait remarquer que nous risquions d'attendre longtemps la réponse, si jamais nous la recevions. Ma mère s'était finalement rendue à mes arguments et avait accepté de m'envoyer pratiquement vers l'inconnu. En me retrouvant dans le train, j'avais fait trois signes de

303

croix. J'avais craint jusqu'à la dernière minute qu'elle ne change d'avis.

Malgré tout, j'étais un peu nerveuse. Plus de trois ans s'étaient écoulés. Qui allais-je trouver à Staintondale, et dans quel état ? Chad vivant, et, si oui, était-il revenu à la ferme ? Qu'était devenu Arvid ? Un veuf aigri, solitaire, peut-être, qui ne manifesterait aucune joie à ma vue. Réfugié dans l'alcool et dans un état pire que celui de Harold à la grande époque... Seul Nobody était sans doute resté le même. Il devait être âgé de quatorze ans, à présent, mais sachant qu'à quarante ans, il continuerait à se comporter comme un enfant, cela le rendait agréablement prévisible.

J'attendis le bus très longtemps et je n'arrivai pas à Staintondale avant le début de la soirée. Par bonheur, nous étions en août et la nuit ne tombait pas trop tôt, mais le crépuscule commençait à s'installer lorsque je quittai la grand-route pour gagner la ferme à travers champs. La journée avait été fraîche et ensoleillée. Je transportais le peu d'affaires que j'avais emportées dans un sac à dos. Je me sentais libre et heureuse. Des chevaux, des moutons et des vaches broutaient autour de moi.

Et, au-dessus de moi, les mouettes tournaient en rond.

En distinguant les contours de la ferme au loin, je me mis à courir. Poussée par la joie, mais aussi par une certaine anxiété. J'étais impatiente d'en avoir le cœur net.

Présentée sur fond de soleil couchant, la ferme se montrait sous son meilleur jour – meilleur que par une pluvieuse soirée d'hiver – mais je fus horrifiée devant son état de délabrement. Le portail sorti de ses gonds ne fermait plus, état qui perdure aujourd'hui encore, et je reste perplexe à l'idée que pendant plus d'un demi-siècle, personne n'ait eu l'énergie et l'esprit d'entreprise nécessaires pour s'occuper du problème.

La cour était jonchée d'appareils en tout genre bons pour la casse, au milieu desquels picoraient les poules qui, autrefois, étaient enfermées dans un poulailler. Les barrières entourant le pré à moutons avaient grand besoin d'être réparées, et les murets avaient perdu tant de pierres que les bêtes pouvaient sauter allègrement par-dessus. Le bâtiment avait un aspect sinistre et semblait quasi inhabité. Les mauvaises herbes proliféraient jusque devant la porte. Le banc sur lequel Emma aimait tant s'asseoir au soleil couchant n'existait plus, sans doute utilisé comme bois de chauffage. Les fenêtres, noires de crasse, ne laissaient probablement plus rien passer du merveilleux paysage environnant.

Mais l'air, lui, sentait comme avant, et la mer serait toujours la même, et aussi la crique, et la lumière particulière qui régnait le soir.

La crique... D'un seul coup, je sus où me rendre en premier.

Je posai mon sac à dos dans les orties, à côté de la porte, puis, allégée de mon fardeau, je me mis en route.

J'aperçus immédiatement Chad en arrivant sur la plage plongée dans la pénombre du soir. Le soleil avait disparu derrière les falaises et la mer était d'un bleu nuit impénétrable. La plage, d'ordinaire si large, n'était qu'un mince ruban, mais le point culminant de la marée était déjà passé et l'eau commençait lentement à reculer.

Chad était assis sur un rocher, le visage appuyé sur les mains. Je m'avançai lentement.

– Bonsoir, Chad, dis-je.

Il sursauta, leva les yeux, puis se leva d'un bond, incrédule.

– Fiona ! Tu viens d'où ?

– De Londres.

– Quoi... ? Comme ça, tout simplement ?

Ce n'était pas aussi chaleureux que je le souhaitais, mais pas inamical non plus. Il était complètement ébahi.

– En tout cas, tu as survécu à la guerre, constatai-je.

Puis j'ajoutai :

– Ce ne sont pas tes nombreuses lettres qui auraient pu me rassurer à ce sujet !

Embarrassé, il se passa la main dans les cheveux, geste qui me rappela le garçon de quinze ans que j'avais connu et qui – je m'en aperçus malgré le manque de lumière – était parti bien loin. Il avait maintenant vingt et un ans, et il avait entièrement changé. J'aurais été incapable de dire, à ce moment, en quoi consistait ce changement, en dehors des quatre ans qui s'étaient écoulés depuis le jour où nous nous étions vus pour la dernière fois. Je crois que cette impression était due à son expression, à l'image qu'il projetait. Il n'avait pas l'air d'être un jeune homme de vingt et un ans. Il aurait pu en avoir trente ou quarante.

Plus tard seulement, en y réfléchissant dans les semaines qui suivirent, je compris que c'était l'œuvre de la guerre. Ces hommes qui étaient encore presque des enfants quand ils s'étaient engagés, animés par le zèle patriotique et enfermés dans une vision naïve du sort qui les attendait, avaient été éprouvés plus durement en quelques mois que d'autres pendant toute une vie. Ils avaient vu tomber leurs camarades avec, sans relâche, le spectre de leur propre mort devant les yeux, avaient tué pour ne pas être tués. Allongés dans la boue et le froid, ils avaient subi le vacarme incessant du feu, supporté les hurlements des blessés. Leur vie antérieure, le plus souvent insouciante et sûre, n'était plus qu'un souvenir. Les Alliés avaient remporté la victoire sur l'Allemagne hitlérienne. Cela donnait aux hommes tels que Chad un sens à leurs souffrances passées. Mais cela ne changeait rien aux images qu'ils garderaient en eux pendant le restant de leurs jours. Cela ne changeait rien à la dureté impitoyable avec laquelle ils avaient été confrontés à un aspect de la vie qu'aucun d'eux n'avait imaginé auparavant.

Pourtant, jamais Chad ne m'a parlé de ses souvenirs de guerre, ni ce jour-là ni par la suite.

Au bout de nombreuses années, je découvris un jour un revolver posé entre quelques classeurs sur une étagère de son bureau, à la ferme.

Je lui demandai d'où il le tenait et il répondit :

– Mon arme. Pendant la guerre.

– Pourquoi la gardes-tu ?

– Comme ça. Au cas où il y aurait un jour un cambrioleur.

Je la pris et la soupesai.

– Elle est drôlement lourde, constatai-je.

– Repose-la ! m'ordonna-t-il. Je ne veux plus avoir affaire à tout ça !

Je compris, et plus jamais je n'évoquai son arme, ni ne me risquai à lui poser la moindre question sur cette période traumatisante de sa vie.

A ma critique sur son silence des dernières années, il répondit :

– Excuse-moi. J'aurais dû t'écrire. Mais tout ça... tout ça, c'était trop pour moi.

– Comment va ton père ?

– Pas bien. Il ne s'en sort pas. Il ne fait presque rien à la ferme. Il passe ses journées à l'intérieur, à regarder les murs. Il n'a jamais pu se remettre de la mort de ma mère.

Je n'en étais pas étonnée. Intuitivement, du haut de mes onze ans, j'avais compris qu'Emma était l'âme de la ferme, que c'était elle qui lui donnait l'impulsion nécessaire pour empoigner la vie et la maîtriser. Sans elle, son mari n'était plus qu'une coquille vide. Il correspondait à l'image que je m'étais toujours faite de lui.

– J'essaie de faire de mon mieux, poursuivit Chad, mais c'est difficile. Remettre sur pied une ferme qui a périclité... en ce moment...

Il me scruta attentivement.

– Tu es devenue une vraie jeune femme, me dit-il, changeant de sujet à brûle-pourpoint, et je me sentis rougir.

– J'ai quitté l'école, l'informai-je, et je ne sais pas bien ce que je vais faire après. Ma mère dit que j'ai besoin de m'éloigner un peu de Londres. C'est pour ça que je suis venue. J'aimerais bien rester quelque temps... si vous le voulez bien.

– Bien sûr. On a besoin de bras, avec tout ce travail ! lança Chad avec un large sourire.

Il plaisantait, bien sûr. Je souris à mon tour.

Et, soudain, sans transition, il redevint le Chad que je connaissais, le garçon qui avait répondu si tendrement à mes premiers émois d'adolescente. Il ouvrit les bras et je me laissai tomber dans le refuge qu'il semblait m'offrir, qu'il m'offrit réellement ce soir-là, sur la plage, mais qui, plus tard, devait se révéler trompeur. La guerre et, peut-être, l'influence de ce père muré en lui-même, avaient déjà commencé à faire de lui cet homme avare de paroles, renfermé, caractérisé par son incapacité à montrer ses sentiments.

Je ne savais pas encore que ce processus était entamé, et j'aurais été trop jeune pour le comprendre vraiment. De plus, j'étais beaucoup trop amoureuse et heureuse à ce moment pour voir au-delà de l'instant présent. L'amertume et la difficulté des années écoulées s'évanouirent. Londres, la guerre, la dépression de ma mère, Harold, tout cela s'éloigna et n'eut plus d'importance. J'étais enfin arrivée. Là où était ma place. Auprès de l'homme que j'aimais.

Telles étaient mes pensées romantiques en cette heure-là sur la plage plongée progressivement dans l'obscurité. Bientôt, la nuit tomba, et la musique des vagues changea de tonalité à mesure que la marée les emportait au loin. Le ciel était illuminé par les étoiles. Les nuits d'août possèdent une magie qui leur est propre. Peut-être tomba-t-il aussi une ou deux étoiles filantes dans la mer, qui sait ? C'est ce que j'imaginai par la suite. Par la suite – après que nous nous fûmes aimés pour la première fois.

Cela semble un cliché, je l'avoue. Une tiède nuit d'été, les étoiles, le bruit de la mer. Deux jeunes gens. Le premier amour. Le bonheur qui vous submerge après des années de privation. Cela paraît trop parfait, mais c'est exactement ce que je ressentais, sans doute enjolivé par la tendance à l'idéalisation propre à l'adolescence. Aujourd'hui, je crois que les galets devaient être très inconfortables. Que le goémon et les algues empestaient. Que le ciel était parcouru de nuages qui cachaient régulièrement les étoiles. Qu'aucune étoile filante n'était tombée dans les vagues noires, que la fraîcheur finit par s'installer et que nous commençâmes à grelotter. Mais, cette nuit-là, je n'en ressentis rien. Le rêve ne fut dérangé par rien, troublé par rien. La proximité de Chad, l'union de nos deux corps me parut le moment le plus merveilleux de mon existence. Et j'étais persuadée, naïve comme je l'étais encore malgré tout, que nous serions inséparablement liés à tout jamais.

Chad avait des cigarettes, et nous sommes restés encore quelque temps sur les rochers, à fumer, étroitement enlacés. Afin de ne pas paraître trop gamine devant lui, je tus que c'était aussi la première fois que je fumais. J'aspirai, de la manière la plus négligente et la plus naturelle possible, et, grâce au ciel, je ne m'étouffai pas. Chad resta longtemps sans parler.

Enfin, il dit :

– J'ai froid. On rentre, non ?

Je remarquai alors que moi aussi, j'avais froid. Je hochai la tête, ce qu'il distingua sans doute faiblement, car il se leva, me prit par la main et me fit lever. En silence, main dans la main, nous gravîmes la pente à tâtons. Arrivée au sommet, je respirai : les étoiles et la lune donnaient un peu de lumière.

Chad rentra mon sac à dos. C'était sale à l'intérieur, je le remarquai au premier coup d'œil. Cela ne sentait pas bon non plus – comme si des aliments étaient en train de pourrir dans la cuisine. Il était évident que la dégradation extérieure avait gagné l'intérieur. Ce n'était plus le nid, simple, modeste, mais très agréable, créé par Emma. C'était froid, humide et malpropre. Même moi, qui avais toujours été prête à considérer la ferme comme le paradis sur terre, reconnaissais qu'on ne pouvait plus se sentir à l'aise là-dedans. J'étais fermement décidée à prendre les choses en main dès le lendemain.

Chad alluma la lumière dans la cuisine. La vaisselle sale s'amoncelait dans l'évier, les restes d'un repas gisaient sur la table.

– Mon père est sans doute monté se coucher, dit Chad. Il n'a même plus la force de débarrasser sa table !

Avec dégoût, il examina le saucisson entamé, le pain rompu en morceaux et non pas coupé en tranches, et une tasse à demi remplie de café où nageaient des yeux de gras.

– De mieux en mieux !

– Je m'en occupe, proposai-je aussitôt.

Mais il me retint par le bras.

– Non ! Je ne vais pas ranger à sa place, et toi non plus ! Il n'est pas malade, il se laisse aller. Je ne lui trouve plus d'excuse !

– Ça va pourrir, tout ça, et ça sent mauvais. Laisse-moi au moins ranger le saucisson dans la glacière.

Il y avait une vieille glacière que l'on remplissait de blocs de glace, mais je découvris que plus personne n'en avait commandé depuis longtemps, car l'intérieur était à la même température que le reste de la pièce. Quelques restes indéfinissables s'y trouvaient, des ingrédients qui puaient et auraient dû être jetés depuis longtemps.

Chad sembla un peu gêné.

– Je passe mon temps à m'occuper de la ferme, expliqua-t-il. C'est papa qui devrait s'occuper de la maison, mais...

Il ne termina pas sa phrase. Il était visible que son père ne s'en occupait pas !

J'emportai le saucisson et le pain dans le garde-manger qui était aveugle, sombre et un peu plus frais que le reste de la maison.

– Demain, il faudra absolument commander de la glace, dis-je d'un ton ferme, comme si j'étais déjà la maîtresse de maison.

Chad approuva :

– Je vais le faire. Promis.

Nous restâmes plantés l'un devant l'autre, et nous nous regardâmes. Je pensais : « Dis-moi maintenant que tu m'aimes. Dis que tu veux que je reste pour toujours. Dis-le, s'il te plaît. Ne laisse pas la magie de cette nuit s'en aller. »

Mais lui, malheureusement, n'était pas dans les mêmes dispositions.

Furieux contre son père, il ne cessait de décocher des regards noirs à la table. Peut-être ne pensait-il déjà plus à ce qui venait de se passer sur la plage.

Soudain, je sus ce qui m'intriguait depuis mon arrivée.

Il manquait quelqu'un. Quelqu'un qui aurait remarqué notre arrivée et aurait immédiatement fait irruption.

– Où est Nobody ? demandai-je.

Chad baissa les yeux. Un silence fantomatique s'installa d'un seul coup. J'entendis un bruissement dans le garde-manger. Sans doute une souris.

Avec une certaine angoisse, je répétai ma question :

– Chad ! Où est Nobody ?

13

– Eh bien... dit Chad avec une certaine hésitation, ça n'allait plus du tout.

Nous étions assis dans la cuisine, juste sous la lampe qui donnait à Chad un teint gris et l'air fatigué, et à moi aussi, sans doute. Chad avait ouvert une bouteille de bière et m'en avait proposé, mais j'avais refusé. Je m'en tenais très sérieusement à ma décision de ne jamais toucher à l'alcool.

La soirée, la nuit, n'étaient plus les mêmes. La cuisine avec sa mauvaise odeur, l'air vicié dans la maison, le sentiment d'une menace qui pesait me firent frissonner. Je sentis la tristesse s'emparer de moi.

– Qu'est-ce que ça veut dire, ça n'allait plus ? insistai-je.

Chad garda les yeux fixés sur son verre de bière quand il répondit :

– Ce n'était plus le petit garçon dont tu te souviens. Il s'est mis à pousser d'un seul coup et même, il est devenu très grand pour son âge... on ne sait pas exactement quel âge il a, mais je pense qu'il a quatorze ou quinze ans. Dans pas longtemps, ce sera un homme.

Je pensai au gamin malingre, blond, enfantin, que j'avais quitté. Trois ans seulement avaient passé, mais évidemment, il avait pu énormément changer depuis. J'avais pourtant du mal à l'imaginer.

– Oui... et après ?

Il leva les yeux et me regarda.

– Fiona, tu sais bien que son intelligence ne suit pas, dit-il. Il a toujours le cerveau d'un petit gamin, et il le gardera. Ma mère disait qu'un jour, il se réveillerait, mais non. Il n'y a rien à faire, Nobody est arriéré, c'est tout.

– Ce n'est pas une nouveauté.

– Non, mais toi, tu l'as connu petit. Il était demeuré, mais pas dangereux. Ce n'est plus pareil. Il…

Chad s'interrompit.

– Quoi donc ? l'encourageai-je, de plus en plus angoissée.

– Au mois de mars de cette année, dit-il, une jeune fille est entrée dans la cour. Une étrangère qui cherchait du travail et qui faisait le tour des fermes. Du travail, nous en aurions eu assez, mais pas d'argent pour la payer. Nous l'avons renvoyée. Mais au moment où elle a voulu partir… Nobody est sorti de la maison.

J'attendis la suite.

– Comme je te l'ai dit, c'était une jeune fille. Elle avait de beaux cheveux blonds très longs.

Je devinai ce qui allait suivre.

– Nobody a… ?

– Il a couru vers elle en souriant de toutes ses dents et il l'a attrapée par les cheveux en poussant ses espèces de cris habituels. La fille a eu la peur de sa vie. Elle a essayé de se dégager, mais il continuait à la tenir par les cheveux. Après, il lui a attrapé les seins. Il en bavait. Il était… c'était la première fois que je le voyais comme ça… Il était très excité. La fille s'est mise à crier. J'ai réussi à la délivrer et à maintenir Nobody pendant qu'elle s'enfuyait. Je l'ai engueulé, mais il se contentait de sourire de son sourire idiot, et dès que je l'ai lâché, il a commencé à se frotter l'entrejambe comme un fou. C'était dégueulasse. Il était dégueulasse.

Je déglutis.

– C'est… moche.

Chad se pencha en avant pour préciser :

– Et ça ne va pas s'arranger. Il a la sexualité d'un homme et le cerveau d'un gamin de cinq ans. Ça veut dire qu'il est incapable de contrôler ses instincts. Il ne sait même pas ce qui lui arrive. C'est un danger pour toutes les femmes qu'il rencontre. Et mon père et moi, nous ne pouvons pas le surveiller toute la journée.

Je crus savoir ce qui allait suivre et me détendis un peu. D'ailleurs, autrefois, ce sujet revenait régulièrement sur le tapis.

– Vous l'avez mis dans un asile, approuvai-je, c'est ce que vous pouviez faire de plus raisonnable.

Chad recommença à regarder son verre.

– Un asile... oui, c'est ce qu'on pensait faire, papa et moi. Mais... il y avait des problèmes.

– Quels problèmes ? m'enquis-je.

Il leva les yeux et je vis qu'il m'en voulait quasiment de ma lenteur d'esprit, et aussi parce que je le forçais à étaler toute l'affaire devant moi, au lieu de lui fiche la paix et d'oublier Nobody et son sort.

– Bon sang, Fiona, ne sois pas si naïve ! On ne peut pas amener un garçon comme Nobody dans un asile en disant salut, il vit chez nous depuis presque six ans, mais maintenant on n'en veut plus, prenez-le s'il vous plaît. On aurait eu je ne sais quelles autorités sur le râble. De toute façon, on n'était pas en règle depuis le début. Nobody n'aurait jamais dû se trouver avec vous, les enfants évacués, et ma mère n'aurait pas dû le prendre ici. Il n'aurait pas dû grandir chez nous en tant que secret de famille, pour ainsi dire.

Je me rappelai la sombre soirée de novembre 1941, le pré en face du petit bureau de poste de Staintondale. Les enfants apeurés accroupis...

– Les accompagnatrices du transport étaient d'accord pour qu'Emma l'emmène, objectai-je. Elles non plus ne savaient pas quoi faire de lui. Ce n'est pas notre faute si elles n'ont pas fait le nécessaire une fois rentrées à Londres, comme elles nous l'avaient promis.

– Mais ma mère aurait dû le signaler. Elle n'avait aucun droit sur lui. On ne le lui avait pas confié officiellement. C'était simplement « l'autre enfant », comme disait mon père. Ma mère n'aurait pas dû laisser passer les années comme elle l'a fait.

– Elle a voulu le protéger.

– Mon père aurait dû faire quelque chose après sa mort. Je ne sais pas ce qui l'en a empêché, si c'est son apathie ou si c'était une sorte de loyauté vis-à-vis de ma mère. Moi non plus, je n'ai rien fait en rentrant de la guerre. On s'était habitués à lui, il ne nous dérangeait pas. Jusqu'à... cet incident. J'ai compris que c'était une bombe à retardement. Qu'on allait avoir des problèmes. Cette fille aurait pu porter plainte. On a eu de la chance qu'elle ne le fasse pas.

Je me penchai vers lui et répétai en détachant bien chaque syllabe :

– Où-est-No-bo-dy ?

Je sentais poindre la crainte qu'ils ne l'aient noyé dans la baignoire ou envoyé en haute mer.

– Une occasion s'est présentée, répondit Chad. Mon père voulait vendre sa vieille charrue, j'avais fait passer l'annonce dans la région. Un fermier de Ravenscar est venu à la ferme. Il a vu Nobody qui nous tournait autour comme d'habitude.

– Et alors ?

– Il nous a demandé qui c'était. Mon père lui a dit que c'était un enfant évacué chez nous pendant la guerre, mais qui n'avait plus de famille, et qu'on ne savait pas quoi faire... Le fermier – Gordon McBright, c'est son nom – a dit qu'il avait absolument besoin d'un ouvrier chez lui. Naturellement, on l'a prévenu en lui disant que Nobody n'était bon à rien, qu'il ne comprenait rien, qu'au lieu de vous soulager, il vous rajoutait des problèmes. Papa a même dit qu'il mangeait comme un ogre, et que ce n'était pas parce qu'il travaillait. Mais McBright a insisté en disant qu'il avait bien besoin de quelqu'un et qu'il saurait utiliser Nobody. Ce qui fait qu'on a dit oui.

Je ne pouvais pas ne pas poser la question :

– Nobody... il ne l'a sans doute pas suivi de son plein gré ?

Chad se leva brusquement. Cet aspect de l'affaire semblait l'énerver plus encore que le reste.

Il me répondit, le dos tourné :

– Non. Il ne l'a pas suivi de son plein gré.

Il avait dû se défendre, crier, lutter. La ferme Beckett était sa maison, le seul endroit au monde où il se sentait en sécurité et peut-être même un peu protégé. Chad et Arvid l'avaient pour ainsi dire donné à un parfait étranger et l'avaient renvoyé. Je connaissais Nobody et ses violentes manifestations d'émotion. Et il me suffisait de voir l'attitude de Chad, qui n'arrivait pas à me regarder dans les yeux pour imaginer...

Il devait y avoir eu une scène affreuse.

J'avalai ma salive.

– Mais...

Chad se retourna et me jeta, le visage déformé par la colère :

– Nom de Dieu, arrête de jouer les donneuses de leçon ! éclata-t-il. C'est à cause de toi qu'on en est là ! C'est toi qui l'as traîné jusqu'ici ! Tu n'étais pas là, toi, pendant des années, tu n'as pas idée des emmerdements que je voyais arriver gros comme une maison avec ce grand idiot ! Et ce n'est pas toi qu'on aurait rendue responsable. Tu étais une gamine, à l'époque, et maintenant tu as à peine dix-sept ans. Tu t'en tires bien ! Les emmerdements, ils étaient pour nous, pour mon père et moi ! Nobody aurait dû aller dans une école spéciale, dans un asile. Il aurait dû être pris en main par des éducateurs. Mais au lieu de ça, il a grandi ici et il est devenu une sorte de bête sauvage. On aurait eu les pires ennuis. Et à la fin, on aurait peut-être eu un procès aux fesses !

D'une voix un peu enrouée, il poursuivit :

– Regarde autour de toi, Fiona, tu vois bien qu'on se bat pour survivre ! Mon père n'a pratiquement plus rien fait depuis la mort de ma mère, et moi, j'étais au front. Toute la baraque s'écroule, nous avons des dettes par-dessus la tête. Je n'ai pas envie de vendre la terre. Je me tue au travail du matin au soir. Ce n'est pas possible, j'ai mon compte, je ne veux pas me mettre d'autres soucis sur le dos. Je ne veux pas d'une enquête administrative qui m'obligera à prendre un avocat que je ne pourrai pas payer, tout ça à cause de Nobody, parce que je le mets dans un asile et que je rends son existence officielle. Le garder ici ? Tu veux que j'attende qu'il ait violé une femme, ou qu'il tue quelqu'un pour lui prendre une chose qui lui fait envie ? Qu'est-ce que je dirais à la police, alors ? C'est facile de me faire les gros yeux, Fiona, mais qu'est-ce que tu aurais fait à ma place ?

Je me levai et m'approchai de lui, pour lui montrer que je le comprenais, que je n'étais pas contre lui. Parce que je l'aimais !

– Excuse-moi, dis-je, je ne voulais pas te donner l'impression que je te jugeais. Cette décision n'a pas dû être facile à prendre pour toi.

En secouant la tête, il confirma :

– Ah ça non, pas du tout.

Nous étions très près l'un de l'autre. Je remarquai que Chad tremblait. J'avais envie de poser une question, mais je craignais qu'elle ne le fasse encore crier. Car elle commençait à nouveau par « Mais ». Je me lançai pourtant :

– Mais... ce McBright, pourquoi a-t-il accepté ? Lui aussi, il pourrait avoir des ennuis, si Nobody fait quelque chose de mal.

Chad haussa les épaules.

– On le lui a dit. Mais il a répondu qu'il ne s'en faisait pas pour ça.

– Il ne peut pas l'enfermer ? Ou l'attacher ?

Une nouvelle fois, Chad haussa les épaules, mais en se mordant les lèvres. J'eus alors l'impression que sa crainte, celle dont il ne voulait pas parler, était justement celle-ci : il craignait que ce McBright ne fasse exactement cela. Qu'il n'enferme ou n'attache Nobody quand il n'en avait pas besoin pour travailler. Qu'il ne le considère que comme un esclave.

– Comment... comment il est, ce McBright ? demandai-je, anxieuse.

– C'est que je ne le connais pas, répondit Chad, les yeux fixés sur la fenêtre qui donnait sur la campagne et la nuit.

– Mais tu l'as vu !

Il était évident que Chad ne voulait pas répondre.

– Qu'est-ce que ça peut faire ? éluda-t-il.

– Il habite où ?

– Aux environs de Ravenscar. Dans une ferme isolée.

Ravenscar n'est pas très loin de Staintondale, c'est un peu plus haut sur la côte, en remontant vers Whitby.

– Je pourrais aller le voir, proposai-je. Nobody, je veux dire. Comme ça, je ferai la connaissance de McBright.

– Surtout pas ! Nobody deviendra fou en te voyant, et McBright...

– Quoi ?

– Il t'enverra les chiens ou te tirera dessus. Il paraît qu'il réagit comme ça quand on s'approche de sa ferme. C'est un sauvage, il ne s'entend avec personne. Tu ne pourras pas t'approcher de sa terre.

– Comment sais-tu tout ça ?

– J'ai demandé à des gens de Ravenscar, marmonna Chad avec embarras.

Comment lui et Arvid avaient-ils pu remettre Nobody à un type pareil ?

Je n'osai pas poser la question à haute voix. Il se sentait acculé de toute façon, était obligé de se justifier et avait lui-même – c'était visible – très mauvaise conscience. Je partageais ce sentiment, oui, je parvenais difficilement à cacher mon horreur. Je n'avais jamais eu d'affection pour Nobody, il avait été une vraie charge pour moi, mais d'une certaine façon, il faisait partie de la ferme Beckett, et avec la maturité de mes dix-sept ans, je comprenais ma responsabilité vis-à-vis de ce gamin sans défense.

Je résolus d'aller le voir là-bas, même si les avertissements de Chad m'effrayaient. Mais je me rassurai en me disant que ce McBright ne tirait sans doute pas sur tous les paisibles promeneurs qui s'aventuraient près de sa ferme – on l'aurait mis en prison !

– Je suis fatigué, annonça Chad, et je dois me lever très tôt demain. Je monte me coucher.

J'avais pensé – espéré – qu'il me demanderait de l'accompagner dans sa chambre. Et que nous passerions la nuit étroitement enlacés. Mais il ne dit plus rien. Il sortit tout bonnement de la cuisine. Tout de suite après, j'entendis ses pas dans l'escalier.

Je bus encore un peu d'eau, éteignis la lumière et montai également. Rien n'avait changé dans mon ancienne chambre – si on faisait abstraction de l'épaisse couche de poussière qui recouvrait les meubles et du fait que les draps, les mêmes que ceux que j'avais utilisés lors de mon passage en 1943, n'avaient visiblement pas été lavés depuis. J'ouvris la fenêtre pour laisser entrer l'air frais de la nuit. J'appuyai les mains contre mon visage brûlant.

C'était trop d'un seul coup. Les heures magiques sur la plage. Puis le changement d'humeur brutal quand nous avions commencé à parler de Nobody. Depuis, il y avait une distance entre nous, une douloureuse distance. Aussi douloureuse que la dégradation de la ferme, la saleté et la décrépitude autour de moi.

Et je comprenais également autre chose : j'étais déçue par Chad. Et c'était ce qui faisait le plus mal. Je lui avais toujours tout pardonné : le mépris avec lequel il m'avait traitée au début, le fait qu'il ne m'ait pas avertie du décès de sa mère et de son départ au front, qu'il n'ait presque jamais répondu à mes lettres, qu'il m'ait laissée dans l'incertitude sans me dire s'il était revenu vivant de la guerre. Tout cela, je ne l'avais pas pris pour moi. Parce que je le connaissais. Il ne communiquait pas avec les autres, et il ne le ferait jamais. J'acceptais cela. Mais la manière dont il s'était débarrassé de Nobody m'horrifiait à un point dont je n'eus pas complètement conscience ce soir-là. Ce poison distillé dans les sentiments qui nous unissaient était un poison à action lente.

Chad m'avait donné ses raisons, et je les avais comprises. Mais je ne les considérais pas comme suffisantes pour faire ce qu'il avait fait à Nobody.

J'essayai de me rassurer en me disant que les choses n'étaient peut-être pas aussi graves que je les imaginais. Puis je me dis que l'inverse était également possible. Peut-être étaient-elles encore plus graves.

Je ne dormis pas cette nuit-là. Je la passai à remuer toutes ces pensées.

J'étais triste.

14

Je me rendis dès le lendemain à Ravenscar. J'avais choisi de ne pas me lever en entendant Chad fourgonner dans la cuisine de très bonne heure. Je n'avais pas envie qu'il me demande ce que j'envisageais de faire dans la journée. Je restai longtemps dans mon lit, les yeux grands ouverts, nerveuse, et me levai seulement au moment où je n'entendis plus un bruit dans la maison.

Effectivement, Chad avait déjà disparu. La Jeep garée dans la cour n'était plus là, ce qui me donnait des raisons d'espérer qu'il était parti assez loin et ne rentrerait pas très tôt. Arvid était introuvable. Sans doute dormait-il encore.

Je ne m'attardai pas au petit déjeuner. Je courus jusqu'à la remise où Emma avait l'habitude de ranger son vélo. Il était toujours là, et la corbeille dans laquelle elle transportait ses achats toujours fixée à la selle.

Mes yeux se mouillèrent. Emma me manqua beaucoup, tout à coup.

Les pneus n'étaient plus très gonflés, mais j'espérais que ce serait suffisant pour le trajet aller et retour. Je n'avais pas trouvé de pompe, et je ne voulais pas perdre de temps à en chercher. Il fallait partir vite, car je ne savais pas si Chad ne rentrerait pas d'un moment à l'autre.

Le ciel était nuageux. Un vent du nord s'était levé pendant la nuit. L'air était frais et sec. L'idéal pour faire du vélo. Les chemins vicinaux étaient un peu difficiles, mais lorsque j'eus atteint l'étroite route départementale, j'avançai à bonne allure. Ma mère m'avait munie de chocolat que je n'avais pas touché et que j'avais mis dans ma corbeille pour Nobody. Il serait content, et je lui promettrais de venir le voir souvent et de lui apporter à chaque fois quelque chose de bon. Cela lui remonterait certainement le moral... s'il était déprimé. Car je tomberais peut-être sur un garçon très content, après tout !

La confiance s'était levée en moi en même temps que le jour naissait. Alors que, pendant la nuit, le sort de Nobody m'était apparu sous les couleurs les plus sombres, cette histoire ne me semblait plus aussi menaçante au matin. Finalement, peut-être Nobody était-il mieux chez Gordon McBright que chez Arvid qui déclinait de plus en plus, et auprès de Chad qui n'avait pas une minute à lui consacrer. Au moins, chez McBright, il était occupé, et même si ce type était un rustre comme la plupart des fermiers du Nord, cela ne signifiait pas pour autant qu'il était inhumain et cruel.

Ravenscar est constitué de quelques maisons rassemblées – le village n'a pas beaucoup grandi depuis – très bien situées sur une hauteur, jouissant d'une vue grandiose sur la baie et sur une vaste campagne verte et vallonnée. Régulièrement, une ferme apparaissait, au milieu de la verdure. J'ignorais si l'une d'entre elles était celle de McBright, mais j'avais résolu de me renseigner.

– McBright ? répéta une marchande de légumes qui vendait ses salades et ses haricots dans une petite boutique au bord de la route. Qu'est-ce que vous allez faire chez ce type-là ?

– J'aimerais aller voir quelqu'un, répondis-je avec sincérité.

Elle me regarda comme si j'avais perdu la raison.

– Vous voulez aller voir Gordon McBright ? Ma petite, je ne vous le conseille pas. Ce type est...

Elle se frappa le front.

Ce n'était pas très encourageant, mais je lui demandai néanmoins de m'indiquer le chemin. Je me trompai, dus redemander mon chemin dans une ferme. Là aussi, on secoua la tête.

– Vous êtes drôlement courageuse, dit le paysan en me dévisageant avec étonnement.

– Je veux aller voir un vieil ami, c'est tout, marmonnai-je avant de me détourner et de regrimper sur mon vélo.

En secret, j'avais espéré que quelqu'un me parlerait de Nobody. Car il vivait depuis près de six mois chez McBright, et son existence était certainement connue ! Quel soulagement, si quelqu'un m'avait répondu quand j'avais évoqué mon *vieil ami* : « Oh, vous voulez sans doute parler de ce gentil garçon qui vit chez Gordon ! Un peu zinzin, le pauvre, mais il a fait des progrès. Il aide à la ferme. Gordon le considère presque comme son fils ! »

Comme j'avais été naïve de souhaiter cela ! J'essayais de me raconter des histoires en enjolivant la réalité pour pouvoir mieux vivre avec. Nobody n'était pas « un peu zinzin ». Il était tellement « zinzin » qu'on ne pouvait lui demander aucune sorte de travail, pas même ceux qui requéraient uniquement de la force physique. Car même pour cela il lui aurait fallu avoir quelques notions, ou au moins comprendre ce qu'on attendait de lui. Le connaissant, je n'imaginais, pour le faire travailler, d'autre moyen que la contrainte physique, seule capable de briser la résistance opposée par son cerveau plongé dans la nuit. Mais, évidemment, ce n'était pas envisageable.

Et... « Gordon le considère presque comme son fils » ? Ce Gordon McBright paraissait être pour les habitants du village une sorte de diable. Il n'avait aucun contact avec eux, personne ne semblait comprendre que je veuille aller le voir.

Et un Nobody aurait eu le pouvoir de l'adoucir ?

Je résistai à l'envie de faire demi-tour. J'avais peur – de Gordon McBright, et aussi de l'état dans lequel je trouverais Nobody. Et si, en le découvrant, je trouvais qu'il était de mon devoir d'avertir la police ?

J'aimais Chad, je voulais l'épouser. Si je décidais de sauver Nobody, notre amour ne survivrait pas à ma démarche. Chad ne me pardonnerait jamais de lui causer des ennuis à ce sujet. Il m'avait paru si épuisé, si soucieux ! Il se battait pour garder la propriété de ses parents, et il semblait plongé dans les problèmes jusqu'au cou.

« Je ne veux pas me mettre d'autres soucis sur le dos », avait-il dit la nuit passée, dans la cuisine crasseuse de sa maison, et il avait l'air désespéré.

Allais-je être celle qui lui apporterait les soucis qu'il craignait tant ?

Je n'en continuai pas moins ma route, en appuyant encore plus fort sur les pédales du vieux vélo aux pneus de plus en plus aplatis, et pesant de plus en plus lourd. L'effort physique me permettait d'apaiser un peu les pensées qui me torturaient. Pour la première fois de ma vie, je me trouvais devant un cas de conscience. Je me dis alors que j'aurais mieux fait de ne pas venir dans le Yorkshire.

Je vis la ferme de loin. Elle était à bonne distance de Ravenscar, et assez loin de la mer, déjà à l'intérieur des terres. Les bâtiments étaient perchés sur une petite hauteur, au-dessus d'un bois. Il n'y avait aucune autre habitation à l'horizon. C'étaient la solitude, l'isolement complets.

Le soleil se cachait derrière les nuages. De temps à autre seulement, quelques coins de ciel bleu apparaissaient à travers les trouées. Malgré tout, c'était une belle journée d'août. Le vent pliait les hautes herbes et soufflait sur les murets de pierre. Il sentait la mer et l'été. L'atmosphère aurait pu être agréable malgré le paysage vide de toute âme humaine, et même, à sa façon sauvage, assez romantique. Mais ce n'était pas le cas. La propriété m'apparaissait lugubre, menaçante, sans que je puisse dire pourquoi. Même de loin, sans être plus dégradée que la ferme Beckett, elle semblait négligée et dégageait une froideur effrayante qui me fit frissonner. Mais peut-être étais-je influencée par ce qu'avaient insinué les gens ?

Je m'approchai en hésitant. Le chemin était caillouteux et envahi de chardons, et j'avais toujours plus de mal à garder l'équilibre sur mon vélo. A la fin, il fallait gravir la colline, et je dus descendre et pousser ma bicyclette. Je m'arrêtai à plusieurs reprises. J'étais en nage.

J'arrivai sans encombre jusqu'au portail. Les étables et les cabanons décrivaient un demi-cercle devant le bâtiment d'habitation, formant une sorte de mur qui entourait la cour comme une fortification. Les chardons et les orties proliféraient entre les appareils rouillés qui traînaient partout. Une voiture était garée devant la porte de la maison. C'était sans doute la seule chose utilisée régulièrement, car elle n'était pas entourée de mauvaises herbes.

Je vis tout cela en me dressant sur la pointe des pieds pour regarder par-dessus le portail de bois. J'avais laissé tomber mon vélo sur le bord du chemin. J'entendais mon propre cœur battre à grands coups rapides. Autrement, je n'entendais rien.

Je ne peux pas dire qu'il se passa quelque chose de particulier. Rien de dramatique ou d'affreux. Il n'y eut pas de chien montrant les crocs, ni de Gordon McBright armé d'un fusil. Personne ne m'insulta ni ne me chassa. Je restai là, regardai la porte, et rien ne se passa.

Et pourtant, d'une certaine façon difficile à décrire, ce rien était pire que l'apparition d'un McBright furieux et tempêtant. S'il s'était montré, j'aurais pu m'expliquer avec lui, m'en faire une idée, me confronter à lui. Ainsi, il resta un fantôme.

Mais je sentais qu'il était là. Et c'était le plus effrayant. Je sentais qu'il y avait des gens dans cette ferme qui semblait abandonnée et morte. De plus, il y avait un indice : les traces de pneus de la voiture qui traversaient la cour, constituées d'herbes écrasées qui n'avaient pas encore eu le temps de se relever. J'estimai que cette voiture avait été garée là environ une heure auparavant.

Sans pouvoir le prouver, je savais simplement que je n'étais pas seule. Je sentais les regards qui se dirigeaient sur moi à travers la fenêtre. Je sentais que le silence qui régnait là n'était pas le silence de l'abandon, mais celui de l'horreur. Le silence du mal. La nature elle-même retenait son souffle.

Des années auparavant, j'avais lu une phrase dans un livre : « *Un lieu que Dieu avait laissé échapper de ses mains.* »

A présent, je comprenais ce que l'auteur avait voulu dire.

Et dans ce silence monstrueux, j'entendais Nobody hurler. Je ne l'entendais pas avec mes oreilles, mais avec mes autres sens. Je le jure. Je l'entendais hurler à l'aide. Je l'entendais m'appeler. J'entendais son désespoir et sa mortelle angoisse. C'étaient les hurlements d'un enfant abandonné, torturé, souffrant le martyre.

Je relevai ma bicyclette, sautai sur la selle et dévalai la pente du plus vite que je pus. A deux reprises, je faillis tomber, car je roulais pratiquement sur les jantes. Mais je fuyais cet endroit, je fuyais les cris qui semblaient me poursuivre. Je savais à présent que Nobody était en enfer. Quoi qu'il se passât dans cette ferme, c'était pour lui une torture. Il était absolument sans défense, et même si McBright le tuait, personne n'en saurait rien. C'était affreux, mais le nom que Chad et moi lui avions donné, avec légèreté et non sans méchanceté, lui convenait parfaitement : Nobody. Ce garçon n'existait pas. Dans le chaos de la guerre, un enchaînement de circonstances malheureuses avait conduit les instances officielles à laisser tomber Brian Somerville. Il n'était plus personne. Il n'avait aucune protection. Avec son handicap, il n'était pas non plus en mesure de se protéger lui-même. Il était livré pieds et poings liés à tous ceux qui lui mettraient la main dessus.

Trois personnes étaient au courant de son existence et du sort qui lui avait été réservé : Chad, Arvid et moi. Nous aurions dû tous les trois faire quelque chose pour l'aider.

Nous ne l'avons pas fait. Nous avions nos raisons, dont la principale était la peur. Je sais que ce n'est pas une excuse. Ce que nous avons fait, ou, plutôt, ce que nous n'avons pas fait, est impardonnable.

Je l'ai payé. D'abord avec une image qui revient me tourmenter régulièrement depuis des décennies, de jour comme de nuit : la dernière image que j'ai de Brian Somerville. Du petit garçon tremblant de froid, debout dans la neige devant le portail de la ferme Beckett, qui me regarde partir, qui pleure parce que je pars en le laissant, mais qui essaie de sourire au milieu de ses larmes parce qu'il croit que je vais revenir le chercher.

Qui essaie de sourire parce qu'il me fait confiance.

Jeudi 16 octobre

1

Impossible de poursuivre.

Elle se leva, regarda par la fenêtre. La nuit était sombre, nuageuse, sans lune, sans étoiles. Quelques lumières scintillantes parvenaient du port. La mer était une masse noire et mouvante.

Elle se rendit à la cuisine, regarda la pendule et vit qu'il était minuit. Elle ouvrit une bouteille de whisky, la porta à la bouche et en avala quelques bonnes gorgées. S'essuya les lèvres sur les manches de son pull. Se mit à pleurer.

Qu'était devenu Brian Somerville, *l'autre enfant* ?

Les images se bousculaient en désordre dans sa tête : sa grand-mère à dix-sept ans, Chad Beckett en jeune homme dépassé par les soucis, la ferme à l'abandon et au bord de la faillite. La guerre qui venait de se terminer.

Essaie de la comprendre, lui dit une voix intérieure. Essaie de ne pas la juger. Essaie de lui pardonner.

Elle redoubla de sanglots, reprit du whisky au goulot. Elle voyait le petit garçon, petite victime dès le jour de sa naissance, et qui l'était restée parce que... Fiona avait refusé de le protéger. Parce que, mise devant le choix, elle avait décidé de protéger Chad Beckett. L'homme qu'elle aimait.

Tout du moins, qu'elle croyait aimer.

Comme si Fiona avait jamais aimé dans sa vie.

Leslie fut prise d'un vertige. Elle qui n'avait rien mangé depuis de longues heures ingurgitait de l'alcool titrant quarante degrés.

323

J'avais toujours froid quand j'étais enfant. Pourquoi ? Pourquoi ma mère se droguait-elle ?

Il fallait qu'elle sache ce qu'était devenu Brian Somerville. Il restait encore quelques pages à lire. Elles ne pouvaient pas contenir tout le reste de la vie de Fiona, mais sans doute un aperçu du sort de Brian.

« Je ne peux pas maintenant », murmura-t-elle.

Elle buvait son whisky comme si c'était de l'eau. La question suivante pouvait être : pourquoi suis-je devenue alcoolique ?

Non, elle n'était pas devenue véritablement alcoolique. Elle buvait simplement un peu trop, et trop souvent. Toujours quand les choses devenaient problématiques.

Il fallait arrêter d'urgence.

La bouteille à la main, plantée au milieu de la cuisine, elle regarda les objets familiers, la machine à café, les tasses qui dataient de son enfance. Le cendrier en argile qu'elle avait fabriqué quand elle était écolière pour Fiona. En tout cas, sa grand-mère l'avait gardé et utilisé. Pour une femme comme Fiona, c'était beaucoup.

Elle posa la bouteille sur le plan de travail, mais la reprit aussitôt et en but quelques gorgées supplémentaires. Elle allait se soûler. Elle allait se torcher à mort et ensuite, si elle en était encore capable, se coucher et dormir très longtemps. Elle aurait la gueule de bois en se réveillant, mais les maux de tête l'empêcheraient de penser, elle le savait d'expérience. Quand on était dans cet état, le monde extérieur n'existait plus. La bouche sèche et cotonneuse, l'envie de vomir, les tempes bourdonnantes, tout ça, ça vous chassait le reste au second plan. Elle avait envie d'être malade. De rester couchée et d'avoir le droit de gémir. De se recouvrir la tête avec sa couverture.

D'être une petite fille qu'on consolait.

Sauf que la consolation se ferait attendre. Pas de mère, pas de grand-mère. De toute façon, Fiona n'était pas du genre à vous consoler. Stephen était parti. De l'autre côté, au Crown Spa Hotel, il dormait paisiblement.

Elle était seule.

Dis donc, Dr Cramer, tu ne vas pas te laisser submerger comme ça, se dit-elle en sentant les larmes rouler le long de ses joues.

Au même moment, on sonna à la porte.

Ce fut seulement après avoir actionné l'ouverture et être sortie sur le palier pour attendre son visiteur nocturne qu'elle réfléchit. Il n'était peut-être pas prudent d'ouvrir la porte à minuit et demi. Mais l'alcool et son sentiment d'abandon aidant, elle ne bougea pas et resta où elle était, guettant le bruit des pas qui montaient.

L'éclairage s'était déclenché automatiquement. La lumière blanche la fit cligner des yeux. Elle avait toujours sa bouteille à la main. Elle était sans doute hirsute, clownesque avec son visage barbouillé de traces de maquillage.

Mais ça n'avait aucune importance.

Elle vit apparaître Dave Tanner portant une grosse valise.

– Ouf ! Je ne t'ai pas réveillée ! s'exclama-t-il.

Elle baissa les yeux, désigna ses vêtements : elle portait un jean, un pull et des baskets.

– Je ne dormais pas, confirma-t-elle.

Il sembla soulagé.

– J'avais peur que tu ne m'ouvres pas, dit-il en souriant. Mais tu sais, tu devrais quand même demander qui est là par l'interphone ! Il est minuit et demi !

Elle haussa les épaules sans répondre.

– Je peux entrer ? demanda-t-il.

Elle s'effaça et il franchit le seuil, posa sa valise avec un soupir de soulagement.

– Qu'est-ce qu'elle est lourde ! fit-il. J'y ai mis pratiquement tout ce que je possède. J'ai dû marcher, parce que ma voiture a définitivement rendu l'âme. Ecoute, Leslie, est-ce que je peux dormir ici cette nuit ? Ma logeuse m'a fichu à la porte.

Le cerveau embrumé de Leslie tenta de suivre son discours et d'en comprendre la signification.

– Fichu à la porte ? répéta-t-elle avec difficulté. Elle a le droit ?

– Je n'en sais rien. Mais elle était hystérique, a hurlé qu'elle allait appeler la police... Ce n'était pas la peine d'insister. J'ai essayé de joindre une copine, mais elle a coupé son portable. Elle travaille dans un bar du port. Je l'ai attendue de dix heures du soir à minuit, mais elle n'est pas venue. Alors je suis monté jusqu'ici en espérant que tu pourrais m'offrir un toit pour la nuit. Je crois que je n'arriverai pas à faire un pas de plus.

Il se tut et la dévisagea.

– Tout va bien ? s'inquiéta-t-il.

Elle ne put retenir de nouvelles larmes.

– Oui, répondit-elle. C'est-à-dire, non. C'est à propos de Fiona. C'est...

Elle s'essuya les yeux.

– Je vais mettre un certain temps avant de digérer tout ça, reprit-elle.

D'un geste doux, il lui prit la bouteille des mains et la posa sur une chaise, dans le couloir.

– Tu pues l'alcool, Leslie. Tu ferais mieux d'arrêter, sinon, demain matin, tu ne te réveilleras pas.

– Peut-être que ça vaudrait mieux.

Il secoua la tête.

– Non, dit-il.

Entêtée comme une gamine, elle répliqua :

– Si !

Il l'attrapa par les épaules, la poussa dans la cuisine, l'obligea doucement, mais fermement, à s'asseoir.

– Je vais te faire du thé. Avec du miel. Tu as du miel ?

Elle était trop abattue pour se défendre contre sa sollicitude, et d'ailleurs, peut-être n'en avait-elle pas envie.

– Oui, il y a du miel quelque part, répondit-elle. Mais je ne sais pas où.

– D'accord. Je vais me débrouiller.

Elle le suivit d'un regard morne pendant qu'il s'affairait, mettait l'eau à bouillir, prenait deux tasses sur le plan de travail, ouvrait quelques portes de placard, découvrait le tiroir contenant les différentes sortes de thé. Il trouva aussi un pot de miel sur une étagère.

Dave versa l'eau bouillante sur le thé, posa les tasses sur la table, s'assit en face de Leslie.

– Qu'est-ce qui se passe ?

Elle secoua la tête, but une gorgée avec précaution. Elle sentit monter la nausée.

Trop de whisky, trop vite, dans un estomac vide. Elle se leva, courut aux toilettes, y arriva juste à temps.

Dave, qui l'avait suivie, lui enleva les cheveux de la figure, posa sa main dans son cou baigné de sueur pendant qu'elle vomissait.

Elle se releva, se dirigea en titubant vers le lavabo, fit couler l'eau froide et se rinça la bouche.

– Excuse-moi, murmura-t-elle ensuite.

Elle contempla le visage livide qui la regardait dans la glace. Des cheveux emmêlés, des yeux bordés de noir. Des lèvres tremblantes.

– De quand date ton dernier repas ? questionna Dave.

Elle essaya de se souvenir. Les dernières heures, les derniers jours, tout était si loin…

– De ce matin. Mon petit déjeuner avec toi.

– Si je me souviens bien, tu t'es contentée de prendre une bouchée de scone. Bravo !… Qu'est-ce qui se passe, Leslie ? Tu te soûles toute seule au whisky en pleine nuit. Pourquoi ? Où est ton ex-mari ?

– Stephen s'est installé à l'hôtel. Il m'a simplement laissé un mot.

Dave la regarda attentivement :

– C'est ça qui t'a secouée à ce point ?

– Penses-tu ! s'exclama-t-elle.

Sa réaction était trop vive, elle s'en rendait compte. Etait-ce le départ en douce de Stephen qui l'avait contrariée ? Avait-il réveillé en partie la souffrance qui la rongeait depuis qu'il l'avait trompée, lui ôtant tous ses repères ?

– Je ne voulais pas qu'il vienne ici, ajouta-t-elle, alors… qu'il soit reparti, qu'est-ce que ça peut bien me faire ?

Ses vertiges s'atténuaient. Avec précaution, elle marcha jusqu'à la cuisine, se laissa tomber sur une chaise et attira sa tasse. Le thé dégageait un parfum de vanille et de miel. Rassurant et familier.

– Donc, ta logeuse t'a fichu à la porte. Pourquoi ? demanda-t-elle à Dave qui avait pris place en face d'elle.

– Elle me prend pour un double assassin. Comme la police est venue m'attendre chez moi hier après-midi, ses soupçons se sont confirmés et elle n'a plus voulu m'avoir chez elle une minute de plus. J'ai eu beau lui expliquer qu'on ne m'aurait pas laissé repartir si vite si on avait eu quelque chose contre moi, ça ne l'a pas calmée. Je la comprends, d'ailleurs.

– Qu'est-ce qu'ils te voulaient, au commissariat ?

Avec un geste de la main soulignant que l'affaire était close, il répondit :

– Il y avait des ambiguïtés concernant mon emploi du temps de samedi dernier. Je les ai levées. Sinon, je ne serais pas ici.

Elle en était convaincue. Il n'avait rien fait. La police ne renvoyait pas les assassins dans la nature quand elle les avait déjà dans ses locaux.

Il se pencha en avant et répéta sa question :

– Qu'est-ce qui se passe, Leslie ? Tu as une mine terrible. Qu'est-ce qui te travaille à ce point ?

Il scrutait son visage, l'expression préoccupée. Une expression qui éveillait la confiance. Celle d'un ami qui s'inquiétait. Un instant, Leslie fut tentée de tout lui raconter, la guerre, Brian Somerville, Fiona, Chad et le malheur qu'ils avaient provoqué, mais elle se ravisa. Le sentiment de devoir protéger Fiona était plus fort que son besoin de se confier.

Elle se contenta donc de répondre :

– Je crois que ce qui me travaille, c'est moi. C'est ma vie. Je ne sais pas ce que je vais faire. Il s'est passé tellement de choses.

– Tu vas garder cet appartement ? Il t'appartient sans doute, maintenant.

– Je ne pense pas le garder. Je ne me suis jamais sentie bien ici. Cette immense baraque froide, toujours à moitié vide... Je vais sans doute la vendre. Ce que je vais faire de l'argent... aucune idée. Peut-être que je vais m'acheter un petit appartement à Londres, m'installer un petit nid qui m'appartiendra. Peut-être... que j'aurai alors le sentiment d'être chez moi. D'avoir trouvé un port d'attache.

– Et avant, tu n'en avais pas ?

– Où voulais-tu que j'en aie ? J'ai bientôt quarante ans. Mon couple a capoté. Ma dernière parente vivante est morte. Bien sûr, j'ai réussi ma vie professionnelle, mais ce n'est pas ça qui va me réchauffer.

– Un petit appartement à Londres, répéta-t-il, ça évoque une telle... solitude. Pas de mari, pas d'enfants, pas de chien, je ne sais pas, moi... Quelque chose qui donne de la chaleur.

Elle éclata de rire, d'un rire artificiel et, à son grand désarroi, assez désespéré.

– Evidemment, que ça évoque la solitude. Mais tu crois qu'il suffit de claquer des doigts pour faire apparaître l'homme qui est fait pour moi, qui m'épousera, qui me fera trois beaux enfants et qui nous emmènera à la campagne le week-end, prendre l'air et promener le chien ? Moi, je n'ai pas encore eu la chance de tomber sur ce genre de perle rare. En fait... je suis dans la même sale situation que Gwen. Seule et sans espoir.

– Mais tu n'es pas Gwen. Tu as un bon métier, tu es entreprenante et ambitieuse. Tu connais la vie, contrairement à Gwen. Tu n'as qu'une chose en commun avec elle : vous vous accrochez trop au passé, et vous ne remarquez pas à quel point ça vous bloque.

– Je ne crois pas que...

Il l'interrompit :

– Regarde Gwen. Elle est là, dans sa ferme, à se cramponner à une époque qui n'existe plus, une époque où les femmes n'avaient pas de métier, où elles restaient chez leurs parents et vieillissaient auprès d'eux. Sauf si un homme faisait son apparition et les emmenait chez lui, et dans ce cas, elles le mettaient sur un piédestal et lui étaient soumises. Pourquoi est-ce que personne n'a voulu d'elle jusqu'à présent ? Parce que les hommes ne veulent plus d'une femme comme elle aujourd'hui. Parce que ce qu'ils veulent, c'est une partenaire, une femme indépendante.

– Mais toi, tu veux bien d'elle !

Il se tut un moment. Puis :

– Tu sais très bien pourquoi.

– Ça ne marchera jamais, Dave.

– Je sais, murmura-t-il.

Puis elle se pencha vers lui pour souligner ses paroles :

– Détrompe-toi, je ne m'accroche pas au passé !

– Bien sûr que si ! Pas de la même façon que Gwen, c'est tout. Tu te laisses dominer par ton passé. Tu aimerais savoir qui était ton père. Tu te bats intérieurement contre ta mère en essayant d'être juste envers elle. Pareil pour ta grand-mère, tu es partagée entre ce que tu crois être ton devoir de reconnaissance et la colère qui remonte quand tu penses à la jeunesse qu'elle t'a fait vivre. Tu as envoyé ton mari au diable parce qu'il t'avait trompée, mais tu penses sans cesse à lui, tu l'analyses, tu te demandes comment vous en êtes arrivés là. Tu n'es pas libre, Leslie, libre pour une vie nouvelle.

Elle sentit les larmes prêtes à jaillir, les refoula en serrant les dents.

– Comment veux-tu que je fasse ? Je ne peux pas faire comme si mon passé n'avait pas existé !

– Mais tu peux le laisser où il est. Tu ne peux pas le changer, alors accepte-le. Tu ne sauras jamais qui était ton père. Tu vas devoir vivre avec le fait que ta mère était alternativement un ange et une personne irresponsable. Tu peux être reconnaissante à ta grand-mère de t'avoir élevée et en même temps lui en vouloir terriblement parce qu'elle était dure et qu'elle ne s'est pas donné la peine de s'occuper de ce que ressentait la petite fille qui lui avait été confiée.

Et, bon Dieu, laisse tomber ce Stephen ! Il t'a trompée. Est-ce que tu as besoin d'un type comme lui ? Et tu crois que si votre couple avait bien marché, tu l'aurais foutu dehors pour un seul et unique coup de canif dans le contrat, comme on dit ? S'il avait été solide, il aurait résisté. Mais c'est la goutte d'eau qui a fait déborder le vase.

Elle parvint à sourire, les yeux mouillés.

– C'est toi qui joues au conseiller matrimonial ?

Mais il ne lui rendit pas son sourire.

– J'ai tout raté, ma vie amoureuse, ma vie tout court. Mais ce n'est pas parce que je n'arrive pas à m'en sortir moi-même que je suis incapable de voir clair pour les autres.

Elle buvait son thé lentement, à petites gorgées. La chaleur lui faisait du bien, le miel lui calmait l'estomac. Elle pensa que Dave avait bien fait de surgir ainsi au milieu de la nuit. Elle était heureuse de ne pas être seule. Il est arrivé au bon moment, pensa-t-elle.

Elle avait l'esprit plus clair, se sentait plus calme, plus maîtresse d'elle-même. Elle leva la tête, rencontra ses yeux.

Elle soutint son regard et ce qu'elle y lut. Elle ne se déroba pas lorsque Dave fit le tour de la table, prit ses deux mains dans les siennes et la fit lever lentement. Elle accepta qu'il la prenne dans ses bras parce qu'ils étaient consolateurs et doux. Parce que c'était ce dont elle avait besoin. Elle avait envie de s'appuyer sur lui, d'être protégée, juste pour cette nuit, voulait sentir battre le cœur de quelqu'un d'autre, oublier Fiona et tout ce qu'elle avait appris sur elle.

Les lèvres de Dave caressèrent son front. Elle leva la tête et leurs bouches se rencontrèrent. Elle l'embrassa dans un mélange de désespoir et de colère, et il lui rendit son baiser avec douceur et tendresse. Ce qu'elle faisait était impossible, déplacé, une erreur, peut-être même une erreur fatale. Il était fiancé à une autre femme, il était soupçonné dans une affaire de meurtre. Mais il y avait déjà si longtemps qu'elle n'avait pas eu le droit de se laisser aller. Et il lui plaisait. Il était si différent de Stephen ! C'était un homme que sa grand-mère n'aurait jamais accepté. D'une part il lui paraissait opaque, imprévisible peut-être, et sans aucun rapport avec tous les hommes qu'elle avait connus. Mais en même temps, aussi contradictoire que cela pût sembler, plus transparent. Un étudiant doué, idéaliste, contestataire, un type qui bousillait sa vie et dont, à quarante ans, tout ce qu'il possédait tenait dans une seule valise.

C'était l'exact opposé de quelqu'un comme Stephen, qui avait achevé ses études de médecine et s'était spécialisé, gagnait bien sa vie et avait un poste sûr, jouissait de la considération générale et de la réputation d'un mari idéal, puis exprimait la frustration qu'il retenait depuis des années en se lançant dans une aventure minable. Non, Stephen n'avait pas la carrure qui lui convenait. Trop petit-bourgeois. Trop prévisible, même quand il faisait une chose inimaginable, comme lui mentir et la tromper. Là aussi, il jouait petit bras, se dégonflait au bout d'une nuit, avait besoin d'avouer parce qu'il n'arrivait pas à assumer son acte époustouflant, ou peut-être le fait qu'il ait pu agir sans se faire surprendre.

Il avait été un passage de sa vie, rien de plus.

Dave glissa les mains sous son pull et elle ferma les yeux quand ses doigts se posèrent sur ses seins.

– Nous ne devrions pas faire ça, murmura-t-elle tout en se demandant si c'était ce qu'elle pensait vraiment, ou si elle voulait simplement tranquilliser sa conscience en résistant au moins pendant quelques instants.

– Pourquoi ? demanda Dave à voix basse.

Il aurait été tellement facile de céder à son besoin de chaleur, de protection. De se réfugier dans la fusion physique avec un homme, pour oublier tout ce qui lui pesait, l'oppressait. Se blottir contre quelqu'un.

Ce n'était pas une question de sexe. Il s'agissait de trouver une maison. C'était de cela qu'il s'agissait depuis des années. Peut-être depuis toujours.

La question était de savoir si elle trouverait cette maison en couchant par terre, dans la cuisine, ou ailleurs, avec un type qui, certes, exerçait sur elle une forte attraction sexuelle... dans ce moment d'extrême faiblesse physique, alors qu'elle était affamée, nauséeuse, et dans un état de grande instabilité psychique parce qu'elle avait appris sur Fiona des choses qui l'avaient bouleversée.

Elle qui croyait fondre de désir l'instant précédent sentit le changement qui s'opérait en elle. Sa raison reprenait le dessus.

Elle fit un pas en arrière, se cogna contre le mur.

– Je ne peux pas, dit-elle.

– Pourquoi ? répéta-t-il.

Sa langue effleura ses lèvres. Elle aimait sa manière de l'embrasser, aimait la sensation de ses mains sur son corps. Mais elle avait peur. Peur que le vide ne soit encore plus grand après.

Elle détourna son visage.

– Non, Dave, je ne veux pas ! prononça-t-elle avec une soudaine dureté dans la voix.

Il recula.

– Excuse-moi ! dit-il en levant les deux mains.

– Pas de problème. Tout va bien.

Il la regarda, visiblement perplexe.

– Leslie, je croyais que tu...

– Que je quoi ?

– Que *nous*, rectifia-t-il. Qu'il y a une minute, nous voulions la même chose.

– Oui, il y a une minute. Mais maintenant... ce n'est pas possible, voilà tout.

Il la considéra d'un air pensif.

– Où est le problème, Leslie ? Ou bien, qui est le problème ? Gwen ?

– Oui, Gwen aussi. Mais c'est aussi que je... je me sens très vulnérable en ce moment. Je ne veux pas coucher avec un homme que je connais à peine en étant si vulnérable.

Il l'examina attentivement, et elle lut dans ses yeux qu'il la comprenait.

– Un jour, dit-il, il faudra que tu sortes de ta coquille. Tu as tellement peur qu'on te fasse du mal que tu oses à peine vivre. C'est... à partir d'un certain moment, c'est la spirale vers le bas. Sors-toi de ça avant de ne plus avoir la force de remonter.

– T'inquiète. J'ai ma personne et ma vie bien en main.

Il ne répondit pas, et cela la contraria. Il n'avait pas le droit de l'analyser ainsi... pas dans sa position : surveillé de près par la police, fichu à la porte par sa logeuse, un compte en banque sûrement vide, des fiançailles qui ne voulaient rien dire... Et il se permettait de lui donner des leçons sur sa manière de vivre ?

– Vous, les mecs, quand vous n'arrivez pas à vos fins, reprit-elle d'un ton agressif, vous débitez des tas de choses que vous feriez mieux de garder pour vous. Il serait temps que vous trouviez d'autres trucs pour compenser votre frustration sexuelle.

Il sourit, l'air résigné.

– Tu sais, j'arrive parfaitement à gérer le fait de ne pas arriver à mes fins, comme tu dis. Tout ce que je viens de dire, ce n'était pas pour compenser quoi que ce soit. Je voulais simplement t'expliquer comment je ressentais ta situation. Mais tu as raison, c'était peut-être une agression.

– Je l'ai pris comme ça, répliqua-t-elle.

– Je suis désolé, dit-il.

Ils se regardèrent avec un embarras soudain. Tout avait été dit. Il ne s'était rien passé.

Leslie se sentit fatiguée et abandonnée.

– Je vais me coucher, annonça-t-elle. Tu peux prendre la chambre d'amis, puisque Stephen n'en a plus besoin.

– Merci. Je chercherai un autre endroit demain, bien sûr.

– Prends ton temps.

Elle le regarda sortir de la cuisine.

Elle se dit qu'elle devrait ressentir du soulagement, puisqu'elle avait fait ce qu'il fallait. Au lieu de cela, elle était triste et déstabilisée. Elle s'assit et alluma une cigarette.

Une fois de plus, elle avait mal réagi. Avait renforcé la fortification qui l'entourait. Fait monter les murs encore plus haut. Poussé encore plus loin son propre isolement. Pourquoi n'avait-elle pas tout simplement fait comme elle en avait envie, sans penser à l'après ? Disait-il vrai ? Etait-elle incapable de vivre, tout simplement ?

Perdue dans ses pensées, elle suivit des yeux les ronds de fumée qui flottaient dans la pièce brillamment éclairée en se délitant quelque part en son centre.

Elle aurait du mal à trouver le sommeil.

2

Elle s'était couchée très tard, mais cela ne l'avait pas empêchée de se lever très tôt.

Valerie sortait de la salle de bains lorsque son portable sonna. Enveloppée dans son drap de bain, elle courut dans sa chambre où l'appareil était en train de charger.

C'était le sergent Reek, lequel semblait avoir pris le pli d'être à son poste à la pique du jour.

– Il est trop tôt ? s'enquit-il, inquiet.

– Je suis en train de prendre mon petit déjeuner, mentit-elle. Qu'est-ce qu'il y a ?

– Rien qui vous fera plaisir, malheureusement. Hier soir, j'ai joint les parents de Stan Gibson à Londres. Ils ont dit que leur fils avait passé le dernier week-end chez eux avec Mlle Witty pour faire les présentations. Je suppose que Mlle Witty va le confirmer elle-même. Il n'est pas idiot, Gibson, il ne va pas mentir sur un sujet qui se laisse aussi facilement vérifier.

– Gibson n'est pas idiot du tout, hélas, c'est l'un de nos nombreux problèmes. Ses parents vous paraissent dignes de foi ?

– Oui. Ils sont choqués, mais ils ne mentiraient pas pour autant. Ils sont trop perturbés. Ils n'arrivent pas à imaginer que leur fils pourrait avoir commis un crime. Ils le décrivent comme quelqu'un de gentil, de fiable et de serviable. Il changeait souvent de petite amie, mais pour sa mère, c'est évidemment la faute des filles, parce que ces gourdes ne savent pas estimer les qualités de son fiston à leur juste valeur. Moi, je crois plutôt qu'elles en ont vite marre, et Mlle Witty pourrait sans doute vous en dire plus long. Mais...

– ... mais ça ne nous avance pas pour autant, en ce qui concerne la mort d'Amy Mills, compléta Valerie.

– En tout cas, on ne peut pas le rendre responsable de l'homicide sur la personne de Fiona Barnes, résuma Reek.

– Ça m'en a tout l'air, répondit Valerie, résignée.

– Je file à Filey Road pour tenter ma chance chez Karen Ward, annonça Reek.

Sa voix résonnait comme s'il voulait dire : allez, courage, on a encore d'autres fers au feu !

– Elle n'est pas rentrée hier, mais elle est peut-être rentrée dans la nuit, ajouta-t-il.

– Vous êtes allé au Newcastle Packet ?

– Bien sûr. Mais elle ne s'est pas rendue à son travail hier soir. Ses colocataires ne savaient pas non plus où elle était. Une chose intéressante, peut-être : ils m'ont dit que Dave Tanner avait essayé à deux reprises de la voir chez elle. On m'a dit aussi qu'il était allé au Newcastle Packet et qu'il l'avait demandée. Il avait l'air de tenir absolument à la voir.

– Ce n'est pas surprenant. Ils continuent à coucher ensemble.

– En tout cas, je ne raye pas Tanner de la liste avant que Ward ait confirmé ses déclarations. Je suis encore allé au Golden Ball. Ils ont bien été vus là-bas, mais ils ne sont pas restés longtemps. Ils ont quitté le pub vers dix heures. Donc cette déclaration ne nous suffit pas.

Valerie s'estima heureuse d'avoir un collaborateur aussi précieux. Il faisait des heures sup à n'en plus finir, et sans jamais se plaindre.

– Vous faites vraiment du bon boulot, Reek, le félicita-t-elle, tout en imaginant le sourire de fierté qu'il arborait sans doute à ce compliment.

– Bon, maintenant, je file chez Ward, dit-il d'un ton bref, avant de raccrocher.

Valerie s'habilla. Ses gestes étaient lents, lourds de fatigue. Elle était aux antipodes de l'exaltation du zélé sergent Reek. Etait-ce seulement la déception de n'avoir pu résoudre deux affaires d'un même coup ?

D'ailleurs, en avait-elle résolu une seule ?

Elle se rendit à la cuisine d'un pas traînant et brancha la cafetière. Elle ne prendrait que du café, rien de plus. Elle n'avait même pas envie d'un bon petit déjeuner.

La veille au soir, elle avait encore cuisiné Stan Gibson sans avoir réussi à lui faire passer sa bonne humeur. Il avait répondu en souriant à chacune de ses questions, poliment, patiemment, sans le moindre signe de contrariété.

Evidemment, qu'il avait entendu parler de l'assassinat d'Amy Mills, on n'avait parlé que de ça à Scarborough pendant tout l'été. Une histoire horrible, terrible. Comment pouvait-on faire une chose pareille ? Evidemment, qu'il s'était senti atteint personnellement. Amy était très importante pour lui, même s'il n'avait jamais eu le courage de l'aborder. Il ne faisait pas l'effet d'un homme timide envers les femmes ? L'inspecteur se trompait. Il n'avait jamais eu de contact personnel avec Amy.

Oui, la longue-vue. Les photos… Evidemment, qu'il savait que ça ne se faisait pas. Mais ce n'était pas non plus interdit, non ? Il la trouvait si mignonne. Quand est-ce qu'il l'avait vue pour la première fois ? Qu'il réfléchisse… ça devait être en janvier. Juste comme ça, pour passer le temps, il zieutait dans les appartements d'en face, et c'est là qu'il l'avait vue chez Linda Gardner. Elle s'occupait de la gamine. Elle avait de beaux cheveux ondulés et ça lui avait tapé dans l'œil. On aurait dit une auréole. Il avait commencé à s'intéresser à elle, mais personne n'allait le lui reprocher, quand même ?

De l'obsession ? Ça, il ne pouvait pas en juger. OK, il l'avait souvent suivie sans se faire voir. Elle se baladait en faisant de longues promenades toute seule. Elle lui avait semblé très seule, oui. Elle prenait parfois un café avec une copine, mais rarement.

S'il l'avait abordée ? Si elle l'avait repoussé ? Si ça l'avait mis en colère ? Non, non, l'inspecteur Almond se mettait le doigt dans l'œil. Il ne l'avait jamais abordée, il l'avait déjà dit. Et donc, il ne s'était pas pris de râteau. D'ailleurs, ce genre de trucs, il savait gérer. Il n'avait pas l'habitude de massacrer les femmes qui l'envoyaient promener. Mais en fait, il ne s'était jamais pris de râteau. Jamais ! Il n'avait aucun problème avec les femmes. Surtout pas pour draguer. Alors, en fait, il ne savait même pas l'effet que ça faisait de se prendre une veste.

Et ainsi de suite. Toujours en souriant. Et Valerie sentait par toutes les fibres de son corps que c'était lui. Que le type souriant qu'elle avait devant elle avait assassiné Amy Mills.

Pendant que le café passait, Valerie se demanda quels éléments concrets elle avait en main.

Honnêtement, rien.

Rien, à part les indices qui l'avaient conduite sur la piste de Gibson, à part son intuition qui hurlait : « Assassin ! », à part un vague espoir. Un espoir qui se nourrissait de l'impression que lui faisait ce type.

Elle but son café à petites gorgées tout en regardant par la fenêtre. C'était encore la pénombre, mais elle crut voir qu'il pleuvait. Le brouillard non plus ne semblait pas avoir renoncé.

Gibson pouvait se présenter tant qu'il pouvait comme le gentil, l'aimable, le souriant jeune homme qui incarnait au premier regard le rêve de n'importe quelle belle-mère, elle ne se laisserait pas abuser. Elle avait décelé son anormalité dans son sourire, sa folie dans ses yeux. Elle savait qu'il avait un énorme problème, et même si elle ne le connaissait pas assez et ignorait tout de son histoire antérieure, elle ne doutait pas que les femmes, son rapport aux femmes, constituaient le catalyseur susceptible de transformer son problème en scénario de film d'horreur. Un scénario parlant de haine, de vengeance, de rage mortelle et de brutalité débridée. Le cadavre d'Amy Mills en témoignait suffisamment.

Selon toute probabilité, il ne supportait pas qu'on le rejette. Pendant son interrogatoire, Gibson n'avait cessé de se vanter de n'avoir jamais été repoussé par aucune femme. Il l'avait souligné trop souvent, et avec une expression qui ne l'avait pas trompée. Sans doute était-ce ce qu'Amy Mills avait payé de sa vie. Les photos prouvaient l'obsession de Gibson. Mais elle n'avait pas voulu de lui. A un moment donné, soit dans les jours précédant son assassinat, soit cette nuit-là, dans le parc, elle l'avait envoyé promener. Gibson n'acceptait pas la rebuffade d'une femme.

Arrivé à ce stade, le sergent Reek dirait : « Des faits, inspecteur, des faits ! N'échafaudez pas des scénarios parce que vous voulez absolument avoir un coupable, parce que vous voulez à tout prix présenter une solution à l'affaire. Tenez-vous-en aux faits ! »

Mais peut-être était-ce sa propre voix qu'elle entendait dans sa tête, et non pas celle de Reek.

La nuit précédente, elle s'était réveillée à plusieurs reprises en se demandant pourquoi tout avait si bien marché.

Aucune piste pendant des mois, pas de point de départ, rien. Puis, soudain, apparaissait une Ena Witty qui rapportait des faits étranges concernant son copain. Et, déjà, on tenait un suspect, des photos prises par un type qui s'intéressait à la morte de manière obsessionnelle, une longue-vue braquée sur l'appartement d'où Amy Mills était sortie avant de se faire assassiner.

Dans le silence de la nuit, elle s'était demandé s'il était possible qu'un coupable éventuel lui soit ainsi livré sur un plateau d'argent, qu'un assassin présumé soit ainsi jeté à ses pieds, sorti comme un as d'une manche quelconque. Car la vie, ou, plus modestement, son métier, n'offraient généralement pas ce genre de solution.

A présent, elle savait. Elle tenait les réponses à toutes les questions qu'elle s'était posées avec tant de scepticisme : si l'assassin était apparu aussi brusquement devant elle, c'était parce qu'il l'avait décidé lui-même. Stan Gibson avait souhaité entrer en piste à ce moment précis. Il avait anticipé la fouille de son appartement par la police, l'interrogatoire, les questions auxquelles il s'était préparé à répondre avec ce sourire persistant dont il savait qu'il mettrait les nerfs de l'enquêteur à rude épreuve.

C'était lui qui l'avait décidé, et c'était la raison pour laquelle il avait parlé de la longue-vue à Ena, qu'il avait rangé les photos de manière à ce qu'elle tombe inévitablement dessus. Il savait d'avance qu'Ena donnerait l'alerte. Il ne restait plus qu'à attendre qu'elle aille, soit en parler elle-même à la police, soit se confier à quelqu'un qui s'en chargerait.

Il avait préparé son entrée, et l'avait réussie.

Autre chose encore : il avait fait en sorte qu'on ne puisse rien lui reprocher. Il n'avait pas été surpris par le cours de l'enquête, car il en avait observé et ordonné le déroulement de manière très précise. Il n'aurait pas orienté tous les indicateurs sur sa personne, à travers Ena, s'ils avaient représenté un danger pour lui. Il était malin et rationnel.

Valerie aurait beau remuer ciel et terre, elle ne trouverait pas la preuve qui mettrait Gibson derrière les barreaux.

Cette preuve n'existait pas.

Si elle avait existé, Gibson ne se serait pas livré. Il aurait renoncé à son numéro de clown souriant au commissariat.

Valerie se servit une deuxième tasse de café, la but à toute vitesse comme pour avaler son amertume et sa frustration avant de leur laisser prendre trop d'ampleur.

Il lui restait cependant un espoir, une mince lueur d'espoir, macabre, presque cynique, qu'elle fondait sur le plaisir qu'elle avait décelé la veille chez Gibson pendant son interrogatoire. Il jouissait incroyablement de la situation. Cette situation était le point culminant de sa jouissance, elle le remplissait d'euphorie, et il était déjà accro à cette sensation. Accroché à l'hameçon. Comme c'était elle, Valerie, qui la lui avait procurée, elle avait une légère avance sur lui, ce qu'il ignorait. De plus, elle avait obtenu deux renseignements, des renseignements inestimables : d'une part, c'était vraiment un malade, et d'autre part, il voudrait recommencer. Les deux. Le crime lui-même, mais également le jeu du chat et de la souris avec la police.

Elle le savait avec une telle certitude qu'elle se sentait prête à tout miser dessus.

Elle jeta le reste de son café dans l'évier.

Au boulot, maintenant. Il fallait vérifier les déclarations de Dave Tanner, en espérant que Reek dénicherait très vite Karen Ward. Elle reverrait également Ena Witty. Peut-être celle-ci avait-elle recouvré ses esprits et se souviendrait-elle d'un ou deux détails importants concernant Gibson. Inutile de se bercer d'illusions, ce ne serait pas elle qui l'amènerait à résoudre l'affaire, mais il fallait faire le travail dans les règles. Observer la routine, comme on le lui avait enseigné. De plus, il s'agissait de mieux connaître Gibson, d'apprendre sur lui tout ce qu'il y avait à apprendre.

A partir de maintenant, Gibson, tu as un limier aux fesses, et un jour, je verrai ton petit sourire se figer sur ta gueule au moment où tu comprendras que tu es vraiment dans la merde !

Elle attrapa son sac, ses clés de voiture, son manteau, et sortit.

L'autre enfant.doc

15

Cher Chad,

C'est en m'adressant à toi par cette lettre que j'écris les derniers chapitres de notre histoire. L'essentiel, je l'ai raconté, mais j'éprouve également le besoin de t'expliquer pourquoi je t'ai mis tout cela par écrit.

Je te connais, tu es un pragmatique avare de mots. Pour toi, ne compte que ce qu'il est absolument nécessaire de dire, et il faut le dire sans fioritures. Et je sais ce que tu penses, maintenant que tu as lu ce récit :

« Pas la peine d'écrire tout ça ! Notre histoire... et alors ? Je la connais par cœur ! »

Alors, pourquoi ?

Moi, Chad, cette histoire, la nôtre, m'a toujours profondément attristée. Pour plusieurs raisons. D'abord, naturellement, à cause de Brian Somerville. Peut-être étais-je plus proche de ce petit garçon que toi, bien qu'il ait vécu chez toi pendant des années, même quand je n'étais pas là, et même si, dans les faits, tu as passé beaucoup plus de temps avec lui.

Mais c'est à ma main que s'est cramponné ce petit orphelin le jour où il a quitté Londres. C'est avec moi qu'il voulait être, partout et toujours, à Scarborough. La seule personne qu'il appelait par son nom, c'était moi. Jamais il n'a parlé directement à qui que ce soit d'autre, t'en es-tu aperçu ? Pas même à Emma qui l'a plus aimé que quiconque. La seule à l'avoir aimé, au fond. Mais c'est moi qu'il avait choisie, dès la première seconde, en ce matin de novembre, dans Londres bombardée, devant les ruines fumantes de la maison de ses parents. Et même si je ne lui ai jamais rendu son affection, si j'ai toujours trahi sa confiance, il m'est resté fidèle. Parfois, je me dis que, depuis, plus personne ne m'a aimée aussi fidèlement que Brian Somerville.

Ensuite, si je ne peux penser à nous deux qu'avec tristesse, c'est parce que nous n'avons jamais pu unir nos vies comme j'en avais rêvé. Aujourd'hui encore, je reste convaincue que nous étions destinés à passer notre vie ensemble. Je n'ai jamais été heureuse avec l'homme que j'ai épousé plus tard, et toi non plus avec la femme pour laquelle tu t'es décidé à un âge déjà avancé. Je suis convaincue que nos mariages respectifs n'ont pas été heureux pour la simple raison que nous n'avons pas épousé l'être auquel nous étions destinés. C'est aussi pour cela que nous n'avons connu que des déceptions avec nos enfants. Toi avec Gwen, qui est devenue une vieille fille inexpérimentée et qui est sur le point d'épouser un charmant escroc qui n'en veut qu'à son bien et la trompe à tour de bras, j'en suis persuadée. Quant à ma fille... bon, tu sais ce qu'il en est. Les communautés hippies, le haschich et le LSD, pas de métier, des coucheries avec n'importe qui, et le pire de tout, l'irresponsabilité avec laquelle elle a agi envers sa petite fille. Je n'ai pas été surprise qu'elle meure d'une overdose de drogue et d'alcool, et même, je m'y attendais. Mais j'aurais évidemment souhaité qu'elle ait une autre vie.

Brian Somerville n'est pas étranger au fait que nous n'ayons pas pu nous marier. Nous n'en avions pas conscience, mais notre histoire s'est décidée en août 1946, le jour où, après avoir enfourché le vélo dégonflé de ta mère, j'ai pédalé jusqu'à la ferme fantomatique de Gordon McBright et j'ai compris qu'il se passait là des choses horribles ; que nous devions intervenir. Tu t'en souviens, je t'en ai parlé le soir même dans notre crique.

Mais ce n'était déjà plus l'atmosphère romantique de la veille, le bonheur et la lumière de cette soirée de retrouvailles où nous nous sommes aimés, où je voyais s'ouvrir devant nous un avenir resplendissant.

Pendant cette deuxième soirée, nous nous sommes disputés. Je t'ai parlé de mon expédition, et tu m'en as terriblement voulu. Tu t'es mis à hurler, tu es devenu si agressif que j'ai fondu en larmes. Ce soir-là, je n'ai pas compris ce qui te mettait dans cet état.

Aujourd'hui, je comprends évidemment que c'était la peur. La peur que je n'entreprenne d'autres démarches, que je ne te mette dans les ennuis que tu craignais tant. Tu as réagi avec ironie, avec mépris quand j'ai voulu t'expliquer à quel point j'avais senti là-bas la présence du mal, de l'horreur, du crime. Je suis même allée jusqu'à évoquer les hurlements de Brian que j'avais entendus dans ma tête. Tu n'as pas voulu l'admettre. Dans tes yeux, j'ai vu quelque chose qui ressemblait presque à de la haine. J'étais devenue pour toi une ennemie, à ce moment-là. Et une menace.

Tu m'as fait savoir que nous ne serions plus amis si je ne laissais pas tomber *l'affaire Somerville*, que les portes de la ferme Beckett me seraient fermées. En bref : plus aucun contact, plus jamais. Pas simplement la fin de notre amour et de notre amitié : à dater de là, tu ne me connaîtrais plus.

Je ne veux pas, en me rappelant, en te rappelant cette soirée, te rendre responsable du sort de Brian Somerville. Même si je m'accorde l'excuse de la jeunesse – car je n'étais qu'une fille de dix-sept ans, amoureuse, désemparée et inexpérimentée, et c'était trop me demander que d'agir selon ma conscience, sans tenir compte des conséquences qui te menaçaient – il y aurait toujours eu, plus tard, dans les années suivantes, un moyen de faire preuve de courage, de faire des recherches, d'entreprendre quelque chose. Je n'ai pas eu toujours dix-sept ans, je ne pouvais éternellement avancer l'argument de la jeunesse et de l'impuissance.

Un jour, ma conscience aurait dû prendre le pas sur... oui, sur quoi ? J'ai souvent réfléchi, Chad, à ce qui m'a bloquée pour toujours. La crainte de perdre ton amitié ? Je crois que, malgré l'importance que tu avais et que tu as toujours pour moi, cette crainte n'aurait plus suffi à réduire au silence la voix qui, en moi, me relançait et me rappelait le sort de Brian. Je ne crois pas que mon silence s'explique, et encore moins se justifie, par l'amour que j'ai éprouvé pour toi autrefois. Et que je n'ai peut-être jamais cessé d'éprouver.

Non, l'explication est plus banale, et elle a presque un caractère naturel : plus on s'enfonce dans une certaine voie, plus il est difficile de revenir sur ses pas. Il y a toujours un moment où on peut crier : « Non ! » et refuser de continuer à marcher. Quand on rate ce moment, il est plus compliqué de revenir en arrière, et cela oblige à se justifier, à expliquer pourquoi on ne l'a pas fait plus tôt... Et à la fin, on n'ose plus.

Nous avons continué jusqu'au moment où il nous a été impossible de revenir sur nos pas, tout au moins d'une manière tant soit peu honorable.

Quand on est dans cette situation, on serre les dents et on continue à marcher en sifflant gaiement, et en s'agitant beaucoup de manière à ne pas être obligé d'entendre la voix de sa conscience. C'est ce que j'ai fait.

Toi aussi, peut-être, je ne sais pas. Parfois, je crains que ta conscience concernant la tragédie de Brian Somerville ne t'ait pas autant tourmenté que la mienne. Je n'ai jamais réussi à élucider cette question. Tu as toujours torpillé mes rares tentatives. Tu ne voulais pas en parler, point final.

Cette fois-là, je suis retournée à Londres quelques jours seulement après mon arrivée dans le Yorkshire. Plus rien n'était pareil. Je n'arrivais pas à supporter la distance que tu mettais entre nous, ta froideur. Tu m'évitais, tu me faisais comprendre que tu n'avais pas envie de contact. Il n'y eut plus de soirées dans la crique. Plus de conversations. Encore moins de câlineries. Brian Somerville – et la menace qu'il constituait pour toi – était entre nous. Tu ne pouvais te résoudre à faire le moindre pas vers moi. Je crois que tu as été profondément soulagé quand j'ai fait mon sac pour repartir.

Je ne sais plus ce que j'ai raconté à ma mère qui m'a accueillie avec surprise et à Harold qui n'en revenait pas. Je suppose qu'ils ont plus ou moins compris. Je ne leur avais jamais parlé de mes sentiments envers toi, mais ma mère avait sûrement deviné et elle a probablement pensé qu'il s'était passé quelque chose. Que j'avais quitté précipitamment Scarborough à cause d'un chagrin d'amour. Elle ne se trompait pas entièrement, d'ailleurs.

Fin septembre, j'allai me renseigner sur la famille Somerville auprès des services de l'enregistrement de la population de Londres. Je donnai son adresse précédente en indiquant que j'étais une amie et que je les recherchais. Ce genre de demande était fréquent un an et demi après la guerre. Certains hommes n'étaient pas rentrés du front, des familles évacuées des grandes villes à la suite des bombardements étaient restées sans donner de nouvelles. Il y avait toujours des enfants qui recherchaient leurs parents, des parents qui ne retrouvaient plus leurs enfants, des femmes, leurs maris ou leurs fiancés, des maris, leurs femmes. La Croix-Rouge affichait de longues listes d'avis de recherche.

Les ombres de la guerre se faisaient encore sentir.

J'appris, comme je m'y attendais, que toute la famille Somerville avait péri dans un bombardement en novembre 1940.

– Tous ? m'enquis-je auprès de la jeune femme assise derrière le guichet.

Elle me décocha un regard compatissant.

– Oui, hélas. M. et Mme Somerville et leurs six enfants. La maison s'est écroulée, ils n'ont pas pu sortir de l'abri antiaérien.

– On a les a tous sortis des ruines ? insistai-je.

– Oui. Je regrette de ne pas pouvoir vous donner de meilleures nouvelles.

– Merci, murmurai-je.

A l'époque, la moitié de la ville avait brûlé ; partout, on avait sorti des décombres des blessés et des morts. Il n'était pas étonnant qu'on n'ait pas pu vérifier si les six enfants étaient auprès de leurs parents. Je me souvenais des mots de la pauvre Mlle Taylor : « Ils les ont sortis des décombres... enfin... ce qui restait d'eux. »

Officiellement, je le savais désormais, Brian Somerville était mort depuis près de six ans. Nobody était vraiment devenu Nobody. Il n'existait plus. Une infirmière de la Croix-Rouge avait écrit une note à son propos sur son carnet, mais sans doute cette note s'était-elle perdue en cours de route. Plus personne ne s'inquiéterait jamais de Brian. Il s'était passé cette chose inimaginable de nos jours, dans notre monde parfaitement interconnecté et piloté par ordinateur : quelqu'un avait glissé entre les mailles de tous les systèmes. Brian Somerville existait physiquement, mais officiellement, il n'était pas là. Il n'était soumis à rien, ni à l'instruction obligatoire ni à l'obligation de payer ses impôts. Il n'avait pas d'assurance sociale et ne bénéficiait pas du droit de vote. Ni de la moindre protection sociale.

Je rentrai chez moi et t'écrivis une lettre dans laquelle je t'annonçai ce que j'avais découvert. Je ne sais pas si tu te souviens de cette lettre, mais ce fut l'une des rares fois où tu me répondis – et même assez vite. Je suppose que tu étais soulagé d'apprendre le « décès » officiel de Brian, car désormais, tu étais sûr que tu ne serais pas inquiété par les autorités à son sujet. Tant que je la bouclerais, tu n'aurais rien à craindre.

Tu me remerciais de ma lettre et me demandais de ne pas me faire de souci. Parce que rien ne prouvait que Brian allait aussi mal que je l'avais cru au premier abord, avec mon *imagination en ébullition* (je me souviens parfaitement de cette expression !). Et tu me demandais d'imaginer l'alternative en me faisant ressortir que la vie à l'asile – et il n'était pas question d'autre chose – n'était vraiment pas une partie de plaisir pour un garçon comme Nobody. Dans les asiles, les patients étaient attachés dans leurs lits, où ils végétaient en baignant dans leurs excréments, et on les aspergeait d'eau froide, quand on les nettoyait... Ils étaient souvent maltraités, mouraient souvent pour une cause inconnue...

Tu décrivais une vision d'horreur que n'aurait pas reniée Charles Dickens et aujourd'hui encore, avec le recul, je reconnais que tu n'avais sans doute pas tout à fait tort : les établissements psychiatriques des années quarante du siècle dernier n'étaient pas comparables avec ceux que nous connaissons aujourd'hui, et même à notre époque, nous sommes régulièrement scandalisés par des informations touchant la manière dont on maltraite parfois les malades mentaux et les personnes âgées.

Malgré cela... j'ai bientôt quatre-vingts ans, Chad, et maintenant que ma mort n'est plus très lointaine, je ne veux plus me mentir à moi-même et aux autres.

Ce que nous avons fait était mal. Et depuis le scandale déclenché par Semira Newton au début des années soixante-dix, tu ne peux plus, toi non plus, prétendre que la solution que nous avons choisie ait été la bonne, loin s'en faut.

C'était une solution marquée par la cruauté, l'irresponsabilité, l'absence de scrupules. L'égoïsme et la lâcheté. Oui, peut-être est-ce cela qui nous décrit le mieux : nous avons été lâches.

Simplement lâches.

16

Que s'est-il passé ensuite ? J'ai fait ce que je refusais obstinément de faire avant : j'ai appris la dactylographie et la sténographie et j'ai travaillé ensuite dans plusieurs bureaux à Londres. A cette époque, je m'en souviens maintenant, ma mère m'a demandé un jour des nouvelles de Brian, tout à trac, pendant le petit déjeuner :

– Qu'est devenu cet autre enfant ? me demanda-t-elle, et, d'effroi, j'en avalai mon thé de travers. Tu sais, le petit... comment s'appelait-il, déjà ? Somerville, c'est ça. Le gamin que tu as emmené à l'époque...

– Ça fait longtemps qu'il est dans un asile, maman, ça fait des années, répondis-je en épongeant mon pull avec ma serviette. Tu sais bien, il était...

Je me frappai démonstrativement le front.

– Ah bon, dit maman, et ce fut tout.

Elle n'y fit plus jamais allusion. Pour elle, l'affaire était réglée. La réponse ne l'intéressait d'ailleurs que modérément.

En août 1949, j'épousai Oliver Barnes, le premier garçon que j'ai connu après toi, un étudiant en histoire très gentil. J'avais fait sa connaissance à la bibliothèque de l'université où j'avais obtenu un travail temporaire. Je crois que j'étais un peu amoureuse de lui, mais ce n'était pas le véritable amour. Peut-être n'est-on pas assez mûr à vingt ans pour faire la différence. Je l'épousai parce que je le trouvais gentil et qu'il était fou de moi. Il vivait encore chez ses parents, mais il avait un appartement au sous-sol de leur grande maison. Grâce à cela, j'ai pu quitter l'étroit logement de ma mère et d'Harold. Mon statut social faisait un énorme bond en avant, ce qui en a beaucoup imposé à ma mère. Elle aimait bien Oliver, et jusqu'à sa mort, elle a vécu dans la conviction que j'avais trouvé le grand amour avec lui. Je ne l'ai jamais détrompée, il était inutile de lui faire de la peine.

J'avais vingt et un ans tout juste quand ma fille Alicia est née. Et vingt-huit ans quand mon mari, professeur d'histoire, s'est vu proposer un poste à l'université de Hull.

Le hasard ou la prédestination ? Une fois de plus, ma route me conduisait dans le Yorkshire.

Je ne vais pas t'ennuyer avec la description des années suivantes.

Le fiasco de nos deux vies était consommé : au moment décisif de la croisée des chemins, nous avions pris chacun une direction différente, et il était impossible de revenir dessus. C'était tragique pour moi, et je continue à trouver cela tragique. Je ne sais pas si tu partages ce sentiment, parce qu'on ne peut pas parler de ces choses-là avec toi. Tu n'as cessé de te replier sur toi-même au fil des années. C'est moi qui ai maintenu le contact, qui venais te rendre visite, essayais de te sortir de ta réserve. Même quand tu t'es marié, à l'âge de quarante-cinq ans, avec une femme de vingt ans plus jeune, qu'on a pu voir décliner lentement à cause de ton incapacité absolue à communiquer. Il est tout à fait évident pour moi que c'est ce qui l'a fait mourir si tôt, alors qu'elle était tellement plus jeune que toi. Elle m'a toujours fait penser à une fleur qu'on n'arrose jamais, qui se fane lentement et qui, un beau jour, n'est plus là.

Gwen, elle aussi, a toujours souffert de ton caractère, mais c'est ta fille, et elle n'a toujours connu qu'un père qui ne dit pratiquement jamais un mot, qui vit en retrait de sa famille, qui est là sans être là. Elle a pu développer les mécanismes qui lui permettent de vivre dans le désert. Ta femme, même jeune, était trop âgée, malgré tout, pour cela. Elle s'est usée à ton contact. Elle est morte de chagrin et de frustration. La tumeur, dans sa poitrine, n'était qu'une manifestation physique de son malheur.

Pourquoi je te dis cela de manière aussi dure ? Parce que je n'ai pas été moins dure envers moi-même. Quelle est ma part de responsabilité, si tu es resté aussi éloigné de ta propre famille, si tu as si peu participé à sa vie, si tu es formellement devenu mari et père, mais jamais véritablement ?

J'avais obtenu que nous vivions à Scarborough, alors que Hull aurait été beaucoup plus simple pour Oliver, mais, comme d'habitude, il s'est plié à mon désir. Nous ne vivions pas encore à Prince of Wales Terrace, mais nous avions une très jolie maison plus haut, à Sea Cliff Road, une rue qui semble se terminer dans la mer, bordée d'arbres et de vastes maisons avec de beaux jardins. Nous aurions pu être une famille heureuse et intacte, et j'aurais pu m'épanouir. Au lieu de cela, je retournais sans cesse à la ferme Beckett. Longtemps, je n'ai pas eu conscience du temps que j'y passais, mais il y a eu un jour une scène affreuse avec ma fille Alicia. Déjà mère de la petite Leslie, elle avait vingt ou vingt et un ans, vivait une vie sans but, sans structure, et je lui reprochais son manque d'ambition pour son avenir.

– Tu as eu tout ce que tu pouvais avoir ! hurlais-je. Tu n'es pas comme tous ces jeunes qui ont manqué de ceci ou de cela ! Dis-moi ce qui t'a été refusé !

Sa peau était déjà d'un jaune malsain, elle avait continuellement des problèmes biliaires à cause de la drogue et de sa mauvaise

348

alimentation. Je me souviens que ce teint maladif s'est encore accentué. Elle a violemment répliqué :

– Ce qui m'a été refusé ? Une mère ! C'est une mère qui m'a été refusée !

J'ai été estomaquée.

– Qui, moi ?

– Oui, toi, je n'ai pas d'autre mère, malheureusement !

– Mais je…

– Tu n'étais jamais là, m'a-t-elle interrompue, tu passais ton temps dans cette ferme à courir après ce Chad Beckett, et tout ce que je trouvais en rentrant de l'école, c'était un repas à réchauffer et un bout de papier qui me disait que tu étais à la ferme Beckett et que tu rentrerais plus tard. J'aurais dû les garder, ces bouts de papier. Je pourrais en remplir des containers entiers !

Maintenant, je sais qu'elle avait raison. Je ne t'ai jamais lâché, Chad. Même devenu mutique et inabordable, tu étais resté pour moi le beau garçon sauvage des années de guerre qui s'asseyait auprès de moi dans la crique à Staintondale et qui voulait s'engager pour sauver le monde. Le garçon que je mettais sur un piédestal, dont j'espérais tout, autour duquel je m'étais bâti un univers imaginaire – sans jamais comprendre qu'il n'existait justement que dans mon imagination, et pas dans la tienne. En ce qui me concerne, je suis restée une romantique pendant des décennies – alors que je ne crois pas qu'on puisse me soupçonner de romantisme. Je me suis raconté beaucoup de mensonges. Je me suis raconté que quelqu'un – moi ! – devait te protéger. Ton père est mort, tu es resté seul à la ferme pendant de longues années. Tu as travaillé pour éponger les dettes, tu croulais sous les soucis. Je te préparais tes repas, j'emportais ton linge pour le laver. Je discutais avec toi problèmes de récolte et prix en chute. J'en savais beaucoup plus sur ton quotidien à la ferme que sur celui de mon mari à l'université, ce qui ne m'intéressait pas. Surtout, j'ai perdu le contact avec ce qui se passait dans la tête, dans le cœur et dans la vie de ma fille. Je connaissais le prix d'un kilo de laine de mouton, mais je ne connaissais pas la date du spectacle de l'école où elle chantait en soliste.

Et quand tu t'es marié, quand tu es devenu père, j'étais tellement accoutumée à cette étrange vie avec toi que je n'ai pas su rompre. Je ne pouvais pas te lâcher uniquement parce qu'il y avait une autre femme ! Elle était jeune, inexpérimentée, dépassée. Moi, j'étais disponible et toujours là quand il y avait péril en la demeure. Sauf que ça n'a jamais été le cas. Ta famille n'avait aucun problème insoluble. Le seul vrai problème, c'était sans doute moi.

Ta femme, Chad, a dû souvent en avoir marre. Mais elle était soumise, peureuse. Elle se taisait et souffrait en silence.

Le pire est que nous n'avons jamais eu de liaison.

Physiquement, nous n'avons jamais trompé nos conjoints. Peut-être les choses en auraient-elles été facilitées, ou au moins plus claires. Peut-être Oliver aurait-il demandé le divorce s'il l'avait découvert. Peut-être ta femme en aurait-elle trouvé la force si elle nous avait trouvés au lit ensemble. Mais ainsi, personne ne savait que nous reprocher exactement. D'autant plus que j'agissais vêtue du manteau du bon Samaritain.

La question qui me travaille souvent est de savoir si les choses auraient tourné différemment sans Brian Somerville. Si nous nous serions mariés, si nous aurions eu quelques beaux enfants et si nous aurions été heureux. Mais une fois de plus, je me raconte sans doute des histoires. Peut-être notre relation aurait-elle supporté un Brian Somerville si nous avions été véritablement destinés l'un à l'autre. Il est attristant et fascinant à la fois d'imaginer que la vie de deux personnes, et celle, plus tard, de leur partenaire et de leurs enfants, s'est décidée sur un coup du hasard : si ma mère et moi étions parties un peu plus tard ou un peu plus tôt à la gare, ce jour-là, nous n'aurions pas rencontré Mlle Taylor, ni Brian. Et bien des choses se seraient passées différemment. Peut-être tout.

Nous avons surmonté mieux que prévu le scandale de 1970, le drame de Semira Newton, la police et le tintamarre de la presse. Curieusement, personne ne m'a fait de reproches, parce que j'étais une enfant quand les choses se sont passées, et parce qu'on m'a crue quand j'ai affirmé ne pas être au courant du sort réservé plus tard à Brian. Je n'ai pas été ennuyée par les médias, simplement nommée quelquefois en marge de l'affaire, souvent pas avec mon nom complet. De même pour toi, car on a été enclin à mettre les événements sur le compte de tes parents. En général, on en a déduit que ton père avait remis Brian à Gordon McBright et que tu n'avais pas protesté. Non pas parce que tu as chargé ton père pour te dédouaner, mais tout simplement parce que tu as refusé de parler à qui que ce soit. Déjà, à l'époque, tu avais pratiquement renoncé à communiquer avec ton entourage.

L'affaire a eu un grand retentissement. *L'enfant oublié*, titraient les journaux, ou *L'enfant sans nom*. Certes, la presse n'a fait de cadeau à personne, mais du fait de notre jeune âge au moment crucial, nous nous en sommes sortis à peu près indemnes. L'opinion publique a surtout rejeté la faute sur Arvid Beckett, celui qui n'a jamais voulu de Brian et ne s'en est jamais occupé. Alors que vous étiez responsables tous les deux, et qu'Arvid, à l'époque, était déjà un vieil homme malade et désorienté qui n'avait sans doute pas compris la portée de la démarche.

Mais à quoi cela aurait-il servi de le rendre public et de nous mettre tous les deux, ainsi que nos familles, en difficulté ?

Je ne te connais que trop bien, Chad, peut-être mieux que n'importe quelle personne au monde, et je sais que, si tu as lu, ou au moins survolé ces lignes, tu te demandes maintenant en plissant le front : Oui, et alors ? Elle n'a toujours pas dit pourquoi elle ramène encore ces vieilles histoires sur le tapis...

Je ne sais pas si mon explication va te convaincre, mais je vais essayer.

J'ai écrit tout cela parce que je veux affronter la vérité et parce que je ne peux le faire avec clarté et sans complaisance qu'en l'écrivant. Les pensées s'interrompent, s'envolent, se perdent, ne sont pas menées à leur terme. Par contre, en écrivant, il n'y a pas de porte de sortie. L'écriture vous contraint à vous concentrer et à formuler avec précision l'indicible. On ne fait pas de demi-phrases. On termine les phrases même si le cerveau se défend et si les doigts préféreraient ne pas toucher les touches. On voudrait s'échapper en courant, mais on écrit.

C'est ce qui m'est arrivé.

Pourquoi je te l'ai envoyé ?

Parce que tu fais partie de mon histoire, Chad, et partie de ma vérité. Parce que nos deux destins sont imbriqués, ainsi qu'avec un troisième, celui de Brian Somerville. La route que chacun a suivie individuellement est inséparable de celle des deux autres. Un lien particulier, beau et triste, m'unit à vous. Garder notre histoire pour moi n'aurait pas été équitable.

Mes longs messages trahissent peut-être un certain désir de justice. Il ne m'a pas été facile, Chad, de me confronter à la vérité, et je trouve sans doute qu'il n'est que justice de t'obliger à le faire. Je ne peux naturellement pas te forcer à tout lire. Peut-être vas-tu simplement appuyer sur la touche « Effacer » dès que tu auras compris ce dont il s'agit.

Peut-être vas-tu te protéger, t'éviter cette épreuve, et je comprendrais.

Mais vois-tu, j'ai tenu à partager ma vie avec toi. D'une manière ou d'une autre.

Fiona.

Jeudi 16 octobre

3

Leslie se demanda pourquoi elle avait la nausée. Ce ne pouvait pas être le whisky, puisqu'elle l'avait rejeté la nuit précédente ! Ce devait être le manque de sommeil. Elle n'avait dormi que pendant deux heures au maximum. Et eu de mauvaises lectures... Au lieu de s'éclaircir, toute cette histoire devenait de plus en plus nébuleuse.

Qu'était devenu Brian Somerville ?

Qui était Semira Newton ?

Dehors, le jour commençait à poindre. Un ruban de lumière rouge apparaissait entre les bancs de nuages sombres qui s'étiraient au-dessus de la mer. Le soleil se levait, mais sans doute ne se montrerait-il pas. Une nouvelle journée grise s'annonçait.

Dans le séjour, elle eut la surprise de tomber sur Dave. Déjà habillé, il était en train de décrocher le téléphone. A sa vue, il sursauta et reposa l'appareil, visiblement embarrassé.

– Tu es déjà réveillée, constata-t-il.

– Toi aussi.

– Je n'ai pas très bien dormi, avoua-t-il, j'ai passé la nuit à gamberger...

Il ne s'étendit pas sur le sujet, mais il n'était pas difficile de deviner l'objet de ses réflexions.

– Tu te poses des questions sur ton avenir, dit Leslie.

Avec un sourire triste, il confirma :

– C'est un euphémisme. Je suis dans un cul-de-sac. J'ai l'impression de ne pouvoir ni avancer ni reculer. Je suis paumé, complètement paumé.

Avec un geste de la tête vers le téléphone, Leslie demanda :

– Tu voulais appeler Gwen ?

– Non, une copine, mais... ce n'est pas très important.

– Ah bon.

Il l'observa pensivement.

– Tu as l'air fatigué, Leslie. Je suppose que toi non plus, tu n'as pas très bien dormi.

– Trop peu.

Elle n'allait pas lui parler du récit de sa grand-mère.

Mieux valait s'efforcer de chasser le souvenir de cette lecture et se concentrer sur Dave.

– Pourquoi la police a-t-elle douté de tes déclarations concernant la soirée de samedi ? s'enquit-elle.

La nuit précédente, son état ne lui avait pas permis de creuser cette question, mais plus tard, dans son lit, elle était revenue la tracasser. Il avait parlé *d'incohérences* et s'était dépêché ensuite de changer de sujet.

A son jeu de physionomie, elle comprit qu'il réfléchissait à ce qu'il convenait de lui répondre, puis qu'il décida, avec une sorte de soulagement résigné, de lui dire ce qui s'était passé avec l'inspecteur Almond :

– Une voisine m'a vu ressortir de chez moi samedi soir, alors que j'avais affirmé ne plus avoir quitté ma chambre. Elle l'a dit à la police.

– Et c'est vrai ? Tu es ressorti ?

– Oui.

Elle le dévisagea avec étonnement :

– Mais pourquoi... et où... ?

Devant sa mine à la fois méfiante et craintive, il s'empressa de la rassurer :

– Non, Leslie, je n'ai pas tué ta grand-mère ! Mais je suis ressorti et je préférais ne pas en parler.

Elle devina ce qui allait suivre :

– Tu étais avec une autre femme ?

Vaincu, il se laissa tomber dans un fauteuil, étendit les jambes, comme prêt à capituler sur toute la ligne.

– Oui.

– Toute la nuit ?

– Oui.

354

– Dave...

– Je sais. Je suis un salaud, je me suis très mal comporté, j'ai menti à Gwen et je l'ai trompée... je sais !

– Qui est cette femme ?

– Karen, une étudiante. Nous avons été ensemble pendant quelque temps. Je me suis séparé d'elle à cause de Gwen.

– Pas réellement, d'après ce que j'entends.

– Si, quand même. Mais de temps en temps, j'ai eu des faiblesses. Elle refusait de me lâcher, elle a tout fait pour me faire revenir... Mais c'est vrai, je n'aurais pas dû.

Leslie s'avança vers lui et le regarda fixement :

– Dave, tu as une liaison avec ton ancienne petite amie. Cette nuit, tu as voulu coucher avec moi. Et...

Il l'interrompit.

– Je suis vraiment désolé si je...

A son tour, elle lui coupa la parole :

– Ça ne me touche absolument pas. En ce moment, tu es sans doute prêt à faire le bonheur de n'importe quelle femme à Scarborough pourvu qu'elle te plaise un peu. Je n'ai été qu'une femme parmi d'autres, mais je ne me sens pas concernée.

Avec chaleur, il démentit :

– Tu n'aurais pas été une femme parmi d'autres, Leslie ! Tu n'*es* pas une femme parmi d'autres.

– Je fais partie de la vie chaotique et sans issue que tu mènes. Comme cette Karen, comme Gwen. Tu es en pleine crise, tu agis de manière impulsive et désordonnée en espérant que ton horizon se débouchera un jour. Ta conception de l'existence ne t'a pas réussi. Ces choses-là, c'est à l'approche de la quarantaine qu'on en prend conscience, et alors, c'est la panique.

Il eut un petit sourire entendu :

– Comme pour toi ?

– Je ne suis pas soupçonnée de meurtre. Et je ne trompe personne. Mes attaques de panique, je les résous avec moi-même.

– A grand renfort de whisky.

– Les conséquences du whisky, c'est pareil, je les supporte seule.

Il se leva, l'air tendu à présent.

– Qu'est-ce qu'il y a, Leslie ? Tu me tiens ce discours uniquement parce que tu n'as rien de mieux à faire pour l'instant. Qu'est-ce que tu cherches ?

Elle se lança :

– Je connais Gwen depuis toujours. Ma grand-mère et son père étaient amis depuis leur jeunesse. J'ai passé beaucoup de temps à la ferme Beckett. Je ne vais pas te raconter que Gwen est une amie intime, nous sommes trop différentes. Mais je me sens responsable vis-à-vis d'elle. C'est une sorte de parente. Je ne peux pas, sans réagir, la voir...

– ... se galvauder avec un bon à rien comme moi ?

– Tu la trompes même avant votre mariage. L'idée de faire l'amour avec elle te fait dresser les cheveux sur la tête. Tu ne sais pas quoi faire d'elle. Ma grand-mère avait raison : tu ne veux que la ferme, la terre, et rien d'autre.

Il haussa les épaules :

– Je te l'ai dit dès le début.

– Je ne peux pas laisser Gwen s'engager là-dedans.

– Tu vas tout lui raconter ? Karen ? Nous ?

– Je veux que ce soit toi qui lui racontes.

– Leslie, je...

– Je t'en prie, Dave, va la voir. Mets les choses au clair. Dis-lui la vérité, sur samedi soir et sur toi-même.

– Ça va la démolir.

– Si vous vous mariez et si ça se solde par un gigantesque fiasco, ça la démolira encore plus. Tu ne t'imagines quand même pas que tu vas pouvoir lui cacher éternellement tes fredaines, tes faux-fuyants ?

– Sans doute que non, admit-il.

– Alors, vas-y, débarrasse-toi de ça le plus vite possible.

Il ne répondit pas. Elle devina qu'il envisageait plusieurs possibilités. Il était accoutumé à feinter, à se sortir des situations fâcheuses à coups de tours de passe-passe. Il n'était pas habitué à aller droit au but en assumant les conséquences désagréables de sa franchise. Pour la première fois, un meurtre venait contrecarrer ses habitudes. La mort violente de Fiona l'avait catapulté dans une zone où il était dans l'incapacité de gagner ne fût-ce qu'un centimètre de terrain avec ses tromperies, ses artifices, ses jongleries. Jouer les unes contre les autres les femmes qui lui plaisaient et louvoyer avec élégance était une chose ; devoir s'expliquer devant une commission d'enquête pour meurtre en était une autre.

356

– Je suppose que tu ne me laisses pas le choix, finit-il par dire. Si je ne vais pas voir Gwen, c'est toi qui le feras, c'est ça ?

– Oui. Plutôt que de vous laisser vous marier sans rien dire.

– Très bien. Je vais le faire.

Elle sentait qu'il n'acceptait pas seulement parce qu'elle lui mettait le couteau sous la gorge. Il était fatigué de lutter. Il voyait qu'il s'était engagé dans une impasse. Il était prêt à battre en retraite, parce qu'il ne pouvait plus remporter la bataille.

– Je peux te conduire à Staintondale, lui proposa-t-elle.

– Ce serait sympa. Je vais laisser ma valise ici provisoirement et je viendrai…

– Je t'ai déjà dit que tu pouvais prendre ton temps pour trouver un autre logement. Vraiment, cet appartement est immense. Tu peux rester quelques jours ici, il n'y a pas de problème. Je vais te donner une clé pour te permettre d'aller et venir à ta guise.

Il sembla soulagé.

– Merci, Leslie. On va peut-être prendre un petit déjeuner avant ? Je n'arriverai pas à affronter Gwen le ventre vide.

Ils s'installèrent dans la cuisine. Dave mangea de bon appétit, apparemment peu troublé par l'épreuve qui l'attendait. Leslie, incapable d'avaler de la nourriture solide, but deux tasses de café et, en s'armant contre le commentaire inévitable qui ne manquerait pas de suivre, fuma nerveusement trois cigarettes à la file, ce qui, bizarrement, calma un peu sa nausée.

– Tu ne manges pas assez et tu fumes trop, dit Dave.

Bingo ! Ce n'était pas la première fois qu'on lui faisait cette remarque !

– Je fais ça depuis toujours et je vais bien, répliqua-t-elle.

Il la dévisagea d'un air de doute.

– Qu'est-ce qui te préoccupe à ce point, ce matin ? s'enquit-il. Je ne pense pas que ce soit uniquement l'histoire entre Gwen et moi.

Elle se jeta à l'eau :

– Tu connais une certaine Semira Newton ?

– Non. Qui est-ce ?

– Je ne sais pas, c'est bien pourquoi je te pose la question.

– Semira Newton… Où as-tu pris ce nom ?

– C'est à propos d'un… épisode de la vie de ma grand-mère, éluda Leslie, je ne peux pas t'en dire plus pour l'instant. Est-ce que le nom de Brian Somerville te dit quelque chose ?

– Non.

Leslie écrasa sa cigarette et se leva.

– On y va, décida-t-elle. Plus tôt tu parleras à Gwen, mieux ce sera.

Dave se leva à son tour.

– On a peut-être le temps d'aller faire un tour sur la plage avant ? proposa-t-il.

– D'accord. On n'est plus à deux ou trois heures près.

Il sourit, soulagé.

4

Le sergent Reek se dit que, depuis quelques jours, son boulot consistait surtout à rester coincé dans sa voiture à attendre des gens qui mettaient un temps fou à rentrer chez eux.

Mais il supportait son inactivité forcée avec philosophie : il fallait bien en passer par là. Sans compter que, bientôt, il aurait de l'avancement, et, de ce fait, le plaisir d'envoyer ses subordonnés faire le pied de grue à sa place. Les félicitations de sa supérieure, le matin même, l'avaient conforté dans cette certitude.

– Vous faites vraiment du bon boulot, avait-elle dit.

Voilà qui remontait le moral.

Filey Road était encombrée comme d'habitude, et très bruyante. Les lycéens et les étudiants se faufilaient par groupes dans la foule des trottoirs. Beaucoup portaient déjà des bonnets et des écharpes car le matin, il faisait froid. Il ne pleuvait plus, mais l'automne entamait maintenant sa véritable offensive. La première semaine d'octobre avait joué les prolongations de l'été, mais à présent, on pouvait quasiment commencer à penser à Noël.

Noël ! Le 16 octobre ! Reek secoua la tête. Déjà, les premières guirlandes avaient fait leur apparition au-dessus des rues dans la zone piétonne. Il serait peut-être astucieux de penser dès maintenant aux cadeaux. Généralement, il attendait l'après-midi du 24 décembre pour courir les magasins en se jurant à chaque fois qu'il ne recommencerait plus l'année suivante...

Il sursauta. Plongé dans ses pensées, il n'avait fait qu'entrevoir du coin de l'œil un mouvement dans la cour pavée qui précédait l'immeuble en brique où demeurait Karen Ward. Voilà ce qui arrivait quand on pensait à ses achats de Noël au lieu de surveiller la rue.

Il descendit précipitamment de voiture. La jeune femme blonde qui se dirigeait vers la porte de l'immeuble pouvait être n'importe quelle locataire, mais son intuition lui disait qu'il s'agissait de Karen Ward. Elle portait un sac de voyage comme si elle rentrait chez elle après avoir passé la nuit ailleurs. C'était sans doute vrai.

Le sergent Reek traversa la rue au péril de sa vie et ouvrit la porte de la cour.

– Mademoiselle Ward ? cria-t-il.

La jeune femme se retourna. Elle avait l'air de manquer de sommeil.

– Oui ? s'enquit-elle.

Il s'avança et lui présenta sa carte de police.

– Sergent Reek. J'ai quelques questions à vous poser. Vous auriez dix minutes à me consacrer ?

Elle consulta sa montre.

– C'est que j'ai tout juste le temps de monter me changer avant d'aller à mon cours...

– Dix minutes, pas plus, affirma Reek.

– Tout ce que je sais sur Amy Mills, je l'ai déjà dit à l'inspecteur Almond.

– Cette fois, il s'agit d'autre chose.

Elle s'inclina :

– OK. Vous voulez monter ?

Le logement était vaste, clair, dans un très grand désordre, et vide. A la cuisine, des montagnes de vaisselle sale s'amoncelaient dans l'évier. Des tasses vides, une bouteille de ketchup et un verre de mayonnaise étaient posés sur la table parsemée de miettes. Des bottes crottées de boue séchée gisaient, jetées dans un coin à côté de la porte. Visiblement, aucun des colocataires ne se sentait obligé de ranger et de faire le ménage.

Le sergent Reek, grand maniaque devant l'Eternel, en fut secoué intérieurement.

– Excusez le désordre, dit Karen, on est censés faire le ménage à tour de rôle, mais ça ne marche pas. Vous voulez du thé ?

– Non, merci, répondit Reek en balayant discrètement quelques restes suspects sur une chaise de bois, avant de s'asseoir et de sortir son bloc et son stylo. Comme je vous l'ai dit, je ne vais pas vous retenir très longtemps. Il s'agit simplement de vérifier une déclaration.

Elle avait pris place en face d'elle. Il vit que ses yeux étaient légèrement rougis. Elle avait sans doute pleuré au cours de la nuit.

– Alors ? dit-elle.

– Vous connaissez M. Dave Tanner ?

Elle sursauta.

– Oui.

– M. Tanner affirme avoir passé la nuit de samedi à dimanche avec vous, la semaine dernière. De vingt et une heures vingt, environ, à vingt-deux heures au Golden Ball, sur le port, et ensuite ici, chez vous, jusqu'à six heures du matin. Pouvez-vous le confirmer ?

Les mains de la jeune femme se refermèrent sur une tasse vide posée devant elle, s'ouvrirent, se refermèrent. Finalement, elle répondit :

– Je comprends maintenant pourquoi il m'appelle sans arrêt sur mon portable. Il m'a appelée au moins une dizaine de fois.

– Vous n'étiez pas joignable ?

– Quand j'ai vu son numéro, je n'ai pas décroché.

Reek lui jeta un regard interrogateur.

– J'ai passé la nuit dernière chez une copine, expliqua Karen, elle habite un peu plus bas dans la rue. Je… je ne vais pas bien en ce moment. Ici, dans la coloc, je n'ai personne… on ne me comprend pas… donc… je dors ailleurs pour le moment.

– Je comprends, répondit Reek, alors qu'il n'avait qu'un simple soupçon et ne savait pas s'il était dans le vrai. Est-ce que vos… problèmes ont quelque chose à voir avec M. Tanner ?

Elle avait l'air prête à fondre en larmes. Reek espéra qu'elle parviendrait à se dominer.

– Oui, répondit-elle. Il vous a sans doute dit que nous avons été ensemble pendant longtemps. Il a rompu du jour au lendemain au mois de juillet. Sous prétexte que l'alchimie ne fonctionnait plus entre nous. Mais depuis, j'ai appris qu'il y avait une autre femme dans le circuit.

– Mlle Gwendolyn Beckett.

– Ah bon, c'est comme ça qu'elle s'appelle ? On m'a simplement dit qu'elle était plus vieille et pas terrible physiquement.

Reek l'observa discrètement. Même mal en point et fatiguée, c'était une très jolie fille. Exactement le type de nana avec lequel on imaginait Tanner. Autre chose que la pauvre Gwen.

– Pourquoi voulez-vous savoir ce que Dave a fait samedi soir ? s'étonna Karen, qui avait mis un peu de temps à s'apercevoir qu'elle était interrogée à propos d'une affaire qu'elle ne connaissait pas.

Reek n'appréciait pas vraiment le rôle de porteur de mauvaises nouvelles, mais il n'en répondit pas moins :

– Eh bien... samedi soir, il y a eu une... fête à la ferme où habite Mlle Beckett et M. Tanner y était présent, indiqua Reek, incapable de prononcer le mot de « fiançailles ». Il y a eu une dispute entre lui et l'une des invitées, Mme Fiona Barnes. La fête a donc été brutalement interrompue.

Karen plissa le front.

– Fiona Barnes ? répéta-t-elle. C'est la vieille dame qu'on a retrouvée morte à Staintondale. On en a parlé dans les journaux.

– C'est ça, confirma le policier.

A son expression, il vit qu'elle comprenait progressivement la signification de ses paroles.

– Oh, souffla-t-elle, et parce que Dave s'est disputé avec elle...

– Nous vérifions auprès de tous les invités, se hâta de préciser Reek.

La jeune femme se recula sur sa chaise. Ses traits expressifs trahissaient sa lutte intérieure.

– Je vous en prie, mademoiselle Ward, insista-t-il. Une réponse simple à une question simple. Est-ce que Dave Tanner était avec vous jusqu'à six heures du matin ? Dites la vérité, s'il vous plaît.

– La vérité ! éclata Karen.

Elle se leva d'un mouvement brusque, passa les poings sur ses joues où on voyait briller des larmes.

– La vérité, dit-elle, c'est que j'aurais tout fait pour lui. Tout ! Je l'aimais tellement ! Il n'a pas d'argent, pas d'avenir, pas de vrai métier, il croupit dans cette piaule affreuse, mais ça m'était égal. Tout ce que je voulais, c'était être avec lui. Tout faire avec lui, vivre avec lui pendant toute ma vie. Depuis qu'il m'a quittée, je meurs. J'ai l'impression que je vais en crever !

Reek se leva à son tour, péniblement touché de sa sortie.

– Mademoiselle Ward, je crois que...

– Je suis amoureuse de lui, alors il a toujours continué à en profiter, à se servir de moi ! Je n'ai pas envie de creuser la question, mais ça ne doit pas être le pied avec cette... cette Gwendolyn. Il a toujours eu besoin de moi entre deux, pour parler, pour sortir, pour coucher... Et moi, j'ai été assez idiote pour accourir dès qu'il claquait des doigts. Après, je rentrais chez moi et j'attendais qu'il me rappelle pendant des jours entiers. J'ai même eu des idées de suicide !

Reek savait que ses paroles ne l'atteindraient pas en un moment pareil, mais il les prononça quand même parce que c'était la vérité :

– Vous êtes encore si jeune ! Vous rencontrerez quelqu'un d'autre. Sûr et certain.

Elle fit la réponse à laquelle il s'attendait :

– Je n'en veux pas d'autre.

– Mais vous ne voulez plus de lui non plus ? avança-t-il prudemment. Autrement, vous prendriez ses appels.

Elle baissa les bras. Ses poings toujours serrés s'ouvrirent.

– Je n'ai pas envie de mourir de désespoir, dit-elle d'une voix lasse. Je veux me débarrasser de lui. Je veux l'oublier.

Reek en revint alors à sa question et prit délibérément un ton professionnel :

– Il est venu vous chercher au Newcastle Packet et vous a accompagnée au Golden Ball. Nous l'avons vérifié. Donc, samedi, vous étiez encore prête à le voir ?

– Non, pas vraiment. J'avais décidé de rompre définitivement pour ne pas y laisser ma santé et mon estime de moi. Ou plutôt, mon estime de moi et ma santé, parce que c'est mon estime de moi qui est la plus atteinte...

Reek se fit la réflexion qu'elle était d'une pâleur presque transparente.

– Mais vous êtes quand même allée avec lui au Golden Ball ? insista-t-il.

– Je me suis laissé convaincre, mais je savais que c'était une erreur. J'ai tout de suite compris de quoi il s'agissait. Une fois de plus, il était de mauvais poil. Il n'a pas dit pourquoi, mais ce devait être à cause de la dispute dont vous m'avez parlé. A moi de lui changer les idées, de sauter dans sa bagnole et de lui faire passer quelques heures agréables. Et le lendemain, il se serait levé et aurait foutu le camp. Et après, il m'aurait oubliée pendant des jours entiers. C'est comme ça que ça se passait depuis le mois de juillet. Et moi, je n'étais plus d'accord.

Reek retint son souffle.

– Ça veut donc dire que... ?

Il ne termina pas sa phrase, mais Karen comprit.

– Oui. Ça veut dire que j'ai bu un pot avec lui, qu'on a dit quelques conneries, que j'ai résisté à ses avances et que je lui ai dit que j'étais fatiguée et que je voulais rentrer. Seule.

– Il ne vous a donc pas accompagnée ?

– Non. Je n'ai pas voulu. J'ai même refusé qu'il me raccompagne chez moi. Son charme est trop efficace. Je ne savais pas si j'arriverais à lui résister.

– Vous savez ce que vous me dites ? Vous m'expliquez donc que M. Tanner a menti à la police concernant son emploi du temps de samedi soir. Et ça signifie aussi qu'il n'a plus d'alibi pour l'heure du meurtre de Mme Barnes.

Elle ne se troubla pas :

– Possible, mais je vous dis ce qui s'est passé.

– Vous devrez peut-être témoigner sous serment.

Avec un léger sourire, elle affirma :

– Si je fais cette déclaration, ce n'est pas pour me venger du mec qui m'a quittée. C'est la simple vérité. Je n'aurai aucun problème pour témoigner sous serment.

Le policier remit son bloc et son stylo dans la poche intérieure de sa veste.

– Je vous remercie, mademoiselle Ward, dit-il. Vous nous avez rendu un grand service.

Elle lui adressa un regard triste. Reek imaginait sans peine ce qu'elle ressentait : un tas d'appels de Tanner sur son portable, ce qui, malgré toute sa détermination à clore ce chapitre, avait peut-être allumé une étincelle d'espoir ; espoir d'un nouveau départ, d'un changement de comportement chez celui qu'elle aimait. Pour constater qu'une fois de plus, il avait voulu se servir d'elle, cette fois pour s'assurer contre la police.

Depuis son interrogatoire par Valerie, Tanner se déchaînait sur son portable pour se mettre d'accord avec son ancienne copine sur son emploi du temps.

Pas de pot, lui dit mentalement Reek, non sans un certain plaisir. Pas de pot, juste au moment où elle décide d'arrêter les frais ! Te voilà dans une belle merde !

– Au revoir, mademoiselle Ward, dit-il.

Au bout d'un instant d'hésitation, il ajouta :

– Permettez-moi de vous donner un conseil personnel : ne pleurez pas pour Tanner. Il ne vaut pas le coup.

5

– Il faut que j'appelle mon patron, déclara Ena Witty. Je vais reprendre une journée. Je suis incapable de me concentrer sur mon travail.

Valerie opina du chef, compatissante. Installée dans la petite salle de séjour, chez la jeune femme, elle venait de refuser une tasse de café. Elle en avait déjà pris assez pour la journée, du café trop fort pour son cœur dont les battements lui semblaient beaucoup trop rapides. Mais peut-être était-ce simplement l'effet de l'adrénaline.

A sa surprise, c'était Jennifer Brankley qui avait ouvert la porte, une Jennifer un peu fripée, aux cheveux en bataille et aux traits tirés par le manque de sommeil.

– Vous êtes déjà là, ou encore là ? s'était-elle exclamée.

Bizarre, tout de même, cette dose d'antipathie qu'elle ne parvenait pas à réprimer envers la Brankley.

– Encore là, avait répondu cette dernière. Ena allait très mal hier soir. Elle avait peur de dormir seule ici cette nuit. J'ai donc appelé mon mari pour lui expliquer ce qui se passait et je suis restée. Gwen Beckett va venir me prendre d'un moment à l'autre. Elle avait des courses à faire en ville et on repartira ensemble à la ferme.

– Est-ce que M. Gibson vous a contactées hier soir ou cette nuit ?

– Non.

Ena était très pâle, assise devant un toast qu'elle n'avait pas touché. Sa première question, en voyant apparaître l'enquêteuse, avait été pour demander :

– C'est lui qui l'a fait ?

Valerie n'avait pu éluder.

– Nous ne le savons pas. Il nie, et nous n'avons pas de preuve formelle.

Ena avait paru hésiter entre la joie et les larmes.

– Ça veut dire qu'il est peut-être innocent ?

– Pour l'instant, tout est ouvert, avait répondu Valerie.

Après avoir refusé d'un geste la tasse que la jeune femme lui tendait, elle avait pris place en face d'elle.

– Si vous prenez votre journée, dit-elle, vous pourrez peut-être m'accompagner au commissariat. Nous avons encore des tas de questions à vous poser.

Ena acquiesça d'un signe de tête.

– Dites-moi, interrogea Valerie, où avez-vous passé la soirée de samedi dernier ? Vous vous en souvenez ?

– Oui, bien sûr. J'étais à Londres avec Stan. Nous sommes partis samedi matin et nous sommes revenus dimanche soir. Stan m'a emmenée chez ses parents pour faire les présentations. Pourquoi ?

– Vous demandez cela à propos de Fiona Barnes, non ? intervint Jennifer.

Valerie opina du chef. Cette vérification n'était qu'une question de pure forme. Pas plus que le sergent Reek, elle n'avait imaginé que Gibson avait menti. Il était définitivement hors de cause concernant l'homicide sur la personne de Fiona Barnes.

– Mademoiselle Witty, si vous vous souveniez de quelques détails supplémentaires concernant M. Gibson, cela nous aiderait, dit-elle. Tout est important. Son comportement, certaines choses qu'il a dites, des choses un peu curieuses... ou pas. Tout. N'ayez pas peur des banalités. Souvent, c'est de cette façon qu'on obtient des renseignements précieux.

– C'est que je ne le connais pas depuis très longtemps, objecta Ena à voix basse.

– Assez longtemps pour vouloir déjà le quitter ! lança Jennifer.

Valerie regarda Ena :

– C'est vrai ? Vous voulez le quitter ?

– Je... j'y ai réfléchi, oui. Je n'étais pas tout à fait sûre, mais...

– A cause de sa... passion pour Amy Mills, ou pour d'autres raisons ?

– C'est à cause de son côté macho. Il faut toujours faire ce qu'il dit. Il était gentil et attentionné quand on se pliait à sa volonté, mais il se mettait dans une colère noire quand on le contredisait. Il changeait de voix, d'expression, de tout !

– Vous aviez peur de lui dans ces moments-là ?

Ena hésita.

– Pas vraiment, répondit-elle. Mais je pensais qu'un jour ou l'autre, je finirais par avoir peur. Parce que de plus en plus, il avait tendance à se laisser aller. Quand je lui ai répliqué pour la première fois, pour une bêtise, d'ailleurs, il s'est à peu près dominé. La fois suivante, c'était déjà plus agressif, et la troisième fois, encore pire. Je me suis demandé comment ça allait se terminer.

– Vous vous disputiez souvent ?

Ena se rembrunit.

– Vous savez, je ne suis malheureusement pas du genre à répliquer. C'est pour ça que j'ai suivi ce stage où j'ai rencontré Gwen Beckett. Je n'ai jamais appris à m'affirmer. Je pense que c'est d'ailleurs pour ça que Stan m'a choisie. Donc, on ne s'est pas disputés souvent. Voilà pourquoi j'ai eu si peur quand j'ai vu dans quel état il se mettait les rares fois où ça arrivait.

– Est-ce que vous le croyez capable de perdre son contrôle, de devenir violent quand quelqu'un lui oppose de la résistance ?

– Oui.

Valerie hocha la tête. L'image qu'elle s'était déjà faite de Gibson s'affinait. Les morceaux du puzzle s'emboîtaient. Mais ce n'était pas pour autant qu'elle pouvait présenter des preuves.

Elle se leva.

– Merci, mademoiselle Witty. C'est un point important. Soyez à mon bureau à quatorze heures, s'il vous plaît. Et notez tout ce qui pourrait vous revenir en mémoire.

Jennifer la raccompagna jusqu'à la porte.

– Vous croyez que c'était lui ? demanda-t-elle.

Faute de preuves, impossible de répondre par l'affirmative.

– Ce que je crois n'a hélas pas d'importance, dit Valerie. Ce qui compte, c'est ce que je peux prouver. Et pour l'instant, je n'ai rien.

Arrivée au bas de l'immeuble, elle aperçut Gwen Beckett qui sortait d'une voiture de l'autre côté de la rue. Elle portait un gros anorak et avait remonté son éternelle natte en chignon.

Après une seconde d'hésitation, Valerie traversa et s'avança vers elle.

– Bonjour, mademoiselle Beckett. Vous venez chercher Mme Brankley, n'est-ce pas ?

Gwen sursauta.

– Oh... je ne vous ai pas entendue arriver. Bonjour.

Comme d'habitude, quand on s'adressait à elle par surprise, elle rougit.

La pauvre, pensa Valerie.

– Vous êtes sortie de bonne heure, dit-elle.

– Oui, vous avez raison, je viens chercher Jennifer. C'est incroyable, cette histoire, non ? J'ai eu du mal à croire Colin quand il m'a mise au courant.

– Je reviens de chez Mlle Witty. Je crois qu'elle est à peu près stabilisée et qu'elle peut rester seule.

– Tant mieux, répondit Gwen.

Elle semblait un peu indécise. Elle verrouilla les portières et mit la clé dans son sac.

– J'ai pris mon courage à deux mains et je suis venue jusqu'ici en voiture, expliqua-t-elle presque d'un ton d'excuse. Je n'aime pas conduire, vous savez, mais je tenais à venir chercher Jennifer. Il y a si peu de bus... Et je pourrai faire quelques courses. Colin m'a prêté sa voiture. J'ai moins de mal à la garer que celle de mon père.

– Colin... M. Brankley est à la ferme ?

– Oui. Jennifer lui a demandé de s'occuper des chiens. Elle s'inquiète toujours pour eux.

– Elle va bientôt les retrouver. Dites, interrogea Valerie, saisissant le taureau par les cornes, puisque je vous tiens... vous connaissez Stan Gibson ?

– Pas trop.

– Comment exactement ?

Gwen réfléchit.

– Pas trop bien. Il travaillait dans l'entreprise qui faisait des travaux à l'école et il se débrouillait toujours pour être dans les parages de la salle où se passait le stage. C'était Ena Witty qui l'intéressait, ça se voyait comme le nez au milieu de la figure. Ils se sont mis ensemble assez vite. On faisait souvent un bout de chemin ensemble tous les trois... moi jusqu'à la station de bus, et Ena et lui rentraient en ville. Ce sont les seules occasions que j'ai eues de le connaître un peu... si on peut appeler ça *connaître*.

– Il vous faisait quelle impression ?

– Il était... oui, il avait l'air de s'intéresser beaucoup à Ena. Il était charmant et attentionné. Un jour, il lui a apporté une rose en venant la chercher. Mais il était aussi...

Elle s'interrompit.

– Oui ? l'encouragea Valerie.

– Il décidait de tout, reprit la jeune femme. Gentil, aimable, mais il n'y avait pas de doute, avec lui, il fallait marcher à la baguette. Il avait toujours prévu ce qu'ils feraient dans la soirée, ou pendant le week-end, et jamais il n'a demandé à Ena si ça lui plaisait. On avait l'impression qu'il valait mieux ne pas lui résister.

– A quoi l'avez-vous remarqué ?

– Je ne sais pas... c'est une impression.

– Est-ce qu'il est arrivé à Ena Witty de le contredire en votre présence ?

– Non, mais elle n'avait pas toujours l'air très bien. J'ai compris qu'il n'était pas content qu'elle suive le stage. Il disait que c'étaient des bêtises, il lui demandait pourquoi elle avait envie à tout prix d'être plus sûre d'elle. Il faisait des remarques méprisantes sur les féministes et leurs conneries... Et il se moquait de nos jeux de rôle.

– Des jeux de rôle ? répéta Valerie, intriguée.

Gwen répondit en hésitant, visiblement embarrassée :

– Eh bien... On s'entraînait à affronter les situations critiques avec des jeux de rôle.

– Qu'est-ce qu'on entendait par situations critiques, dans ce stage ?

– Des situations qui... sont difficiles pour des gens comme nous. Aller seul à des fêtes, ou au restaurant, parler à quelqu'un qu'on ne connaît pas... se faire conseiller par une vendeuse dans un magasin et ne pas acheter à la fin... ce genre de choses. Ça vous paraît peut-être ridicule, mais...

Valerie nia avec véhémence :

– Pas du tout, au contraire ! Si vous saviez le nombre de choses que j'ai achetées et dont je ne voulais pas, uniquement parce que je ne savais pas comment me débarrasser de la vendeuse ! Tout le monde a plus ou moins ce genre de problèmes.

– Ah bon ? s'étonna Gwen.

Je viens de détruire l'image de la femme flic toute-puissante, se dit Valerie.

– Eh oui ! répondit-elle. Donc, mademoiselle Beckett, il se moquait de vous. Il dénigrait le stage ou au moins son utilité. Il n'avait pas envie que sa nouvelle amie puisse apprendre à devenir plus autonome et plus sûre d'elle ?

– Oh non, pas envie du tout. J'ai toujours pensé qu'il voulait une femme soumise. C'est un type qui ne supporte pas le mot « non ».

– Intéressant, comme formule, commenta Valerie. A votre avis, de quoi serait-il capable si une femme repoussait ses avances en lui disant clairement « non » ?

– Je ne sais pas, mais j'aurais peur, si j'étais obligée de le repousser.

– Je comprends, dit Valerie.

Sur ce, elle tendit la main pour prendre congé :

– Merci, mademoiselle Beckett, vous m'avez rendu service.

Au moment où elle se détournait pour partir, Gwen la retint :

– Inspecteur, est-ce que... je veux dire... Stan Gibson... est-ce qu'il a aussi tué Fiona ?

La question que posaient tous ceux qui étaient au courant de l'affaire...

– Nous ne savons même pas s'il est impliqué dans l'assassinat d'Amy Mills, répondit Valerie. En ce qui concerne M. Gibson, nous sommes au tout début de notre enquête.

Elle regagna sa voiture. A peine eut-elle mis le moteur en route que son portable sonnait. C'était Reek, et sa voix joyeuse vibrait d'excitation.

– Inspecteur, vous êtes assise ? s'exclama-t-il. J'ai quelque chose pour vous. J'arrive de chez Karen Ward. Dave Tanner n'a qu'à bien se tenir ! Ward confirme le rendez-vous au Golden Ball, mais ça, c'était déjà réglé. Mais voilà la suite : après, elle est rentrée *seule*. Et elle est restée *seule*. Ce qui veut dire qu'il n'y a plus de témoin pour dire où se trouvait Tanner à partir d'environ vingt-deux heures. Et qu'il a menti une fois de plus.

Valerie en eut le souffle coupé.

– Elle est digne de foi ?

– Oui.

– Alors ça, s'écria Valerie, il est vraiment culotté !

– Il la bombarde de coups de fil depuis hier, poursuivit Reek, sans doute pour se mettre d'équerre avec elle. Pas de chance pour lui, elle venait justement de décider de rompre définitivement. Donc elle ne décroche pas.

– Je me trouve devant le domicile d'Ena Witty, je peux être chez Tanner dans cinq minutes.

– Moi aussi, dit Reek avant de raccrocher.

6

Au premier regard, la ferme Beckett semblait comme morte. La vieille voiture de Chad était garée à côté d'un cabanon, mais on ne décelait nulle présence humaine. En descendant de sa voiture, Leslie remarqua que le vent qui, le matin, soufflait de la mer, s'était endormi. L'atmosphère était d'une curieuse immobilité. Des nuages de plomb étaient accrochés au ciel.

Dave sortit à son tour. Il semblait tendu. Ils s'étaient promenés sur la plage et les falaises jusqu'à la mi-journée, marchant, bavardant et fumant. Puis ils avaient pris le chemin de Staintondale.

C'était Dave lui-même qui avait fini par la presser, soudain impatient de se débarrasser de Gwen. De se délivrer de la nasse de ses mensonges.

– Il n'y a pas l'air d'avoir grand monde, dit Leslie. La voiture des Brankley n'est pas là non plus.

Ils frappèrent à la porte. Personne ne vint leur ouvrir. Leslie appuya sur la clenche. La porte n'était pas verrouillée.

– Hé ho ! cria-t-elle.

Une ombre surgit de la cuisine, celle d'un homme de haute taille, qui se déplaçait avec peine, le dos voûté. Chad Beckett.

– Leslie ? interrogea-t-il.

– Oui, c'est moi. Je suis avec Dave. Gwen est là ?

– Non, elle est partie chercher Jennifer. Sais pas ce qu'elles fabriquent. Elles sont peut-être en train de manger un morceau quelque part.

Son regard se dirigea sur son futur gendre qui apparaissait derrière Leslie.

– Bonjour, Tanner. La police est venue demander après vous.

– Quand ? s'enquit Dave.

– Il y a à peu près deux heures. Sais pas ce qu'ils voulaient.

– Je vais aller au commissariat, mais d'abord, je veux parler à Gwen.

– Va falloir attendre alors.

– Gwen est allée chercher Jennifer, mais pourquoi ? Et où ?

Chad réfléchit en plissant le front. Puis :

– Si j'ai bien compris, Jennifer est allée trouver la police avec une amie de Gwen. Paraîtrait que le copain de cette amie a quelque chose à voir avec le meurtre de l'étudiante qui a été tuée à Scarborough en juin. L'amie en question le soupçonne et elle s'est adressée à Jennifer.

Dave et Leslie se dévisagèrent mutuellement, n'y comprenant goutte.

– Quoi ? s'exclamèrent-ils en chœur.

Il était manifeste que Chad ne montrait pas un intérêt démesuré pour cette affaire.

– Va falloir demander à Jennifer, dit-il, elle va vous raconter ça mieux que moi. Je sais seulement ce que Colin m'a dit quand elle a téléphoné. Elle a dormi chez l'amie de Gwen pour qu'elle ne reste pas seule. Gwen est partie la chercher ce matin.

– Ça veut dire qu'on sait maintenant qui a tué Amy Mills ? demanda Dave.

Chad répondit évasivement :

– Possible.

– Bon, c'est toujours ça de moins pour moi. On ne va plus me soupçonner.

– Où est Colin ? s'enquit Leslie, dans l'espoir d'obtenir des renseignements plus précis.

Si on avait mis la main sur le meurtrier d'Amy Mills, était-ce également valable pour celui de Fiona ?

– Sorti promener les chiens, répondit Chad.

Il était donc impossible d'en savoir plus.

Leslie se passa la main sur les tempes pour essayer de se concentrer. Pour l'heure, elle ne pouvait poser les questions qui se pressaient dans sa tête au sujet de cette information sensationnelle. Mieux valait par conséquent en venir à l'objet de sa visite.

– Chad, il faudrait que je te parle un instant, dit-elle.

Chad accepta sans difficulté.

– Suis-moi à la cuisine, dit-il. Je viens de me préparer quelque chose à manger.

– J'attends dehors, proposa Dave, j'ai besoin de prendre l'air.

Leslie suivit le vieil homme à la cuisine. Sur la table trônait une poêle contenant des œufs brouillés baveux, jaune pâle, et quelques morceaux de saucisse. Le tout certainement froid.

– Excuse-moi de te déranger pendant ton repas, dit-elle.

Balayant ses excuses d'un geste de la main, Chad s'assit sur le banc, attira l'une des assiettes qui s'amoncelaient sur la table depuis le petit déjeuner, enleva les miettes de pain et se mit à enfourner son peu appétissant repas.

– Pas drôle de manger seul. T'en veux ?

Elle eut un frisson de dégoût.

– Non, merci.

Il l'examina brièvement.

– Tu es bien mince.

– Ce n'est pas nouveau.

Il émit un son indéfinissable.

Leslie prit place en face de lui, ouvrit son sac et en sortit d'un geste décidé les feuillets que Colin lui avait remis quelques jours plus tôt :

– Tu sais ce que c'est ?

Il leva les yeux sans cesser de mâcher.

– Non, répondit-il.

– Des pages d'ordinateur imprimées. Les e-mails que ma grand-mère t'a envoyés pendant les six derniers mois.

Chad se figea quand il comprit. Il posa sa fourchette.

– D'où tu tiens ça ? demanda-t-il d'un ton coupant.

– Aucune importance.

– Tu as fouillé dans l'ordinateur de ta grand-mère ?

Leslie se dit que, provisoirement, le mieux était de lui laisser croire cette version. Elle ne le contredit pas :

– Il y a des tas de choses que je savais déjà, et d'autres que j'ignorais. Je n'avais jamais, *jamais* entendu parler de l'existence d'un certain Brian Somerville.

Une sorte de tintement résonna dans sa voix quand elle prononça ce nom. Un son clair, dur, inflexible, qui resta suspendu quelques instants dans la pièce.

– Brian Somerville, répéta Chad.

Il repoussa son assiette. Lui, d'ordinaire si indifférent au monde alentour parut soudain manquer d'appétit.

– Oui, Brian Somerville, dit-elle.

– Qu'est-ce que tu veux savoir ?

– Qu'est-ce qu'il est devenu ?

– J'en sais rien. Sais même pas s'il est toujours vivant.

– Ça ne t'intéresse pas ?

– J'ai tiré le rideau sur ce sujet.

– Depuis environ soixante ans, à en croire ce qui est écrit là-dedans.

– Oui.

Ils se mesurèrent du regard à travers la table. En silence. Puis Chad dit :

– Si tu as tout lu, tu sais aussi qu'il n'y avait pas d'autre solution à l'époque. C'est pas moi qui avais amené Brian ici. C'est pas moi qui en étais responsable. J'ai fait en sorte qu'il ait un toit au-dessus de sa tête. Il ne pouvait pas rester ici.

– Tu aurais dû t'adresser aux autorités.

– Tu sais pourquoi je ne l'ai pas fait. C'est facile de venir me voir maintenant et...

Il s'interrompit, se leva et marcha jusqu'à la fenêtre.

– Après coup, les choses sont toujours différentes, dit-il au bout d'un moment.

– Je ne comprends pas que tu ne veuilles pas savoir ce qu'il est devenu.

– Eh ben tant pis.

– Qui est Semira Newton ?

Il se retourna. Leslie vit qu'une veine battait doucement sur son front. Il était plus remué qu'il ne le laissait paraître.

– Semira Newton ? C'est elle qui l'a... découvert.

– Brian ?

– Oui.

– En 1970 ?

– Sais plus. Y a longtemps. Oui, peut-être en 1970.

– Elle l'a découvert ? Qu'est-ce que tu veux dire par là ?

Il se retourna à nouveau.

– Ce que je dis. Découvert. Elle a fait un cirque de tous les diables. La police. La presse, que sais-je.

– Elle l'a *découvert* chez Gordon McBright ?

– Oui.

Leslie se leva. Elle frissonnait, alors qu'il ne faisait pas froid dans la cuisine.

– Qu'est-ce qu'elle a découvert exactement, Chad ?

– Ben... elle l'a trouvé. Elle l'a vu et il était... pas en très bon état. Bon Dieu, Leslie, qu'est-ce que tu veux savoir ?

– Tout ce qui s'est passé. Ce que les lettres de Fiona ne disent pas. Voilà ce que je veux savoir.

– Demande à Semira Newton.

– Tu sais où elle habite ?

– A Robin Hood's Bay, je crois.

Robin Hood's Bay. Le petit village de pêcheurs à mi-chemin entre Scarborough et Whitby. Assez petit pour retrouver quelqu'un en demandant à n'importe quel habitant.

– Donc, tu ne veux pas m'en parler ? insista-t-elle une nouvelle fois.

– Non, dit Chad, je ne veux pas.

Il continuait à lui tourner obstinément le dos.

– Tu n'as pas peur ? demanda Leslie.

– De quoi ?

– Il s'est passé quelque chose de grave, Chad, et ce n'est pas en n'en parlant pas que tu fais en sorte que ça ne se soit pas passé. Fiona et toi, vous étiez très mêlés à cette affaire. Est-ce qu'il t'est venu à l'idée que si on a tué Fiona, il y a peut-être un lien ? Et que si c'est le cas, tu pourrais être en danger toi aussi ?

Cette fois, il se retourna, sincèrement étonné :

– Mais le type qui a tué Fiona, ils l'ont attrapé, maintenant. Il n'a rien à voir avec l'histoire Somerville.

– L'assassin présumé d'Amy Mills ?

– Oui, lui. Colin dit que c'est un psychopathe qui en veut aux bonnes femmes. Va savoir ce qu'il a comme problème, ce fou furieux, mais ça n'a aucun rapport avec notre passé, à Fiona et à moi.

– Possible. Mais qui te dit que l'assassin d'Amy Mills est aussi celui de Fiona ?

374

– C'est ce qu'a toujours pensé la police.

– Est-ce que tu sais si c'est toujours le cas ? Moi, je ne m'accrocherais pas à cette théorie, dit Leslie en remettant la pile de papiers dans son sac. Sois un peu plus prudent, Chad. Tu es souvent bien seul ici.

– Tu vas où ?

Elle sortit sa clé de voiture.

– Je pars à Robin Hood's Bay, voir Semira Newton. Je vais savoir ce qui s'est passé, Chad, je te le garantis !

7

– C'est comme si on se heurtait à un mur, dit Valerie. Il ne commet aucune erreur.

Adossée à la porte, elle décocha au sergent Reek un regard malheureux. Elle venait de raccompagner Stan Gibson, l'avait laissé partir en grinçant des dents après l'avoir interrogé pendant deux heures.

– Et vous êtes sûre que c'est lui qui a tué Amy Mills ? demanda Reek.

– J'en suis absolument sûre. Il me regarde en rigolant parce qu'il sait que je le sais et parce qu'il sait que je ne peux rien faire. Il jouit de pouvoir jouer avec moi. Il est poli, patient. Presque prévenant. Et il rigole sous cape.

– Et l'entretien avec Mlle Witty n'a rien apporté non plus ?

Valerie avait eu un nouvel entretien d'une heure avec la jeune femme, mais sans résultat concret.

– Elle a encore confirmé qu'elle était à Londres avec lui au moment de l'assassinat de Barnes. Et elle a répété sa description de son quotidien avec Gibson. Elle avait peur de lui. Il est complètement timbré, ce type, elle le sentait de plus en plus. Moi aussi, je le sens. Il est très dangereux, mais il se camoufle à la perfection. Derrière son sourire poli, il y a un grand malade, un psychopathe très atteint. Je suis prête à en jurer.

– Complètement timbré, psychopathe, vous êtes prête à en jurer... ce n'est pas ça qui va convaincre le procureur.

– Je sais. Je n'ai rien en main.

Avec prudence, Reek prononça :

– Vos nerfs... nos nerfs sont pas mal à vif, inspecteur. Un meurtre horrible, pas de piste pendant des mois... Il ne faut pas nous acharner sur quelqu'un uniquement parce que nous...

Elle eut un rire sans joie.

– Allez, Reek, dites ce que vous pensez ! Je m'acharne sur Gibson parce que je voudrais pouvoir enfin présenter un coupable. Eh bien non ! Ce n'est pas pour ça que je m'acharne. Ce ne serait pas logique. Gibson s'est parfaitement bordé de tous les côtés. Je suis convaincue de tenir le bon coupable, mais je ne vais pas pouvoir prouver sa culpabilité. Pas maintenant. Pas pour ce crime.

Reek se frotta les yeux. Ses heures supplémentaires commençaient à se faire sentir.

– Qu'est-ce qu'on fait maintenant ?

– Je vais fouiller le moindre millimètre de sol autour de lui, dit Valerie. Au figuré. Interroger tous les gens qui le connaissent, quelle que soit la distance. Son patron, ses collègues de travail. Les habitants de son immeuble. Tous ses amis et connaissances. Je vais passer le sable au tamis dans l'espoir de trouver une minuscule paillette d'or.

– Même en n'étant pas sûre de pouvoir prouver sa culpabilité maintenant ?

– Il est malin, mais c'est un être humain. Un jour, il commettra une erreur. Et moi, je le serrerai de si près que je pourrai frapper exactement à ce moment.

– Quel genre d'erreur ?

Valerie alla jeter un coup d'œil par la fenêtre. Elle ignorait si Gibson était venu à pied ou en voiture. Elle ne le vit pas sur le parking. Peut-être était-il déjà reparti en sifflotant joyeusement.

– Il va recommencer, Reek. Pour deux raisons : il va vouloir avoir une femme, pas Ena Witty, il n'y touchera pas parce qu'il sait qu'elle est sous notre observation. Une autre. Et un jour, cette autre femme refusera de faire ce qu'il veut. Et alors, il aura un problème. Parce qu'il ne le supporte pas.

– Et l'autre raison ?

– Il est assez malade pour ne pas se contenter de ce seul succès, cette victoire sur la femme flic qui va se faire un ulcère d'estomac parce qu'elle enrage de ne pas pouvoir prouver sa culpabilité. C'est le summum de la jouissance pour lui. Et cette jouissance, il aura besoin de la retrouver.

– C'est un jeu dangereux.

Elle se retourna. Reek lut dans ses yeux une telle colère qu'elle lui fit peur.

– Oui, Reek, c'est un jeu de merde, vous avez raison. Mais il n'y a pas d'autre moyen. Attendre, et frapper. C'est ma seule chance.

– Mais ça ne résout pas l'affaire Amy Mills. Pas officiellement et pas pour sa famille. Sa mère et son père ne vont peut-être jamais voir l'assassin de leur fille sous les verrous.

– Possible. Et croyez-moi, Reek, ça me rend malade autant que vous. Mais ça arrive. Il y en a qui passent à travers les mailles du filet. Nous ne pouvons pas toujours combler le besoin de justice de la famille d'une victime. C'est terrible, mais c'est comme ça. Dans l'affaire Gibson, il ne s'agit plus pour moi que de retirer de la circulation un individu extrêmement dangereux pour éviter qu'il ne continue à nuire... C'est une affaire non élucidée officiellement. Ce n'est pas très satisfaisant.

Et pas très bon pour ma carrière, ajouta-t-elle en pensée avec un peu de honte.

– Eh oui, parfois, c'est comme ça, dit Reek.

Frappé par la mine déprimée de sa supérieure, il reprit :

– Inspecteur, en ce qui concerne Fiona Barnes, prouver la culpabilité de Gibson dans l'affaire Mills ne nous aurait pas beaucoup avancés. Au moins, nous n'avons pas à nous ronger les sangs en nous demandant si le type que nous avons renvoyé chez lui a commis deux meurtres et non pas un seul.

– C'est toujours ça. Gibson a peut-être encore un autre meurtre et quelques viols sur la conscience, mais nous ne le saurons probablement jamais. Quant à l'affaire Barnes, nous n'avons pas avancé d'un iota, ce qui n'est pas fait pour me tranquilliser. Toujours aucune trace de Tanner ?

Le matin même, ils étaient arrivés quasiment au même moment à son domicile, pour apprendre par la logeuse qu'elle avait mis Tanner à la rue la veille au soir.

– Je ne pouvais pas garder cet assassin chez moi une seconde de plus ! avait-elle hurlé, au bord de l'hystérie. Je l'ai foutu dehors avec toutes ses affaires. Je n'ai pas envie d'être la prochaine !

377

– Il est presque certain qu'il n'a rien à voir avec l'assassinat d'Amy Mills, avait expliqué Valerie, et dans l'affaire Barnes, il n'y a aucune preuve de sa culpabilité.

– Mais on sait bien qu'il est parti d'ici en douce, samedi soir, avait répliqué la vieille commère, alors qu'avant, il avait dit le contraire !

C'est vrai, avait pensé Valerie, et ce n'est pas son seul mensonge.

– Vous avez une idée de l'endroit où il a pu aller ? avait-elle demandé. Parce qu'il faut bien qu'il dorme quelque part.

– Aucune idée. Chez sa fiancée, je suppose, si elle en veut encore. Avec un type comme ça, on ne dort pas tranquille ! Dire que j'ai été en danger tout ce temps-là !

Il n'était pas non plus à la ferme Beckett. Et il était peu probable qu'il ait trouvé refuge chez Karen Ward, après ses déclarations à Reek le matin même.

– Non, toujours aucune trace, répondit Reek. J'ai posté un agent devant la Friarage School. Tanner devrait normalement y donner un cours d'espagnol ce soir à dix-huit heures. Mais j'ai comme le sentiment qu'il ne va pas y aller. Il faudrait peut-être lancer un avis de recherche ?

– Il n'est pas en fuite. Comme il a été mis à la porte par sa logeuse, il a forcément cherché un nouveau logement et il ne sait pas que nous sommes à sa recherche.

– Il nous a menti à propos de son emploi du temps de la nuit du crime, objecta Reek, et même deux fois.

Valerie consulta sa montre.

– Il est dix-sept heures quinze. Nous allons attendre une heure. S'il ne donne pas son cours d'espagnol, on passe aux choses sérieuses.

Ils échangèrent un regard.

– On lance l'avis de recherche à l'encontre de Dave Tanner, précisa-t-elle.

8

Comme Leslie s'y était attendue, elle n'avait eu aucun problème pour trouver la maison de Semira Newton à Robin Hood's Bay. La vendeuse d'un magasin de souvenirs lui avait indiqué :

– Bien sûr que je connais Semira. Elle a un petit magasin de poterie en bas de la rue, vous ne pouvez pas le louper.

Robin Hood's Bay était accroché au flanc d'une colline et s'étirait sur toute la pente, presque jusqu'à la baie. Le village, devenu très touristique et pourvu de boutiques variées, avait réussi à garder son charme initial avec ses petites maisons basses, ses pavés, sa rivière qui traversait le village pour se jeter dans la mer. Dans les minuscules jardins fleurissaient les dernières fleurs de l'année. Sur les petites terrasses, les tables et les chaises peintes en blanc, poussées les unes contre les autres, évoquaient le souvenir des agréables soirées en plein air de l'été précédent. Le tout baignait dans une odeur de sel et d'algues provenant de la mer.

Leslie avait rapidement trouvé la poterie, juste au-dessus de l'endroit où s'élargissait la route en s'ouvrant vers la plage. Les murs de la petite maison, penchée comme la plupart des autres, étaient blanchis à la chaux, et la porte de bois, peinte en noir brillant. A côté, deux vitrines exposaient les créations de Semira : des tasses, des assiettes et des saladiers en terre cuite vernie, de facture épaisse et parfois un peu informe, mais personnelle et authentique. Aucun article de couleur vive. Selon la température de cuisson et le vernissage, les tons allaient du beige clair au brun foncé. Leslie, qui avait peu de goût pour la vaisselle à petites fleurs, apprécia cette sobriété.

Semira était absente du magasin. Un papier appliqué sur la porte indiquait : *De retour vers seize heures.*

Leslie consulta sa montre. Presque quatorze heures.

Elle toqua malgré tout à la porte, leva la tête vers les fenêtres du premier dans l'espoir de voir du mouvement, mais rien ne se passa derrière les rideaux blancs. Semira n'était pas chez elle.

Leslie descendit sur la plage. En cette saison, les touristes étaient partis. Une classe d'enfants de huit ou neuf ans étaient assis sur les rochers plats surmontant la baie, armés de blocs à dessin, et s'appliquaient à reproduire le paysage sous la houlette de leur enseignante.

Deux dames âgées se promenaient en ramassant des cailloux et des coquillages. Un homme s'appuyait contre le mur qui protégeait les dernières maisons du village, le regard perdu sur le large. Un autre jouait avec son chien en lui lançant des balles de tennis.

Leslie observa la scène quelque temps, puis s'assit sur un rocher en serrant son anorak plus étroitement autour d'elle. Elle avait froid. Mais ce n'était pas à cause de la température. Elle savait pourquoi : elle appréhendait sa rencontre avec Semira.

Je devrais peut-être rentrer à Scarborough, se dit-elle, et laisser reposer l'histoire ancienne.

Mais il était sans doute trop tard pour cela. Elle en savait trop. Elle ne cesserait d'être poursuivie par les zones d'ombre. Elle pouvait laisser reposer le passé, mais le passé la laisserait-il en repos ?

La marée montante s'annonçait et la plage se vida lentement. L'homme au chien s'éloigna, la classe rangea les blocs et les crayons. Les deux vieilles dames prirent le chemin du retour. Quand Leslie se leva pour rejoindre la poterie, seul l'homme solitaire adossé au mur était encore là, les yeux au loin.

A seize heures trente, Semira brillait toujours par son absence. Leslie, qui faisait les cent pas devant le magasin en fumant, de plus en plus grelottante, découragée, se prit à penser qu'il s'agissait d'un signe du destin. Ce n'était pas la chose à faire. Cela n'amènerait rien de bon. Peut-être le destin lui donnait-il la chance d'échapper à une rencontre qu'elle regretterait ensuite d'avoir provoquée.

Elle attendit encore vingt minutes, puis décida de partir. C'est alors qu'apparut au bout de la rue une petite silhouette dont elle sut instinctivement que c'était celle qu'elle attendait depuis tant d'heures. Une femme de petite taille descendait péniblement la rue pentue à l'aide d'une béquille, en prenant force précautions. Elle marchait très lentement, semblant déployer à chaque pas des trésors de volonté et de concentration. Elle portait un pantalon beige et un anorak marron assortis aux couleurs des poteries qu'elle fabriquait. La couleur de sa peau sombre, ses cheveux noirs et ses yeux de braise étaient ceux d'une Indienne ou d'une Pakistanaise.

Le cœur de Leslie battait à tout rompre. Elle s'avança à la rencontre de la vieille dame.

– Madame Newton ? s'enquit-elle.

La petite femme qui, jusqu'alors, avait consacré toute son attention à la chaussée, leva les yeux.

– Oui ?

– Je suis Leslie Cramer. Je vous attendais.

– Ça a duré plus longtemps que prévu.

Ce n'était pas dit d'un ton d'excuse. Néanmoins, Semira ajouta une explication :

– Le jeudi, je vais chez la kiné. J'en ai besoin, parce que ma colonne est toute tordue. Aujourd'hui, on a pris le thé et on a tellement bavardé qu'on a oublié l'heure.

Parvenue devant la porte de sa boutique, elle sortit la clé de la poche de son anorak et ouvrit en poursuivant :

– C'est rare, les clients, en cette saison. En été, ça marche bien, mais maintenant... Je ne pensais pas que quelqu'un pourrait m'attendre.

Elle s'introduisit lentement à l'intérieur, alluma la lumière.

– Vous désirez acheter quelque chose ?

La boutique était très modeste. Les articles étaient posés sur des étagères de bois fixées au mur. Une table où trônait un coffre métallique qui devait être la caisse était placée au centre de la salle. Une porte donnait sur une autre pièce, sans doute l'atelier.

Semira fit péniblement le tour de la table et s'assit en gémissant sur une chaise, posant la béquille à côté d'elle.

– Excusez-moi si je m'assieds, mais la marche et la position debout me sont très pénibles. Je devrais marcher plus souvent, mon médecin me gronde tout le temps, mais ce n'est pas lui qui a mal !

Elle décocha un regard interrogateur à Leslie et répéta sa question :

– Vous désiriez acheter quelque chose ?

– En fait, je viens pour une autre raison, dit Leslie. Je... j'aimerais bien avoir un entretien avec vous, madame Newton.

Cette dernière indiqua un tabouret placé dans un angle.

– Asseyez-vous. Je ne peux malheureusement pas vous proposer de siège plus confortable.

Leslie s'exécuta et s'installa en face de son interlocutrice, laquelle dirigea sur elle des yeux vifs en la pressant :

– Alors ?

Leslie se jeta à l'eau.

– Je suis la petite-fille de Fiona Barnes, de son nom de jeune fille Fiona Swales.

Elle attendit une réaction, mais il n'y en eut pas. Semira resta imperturbable.

– Vous connaissez ma grand-mère, non ? reprit Leslie.

– Je l'ai rencontrée à plusieurs reprises, oui, mais il y a une éternité.

– Elle est… elle a été… assassinée dans la nuit de samedi à dimanche, prononça difficilement Leslie.

– Oui, je l'ai lu dans le journal. On sait qui a fait ça ? Et pourquoi ?

– Non. La police patauge. En tout cas, c'est l'impression qu'elle donne. Elle n'a pas l'air d'être sur une piste.

– J'ai lu quelque part qu'un grand nombre de crimes n'étaient jamais élucidés, dit Semira du ton qu'elle eût employé pour une conversation anodine.

Cette femme était fermée. Il ne serait pas facile de la faire parler.

– Oui, hélas, confirma Leslie.

Puis elle regarda la vieille dame d'un air grave :

– Vous vous doutez de la raison de ma visite ?

– Dites-moi.

– Je ne connaissais pas tout de la vie de ma grand-mère. Je n'ai appris certains détails que par hasard, après sa mort. Il y a des noms qui m'étaient inconnus avant. Par exemple, celui de Brian Somerville.

Semira se figea.

Leslie répéta d'un ton insistant :

– Vous savez de qui je parle ?

– Oui, et vous le savez aussi. Qu'est-ce que vous attendez de moi ?

– J'ai déduit d'une lettre que ma grand-mère a écrite à Chad Beckett quelques semaines avant sa mort qu'il y avait eu un scandale en 1970. Elle parle d'une affaire qui a fait grand bruit dans la presse, d'une enquête policière… et de vous. J'ai cru comprendre que c'est vous qui aviez été le déclencheur.

Semira eut un petit sourire las, résigné… l'expression d'une personne obligée d'aborder une fois de plus un sujet évoqué mille fois et qui n'avait plus l'énergie nécessaire.

– Oui, dit-elle lentement, c'est moi qui ai été le déclencheur. C'est moi qui ai prévenu la presse et la police. Enfin... quand la mort a fini par me lâcher et que j'ai pu recommencer à agir.

– Vous avez prévenu la presse et la police parce que... vous aviez découvert Brian Somerville ?

– C'était en décembre, commença Semira, d'un ton monocorde et le visage impavide, plus exactement le 19 décembre 1970. Un samedi. Il faisait très froid. Ça sentait la neige. Mon mari et moi, nous habitions à Ravenscar. Mon mari était cuisinier dans une maison de retraite de Scarborough, mais vivre là-bas aurait été trop cher, donc... Ravenscar. Je n'avais pas de travail. J'avais été travailleuse sociale à Londres, mais nous avions déménagé dans le Nord parce que mon mari avait enfin trouvé un emploi ici après une longue période de chômage. J'espérais en retrouver un moi aussi, mais à la campagne, à l'époque... une Pakistanaise n'avait pas beaucoup de chances. Il y avait encore beaucoup de préjugés et un rejet général. Mais je n'étais pas malheureuse. Mon mari, John, et moi, nous nous aimions beaucoup. Nous espérions avoir un enfant.

Elle s'interrompit un instant, comme pour mieux se replonger dans le passé.

– Enfin... début décembre, les enfants d'un collègue de mon mari m'avaient raconté une chose étrange, reprit-elle. Ils m'avaient dit qu'ils étaient allés jusqu'à la ferme de Gordon McBright, ce que tous les parents interdisaient strictement à leurs enfants. D'ailleurs, on ne voyait presque jamais McBright, mais il courait toutes sortes de bruits sur lui. On disait qu'il était imprévisible, brutal et dangereux. Pour certains, c'était le mal personnifié.

Les yeux de Semira se dirigèrent vers la fenêtre, vers le lointain.

– Oui, le mal existe, dit-elle. Il est plus inimaginable, plus impitoyable, plus retors qu'on ne le croit. Moi, en tout cas, avec mes vingt-huit ans et mon expérience de travailleuse sociale à Londres, j'avais été confrontée aux mauvais côtés de l'existence, mais je ne connaissais pas encore le *véritable mal*.

Elle tournait autour du pot. Se replonger dans cette journée de décembre 1970 était certainement douloureux pour elle.

– Il y a quelque temps, j'ai lu un article sur la façon dont beaucoup de gens se débarrassent de leurs chiens, poursuivit Semira. Ils les pendent à un arbre, mais de manière à ce que leurs pattes arrivent à atteindre péniblement le sol. Ça retarde la mort. Les chiens agonisent pendant plusieurs heures.

Leslie avala sa salive.

– Et vous savez comment les Espagnols appellent ça ? *Jouer au piano*, parce que les chiens n'arrêtent pas de tapoter le sol pour essayer de garder la pointe de leurs pattes sur le sol.

Leslie resta coite. Horrifiée, choquée.

– Ce qui m'a bouleversée, poursuivit Semira, ce n'est pas seulement le fait qu'ils agissent ainsi, mais le nom qu'ils donnent à ce jeu cruel. Peut-être n'est-ce pas la simple brutalité qui caractérise le mal dans toute sa puissance, mais la brutalité jointe au cynisme. Et l'idée que ce sont des gens doués d'*intelligence* qui en sont capables n'est-elle pas insupportable ?

– C'est vrai, confirma Leslie en murmurant.

– Mais vous n'êtes pas venue pour parler du mal à travers le monde. Si je m'en préoccupe depuis si longtemps, c'est à cause de son rapport avec mon histoire particulière. Son rapport avec Gordon McBright et avec Brian Somerville.

– Et avec ma grand-mère ?

Semira émit un petit rire.

– Vous voulez savoir si c'est moi qui ai tué votre grand-mère le week-end dernier ? Si j'ai un mobile ? Oui, madame Cramer, j'ai un mobile. Mais je vais vous décevoir : si j'avais voulu tuer Fiona Barnes, je n'aurais pas attendu si longtemps, je ne lui aurais pas permis de continuer à vivre sa belle vie, je ne l'aurais pas tuée pour lui épargner les problèmes et la solitude de l'âge. Pourquoi aurais-je été aussi gentille ? Et d'autre part, regardez-moi. J'ai lu que votre grand-mère avait été battue à mort et jetée ensuite au fond d'un ravin en pleine nuit. Vous me croyez capable de réussir un tour de force pareil ? Avec ce corps en ruine ?

Leslie nia d'un geste de tête :

– C'est difficile à imaginer. Mais je ne vous ai jamais soupçonnée de...

– Non, ma chère, je le sais. Vous voulez connaître la vérité, je l'ai compris. Vous savez, j'ai toujours détesté votre grand-mère. Et Chad Beckett aussi. Ce petit couple bien propre qui a toujours bien pris soin de sauver sa propre peau. En définitive, si ma vie est foutue, c'est à cause de l'égoïsme et de la lâcheté de ces deux personnes. Je peux vous raconter l'histoire, madame Cramer, vous dire comment, il y a quarante ans, Gordon McBright m'a transformée en infirme incurable. Je peux vous raconter tout ce qu'il m'a fait subir, et c'est quelque chose qui se trouve à des années-lumière des pires souffrances que vous ayez eues à affronter au cours de votre vie. Je ne crois pas que la vie soit très facile quand on a une Fiona Barnes comme grand-mère, mais je vous assure que l'ampleur de ma souffrance est d'une autre nature.

– Vous pouvez m'en dire plus ? demanda Leslie.

9

– Mais pourquoi as-tu fait ça ?

Colin se tenait devant la petite fenêtre de la chambre mansardée qu'ils occupaient depuis qu'ils passaient leurs vacances chez les Beckett. Et bien que n'étant pas particulièrement large d'épaules, il recouvrait presque entièrement la surface de la vitre, obstruant le passage de la lumière.

Jennifer était assise sur le lit, Wotan et Cal à ses pieds. Les deux dogues, la truffe posée sur les genoux de leur maîtresse, la couvaient d'un regard qui mendiait les caresses.

– Je ne sais pas, répondit-elle en grattant distraitement leur tête.

– Ecoute, Jennifer… ce que tu as fait, ça s'appelle un faux témoignage ! Dans une enquête pour meurtre ! Tu te rends compte du risque que tu as pris ? Et tu ne trouves rien de mieux à dire que tu ne sais pas pourquoi tu as fait ça ?

Mais Jennifer ne se départit pas de son indifférence.

– J'ai peut-être agi trop impulsivement. J'avais simplement l'impression que ce serait mieux… d'avoir un alibi. Cette femme flic s'acharne comme une bête. Elle veut résoudre l'affaire à n'importe quel prix, pourvu qu'elle dégote un coupable qui n'en est pas. J'ai voulu prendre les devants.

– Et tu ne trouves rien de mieux à faire que de raconter que tu as passé toute la soirée avec Gwen, alors que c'est faux !

– C'est si grave que ça ?

Colin secoua la tête, consterné. Jamais sa femme ne s'était montrée aussi naïve, et aussi bornée en même temps.

– C'est un *faux témoignage* ! Tu vas au-devant des pires ennuis si ça finit par se savoir !

– Comment l'apprendrait-on ?

– Déjà, Gwen me l'a dit. Elle se pose des questions. Elle se demande pourquoi tu as éprouvé le besoin d'échafauder cette histoire. Ensuite, elle va le dire à Dave. Et peut-être aussi à son père. Ainsi qu'à Leslie Cramer. Je parie tout ce que tu veux que ça finira par arriver aux oreilles de la police. Comment as-tu pu croire une seconde que Gwen était fiable ? C'est une petite fille qui a toujours besoin de demander conseil aux autres. Tu la connais pourtant depuis des années !

– Et alors ? Tant pis si ça arrive aux oreilles de la police. Colin, j'ai la conscience absolument tranquille. L'inspecteur Almond peut croire ce qu'elle veut, elle ne pourra rien prouver, puisque je n'ai rien fait ! Ce n'est quand même pas moi qui ai tué Fiona Barnes !

– Tu n'es pas logique. D'abord tu dis que tu as voulu prendre les devants pour couper l'herbe sous le pied de cette femme flic, et maintenant, alors que tu peux être sûre qu'elle ne va pas te lâcher si elle s'aperçoit que tu lui as menti sur un détail aussi important, tu fais comme si ça t'était égal. Tu peux m'expliquer ?

Jennifer, toujours en train de gratter distraitement la tête de ses chiens, répondit :

– De toute façon elle se méfiait déjà, à cause de l'histoire d'autrefois. Elle peut en rajouter, ça n'a plus d'importance. Elle m'a soupçonnée dès le début.

– C'est une raison pour alimenter sa méfiance !

– Peut-être qu'on finira par découvrir que c'était quand même ce Gibson. Dans ce cas, l'affaire sera réglée.

Colin quitta son poste près de la fenêtre et vint s'asseoir en face de sa femme.

– Jennifer, tu m'as dit toi-même qu'il n'était pas dans la région au moment du crime. La fille qui l'a dénoncé le confirme, et elle n'a aucune raison de le couvrir. Donc, nous sommes tous les deux dans le collimateur, que ça nous plaise ou non.

– Nous l'aurions été même si je ne m'étais pas mise d'accord avec Gwen.

– D'accord, mais tu ne serais pas exposée. Parce que personne, pas même Almond, ne peut se servir de l'histoire qui s'est passée autrefois avec ton élève comme point de départ pour une affaire de meurtre. Par contre, elle peut se servir de ton faux témoignage.

– Gwen aussi est mêlée là-dedans.

– Sauf que ce n'est pas l'idée de Gwen, mais la tienne. Nous avons tous été choqués par l'assassinat de Fiona, et je suppose que tu n'as pas eu de mal à convaincre notre pauvre Gwen d'accepter ta proposition. Mais maintenant, elle se met à réfléchir, et j'ai le sentiment que ce mensonge la met de plus en plus mal à l'aise. Plus l'enquête va s'intensifier, plus son malaise va grandir. Et si la police la cuisine, elle va finir par craquer. J'en suis convaincu.

– De toute façon, c'est fait, répondit Jennifer, résignée comme si cette affaire n'avait plus d'importance pour elle.

– Va trouver Almond, et explique-lui comment tu en es arrivée à raconter cette histoire. Répète-lui ce que tu m'as dit, c'est-à-dire que tu avais peur d'être soupçonnée parce que tu étais sortie avec les chiens, et tu as voulu prendre les devants. Dans la panique, tu as perdu la tête.

– Et elle va me demander d'où venait ma panique et pourquoi j'ai perdu la tête. C'est presque un aveu !

– Mais ce sera pire si c'est Gwen qui le lui dit. Ou quelqu'un d'autre.

Ils se mesurèrent du regard. Les chiens sentirent la tension, pointèrent les oreilles et les regardèrent alternativement, en éveil.

Jennifer murmura :

– Je crois que j'ai envie de rentrer.

– Nous repartons samedi, puisque je reprends mon travail lundi.

– Non, j'ai envie de rentrer aujourd'hui.

– Maintenant ?

– Oui.

– Je ne pense pas que nous en ayons l'autorisation.

– La police a nos coordonnées. Nous habitons à une heure et demie d'autoroute. Je ne crois pas que ce soit un problème.

Colin fut pris d'une soudaine lassitude. Il se demanda d'où venait cet épuisement qui les prenait et les emplissait d'une tristesse diffuse. Il insista :

– Moi, je crois que tu devrais aller trouver la police.

– Je peux appeler de chez nous, rétorqua-t-elle.

– Tu le ferais ?

– Bien sûr.

Il eut l'impression qu'elle était prête à tout promettre, pourvu qu'il accepte de quitter la ferme immédiatement. Il lui prit la main.

– Jennifer, qu'est-ce qui s'est passé ? Pourquoi ce départ précipité ? Est-ce que c'est... à cause d'hier ? Tu as été très secouée. Tu as peut-être besoin d'en parler encore, parler de cet homme, de ta peur. Tu as dû rester forte pour soutenir cette femme, alors que tu avais sans doute besoin de soutien toi-même.

– Ce n'est pas seulement l'histoire de Stan Gibson, avoua-t-elle. C'est... c'est tout ça. La ferme. Gwen. Dave Tanner. La police. Tout est gris dans cette ferme, ça ne te frappe pas ? Il n'y a aucune vie. Chad Beckett est sans vie. La vie de Gwen n'en est pas une. Tanner est un parasite, ce n'est pas lui qui apporterait un peu de lumière. Tu les imagines tous les trois ici, Chad, Gwen et Tanner ? Sans Fiona... Elle, au moins, aurait mis un peu d'animation là-dedans.

Colin n'en crut pas ses oreilles.

– Qu'est-ce que tu me chantes ? Tout est gris et sans vie dans cette ferme ? Alors que c'est toi qui as toujours insisté pour venir ici ! Tu tenais au paysage, à la mer, à la maison, à Gwen... On avait l'impression que cette ferme était le paradis pour toi. Et ça y est, tu as changé d'avis ?

– Oui, répliqua-t-elle, ça y est, j'ai changé d'avis.

Elle se leva, un curieux mélange de tristesse et de détermination dans l'expression.

– Colin, nous sommes tous en train de changer. Tous tant que nous sommes. J'ai changé, ces derniers jours.

Il se leva à son tour.

– Comment cela ?

– C'est difficile à décrire. Je ne sais pas non plus quand ça a commencé. Peut-être quand la Almond a ressorti cette vieille histoire pour me la brandir sous le nez. Je me suis sentie acculée, une fois de plus. Mais c'est hier que j'ai compris, quand j'ai vu Ena Witty, sa peur, ses hésitations. Elle ne savait pas si elle devait se séparer de lui. Si elle devait rester. S'il avait quelque chose à voir avec le meurtre d'Amy Mills. S'il était vraiment bizarre ou si elle se l'imaginait. Tout son discours, c'était ça : l'incertitude, la faiblesse, l'indécision, le manque de courage. J'ai passé tout l'après-midi d'hier avec elle, la soirée, la nuit, la matinée d'aujourd'hui... et au bout d'un moment, j'en ai eu assez. C'était devenu insupportable.

– Cette pauvre fille t'était devenue insupportable ?

– Oui, elle m'a fichue en rogne, avec sa soumission, sa peur, ses jérémiades, tout ce qu'elle m'a raconté de sa vie avec Gibson ! C'était répugnant. Je n'en pouvais plus. Et je suis toujours en rogne !

– Je comprends, dit Colin, pour l'apaiser, même s'il ne comprenait pas vraiment ce qu'elle lui disait.

Elle le regarda, une nuance de mépris dans les yeux :

– Je ne crois pas que tu me comprennes, mon pauvre... Il m'a fallu du temps à moi-même pour le comprendre. Parce qu'en fait, cette colère n'était pas dirigée contre elle, mais contre moi.

– Ah bon ?

– J'avais cette vilaine Ena Witty devant moi, et j'ai pensé à Amy Mills... à ce qu'on sait d'elle par la presse. Ce devait être le même style. Une victime. Gibson aime ce genre de femmes, celles qui se couchent, celles qu'il peut dominer. Et le pire c'est qu'il en trouve, parce qu'elles ne sont pas rares.

– Sans doute, oui. Mais toi...

– Je suis comme elles, répondit-elle en évitant son regard. J'aurais pu l'être. Une victime. La victime d'un homme comme lui.

Colin, perplexe, se récria :

– Mais pas du tout ! Tu as tes problèmes, mais tu n'es pas une femme soumise !

– Je ne suis pas comme Ena Witty ou Amy Mills. Mais tu sais bien que je doute affreusement de moi-même et ça ne se voit pas trop parce que je me suis retirée presque entièrement de la vie normale. Toi et les chiens, vous êtes quasiment ma seule compagnie. J'ai des difficultés à fréquenter les autres. Je n'ose plus conduire la voiture. Je suis bloquée par toutes sortes de peurs. J'arrive simplement à mieux le cacher que d'autres.

– Mais un Gibson s'en apercevrait ?

– J'en suis persuadée. Il a les antennes qu'il faut. Si je ne t'avais pas, je serais quelqu'un de complètement solitaire, et sans doute prête à tous les compromis pour qu'on s'occupe de moi.

Il ne trouva aucun argument pour réfuter sa théorie.

– Mais, Jennifer, affirma-t-il, tu m'as, et tu m'auras toujours.

Or il ne s'agissait pas de cela, ce n'était pas ce qu'elle avait voulu dire. Il le savait.

– Si Almond m'a eue immédiatement dans le collimateur, c'est pourquoi, à ton avis ? poursuivit sa femme sans répondre à sa remarque. Là aussi, j'étais la victime toute choisie… immédiatement, sans aucune raison.

– Eh bien, pense…

Elle ne le laissa pas terminer.

– Je suis dans une colère noire, Colin, et je crois que ma colère n'est pas près de passer. Je suis en colère contre la manière dont on m'a chassée de mon poste, contre la manière dont cette femme flic a essayé d'utiliser mon passé contre moi. Contre la manière dont je me suis cachée pendant toutes ces années, dont j'ai arrêté de vivre. Tu veux savoir pourquoi je tenais à revenir ici, à la ferme ? C'était justement parce qu'ici, ils ne vivent pas, ils se contentent d'exister comme des morts-vivants, voilà pourquoi je me sentais bien ici. Ça me convenait parfaitement, j'étais à ma place, mais maintenant, c'est fini. Je veux recommencer à faire partie du monde. Je ne veux plus être la victime du monde.

Pensant au point de départ de leur conversation, Colin fut tenté de répliquer : « Et pourtant, tu te coules de nouveau dans un rôle de victime en fabriquant une histoire cousue de fil blanc avec Gwen. » Mais il ne le dit pas. Il n'allait pas, par une critique, déstabiliser Jennifer au moment où elle était déterminée à travailler pour remonter la pente. Elle avait des choses plus importantes à faire que s'occuper de l'affaire de l'assassinat de Fiona Barnes, même si elle était dans le viseur de la police. Cela ne lui semblait pas important.

Il sourit, d'un sourire destiné à l'assurer de son soutien.

– Bien, dit-il. Nous allons donc faire nos bagages et lever le camp. Et dire adieu pour toujours à cette chambre, pas vrai ? Je crois que nous ne la reverrons plus.

– Non, c'est terminé, confirma Jennifer.

10

– Donc, dit Semira, les enfants d'un collègue de mon mari avaient abordé le sujet à deux reprises. Ils s'étaient promenés près de la ferme de McBright et ils avaient remarqué quelque chose de curieux, d'inquiétant... un enfant qui gisait tout seul dans une étable à moutons. Il portait un collier métallique autour du cou et il était enchaîné. Il avait peine à bouger et il tremblait de froid.

– Et vous n'avez pas couru avertir la police ? demanda Leslie, transie de froid elle-même.

– J'y avais pensé, mais John me l'avait déconseillé. Parce que ces enfants avaient tendance à affabuler, tout le monde le savait. Il m'avait dit que je risquais de me couvrir de ridicule si j'alertais les autorités. Il m'avait conseillé de ne pas prendre la chose trop au sérieux. Un enfant attaché à une chaîne, ça n'existait pas ! Ces gosses racontaient des histoires !

– Mais vous, ça vous travaillait, supposa Leslie.

– C'est ça. Contrairement à John, qui avait toujours été cuisinier, je n'étais pas sûre que *ça n'existait pas*. Surtout en sachant le mal que les hommes étaient capables de s'infliger mutuellement. La violence domestique, je connaissais ça par mon métier de travailleuse sociale. J'avais six ans de moins que John, mais j'étais moins naïve que lui.

– Vous êtes donc allée à la ferme.

– J'ai réfléchi, et j'ai décidé que le mieux était d'abord d'aller voir par moi-même avant d'alerter la police. J'avais très peur, parce que, comme je vous l'ai dit, McBright avait une réputation terrible dans la région. Un type haineux, brutal, un asocial. On disait qu'il avait été maltraité pendant des années par son propre père, mais je ne sais pas si cette rumeur était fondée. C'était l'explication donnée pour son comportement. Il avait une femme dont on disait que c'était une épave humaine. On ne l'avait vue que deux ou trois fois en tout au village. Elle n'avait plus de dents, elle était cassée de partout et elle vivait dans la terreur. Mais elle n'avait jamais lancé d'appel au secours, et de toute façon, personne n'aurait osé s'en mêler.

– C'était... c'était de la folie d'y aller seule, dit Leslie.

– Oh oui, confirma Semira, c'est ce que j'ai compris plus tard. Mais même si j'avais peur, j'avais sous-estimé le danger que représentait cet homme. Dans l'exercice de mon métier, à Londres, j'avais eu affaire à des pères de famille brutaux, agressifs. Mais là-bas, je faisais partie de l'administration sociale et j'étais protégée. On savait où j'étais et, le cas échéant, je me faisais accompagner, parfois même par la police.

Elle s'interrompit brièvement, puis reprit :

– Ma plus grosse erreur a été de ne prévenir personne de ma démarche. C'est là que j'ai commis une folie : aller dans cette ferme coupée du monde, chez un criminel comme Gordon McBright sans même laisser un mot à la maison.

– Vous avez découvert un enfant ?

Semira nia d'un geste de la tête.

– Non, pas un enfant. Un homme, dans une ancienne étable à moutons, juste à côté du bâtiment d'habitation. Il était recroquevillé comme un embryon et semblait donc plus petit qu'il n'était. Il n'y avait pratiquement pas de lumière dans cette cabane. Les gamins l'ont pris pour un enfant, mais c'était le seul point sur lequel ils ne s'étaient pas trompés. Tout le reste était vrai. L'anneau de fer autour du cou. La chaîne fermée par une clé et attachée à une poutre. La paille crasseuse sur laquelle il était couché. Le froid cruel auquel il était livré presque nu. Je n'arrivais pas à y croire. Aujourd'hui encore, près de quarante ans plus tard, j'ai du mal à y croire en le racontant. Toute ma vie en a été bouleversée, mais ça reste irréel pour moi.

Elle regarda sa visiteuse sans sembler la voir vraiment.

– J'avais découvert Brian Somerville, dit-elle.

Elle garda le silence pendant près d'un quart d'heure. Le tic-tac de la pendule semblait résonner deux fois plus fort. Dehors, il commençait à faire sombre.

Leslie n'osa pas prononcer un mot.

– Il était en train d'agoniser, reprit Semira, si soudainement que Leslie sursauta. Il était réduit à l'état de squelette. Son corps était recouvert de grandes plaies purulentes, résultat des mauvais traitements auxquels il était livré en permanence. Nous avons su ensuite par Mme McBright qu'il était traité comme un esclave et soumis à des travaux très durs physiquement, alors même qu'il était encore adolescent. Comme il était inutile de vouloir lui expliquer quoi que ce soit, Gordon McBright lui cognait dessus jusqu'à ce qu'il s'exécute plus ou moins. Sa femme a déclaré qu'elle avait peur qu'il ne le tue. Et ça, pendant vingt-quatre ans. Brian a souffert cet enfer pendant vingt-quatre ans. Il était à peine nourri, et chaque soir, ou quand il ne travaillait pas, il était enchaîné dans cette étable. Un jour, Mme McBright lui a apporté une couverture, mais son mari l'a prise sur le fait et lui a ôté l'envie de recommencer. Dans une certaine mesure, il ressort de ses déclarations que la présence de Brian à la ferme était un soulagement pour elle, même si elle a affirmé qu'elle se bouchait souvent les oreilles pour ne pas entendre les hurlements de douleur de Brian. Son mari détestait tellement le pauvre garçon qu'il déchargeait son agressivité sur lui et que sa femme en était moins victime qu'auparavant. C'est peut-être en partie pour cela qu'elle n'a rien entrepris pour venir au secours de cet enfant sans défense, car, au début, c'était ce qu'il était. Mais peut-être ne l'aurait-elle pas fait de toute façon. Elle ne le faisait pas pour elle-même. C'était un être brisé.

Semira secoua la tête comme si tout cela dépassait son entendement, alors qu'elle connaissait mieux que quiconque le phénomène des femmes qui n'opposaient pas de résistance. Ou se défendaient trop tard.

– Donc, poursuivit-elle, ce jour-là, à la fin de l'année 1970, Brian était en train d'agoniser. Il n'avait pas encore quarante ans, et il en paraissait soixante. Je ne sais pas ce que McBright lui avait fait en dernier ressort, mais il n'avait pas l'air capable d'y survivre. L'être que j'avais trouvé gisant sur le sol de l'étable respirait encore, mais bien que n'étant pas médecin, j'ai pensé qu'il ne s'en sortirait pas. Et, de nouveau, j'ai eu la mauvaise réaction. Au lieu de m'enfuir à toutes jambes et de sauter dans ma voiture pour prévenir la police, je me suis agenouillée auprès de lui. Je l'ai retourné, vérifié autour de moi pour voir s'il n'y avait pas un robinet d'eau, parce qu'il semblait être en train de mourir de soif. J'ai voulu l'aider immédiatement. Et je suis restée trop longtemps dans cette étable.

– McBright vous a surprise ?

– Non, pas dans l'étable. J'ai réussi à ressortir en grimpant par la fenêtre. L'étable faisait partie du mur extérieur qui entourait la ferme, et la fenêtre donnait sur un champ. Il n'y avait plus de vitre. Il a fallu que je contourne à nouveau le terrain pour arriver au pied de la colline où j'avais garé ma voiture. Et c'est là qu'il a surgi brusquement devant le portail de la ferme. Il avait vu ma voiture par une fenêtre. Je l'avais garée un peu plus loin au milieu d'un groupe d'arbres, mais on pouvait la voir du premier étage de la maison, d'autant plus que les arbres étaient nus. Si je ne m'étais pas attardée auprès de Brian, j'aurais déjà été dans ma voiture à ce moment-là.

Elle baissa les yeux sur la table, suivit quelques nervures du bout des doigts.

– J'ai immédiatement su que j'étais en grand danger, poursuivit-elle. J'avais affaire à un sadique qui ne reculait devant rien. S'il comprenait que j'avais découvert son secret, il ne pouvait pas me laisser repartir. Aujourd'hui encore, je me souviens que mon cœur battait à tout rompre, que j'avais la bouche sèche et les jambes en coton. J'ai essayé de jouer les innocentes en lui disant que je n'étais pas de la région, que je m'étais égarée et que j'avais fait le tour de la ferme dans l'espoir de tomber sur quelqu'un qui m'indiquerait la route. Il m'a écoutée, mais j'ai vu qu'il m'épiait de son regard suspicieux. Il ne m'avait pas vraiment vue grimper dans l'étable par la fenêtre, mais il se doutait que je m'étais baladée par là. Ses yeux me transperçaient. Mon Dieu, jamais, de toute ma vie, je n'ai vu des yeux aussi froids… J'ai cru un instant que je m'en tirerais. Il a fait quelques remarques méprisantes sur les Pakistanais et m'a dit de déguerpir. Je me suis donc retournée et j'ai commencé à descendre le long du chemin, pas trop vite pour éviter d'éveiller sa méfiance. Mais alors là… il a changé d'avis. Il m'a rappelée. Et il m'a regardée. Et… quelque chose lui a dit que je savais. Que j'avais vu Brian.

– Vous avez essayé de vous enfuir, prononça Leslie d'une voix sourde.

– Oui, j'ai essayé de sauver ma peau. Il m'a suivie. Ce n'était plus un jeune homme, mais il était fort et déterminé, et il se rapprochait toujours plus. Je savais que je n'arriverais pas à ouvrir ma portière et à monter dans la voiture à temps. Il y avait un petit bois. J'ai obliqué là, sans réfléchir, poussée par l'instinct, pour trouver une cachette puisque je ne courais pas assez vite. Mais les arbres étaient espacés et n'avaient pas de feuillage, et mon poursuivant ne m'a pas perdue de vue une seconde.

Leslie respira à fond. Il suffisait de voir le corps estropié de Semira, les efforts qu'elle déployait pour se déplacer, pour comprendre que McBright l'avait rattrapée et déversé sa fureur sur elle.

– Je n'ai pas envie de décrire par le menu ce qui s'est passé, reprit Semira. Il m'a sauté dessus et il s'est déchaîné. Je crois qu'il se croyait dans son droit, qu'il pouvait faire ce qu'il voulait de moi. J'avais pénétré dans sa propriété. Que ce soit dans son étable ou dans sa salle de séjour pour voler son argent, ça revenait au même pour lui. C'était un grand malade, un dangereux psychopathe. D'ailleurs, il n'est pas mort en prison, mais en hôpital psychiatrique, en chambre d'isolement. Par bonheur, il ne s'est trouvé personne pour juger bon de le relâcher et de le renvoyer dans la nature.

– Comment avez-vous fait... pour rester en vie ?

– Ça reste une énigme pour moi, rétorqua Semira avec un rire amer. Je ne crois pas que McBright ait envisagé que j'y arriverais. Mais c'est à cela qu'on voit à quel point il était dérangé. Parce que dans sa logique, il aurait dû s'assurer que j'étais vraiment morte, et le cas échéant continuer jusqu'à ce qu'il n'y ait plus aucun doute. Après, il aurait dû enterrer mon cadavre, effacer les traces, balancer ma voiture dans le premier étang venu, que sais-je. Mais il n'a rien fait de tout cela. Il ne se considérait pas comme un coupable à qui on pouvait demander des comptes et qui devait donc éviter à tout prix de se faire prendre. Il avait fait ce qu'il estimait devoir être fait. Il m'a laissée dans ce bosquet à l'écart et est parti sans plus se soucier du reste.

– Le soir, votre mari vous a retrouvée ?

– Non, pas le soir même, malheureusement. Il était de service ce samedi-là, mais nous avions décidé d'aller ensuite au cinéma. Il était en retard, et comme je n'étais pas à la maison quand il est rentré, il a pensé que j'y étais allée seule, ou avec une amie, et que nous avions pris un verre après. Cela m'arrivait parfois quand il n'avait pas le temps ; il ne s'est pas inquiété et s'est couché. Ce n'est que le lendemain matin qu'il a compris qu'il y avait un problème.

– Et vous êtes restée tout ce temps-là dans ce bois ?

Semira acquiesça.

– Oui, à moitié morte, et inconsciente par épisodes. J'avais les deux mâchoires brisées, le nez aussi, si enflé que j'avais du mal à respirer. Le fou s'était acharné sur moi avec une grosse branche, et il avait réduit mon bassin en miettes. Je souffrais le martyre, mais par bonheur, je m'évanouissais régulièrement. Quand j'essaie de me souvenir, tout s'efface. Je sais qu'il faisait un froid glacial. Que tout était humide. Et qu'il faisait nuit. Ça s'est éclairci au bout d'un moment, je voyais la cime nue des arbres au-dessus de moi et les nuages. J'entendais crier des oiseaux. Je me souviens du goût de sang dans ma bouche. J'étais absolument incapable de bouger. Parfois, je me voyais entourée par des gens que j'avais connus avant, à Londres, et par des animaux. J'avais sans doute une forte fièvre. J'étais persuadée que j'allais mourir. Je n'avais pas peur, mais j'étais étonnée. Ce n'était pas ainsi que je m'étais représenté la mort.

Leslie avala sa salive avant de s'enquérir :

– Quand a-t-on fini par vous retrouver ?

– Le lundi en fin d'après-midi. Quarante-huit heures après le moment où McBright m'était tombé dessus. John, mon mari, était allé signaler ma disparition à la police le dimanche après-midi, mais ils ne l'ont pas pris trop au sérieux. Ils pensaient à une querelle de ménage, ou que j'étais repartie retrouver mon clan. John m'avait forcément décrite comme une Pakistanaise. Je ne peux pas le prouver, mais je suis sûre que ce détail a encore ralenti le zèle des policiers. On voyait les mariages mixtes d'un œil sceptique, à l'époque, et ils ont sans doute considéré que John s'était laissé avoir comme un imbécile, puisque tout le monde savait que ça ne pouvait pas marcher... Donc, ils ont commencé par ne rien faire. John, de son côté, téléphonait partout pour savoir si quelqu'un m'avait aperçue. J'avais pris la voiture, mais pour aller où ? Ce n'est que le lundi à la mi-journée qu'il a repensé à l'histoire de Gordon McBright. Il a immédiatement informé la police, laquelle a envoyé un fonctionnaire qui s'est exécuté de mauvaise grâce. John l'accompagnait. Quand ils ont vu ma voiture, les choses ont enfin bougé. McBright a fermé la porte au nez du policier, mais tout de suite après, l'agent a découvert Brian Somerville qui agonisait dans l'étable, et il a demandé des renforts. Ils ont passé le secteur au peigne fin et ont fini par me retrouver. A ce moment, j'étais totalement inconsciente. Je ne me suis rendu compte de rien. Je ne suis revenue à moi que le lendemain, à l'hôpital.

Elle se tut. Leslie, sous le choc, mit un moment à pouvoir parler. Elle se prit à regretter sa visite à Semira ; à regretter d'avoir lu les lettres de sa grand-mère.

– Je suppose que c'était trop tard pour Brian ? finit-elle par dire. Il est mort, non ? Il est mort parce que ma grand-mère et Chad Beckett...

– C'est ce qu'on aurait pu lui souhaiter de mieux, sans doute, répondit Semira, mais non, il n'est pas mort. Les médecins l'ont sauvé, sans doute parce qu'il avait une solide constitution. Il a réussi à survivre au traitement du sadique.

– Et maintenant...

– Maintenant, c'est un vieil homme. Je vais le voir parfois, mais c'est difficile pour moi, parce que je peux à peine me déplacer. Il vit dans un établissement psychiatrique à Whitby. Vous ne le saviez pas ?

Leslie nia d'un signe de tête.

– En tout cas, dit Semira, Fiona Barnes le savait. Je ne lui ai pas permis d'espérer qu'il était mort, parce que pendant des années, je lui ai envoyé une carte à Noël pour le rappeler à son souvenir, et plus tard, quand j'ai arrêté, elle aurait pu facilement s'informer. Je lui écrivais qu'il continuait à l'attendre. Et il continue. Il la demande. Il ne parle presque pas, mais tous les jours, il demande aux infirmières quand Fiona va venir. Je sais qu'elle lui avait promis en 1943 de revenir auprès de lui, et aujourd'hui, plus de soixante ans après, il n'a toujours pas perdu l'espoir qu'elle tiendrait sa promesse. Mais pas une fois, pas une seule, elle n'est allée le voir. C'est pour ça, Leslie, plus que pour tout le reste, que je haïssais votre grand-mère. Vraiment, plus que pour tout le reste.

11

Derrière les fenêtres, la lumière déclinait. Le crépuscule et le silence venaient remplacer ce jour qui avait été si gris et si morne. Gwen hésita pourtant à allumer. Elle n'avait pas envie d'éclairer son propre visage, ni celui de Dave, assis en face d'elle. Elle se demanda pourquoi. C'était peut-être parce que la lumière, en jaillissant, aurait le pouvoir d'éclairer la vérité, et cela lui semblait insupportable.

La vérité était que Dave allait la quitter.

Ils étaient ensemble depuis près d'une heure, assis dans la salle de séjour, et ils n'avaient que peu parlé. On entendait Jennifer et Colin faire les cent pas à l'étage du dessus. Gwen se demanda ce qu'ils pouvaient bien fabriquer là-haut. On percevait le grattement des griffes des chiens sur le plancher. Les animaux s'agitaient eux aussi, alors que d'ordinaire, ils restaient couchés dans un coin de la pièce. Mais après tout, qu'importaient Jennifer et Colin ? Elle se fichait bien de leur sort.

Son avenir venait de s'écrouler. Elle avait d'ailleurs senti venir la catastrophe.

Elle se demanda si elle avait su dès le premier jour que sa relation avec Dave était bâtie sur du sable, qu'elle ne tiendrait pas. Il y avait eu des dizaines de signaux préalables. Elle se rappela sa visite chez lui à l'improviste, quand elle lui avait demandé de coucher avec elle. Y avait-il deux jours de cela, ou trois jours ? Il avait cherché des prétextes, il avait louvoyé, il avait noyé le poisson en l'entraînant dans des conversations sans fin. Il avait fini par se lever, visiblement soulagé, pour aller donner son cours, après avoir sans arrêt louché sur sa montre comme s'il bouillait d'impatience de se rendre à l'école et de la fuir. Il n'était rentré que très tard et ensuite, il avait lu toute la nuit, s'était levé de bonne heure le matin et avait refusé qu'elle l'accompagne.

– J'ai besoin de rester seul, avait-il dit.

Elle s'était retrouvée plantée là, l'avait attendu un moment, frustrée et humiliée. Puis elle avait fini par partir, s'était promenée sans but en ville pendant quelques heures avant de retourner à la ferme en taxi. Sans avoir couché avec lui. Et elle avait compris qu'ils ne le feraient jamais.

Car Dave ne la désirait pas. Il n'avait pas la moindre envie de faire l'amour avec elle. Il aurait sans doute préféré coucher avec sa logeuse plutôt qu'avec sa fiancée. Non seulement il ne l'aimait pas, mais il la trouvait sans doute repoussante. Rien en elle ne l'attirait. Rien... sauf la terre proche de la mer qu'elle posséderait un jour.

Et il avait même renoncé à cette perspective. Elle l'avait compris dès qu'elle l'avait aperçu, lorsqu'elle était rentrée à la ferme avec Jennifer. Elles avaient passé un temps fou chez Ena Witty, laquelle fondait régulièrement en larmes et avait refusé de les laisser repartir avant d'avoir remis sur le tapis le sujet Stan Gibson en le reprenant du début à la fin. Quand elles avaient pu s'en dépêtrer, Jennifer l'avait entraînée en ville, puis dans un café du port. Jennifer paraissait remontée, d'ailleurs, obsédée par Stan Gibson. Elle n'avait pas arrêté de parler de lui, d'Ena Witty, d'Amy Mills et d'elle-même, des femmes prédestinées à être des victimes. Pendant ce temps, elle, Gwen, se demandait ce qu'elle allait devenir, quel était l'avenir qui l'attendait.

Elle avait trouvé Dave installé dans le séjour avec Colin et les chiens qui ronflaient à leurs pieds, couchés sur le tapis. Quelqu'un avait allumé un feu dans la cheminée. C'était un retour plutôt accueillant, en apparence. Mais ce n'était qu'un mirage, une vision de ce qui aurait pu être. Un mari aimant, des enfants qui accueillaient leur mère en sautant de joie. Mais non, tout resterait comme avant. En rentrant de ses rares sorties en ville, elle retrouverait comme de coutume une maison froide, où personne ne l'attendrait hormis son vieux père qui ignorait tout, ou presque, d'elle, de sa vie et de ses préoccupations.

Colin et Jennifer étaient montés, et Chad ne s'était évidemment pas montré. Après un long moment de silence, Dave avait prononcé à voix basse :

– Gwen, j'ai quelque chose à te dire...

Depuis, il n'avait presque rien ajouté, car elle avait répondu :

– Je sais.

Et lui :

– Dans ce cas, il n'y a plus grand-chose à expliquer.

Et elle :

– Non.

Ensuite, un nouveau silence s'était installé, mais un silence où il se passait beaucoup de choses. Un silence au cours duquel se terminait une relation entre deux personnes, une relation qui, selon Gwen, n'avait sans doute jamais été ce qu'elle aurait dû être, et qui, pourtant, à sa façon, avait été une relation. De son côté à lui, un calcul, et du sien, de l'espoir. Cela aurait peut-être même pu fonctionner s'ils s'en étaient donné la peine.

Peut-être... mais jamais elle ne saurait à quoi aurait ressemblé ce *peut-être*.

Ils n'avaient pas remarqué que le feu s'était éteint, mais il commençait à faire froid dans la pièce, et cela les tira des pensées dans lesquelles chacun d'eux s'était abîmé.

– Il est bientôt cinq heures et demie, dit Dave, et il ne va plus faire jour très longtemps. L'arrêt de bus est assez loin...

– Tu peux passer la nuit ici, si tu veux.

– Je crois qu'il vaut mieux que je rentre à Scarborough, répondit Dave en se levant. D'ailleurs, je ne sais même pas s'il y a encore un bus.

– Tu vas marcher jusqu'à Scarborough ?

– Je n'en sais rien.

Il a envie de partir, c'est tout, se dit Gwen. Il se fiche de ce qui va se passer ensuite. Même s'il doit faire du stop, l'essentiel, c'est de se débarrasser de moi.

Elle se leva à son tour. Puis elle pensa : « Ça ne peut pas finir comme ça ! Il ne peut pas simplement se lever et partir ! Et ne plus revenir ! »

– Je... s'il te plaît, ne pars pas encore. Je ne peux pas rester seule en ce moment.

Le visage de Dave revêtit une expression embarrassée, chargée de culpabilité.

– Tu n'es pas seule. Il y a Jennifer et Colin. Et ton père, aussi.

– Mon père ! s'exclama-t-elle en balayant sa remarque d'un geste de la main. Et je n'ai pas envie de parler de ça avec Jennifer. Plus tard, mais pas maintenant.

– OK, OK, fit Dave.

Il avait son cours d'espagnol à donner, mais il était trop tard de toute façon. De plus, il n'avait pas le ressort nécessaire.

– Je peux te raccompagner plus tard, dit Gwen, mais, s'il te plaît, reste encore un peu.

La pensée qu'il cédait à sa prière par pitié était affreuse, mais elle n'avait pas la force d'être fière et de renoncer à sa compassion.

L'alternative, c'était une douloureuse solitude, et peu importait de devoir s'abaisser. La pitié était encore un moindre mal.

12

– Oui, reprit Semira, cette affaire a déclenché un scandale monumental, et la presse s'est jetée dessus avec voracité. J'avais trouvé un homme de près de quarante ans, handicapé mental, enfermé dans une étable, un homme qui avait failli mourir sous les mauvais traitements et qui ne s'en sortait que péniblement – un homme dont personne ne savait qui il était. La police avait d'abord pensé qu'il s'agissait d'un fils McBright dont ses parents avaient voulu cacher l'existence à cause de son handicap. Gordon McBright ne parlait pas, et Mme McBright a eu besoin d'un soutien psychologique qui a duré des semaines avant de pouvoir être entendue. Elle a expliqué qu'elle n'avait pas d'enfant et que son mari, un peu après la guerre, était rentré à la ferme avec un garçon d'environ quatorze ans en disant qu'il avait trouvé un ouvrier pour la ferme. Ils appelaient ce garçon Nobody. Son mari le lui avait présenté sous ce nom.

Leslie pensa aux lettres de sa grand-mère, où apparaissait sans cesse ce surnom méprisant. Avec la cruauté des enfants, Chad et elle avaient baptisé ainsi le petit Brian. Mais il était difficile de croire que Chad Beckett, jeune adulte, ait livré Brian sous ce nom à son tortionnaire. « Tenez, c'est Nobody. Vous pouvez le prendre. »

Et pourtant, les choses avaient dû se passer ainsi.

– Mais peu à peu, les éléments ont été rassemblés, poursuivit Semira, et les traces de Nobody ont emmené les enquêteurs jusqu'à la ferme Beckett. Je ne sais pas comment Chad Beckett s'y est pris, mais la responsabilité de toute cette tragédie est retombée sur son père décédé. Je ne pense pas que Beckett ait beaucoup parlé à la police ou aux médias, parce qu'il n'est pas du genre éloquent, mais le peu qu'il a raconté a donné ceci : Arvid et Emma Beckett avaient décidé de recueillir l'orphelin sans mettre les autorités au courant et l'avaient empêché d'accéder aux soins qui lui auraient permis de faire des progrès – sachant que dans les années quarante, les possibilités étaient rares. Dans les articles, il est généralement admis que Chad était rentré assez traumatisé de la guerre, qu'ils avaient été dépassés par Brian quand il avait commencé à entrer dans l'adolescence et qu'il n'avait pas vu où était le mal quand son père avait envoyé le garçon dans une ferme où il n'y avait pas d'enfant. A l'époque, en 1970, quelqu'un comme Chad Beckett, qui avait participé au débarquement en Normandie, était encore très respecté. Le temps avait passé, mais on était encore très reconnaissant à ces hommes courageux qui s'étaient battus contre Hitler. De manière évidemment irrationnelle, le fait qu'il se soit engagé alors que c'était encore presque un enfant le dédouanait de ses fautes ultérieures. La presse n'a pas osé l'attaquer vraiment, aussi s'est-elle déchaînée contre son père, et après, ça a été terminé.

– Et ma grand-mère ? s'enquit Leslie. Elle s'en est plutôt bien tirée, elle aussi, non ?

– C'est elle qui a été désignée comme celle qui a pour ainsi dire pris Brian par la main pour lui faire quitter Londres. Mais elle avait onze ans ! Et pas encore seize ans à la fin de la guerre. Elle était rentrée à Londres depuis longtemps. Comment aurait-on pu l'attaquer ?

– Comment se fait-il alors que vous n'ayez pas partagé cette vision ? Parce que c'est surtout à Chad Beckett et à Fiona Barnes que vous jetez la pierre !

Semira, qui ne cessait de bouger sa main sur la table, était apparemment une femme très nerveuse, mais il fallait un certain temps pour que l'on s'en aperçoive. Tourmentée depuis des décennies par un corps qui la faisait souffrir, elle s'astreignait à se contrôler, mais la carapace se fissurait quand l'épuisement était trop grand. Semira Newton était épuisée, c'était évident. Ses doigts tremblaient légèrement.

– C'est que ma vie est marquée par cette histoire, vous comprenez. Après, je n'ai plus jamais été la même. Quand McBright m'a laissée pour morte dans ce bois, en dehors de tout le reste, j'ai subi un fort traumatisme psychique. Des années après, j'ai fait un assez long séjour en clinique pour soigner ma dépression. C'est là, entre parenthèses, que j'ai appris la poterie. Une activité créatrice comme thérapie. Je ne crois pas que ça m'ait aidée psychiquement, mais au moins, ça me permet de compléter un peu ma pension, et c'est déjà ça. Je n'ai jamais pu retravailler, et j'ai divorcé en 1977. On me verse une sorte de pension compensatoire en tant que victime d'un crime. Quelques livres de plus, de temps en temps, pour ces tasses et ces coupes pas très rondes, ça fait du bien.

– Votre divorce, est-ce que...

– ... c'est une conséquence de l'affaire Somerville ? Oui. Vous savez, John avait épousé une fille joyeuse, énergique, pleine d'assurance, qui mordait dans la vie à pleines dents. Il s'est retrouvé avec une créature brisée qui n'arrêtait pas de parler de ce qui lui était arrivé le 19 décembre 1970. Qui ruminait sans cesse dans sa tête la question du mal dans le monde et de la manière de l'affronter. Qui s'occupait de Brian Somerville et n'arrivait pas à admettre que les coupables n'aient pas été châtiés et qu'ils puissent continuer à vivre comme si rien ne s'était passé. Qui, en plus de cela, subissait des tas d'opérations, souffrait sans arrêt, n'arrivait plus à rassembler ses idées à cause des médicaments. Je n'étais plus la Semira dont il était tombé amoureux. Je ne lui en veux même pas, aujourd'hui, de s'être laissé conquérir par une autre. Il a carrément pris la fuite. Nous n'avons plus jamais eu de contact.

Leslie se dit que c'était compréhensible. Et pourtant, tellement cruel...

– Comme je vous l'ai dit, ma vie a été marquée par ce drame, et contrairement aux médecins et psychologues qui m'entourent, je crois que ce n'est pas l'agression que j'ai subie, mais la vue de Brian enchaîné dans cette étable qui a déclenché le traumatisme. L'histoire de cet enfant, et plus tard, de cet homme sans défense, ne m'a plus jamais lâchée. Je n'arrivais pas à assimiler cela. Je n'ai jamais pu. Et c'est pourquoi je suis allée voir les deux personnes impliquées : Fiona Barnes et Chad Beckett. J'y suis retournée régulièrement. Je cherchais des explications. Je voulais comprendre. Je voulais pouvoir me débarrasser de cela. Pour y parvenir, il fallait que je comprenne comment cela avait pu se passer. Et, voyez-vous, grâce à ces conversations, j'ai acquis la ferme conviction d'avoir affaire à deux personnes qui n'étaient nullement innocentes. Qui savaient pertinemment ce qu'elles faisaient. Qui étaient responsables de ce qui était arrivé à Brian Somerville. Et indirectement de la destruction de ma vie.

– Chad Beckett vous a parlé ?

– Rarement. Peu. Il est plus muet qu'une carpe. Mais Fiona a accepté quelquefois de me rencontrer. Elle m'a raconté pas mal de choses. Je crois qu'elle aussi cherchait un moyen de se débarrasser de l'histoire. Mais j'ai fini par devenir importune. A partir de 1979, elle a commencé à raccrocher sans commentaire quand j'appelais. Nous ne nous sommes plus revues. Mais j'en savais assez. Et, contrairement aux médias, à la police, je condamne Barnes et Beckett sans réserve. Aujourd'hui encore. Ce qu'ils ont fait est impardonnable.

Les pensées fusèrent dans la tête de Leslie.

Elle avait un mobile. Parmi tous les gens que Valerie Almond pouvait soupçonner, dont Dave Tanner en dernier, c'était Semira qui avait le mobile le plus évident et le plus compréhensible : la vengeance. Pour deux vies détruites, celle de Brian Somerville et la sienne.

Leslie contempla la petite femme à la peau brune, à la chevelure noire et lisse où se mêlait pas mal de gris, aux grands yeux bruns qui révélaient combien elle avait dû être jolie autrefois. Elle ne ressemblait pas à quelqu'un qui ressassait, pétrie de haine et d'esprit de revanche. Mais ces choses-là étaient-elles toujours visibles ? N'était-on pas souvent surpris de l'aspect inoffensif, voire insignifiant, de dangereux criminels ou de psychopathes imprévisibles ?

Une question lui vint à l'esprit. Elle se pencha en avant :

– Semira, excusez-moi de vous le demander, mais il faut que je sache... Avez-vous rappelé ma grand-mère, même si elle refusait tout contact depuis quelque temps ? Est-ce que vous l'avez appelée en... vous taisant simplement... ?

– Vous voulez savoir si je l'ai harcelée avec des appels anonymes ? Oui. Mais seulement depuis une quinzaine de jours. Et la dernière fois, c'était mardi dernier, avant de lire dans le journal qu'elle était morte. Parfois, j'ai l'impression d'être sur le point d'exploser, et j'avais trouvé cette soupape. Après une visite à ce malheureux Brian Somerville, ou quand j'allais mal, je me disais : il n'y a aucune raison pour qu'elle ait la belle vie, et qu'elle continue tranquillement à en profiter sans penser au désastre qu'elle a causé. Et, oui, je l'avoue, ça me faisait du bien d'entendre sa voix qui me demandait qui était à l'appareil et qui, à chaque question, s'énervait un peu plus. Après, j'allais un peu mieux et je lui disais en pensée : « Maintenant, tu t'inquiètes et tu te poses des questions, et tu te demandes si cette vieille histoire que tu aimerais bien oublier va encore se rappeler à ton souvenir. » Alors, je passais une journée un peu moins grise.

– Je comprends, dit Leslie avec sincérité.

Elle imagina la vie de Semira Newton. C'était une vie pénible, pleine de souffrance, pauvre et solitaire. Robin's Hood Bay était un endroit magnifique, mais très calme en automne et en hiver. En novembre et en décembre, le brouillard pouvait rester posé sur la côte comme une chape de plomb pendant des jours et des jours, avalant tous les bruits, barrant la route à la lumière et aux couleurs. Semira, seule dans cette vieille maison de guingois, faisait de la poterie que personne ne lui achèterait avant l'été suivant... Ou alors, elle prenait le bus pour Whitby afin d'aller rendre visite à un vieil homme handicapé mental qui attendait obstinément que celle qui lui avait promis sa venue plus de soixante ans auparavant arrive enfin, et dont elle savait qu'il attendait en vain. Dans quel état d'esprit rentrait-elle de ces visites pour retrouver son petit logement sombre ?

Leslie frissonna.

Elle se leva, toute raidie elle-même d'être restée assise sur son inconfortable tabouret.

– Il faut que je parte, dit-elle en tendant la main à son interlo-cutrice, et je vous remercie, Semira, de m'avoir consacré autant de temps. Et d'avoir été aussi franche.

– Ah, vous savez, je mène une vie très monotone, répondit aima-blement la vieille dame, en saisissant la main de Leslie dans sa propre main glacée. Ça fait du bien d'avoir quelqu'un ici et de pouvoir parler.

– Je... je ne peux pas défaire le mal qu'a fait ma grand-mère, mais... je regrette. Je regrette tout cela du fond du cœur.

– Mais non... dit Semira en se levant à son tour avec effort. Vous n'y êtes pour rien ! Je me demande simplement ce qui se passe et pourquoi on s'intéresse autant à cette vieille histoire, d'un seul coup.

Leslie, qui s'apprêtait à partir, s'arrêta dans son geste.

– Qu'est-ce que vous voulez dire ? Qui s'intéresse à cette histoire ?

– Eh bien, c'est drôle... Pendant des dizaines d'années, personne ne voulait plus en entendre parler, et voilà qu'en deux jours deux personnes viennent me voir en me demandant de tout leur raconter en détail.

De surprise, Leslie retint son souffle.

– Qui donc ?

– Cet homme... comment s'appelle-t-il déjà ? Il est venu hier, en fin d'après-midi. M. Tanner, je crois, ou quelque chose comme ça.

– Dave Tanner !

– C'est ça. Il s'appelle comme ça. Un journaliste. Il était au courant d'un tas de choses, parce qu'il avait fouillé dans les archives, mais il espérait que je pourrais lui en dire d'autres. Nous avons parlé longtemps. C'est évidemment dans mon intérêt, si les médias s'emparent de l'affaire.

– Il travaille pour quel journal ?

Semira réfléchit.

– Je ne sais pas exactement, reconnut-elle, je crois qu'il me l'a dit, mais je n'ai pas vraiment écouté. C'est important ?

– Vous ne lui avez évidemment pas demandé de vous montrer sa carte de presse ?

– Non.

– Dave Tanner n'est pas un journaliste, déclara Leslie. Ne soyez pas si confiante, Semira. Les gens ne sont pas toujours ceux pour qui ils veulent se faire passer. Ne laissez pas entrer tout le monde, et ne racontez pas tout ce que vous savez.

Semira la regarda, stupéfaite.

– Mais alors, qui est ce Dave Tanner ?

Leslie éluda.

– Ça n'a pas d'importance. Ce qui serait plus important, c'est de savoir pourquoi il est venu ici. Mais je vais le savoir.

– Mais vous… vous m'avez dit la vérité, non ? Vous êtes vraiment la petite-fille de Fiona Barnes ?

– Oui, malheureusement, répondit Leslie.

Sur ce, elle sortit et se retrouva dans la rue sombre et raide.

Elle entendait les vagues, très bruyantes et très proches.

La marée était à son maximum.

13

Dans sa voiture, elle essaya de mettre de l'ordre dans les idées qui s'agitaient dans sa tête. A quel jeu jouait Dave Tanner ? Le matin même, elle lui avait demandé si le nom de Semira Newton lui disait quelque chose, mais il avait nié avec conviction. Innocent comme l'agneau qui vient de naître.

« Non. Qui est-ce ? »

Alors qu'exactement douze heures auparavant, il était assis en face de Semira Newton à Robin Hood's Bay, en train de la cuisiner. En étant apparemment au courant de toute une série de détails. Ce qui signifiait sans doute qu'il avait lu, lui aussi, les lettres de Fiona à Chad. Se les était-il procurées en douce ? Les avait-il eues par Gwen ?

Gwen ! Leslie frappa le volant du plat de la main. C'était tout à fait elle ! Elle farfouillait dans les courriels de son père. Découvrait une histoire explosive qui n'était destinée à personne d'autre que lui. Imprimait le tout et le montrait à tous les gens qu'elle connaissait.

Elle était tellement immature ! Si peu adulte !

Ne sois pas injuste, se réprimanda-t-elle.

Gwen n'arrivait pas à digérer ce qu'elle avait lu. Il avait fallu qu'elle en parle à quelqu'un.

A Dave ?

Eh oui ! L'homme qu'elle s'apprêtait à épouser. C'était ce qu'elle pensait à ce moment-là. Pouvait-on lui en vouloir de lui avoir montré ce qui la travaillait ? Comme l'image qu'elle avait de son père avait dû en souffrir !

De plus, elle avait montré les écrits à Jennifer. Qui les avait passés à Colin. Et Colin les lui avait remis à elle, Leslie. La machinerie s'était mise en route sans attendre.

Elle était la seule automobiliste sur la départementale qui reliait Scarborough et Whitby. De part et d'autre, c'était le noir, l'obscurité des bois déserts qui flanquaient la route. Le cône de lumière de ses phares captait les bas-côtés, se refléta dans les yeux phosphorescents d'un animal, sans doute un renard. Elle s'aperçut qu'elle roulait trop vite, ralentit. Elle n'allait pas se tuer, ou tuer quelqu'un d'autre, uniquement parce qu'elle était énervée.

Lorsqu'elle aperçut un large chemin forestier sur sa gauche, elle bifurqua brusquement et s'arrêta. Elle avait besoin de se calmer, de réfléchir.

Elle se cala dans son siège, respira à fond. Dave avait lu les textes, ou Gwen lui avait tout raconté, et il avait voulu s'en faire une idée précise et était allé voir Semira Newton. Exactement comme elle-même. Il avait donné de faux renseignements sur sa personne, mais c'était compréhensible : il ne pouvait pas savoir si Semira lui parlerait s'il ne se prévalait pas d'un rôle important... et journaliste, ce n'était pas une mauvaise idée vis-à-vis d'une femme qui souffrait du peu de cas qu'on avait fait d'une tragédie comme celle de Brian Somerville.

Et pourquoi m'a-t-il menti ?

Parce que je suis la petite-fille de Fiona. Parce qu'il ignorait ce que je savais exactement. Parce qu'il ne voulait pas être celui qui me révélerait des détails terribles sur la personnalité de ma grand-mère.

Elle ferma les yeux. Derrière ses paupières closes, elle vit le visage de Semira Newton. Ses traits légèrement boursouflés qui trahissaient qu'elle prenait beaucoup trop de médicaments, et ce, depuis trop longtemps. Il y avait certainement des journées où tous ses os, tous ses muscles la faisaient souffrir. Leslie pensa à Gordon McBright. A celui qui avait laissé sa victime à moitié morte par terre, jetée là comme un sac d'ordures. Celui qui était mort en chambre d'isolement.

Fiona et Chad avaient livré Brian Somerville à un homme que pas un psychiatre, même le plus bienveillant, n'avait voulu relâcher parmi les humains.

Elle ouvrit les yeux, parce que les images devenaient trop cruelles.

Deux personnes avaient un mobile très net pour tabasser à mort Fiona Barnes et l'envoyer au fond d'un ravin boisé : Brian Somerville et Semira Newton. L'un devait avoir entre soixante-dix et quatre-vingts ans, était handicapé mental et vivait dans un hôpital psychiatrique à Whitby. L'autre avait soixante-cinq ans environ et ne se déplaçait qu'avec grande difficulté.

– Ils ne sont pas capables de faire ça, ni l'un ni l'autre, dit Leslie à haute voix. Mais ils pourraient avoir payé quelqu'un pour le faire... au moins Semira Newton.

Dave Tanner ?

Mais celui-ci n'avait rendu visite à Semira que la veille. Plusieurs jours après l'assassinat de Fiona.

Indépendamment de cela : Dave Tanner était-il capable de tuer pour de l'argent ? Le Dave Tanner qu'elle connaissait ?

Justement, qu'elle ne connaissait pas, il fallait se l'avouer. Elle l'aimait bien. Mais elle ne le connaissait pas, et elle constata, étonnée, que les deux notions ne s'excluaient pas.

Une chose était sûre : elle ne pouvait pas garder pour elle ce qui s'était passé. Il fallait remettre cette histoire entre les mains de l'inspecteur Almond, et le plus vite possible.

Sinon, elle se rendait coupable.

Une fois de plus lui revint l'idée qui l'avait déjà effleurée, lui avait fait peur : Chad Beckett pouvait se trouver en grand danger.

Elle alluma le plafonnier et farfouilla dans son sac. Dans une poche intérieure, elle trouva la carte de l'inspecteur Almond, celle qu'elle lui avait remise au cas où il lui viendrait en mémoire un détail en rapport avec l'assassinat de sa grand-mère, même le plus banal...

– Et ce que j'ai à vous dire, ce n'est pas banal, inspecteur, marmonna-t-elle.

Elle composa le numéro sur son portable. Le réseau, dans ce bois, n'était pas des meilleurs, mais il fut suffisant. L'inspecteur Almond décrocha à la quatrième sonnerie. Elle semblait un peu essoufflée.

– Inspecteur ? Leslie Cramer.

– Dr Cramer ! Je prévoyais de vous appeler ce soir.

A l'arrière-plan, on entendait des coups de klaxon, des gronde-
ments de moteur et des voix. Valerie Almond semblait marcher dans
la rue.

– Il faut absolument que je vous parle, inspecteur, à propos du
meurtre de ma grand-mère.

– Où êtes-vous en ce moment ?

– J'arrive de Robin Hood's Bay et je suis près de Staintondale. Je
pourrais être à Scarborough dans vingt minutes.

– Je suis dans la rue, je vais aller manger une pizza. Je n'ai pas
déjeuné aujourd'hui. Vous pouvez me rejoindre à la pizzeria ?
Huntriss Row.

– Oui, bien sûr. Je sais où c'est.

– Au fait, ajouta Valerie, vous savez qu'il y a un suspect pour
l'affaire Mills ? Mme Brankley ne vous l'a pas dit ?

Leslie pensa aux explications un peu embrouillées de Chad, à la
mi-journée.

– Chad Beckett m'en a parlé, répondit-elle.

– L'enquête est très compliquée, mais nous pouvons dire dès à
présent qu'il ne peut pas être mis en cause pour le meurtre de Fiona
Barnes, c'est établi. Il a un alibi pour l'heure en question.

Cette information n'étonna pas Leslie outre mesure.

– Inspecteur, la réception est très mauvaise, dit-elle, je vous
rejoins bientôt et...

– Vite une dernière chose, l'interrompit Valerie. Avez-vous une
idée de l'endroit où se trouve Dave Tanner ?

Elle aurait pu répondre : « Oui, à midi, il était à la ferme Beckett,
et si vous ne le trouvez pas là-bas, il est sans doute à l'appartement
de ma grand-mère. »

Mais elle préféra être prudente et demander à son tour :

– Pourquoi ?

Peut-être agissait-elle ainsi par une sorte de loyauté vis-à-vis de
lui. Mais peut-être aussi parce qu'elle était freinée par une certaine
crainte qui l'empêchait d'avouer à la fonctionnaire qu'elle hébergeait
Tanner, au moins provisoirement.

– Il fait l'objet d'un avis de recherche, expliqua Valerie. Ses déclarations concernant son emploi du temps de la nuit de samedi à
dimanche se sont révélées fausses. Nous devons absolument l'interroger.

Leslie en eut la parole coupée. Sa bouche s'assécha. Elle déglutit avec peine.

– Vous m'avez entendue ? s'inquiéta Valerie.

– Oui, oui, je vous ai entendue. Mais pas très bien... je vous rejoins bientôt, inspecteur.

Elle coupa son portable, le rangea dans son sac.

Elle sentit son cœur battre plus vite.

Elle connaissait l'histoire qu'il avait servie à Valerie Almond. La même que celle qu'il lui avait présentée le matin même : la nuit d'amour avec son ex-petite amie. Une histoire dont on comprenait qu'il l'ait tue dans un premier temps pour ne pas compromettre son mariage avec Gwen. Il n'avait sorti son joker que lorsqu'il y avait été acculé. Et maintenant ? Son ex ne jouait-elle pas le jeu ? Il avait dû se passer quelque chose pour que Valerie ne le croie plus ; pire, qu'elle ait émis un avis de recherche contre lui.

Il avait de nouveau menti. Il l'avait déjà fait quand elle lui avait posé la question à propos de Semira. Il l'avait fait concernant son emploi du temps au moment du crime. Il avait menti dès le début en affirmant qu'il avait passé la nuit à dormir tranquillement dans son lit.

Il mentait dès qu'il ouvrait la bouche.

Et elle l'avait conduit à la ferme Beckett. L'avait laissé seul là-bas – avec Chad Beckett, l'homme à propos duquel elle avait pensé quelques minutes auparavant qu'il était en grand danger. Chad, qui était vieux et mal en point. Qui n'était pas de taille à lutter contre un Dave Tanner.

Elle redémarra en trombe. Les roues patinèrent sur le sable, puis la voiture jaillit sur la route dans un grand crissement de pneus. Elle appuya à fond sur la pédale d'accélérateur et conduisit vite, beaucoup plus vite qu'il n'était permis. Parvenue à la hauteur de l'étroite route de campagne qui menait à Staintondale, elle ne resta pas sur la route de Scarborough. Elle bifurqua. Elle voulait en avoir le cœur net.

L'inspecteur Almond allait devoir attendre un peu.

Elle remarqua immédiatement que la voiture des Brankley n'était toujours pas dans la cour. Jennifer et Gwen étaient-elles encore en ville ? Il était déjà plus de sept heures du soir, où pouvaient-elles bien traîner depuis toute la journée ?

Elle descendit de voiture.

Aucun bruit, aucun mouvement ne l'accueillit, et elle se demanda pourquoi ce calme l'intriguait. Puis elle s'aperçut qu'au cours des derniers jours, elle s'était habituée à l'aboiement des chiens qui s'en donnaient à cœur joie à la moindre irruption dans la cour. Colin les avait-il emmenés faire un tour ?

Alors qu'il faisait nuit ?

L'intérieur ne semblait pas éclairé, mais cela ne voulait rien dire, car on ne voyait pas les fenêtres de l'arrière depuis la cour. Elle frappa à la porte pour la forme, puis entra.

Elle alluma la lumière.

La maison lui parut curieusement abandonnée. Comme désertée par les êtres vivants.

Les chiens, se dit-elle, ce sont vraiment les chiens qui manquent. Quand on s'attend à être accueillie par deux mastodontes qui vous font la fête, on a évidemment l'impression d'entrer dans un mausolée quand ils sont absents.

Curieuse, cette comparaison avec un mausolée... Elle se dépêcha de chasser cette réflexion. Ce n'était pas le moment de jouer à se faire peur.

– Dave ? appela-t-elle, mais beaucoup trop faiblement.

Elle se racla la gorge et refit une tentative :

– Dave ? Chad ?

Mais il n'y eut aucune réaction. Elle longea le couloir, entra dans la cuisine, alluma la lumière. La pièce était vide. En désordre. Encombrée et chaotique comme d'habitude. Mais personne ne semblait avoir préparé le repas du soir.

Le séjour, à côté, était vide également. Une odeur de bois brûlé révélait qu'un feu avait été allumé pendant la journée. Quelques braises rougeoyaient encore. Puis elle découvrit deux tasses à café vides sur la table, et, curieusement, cette vision eut un effet calmant. Deux tasses à café et du feu, c'était associé à une idée de normalité, alors que, depuis quelques heures, plus rien ne semblait normal.

Elle quitta le séjour et remarqua un rai de lumière sous la porte du bureau. Elle respira, soulagée. Il y avait donc quelqu'un.

Elle toqua à la porte et entra. Une onde de soulagement la parcourut. Chad était assis à son bureau, les yeux fixés sur l'écran de l'ordinateur. Un froid glacial régnait dans la pièce, mais le vieil homme ne semblait pas y prêter attention, alors qu'il était vêtu d'une chemise de coton bien trop fine, pieds nus dans ses pantoufles de feutre.

Il était si concentré qu'il sursauta à la voix de Leslie.

– Chad ?

Comme sorti d'un autre monde, il décocha à la visiteuse un regard égaré et ne répondit qu'au bout de quelques secondes :

– Ah, c'est toi, Leslie.

– Excuse-moi de t'avoir fait peur. J'ai appelé, j'ai frappé, mais...

– J'étais plongé dans...

Leslie devina à quoi il était occupé.

– Les lettres de Fiona ?

– Oui, je les ai relues avant de les effacer, confirma le vieil homme. Il ne faut pas que... que d'autres puissent les lire.

Elle se retint de lui répliquer que tout son entourage proche en connaissait tout, jusqu'aux moindres détails.

– Je reviens de chez Semira Newton, dit-elle en observant sa réaction.

Aussitôt, le visage de Chad se ferma.

– Ah oui ? dit-il.

– C'est une femme malade. Elle souffre beaucoup.

– Oui.

– Tu sais que Brian Somerville est toujours vivant ?

– Je suppose.

– Tu ne crois pas que tu pourrais... enfin... je pourrais t'y conduire...

– Non.

Elle le dévisagea. Il ne détourna pas les yeux, mais son expression resta impénétrable.

Ils se mesurèrent du regard pendant quelques instants. Puis elle s'enquit :

– Tu es tout seul ? Où sont les autres ? Les Brankley, Dave, Gwen ?

– Jennifer et Colin sont partis en fin d'après-midi. Plus tôt que prévu.

– Pourquoi ?

– Sans doute qu'ils passent de mauvaises vacances. On les comprend.

– L'inspecteur Almond est au courant ?

– Aucune idée.

– Et Dave ?

– Ils sont allés faire un tour ensemble, avec Gwen.

– Il fait déjà presque nuit !

Il se tourna vers la fenêtre. Il sembla surpris de voir que la nuit tombait :

– Ah oui. Il est quelle heure ?

– Sept heures et quart.

– Ah bon, déjà ?

Il passa la main sur ses yeux rougis de fatigue.

– Alors, ça fait longtemps qu'ils sont partis. Ils sont sortis vers cinq heures et demie, je crois.

– Donc, bientôt deux heures. Tout se passait bien entre eux ?

Elle se demanda si Dave avait réellement annoncé à Gwen qu'il la quittait. Il avait peut-être réservé cette information pour la promenade. Ou alors, il avait peut-être reculé une fois de plus.

– Je ne sais pas, répondit Chad, indécis, je crois… enfin… pourquoi ça ne se passerait pas bien ?

Gwen pourrait mourir sous tes yeux que tu ne le remarquerais pas, lui dit-elle en pensée. Pour toi, ta fille ne vaut pas la peine que tu t'y intéresses, ne serait-ce qu'une minute. Tu n'as même pas cherché à connaître mieux l'homme qu'elle envisageait d'épouser, un type dangereux pour elle, peut-être, à tous points de vue. Tu ne mérites pas l'amour qu'elle te voue depuis toute sa vie, un amour éperdu, pour toi, le dernier parent qui lui reste depuis la mort de sa mère !

– Chad, tu as dit que la police avait demandé à voir Dave Tanner. J'ai appris qu'un avis de recherche était lancé contre lui. Il n'a pas d'alibi pour l'heure de la mort de ma grand-mère. Il a menti à la police.

Chad ne répondit pas. Devant sa léthargie, Leslie vit rouge.

413

– Chad ! hurla-t-elle. La police le recherche ! Elle est venue ici ! Et toi, tu laisses ta fille partir avec lui sans rien dire ! Deux heures plus tard, ils ne sont toujours pas rentrés et tu ne te poses toujours pas de questions ?

– Il y a des raisons concrètes de soupçonner Tanner ?

– Oui, ses mensonges ! C'est une bonne raison pour le soupçonner, et la police la connaît. Et il y en a une autre, que je suis la seule à connaître : Tanner est au courant de l'histoire Somerville, celle qui est là, dans ton ordinateur.

Chad montra enfin un peu d'intérêt :

– Comment ça ? C'est toi qui la lui as donnée à lire ? C'est Fiona ?

– Peu importe. Quoi qu'il en soit, il est allé voir Semira Newton. Cette histoire a l'air de l'intéresser.

Il sembla réfléchir.

– Qu'est-ce que Tanner peut bien trouver d'intéressant là-dedans ? objecta-t-il.

– Il est malin, et il a besoin d'argent. Un besoin urgent. Et tous les moyens sont bons pour lui.

– Tu crois qu'il a tué ta grand-mère et que c'est la Newton qui l'a payé pour le faire ?

– Non, il est allé la voir hier seulement. Cette hypothèse ne concorde pas avec le déroulement des faits, mais il y a sans doute une explication. Je ne sais plus que penser. Mais une chose est sûre : le type qui a tué Amy Mills n'est pas le même que celui qui a tué Fiona. Valerie Almond dit qu'il a un alibi, contrairement à Dave qui a menti.

– Alors, appelle la police, dit Chad, et dis-lui de venir, de retrouver Dave et Gwen, de faire quelque chose...

Elle réfléchit brièvement à sa proposition, puis la rejeta :

– Non, je vais commencer par partir à leur recherche moi-même. Si je ne suis pas rentrée dans une demi-heure, tu appelles l'inspecteur Almond, d'accord ? Tiens, dit-elle en lui tendant la carte de l'enquêteuse, c'est son numéro. Et sois prudent. Le mieux, c'est de fermer la porte à clé.

– Pourquoi veux-tu que...

Avec impatience, elle s'écria :

414

– Parce que s'il s'agit d'une expédition punitive, tu es en danger, voilà pourquoi ! Tu es mouillé autant que Fiona dans toute cette histoire, tu devrais te l'avouer une bonne fois pour toutes !

Il fit la grimace. Leslie eut l'impression que loin de saisir la portée de ses paroles, il était simplement mécontent d'avoir été tiré de sa léthargie. Le remue-ménage qui durait depuis une semaine le contrariait. Il se sentait poursuivi, harcelé par tous ces gens qui lui demandaient d'agir, de parler. C'était un vieil homme qui répugnait à changer ses habitudes, y compris après la mort violente de son amie intime, massacrée dans un pré, y compris quand lui-même était en danger et que sa fille disparaissait dans l'obscurité en compagnie d'un type louche. Lui demander d'appeler la police au bout d'une demi-heure si nécessaire était presque trop lui demander. Des dizaines d'années auparavant, il avait décidé une fois pour toutes de ne pas s'intéresser à ce qui se passait autour de lui. En autiste, comme déjà son père avant lui.

Il est incapable de s'occuper des autres, se dit Leslie, comment aurait-il pu se charger de Brian Somerville ?

– Tu as une lampe électrique à me prêter ? lui demanda-t-elle.

Il se leva, sortit dans le couloir d'un pas traînant et prit une lampe de poche sur l'étagère où s'amoncelaient des écharpes, des bonnets et des gants poussiéreux. Il la lui tendit :

– Tiens, voilà. Je crois qu'elle fonctionne encore.

Par bonheur, il ne se trompait pas. Les batteries étaient encore chargées.

– Parfait, dit Leslie, je vais aller voir dans la cour et dans les environs. Et fais ce que je t'ai dit : ferme la porte à clé !

Il marmonna quelques paroles, mais quand elle fut sortie, elle entendit la clé tourner dans la serrure.

Il se passait quelque chose d'anormal. Mais pourquoi n'appelait-elle pas Valerie Almond ? Celle-ci l'attendait à la pizzeria. Elle n'allait pas tarder à se demander ce que fabriquait Leslie Cramer.

Leslie se demanda pourquoi elle n'avait pas sauté sur le téléphone pour la mettre au courant. Et pourquoi elle n'avait pas répondu franchement à sa question concernant Dave Tanner.

La raison était simple : elle n'avait pas envie de dénoncer Tanner parce que son objectif était de le raisonner, de l'amener à se dénoncer lui-même à la police. Tu penses bien que s'il est le meurtrier de Fiona, il va s'y précipiter ! se dit-elle ironiquement.

Peut-être Gwen était-elle en danger. Peut-être elle-même était-elle en train de perdre un temps précieux.

Une demi-heure, pas plus, se promit-elle.

Elle était arrivée à l'ancienne bergerie. Elle éclaira l'intérieur. La bâtisse était vide, en dehors des vieilleries entassées qui rouillaient petit à petit. Aucune trace de pas dans la poussière vieille de dizaines d'années, et qui prenait à la gorge.

Après une exploration de quelques instants, Leslie quitta la bergerie et se retourna vers le bâtiment d'habitation. Il y avait un peu plus de lumière. Sans doute Chad était-il retourné dans son bureau et s'affairait à effacer les lettres de Fiona, en s'imaginant effacer dans ce geste toutes les fautes de sa vie passée. Un clic, et tout était réglé !

Leslie réfléchit une seconde, puis décida d'étendre ses recherches aux alentours de la ferme.

Elle s'engagea dans le chemin descendant à la plage.

15

Les nuages barraient la route aux rayons de lune, mais la lampe électrique éclairait efficacement le sentier, si souvent piétiné qu'il ne présentait aucune difficulté.

Gwen aimait cette plage et s'y promenait souvent. Sans doute se trouvait-elle là, assise sur le grand rocher en compagnie de Dave... tous deux tellement plongés dans leur conversation qu'ils ne sentaient ni le froid ni l'humidité qui commençaient à s'installer.

Leslie fit une halte, sortit son portable et éclaira l'écran. Pas de réseau, comme elle s'y était attendue. Aucune importance. Dix minutes plus tard, la demi-heure serait écoulée, et Chad appellerait Valerie. La police prendrait l'affaire en main. Dave avait bénéficié d'une chance de trente minutes.

Leslie ne rencontra personne durant son parcours sur la lande vallonnée, où le seul signe de vie fut un vol de perdrix effrayées qui jaillit d'un buisson à son approche. Le doute s'insinua en elle. Et si elle cherchait dans la mauvaise direction ? Qui lui disait que Gwen et Dave se trouvaient encore à proximité de la ferme ? La voiture de

Chad était à sa place habituelle, mais ils pouvaient parfaitement avoir pris le bus, être partis à Scarborough, s'être installés dans un pub autour d'un verre de bière... Mais Dave ferait-il une chose pareille au moment où il essayait de rompre des fiançailles ? Emmener en ville sa fiancée qu'il quittait, cela signifiait également la raccompagner chez elle...

Une idée nouvelle lui vint à l'esprit : et si Dave l'attendait tranquillement à l'appartement de Fiona ? Et si Gwen était en train d'errer seule dans l'obscurité, malheureuse comme les pierres, désespérée ?

Leslie poussa un juron. Quelle idiote de ne pas avoir pensé à appeler chez elle pour vérifier ! Un coup d'œil sur l'écran de son portable lui confirma qu'il n'y avait toujours pas de réseau.

Le pont de bois suspendu lui parut se balancer plus dangereusement que d'ordinaire au-dessus du vide béant, au-dessus de la nuit dans laquelle la gorge semblait se perdre à l'infini. Attention, casse-cou ! lui cria une voix intérieure.

Mais elle franchit victorieusement le pont et attaqua ensuite la descente dans la gorge.

La pente raide que, petite fille, elle descendait avec l'agilité d'un cabri, lui parut semée d'embûches. Avait-elle toujours été aussi raide ? Les rochers, qui formaient une sorte d'escalier, n'étaient-ils pas moins espacés autrefois ? Ce qu'elle faisait là était particulièrement imprudent. Et d'ailleurs, son entreprise avait-elle un sens ?

Elle en était au point de ces réflexions lorsque la lampe lui échappa des mains. Elle la rattrapa de justesse sur un rocher. Si elle perdait la lampe, elle n'avait plus aucune chance de retrouver son chemin, et risquait de se faire une bonne entorse en prime.

Elle décida de faire demi-tour.

La police était peut-être déjà à la ferme, et sinon, elle ne tarderait pas à arriver. Aux policiers de chercher ! Ils étaient mieux équipés.

Lorsque, ruisselante de sueur, elle atteignit le pont pour le franchir en sens inverse, elle consulta sa montre. Elle avait quitté la ferme depuis près d'une heure.

L'angoisse qui monta en elle lui donna des ailes. Elle retraversa le pont à toute allure sans plus se soucier du balancement.

Il n'y avait plus que deux possibilités, et les deux perspectives étaient épouvantables. Soit Tanner était l'assassin de Fiona, et il avait disparu avec Gwen, ce qui ne pouvait que mal se terminer, soit il était innocent – mais pourquoi mentait-il sans arrêt, dans ce cas ? – et il était rentré à Scarborough après avoir rompu ses fiançailles. Cela signifiait que Gwen était peut-être en train d'errer seule dans la nuit avec, en tête, des projets funestes.

Cette fille était-elle du genre à mettre fin à ses jours ? Difficile à savoir, mais il était connu que le chagrin d'amour constituait l'une des principales causes de suicide. Or, qui savait ce qui se passait en Gwen ? Qui l'avait jamais su ?

Arrivée en terrain plat, Leslie se mit à courir, accompagnée du son mat de ses pas sur le sol, du ahanement de sa respiration haletante. Décidément, elle n'était pas dans une grande forme physique. Elle avait grand besoin de faire un peu de sport. Oui, elle irait régulièrement courir, dorénavant ! Avait-elle conservé son pantalon de jogging ?

Frappée par l'absurdité de ces réflexions en un moment pareil, elle en déduisit qu'il était peut-être normal de se raccrocher à une banalité quand la peur menaçait de se muer en panique.

Elle s'arrêta en apercevant la ferme en contrebas de la colline. C'était le noir complet, là-bas. Elle décela faiblement le toit de la maison d'habitation ; à côté, ceux de la bergerie et de la cabane. Mais pourquoi n'y avait-il aucun mouvement ? Où était la police ? Les voitures, les phares, les lampes électriques, la voix qui hurlait dans un mégaphone ?

Même si Valerie, en recevant l'appel de Chad, n'avait pas jugé bon de sortir le grand jeu uniquement parce que Gwen et son fiancé s'étaient absentés pendant quelques heures, un avis de recherche avait tout de même été lancé contre le fiancé ! Un policier, au moins, aurait dû arriver sur place ! Peut-être Valerie elle-même, avec laquelle elle avait rendez-vous, d'ailleurs. Est-ce qu'elle finissait tranquillement sa pizza avant de grimper dans sa voiture pour foncer à Staintondale… ?

Leslie dévala la pente, traversa la cour au pas de charge. Elle distingua les ombres de sa voiture et de la Jeep de Chad. Sinon, rien. Pas d'autres véhicules. Pas de policier, ni Valerie ni personne d'autre.

Peut-être Chad avait-il appelé plus tard que prévu. Ou alors, il avait oublié. Cela lui ressemblait bien.

Elle ouvrit la porte à la volée. Pourquoi n'était-elle plus fermée à clé ? Elle avait bien entendu Chad tourner la clé !

– Chad ?

Pas de réponse. Le couloir était dans le noir.

Elle avait laissé la lumière allumée en partant, elle s'en souvenait parfaitement. Mais peut-être Chad l'avait-il éteinte par mesure d'économie.

Elle ralluma, longea le couloir. La porte donnant sur le bureau était entrouverte. Elle la poussa prudemment et passa la tête à l'intérieur. La lampe de bureau était allumée, l'ordinateur bourdonnait faiblement.

– Chad ? appela-t-elle à nouveau.

Elle pénétra dans la cuisine, alluma le plafonnier. Elle n'était pas à l'aise dans une maison sans lumière.

Pourquoi Chad ne répondait-il pas ?

Il se passait quelque chose d'anormal. Chad ne laissait pas son ordinateur branché et la lumière allumée en allant se coucher – lui, économe à un point qui frisait l'avarice. Il devait se trouver à proximité, et il n'avait aucune raison de se cacher d'elle.

– Chad ?

Dans sa propre voix, elle nota une nuance de peur.

Elle entra dans le séjour, alluma – et vit Chad allongé sur le sol au milieu de la pièce. Il était couché sur le ventre, la tête tournée de côté, de sorte qu'elle pouvait voir son visage. Il était d'une pâleur de cire. Il fermait les yeux, les bras serrés contre le corps.

Elle le regarda fixement, trop effrayée pour agir, puis se reprit, le rejoignit en deux bonds, s'agenouilla et lui tâta le pouls. Son cœur battait très faiblement, mais il battait. Avec précaution, Leslie retourna le blessé.

– Chad ! Qu'est-ce qui s'est passé ?

Les paupières du vieil homme palpitèrent.

Leslie sentit un contact chaud, poisseux, sur sa main. Elle la regarda. Elle était rouge. Le sang s'était répandu sur le carrelage et avait séché dans les interstices. La fine chemise bleue de Chad était maculée, mais l'hémorragie semblait avoir cessé. Il avait reçu un coup de couteau, ou une balle, il n'y avait pas d'autre explication.

Cela signifiait qu'il avait été agressé après son départ.

Celui qui avait fait cela devait être encore dans les parages.

Elle s'efforça de ne pas céder à son premier mouvement, qui était de sauter dans sa voiture. Elle ne pouvait pas abandonner le blessé. Avant tout, il fallait appeler une ambulance et la police. Il était dans

419

un état critique, il avait perdu beaucoup de sang, et elle ignorait quelles étaient ses blessures internes.

Elle effleura sa joue.

– Chad ! C'est moi, Leslie. Chad, qu'est-ce qui s'est passé ?

Les paupières de Chad papillonnèrent encore, mais cette fois, il parvint à ouvrir les yeux. Son regard était trouble. Il était en état de choc.

– Leslie... murmura-t-il.

Elle posa la tête du blessé sur ses genoux.

– Ça va aller, Chad, dit-elle. Je vais appeler les secours. On va t'emmener à l'hôpital...

Le regard du vieil homme devint un peu plus clair.

– Dave, chuchota-t-il avec peine. Dave... il...

– Oui, Chad...

– Il... est... encore...

Son regard se troubla, il sembla vouloir ajouter quelque chose, mais sa langue ne réussit plus qu'à prononcer quelques syllabes indistinctes.

Mais Leslie avait compris : Dave Tanner était encore là. Il rôdait encore dans la ferme après avoir accompli son forfait, et sans doute était-il à sa recherche. Il savait qu'elle était là. Il avait conscience du danger qu'elle représentait pour lui.

Il avait peut-être fouillé la maison pour la retrouver, et il était dehors, en train de se faufiler entre les remises et les étables, en éclairant les moindres recoins pour la retrouver, devinant qu'elle essaierait de lui échapper. Et s'il était encore dans la maison ? En haut, peut-être, dans une chambre ?

On ne pouvait se déplacer à l'étage sans faire craquer un parquet ; il était impossible de bouger sans bruit. Elle tendit l'oreille, mais n'entendit rien.

Elle n'avait pas droit à l'erreur.

Elle reposa doucement la tête de Chad sur le sol, se leva et, d'un bond, fut à la porte, la ferma à clé, s'y adossa avec un soupir de soulagement. C'était un minuscule bout de sécurité, un gain de temps, peut-être. Elle ne doutait pas que Dave pût enfoncer cette vieille porte, mais il mettrait plusieurs minutes. Dans cette situation, quelques minutes pouvaient représenter la survie.

Elle éteignit la lumière. Si Dave se cachait dehors, autant ne pas se présenter derrière la fenêtre comme sur un plateau, d'autant plus qu'il était sans doute en possession d'une arme.

Elle appuya sur la touche de son portable. Toujours pas de réseau. Elle essaya en vain dans un autre coin de la pièce. Près de la fenêtre, rien non plus. Sa dernière chance était de sortir dans la cour, mais elle ne pouvait prendre le risque de tomber sur Dave. Il errait dans les parages, il avait déjà essayé de tuer quelqu'un, il n'allait donc pas la laisser appeler la police sous ses yeux sans réagir. Elle tenta malgré tout de joindre Valerie, puis le numéro d'urgence de la police, toujours sans succès.

Elle résista à l'envie de lancer ce portable inutile à l'autre bout de la pièce.

Ses yeux s'étaient accoutumés à l'obscurité. Elle distinguait l'ombre de Chad gisant sur le sol, immobile, sans doute inconscient. Il était fichu si on ne s'occupait pas rapidement de lui. Elle-même, bien que médecin, ne pouvait rien pour lui dans les circonstances présentes, pas même le transporter sur le canapé, faute de connaître la nature de ses blessures.

Elle était totalement démunie. Sans pouvoir soigner le vieil homme et sans téléphone. Avec un fou qui se promenait dehors en l'empêchant de s'échapper ou d'appeler à l'aide. Pourquoi faisait-il cela ? Pourquoi Chad ? Pourquoi – très certainement – Fiona ? Agissait-il réellement pour le compte de Semira Newton, qui cherchait à étancher sa soif de vengeance, même si, selon ses dires, pour rien au monde elle n'eût voulu épargner à Fiona la vieillesse et son cortège de maux ? A moins que Dave n'ait tué Fiona de sa propre initiative, puis était allé proposer ses services à Semira pour infliger à Chad son juste châtiment ? Mais peut-être Semira avait-elle menti et Dave lui avait rendu visite beaucoup plus tôt. Dave et la vieille dame de Robin Hood's Bay formaient-ils un tandem beaucoup plus malin, plus sournois, qu'on ne l'imaginait ? Mais pourquoi Semira avait-elle révélé que Dave était venu la voir ? Il eût été plus logique de ne pas évoquer cette rencontre.

Et si ce n'était pas Semira qui se trouvait derrière tout cela ? Si Dave agissait de sa propre initiative ?

Leslie tourna la tête vers Chad. Vers l'homme qui se mettait en travers du désir de Dave d'acquérir la ferme. Le cœur du drame se trouvait-il là ? Dave était prêt à épouser une femme qu'il n'aimait pas uniquement pour avoir une perspective d'avenir. Mais il ne pourrait disposer de la terre que lorsque son beau-père quitterait ce monde. Avait-il décidé de ne pas attendre ce moment ? Avait-il assassiné Fiona pour qu'elle ne détruise pas ses plans avec sa langue de vipère, et Chad pour avoir la voie libre immédiatement ? Mais alors, quel était le rôle de Gwen dans cette histoire ? Il était peu probable que Dave ait descendu son cher père sous ses yeux. D'un autre côté, il ne pouvait faire aucun mal à Gwen, car il avait besoin de ce mariage pour obtenir ce qu'il voulait.

Où était Gwen ?

Ce n'était pas le moment de réfléchir à cela. La chose à faire à tout prix, et rien d'autre, était de téléphoner.

Le téléphone se trouvait dans le bureau. La question était de savoir si elle pouvait se risquer à quitter la salle de séjour où elle se sentait à peu près en sécurité pour sortir dans le couloir, aller se barricader dans le bureau et passer son coup de fil. Si elle rencontrait Dave en chemin, elle était perdue. Inutile de se bercer d'illusions : il ne pouvait pas la laisser en vie. C'était elle qui représentait la plus grande menace pour lui. Il était forcé de l'éliminer, et elle ne doutait pas qu'il le ferait sans hésiter. Même si elle ne parvenait pas à le percer vraiment à jour, elle était malgré tout convaincue qu'il jouait son va-tout et qu'il avait sans doute planifié son action, avec toutes ses conséquences, depuis longtemps. Quel que fût le but qu'il cherchait à atteindre, il ne se laisserait pas dévier de sa route. Il était dangereux, cruel et amoral. Ses éternels mensonges ne représentaient que le sommet de l'iceberg. L'alternative, pour elle, était de ne pas bouger de la pièce où elle se trouvait en espérant qu'on viendrait à son secours… mais elle ignorait si cette chance existait et à quel moment elle se réaliserait. Que ferait Valerie Almond après l'avoir attendue en vain à la pizzeria ? Sans doute essayait-elle en ce moment de la joindre par téléphone. Voyant que cela ne marchait pas, peut-être se rendrait-elle à l'appartement de Fiona, où personne ne lui ouvrirait la porte. S'inquiéterait-elle ? Et aurait-elle l'idée de venir à la ferme ?

Les Brankley étaient partis. Gwen avait disparu. L'espoir qu'on vienne à son secours était donc réduit au minimum. Ainsi que les chances de survie de Chad. Il était visible que le blessé n'avait plus beaucoup de temps devant lui. Il ne passerait pas la nuit si on ne lui prodiguait pas rapidement les soins nécessaires.

Elle gagna la porte sur la pointe des pieds, tourna la clé sans faire de bruit. Ouvrit lentement en retenant son souffle, s'attendant quasiment à se retrouver en face de Dave. Mais le couloir était éclairé et vide. Et silencieux.

Soit il est dehors, soit il est tapi dans un coin et attend que je commette une erreur.

Son cœur battait la chamade et le sang affluait à ses oreilles. Jusqu'alors, elle avait ignoré ce qu'était la véritable peur. Elle connaissait le trac avant un examen, la crainte de la solitude, l'appréhension avant un entretien désagréable, la frousse avant le dentiste, l'angoisse avant le divorce, mille variantes de la peur, mais ce qu'elle ressentait là, c'était une peur mortelle, et c'était nouveau. Cette peur s'accompagnait de signes physiques : des ondes de sueur l'inondaient entièrement par à-coups ; ses oreilles bourdonnaient ; sa bouche était sèche ; elle était incapable d'avaler.

Elle sortit dans le couloir et avança sans bruit sur le sol dallé.

Plus que quelques mètres, trois ou quatre peut-être. Ce court trajet lui parut interminable, tant, à tout instant, elle s'attendait à sentir une main se poser sur ses épaules, une voix retentir à ses oreilles.

Mais il ne se passa rien. Il n'y eut aucun geste. Aucun son ne vint briser le silence qui l'entourait.

Elle atteignit le bureau, se faufila à l'intérieur. Tout était encore en place : la lampe de bureau était toujours allumée, l'ordinateur bourdonnait doucement.

Elle ferma la porte d'un geste vif… et se figea en constatant qu'il n'y avait pas de clé.

Rassemblant son courage, elle ouvrit à nouveau, vérifia à l'extérieur. La clé n'était pas là. Pourtant, elle savait que la porte du bureau fermait à clé.

Mais sans s'attarder plus longuement, elle bondit sur le téléphone et souleva le combiné.

– A ta place, je ne ferais pas ça, dit une voix derrière elle. Je reposerais ça et je me retournerais lentement.

Leslie se mit à trembler. D'effroi, d'horreur et de surprise.

Elle se retourna, les yeux écarquillés.

Dans l'encadrement de la porte, elle vit Gwen.

Gwen tenait un revolver et le dirigeait sur elle. Ses mains étaient calmes et sûres.

Son expression était celle d'une démente.

16

C'est bien de retrouver sa maison, pensa Jennifer. Au bout de deux semaines d'absence, il régnait une odeur bizarre, mais elle avait ouvert toutes les fenêtres pour laisser entrer à flots l'air frais de l'automne. Colin était en train d'étudier une montagne de courrier que la voisine avait consciencieusement sorti de la boîte aux lettres et entassé sur la table de la cuisine. Cal et Wotan avaient eu leur repas du soir et réintégré avec bonheur leur coin familier, couchés sur leurs couvertures. A l'arrière-plan, la télévision était allumée, le son réduit au minimum.

La première chose à faire était d'établir un programme.

Jennifer réfléchit, les yeux tournés vers le jardin d'où montait un parfum de feuilles mortes, d'humidité, d'herbe fanée. Elle avait une prédilection pour l'automne, les après-midi crépusculaires, les soirées précoces, les prémices de la période de Noël ; les longues promenades avec les chiens à travers champs, dans le brouillard, le retour dans une maison bien chauffée, au sein d'un décor de bûches craquantes qui se consumaient dans la cheminée et de bougies odorantes allumées devant la fenêtre. Cette atmosphère chaleureuse avait le pouvoir d'apaiser son tourment. Mais cela ne suffisait pas. Il fallait maintenant changer, s'ouvrir. Accepter le stress et les contrariétés, mais également savoir apprécier la compagnie des autres. Prendre part à la vie. Voilà ce dont elle avait besoin. Ce qu'elle devait rechercher.

Ainsi que du travail. Du travail avant tout. Le travail, c'était le point de départ.

Elle était professeur de lettres, avait étudié l'anglais et les langues romanes. Pourquoi ne pas donner des cours particuliers ? Donner des cours pour adultes, comme le faisait Dave Tanner ? Ce serait bien de pouvoir enseigner le français deux ou trois soirs par semaine et, peut-être, se faire de nouveaux amis.

Dave Tanner... Une question l'avait travaillée à son propos pendant le trajet du retour, puis d'autres préoccupations l'avaient chassée.

A présent, les images de l'après-midi lui revenaient : en rentrant de Scarborough avec Gwen, elle avait retrouvé Dave Tanner installé dans le séjour avec Colin.

Elle fronça les sourcils.

– Colin, pourquoi Tanner est-il venu à la ferme ? demanda-t-elle à son mari, en train d'étudier un papier administratif. Vous aviez l'air d'avoir une conversation sérieuse, tous les deux.

Colin répondit distraitement, sans lever les yeux de la lettre qu'il tenait en main :

– Ce garçon a enfin retrouvé la raison. Cette idée de mariage avec Gwen... il faut dire que ça n'enchantait personne, qu'il y avait de quoi se poser des questions...

Jennifer sentit la chair de poule envahir ses bras.

– Oui, et alors ?

– Il était venu le lui dire, et il n'était pas très à l'aise, le pauvre, tu penses bien. Il était donc content que je sois là pour l'aider à passer le temps.

– Quoi ? insista Jennifer. Lui dire quoi ? Et à qui ? A Gwen ?

– Evidemment, à Gwen ! lança Colin en levant enfin les yeux. Il était venu lui dire qu'il n'avait plus l'intention de l'épouser, qu'il valait mieux qu'ils se séparent, enfin, quelque chose de ce genre. Pour lui, ça n'avait jamais été le grand amour, et elle s'était une fois de plus imaginé des choses qui n'auraient jamais tenu le coup devant la réalité.

La chair de poule de Jennifer s'intensifia.

– Mon Dieu, murmura-t-elle.

– Mieux vaut une fin dans la douleur qu'une douleur sans fin. C'est dur pour Gwen, mais tu ne crois pas qu'elle le sentait venir depuis quelque temps ? Elle n'est quand même pas complètement gourde... Elle n'a pas dû être trop surprise.

– D'accord, mais quand ça arrive, c'est...

Elle ne termina pas sa phrase.

Elle fut saisie de frayeur. Tenta de maîtriser l'accès de panique qui montait.

Du calme, s'enjoignit-elle, tu te montes peut-être la tête.

– Je crois qu'il faut que j'appelle Gwen, dit-elle.

– Non ! Moi, je crois qu'il faut qu'elle s'en sorte seule, répliqua Colin. Tu ne peux pas continuer à la couver comme tu le fais.

Mais, sans tenir compte de sa remarque, elle composa le numéro de la ferme. Elle attendit. Personne ne décrocha.

– Bizarre, dit-elle. Ils devraient être là. Au moins Chad. Et Gwen aussi, normalement.

– Tu connais Chad. Il n'a pas envie de décrocher, c'est tout. Et Gwen est en train de pleurer toutes les larmes de son corps.

– Elle pourrait quand même aller décrocher...

– Elle va s'en sortir sans toi. Elle est obligée. Tu ne peux rien pour elle.

– J'ai un très mauvais pressentiment.

– Elle ne va pas se suicider. Pas Gwen. C'est une fleur délicate, mais elle a aussi du bon sang paysan dans les veines. Elle va y arriver.

L'inquiétude, en Jennifer, monta encore d'un cran.

– Il faut que je retourne là-bas ! dit-elle.

– Pour quoi faire ?

– Je veux m'assurer que tout va bien.

– Pourquoi veux-tu que ça aille mal ?

Jennifer murmura :

– Si Dave lui a dit que c'était fini...

– ... la vie continuera malgré tout pour Gwen, l'interrompit Colin avec impatience. Jennifer, ce genre de truc, ça arrive à tout le monde. On pense que c'est la fin du monde, et puis on s'aperçoit que le monde continue à tourner normalement. Ce sera pareil pour Gwen.

Lentement, elle prononça :

– Je ne m'inquiète pas pour Gwen.

Colin haussa les sourcils :

– Mais ?...

Elle se tourna vers lui. Il vit qu'elle était devenue livide.

– Je m'inquiète pour Dave Tanner, déclara-t-elle.

17

Lorsque le téléphone avait sonné, Leslie avait tendu la main par réflexe. Mais Gwen l'avait arrêtée d'une voix coupante :

– Non ! Laisse ça ! Y a personne !

Elles se faisaient face, Leslie, à côté du bureau, Gwen dans l'encadrement de la porte. Le plafonnier éclairait la pièce d'une lumière vive, l'ordinateur continuait à bourdonner. Deux femmes se faisant face dans un bureau, c'était une scène qui aurait pu paraître très ordinaire si l'une des deux n'avait pas pointé un revolver sur l'autre.

C'est un cauchemar, se dit Leslie, un cauchemar absurde.

Elle s'efforçait de comprendre ce qui s'était passé, mais c'était comme si, au cours d'une conversation, elle en avait perdu le fil et ne comprenait pas le nouveau tour qui avait été pris. Comme si Gwen, cette Gwen qui tenait un revolver, était tombée du ciel au beau milieu de la scène, et qu'un réalisateur invisible allait bientôt crier « Coupez ! ». Mais personne ne criait « Coupez ! ».

– Gwen, qu'est-ce qui t'arrive ? avait-elle demandé, passé le premier effroi, et Gwen avait souri.

– Qu'est-ce que tu veux qu'il m'arrive ? avait-elle persiflé. Je prends ma vie en main. Je fais ce que vous m'avez toujours conseillé.

– C'est-à-dire ?

Gwen n'avait pas répondu à sa question.

– Qu'est-ce que tu fiches ici, dis-moi ? avait-elle jeté. Tu étais à la recherche de Dave ? Il te plaît, hein ? Il est beau mec. Tu espérais pouvoir l'attirer dans ton lit, maintenant qu'il ne veut plus de moi ! Toi qui attends un remplaçant depuis si longtemps !

Leslie, qui cherchait toujours à comprendre, se rappela alors les mots que Chad avait péniblement réussi à bafouiller :

– Gwen, ton père m'a prévenue contre Dave. Il est dangereux. Il l'a gravement blessé. Il…

Puis elle s'était interrompue. La vérité avait soudain commencé à se faire jour dans son esprit :

– C'est toi qui as tiré sur ton père ?

Gwen avait à nouveau souri, de ce sourire étrange, sans joie, et dit :

– Oh, qu'elle est maligne ! C'est vrai, j'oubliais, tu as toujours été maligne... Tout juste, Leslie, c'est moi qui ai tiré sur mon père. Et s'il a parlé de Dave, c'est sans doute pour te signaler qu'il avait certainement besoin que tu ailles lui donner un coup de main. Il est en bas, dans notre crique. Avec un petit trou dans le corps. Demain matin, quand la marée remontera, il sera dans de sales draps. Mais ce n'est pas mon problème.

C'était à ce moment que le téléphone avait sonné.

– Bon... reprit Gwen, la question est de savoir ce que je vais faire de toi. Ah ma pauvre, tu as vraiment eu une mauvaise idée en rappliquant ici ! Tiens, d'ailleurs, tu ne m'as pas répondu : c'était pour Dave, hein ?

– Oui, mais pas pour ce que tu imagines. Je pensais que c'était lui qui avait assassiné ma grand-mère. Et j'avais peur pour Chad. J'ai pensé que le mobile pouvait avoir un rapport avec Brian Somerville, et avec Semira Newton, précisa Leslie en scrutant le visage de Gwen.

Mais cette dernière ne se départit pas de son sourire figé.

– Touchant, ricana-t-elle. Tu te faisais du souci pour ce bon Chad. C'est Fiona qui t'a donné les lettres ? Ou Jennifer ?

– C'est Colin.

– Je suis assez contente de moi. Tu vois, j'ai distribué l'histoire plutôt adroitement, se félicita Gwen. Je savais bien qu'en mettant Jennifer au courant, ça ferait le tour. La police va bientôt avoir son petit exemplaire à elle. Ça lui permettra d'en déduire qui est l'assassin de Fiona et de Chad.

– Tu veux faire accuser Semira Newton, peut-être, une pauvre femme incapable de se déplacer ? Ou Brian Somerville, un homme de bientôt quatre-vingts ans, si j'ai bien compris, qui a l'âge mental d'un élève de maternelle et qui végète dans un hospice pour handicapés mentaux ? C'est ces deux personnes-là que tu veux faire passer pour les responsables de deux assassinats ? Et tu penses sérieusement qu'on te croira ?

– Tu as déjà entendu parler des meurtres commandités ?

– Oui, mais seule Semira a les facultés intellectuelles nécessaires, et indépendamment du fait qu'elle a à peine de quoi vivre et donc pas les moyens de payer un tueur, ce n'est pas son genre. Valerie Almond s'en rendrait compte assez vite.

428

– Ah, Valerie Almond... prononça Gwen avec mépris. Pas très futée comme flic. Aucune psychologie. Elle m'a très mal jugée.

Elle n'est pas la seule, lui répondit Leslie en pensée, avec un frisson involontaire.

– Et Dave, qu'est-ce qu'il viendra faire dans le tableau quand on le retrouvera avec une balle dans le corps, ou noyé ? interrogea-t-elle. Et moi, au cas où tu envisagerais de me descendre aussi ? Comment vas-tu me faire cadrer avec ta théorie de la vengeance d'une vieille dame ?

L'espace d'un instant, Gwen sembla un peu déstabilisée, mais elle se reprit vite.

– C'est simple, vous êtes arrivés au mauvais moment.

– Dave en bas, dans la crique, et moi ici ? Gwen, c'est n'importe quoi. Tu... tu ne t'en sortiras pas.

– C'est toi qui ne t'en sortiras pas, ma chère.

– Tu te trompes, dit Leslie sans croire vraiment à ses propres paroles. Gwen, nous avons toujours été amies. Nous nous connaissons depuis notre enfance. Tu ne vas pas me tirer dessus comme ça.

– Je connais mon père depuis plus longtemps que toi, et Fiona aussi. Ça n'a aucune importance pour moi.

Leslie déglutit.

– Pourquoi, Gwen ? Pourquoi ?

– Evidemment, tu ne peux pas comprendre. Tu as toujours eu tout ce que tu voulais. Tu ne sais pas ce que peuvent ressentir les gens qui n'ont pas eu la belle vie comme toi.

– Ah bon, j'ai toujours eu ce que je voulais ? s'insurgea Leslie. Moi qui suis divorcée et seule ! Qui prends des gardes tous les week-ends pour m'occuper ! Moi que tout le monde oublie dans son coin ! Mes anciennes copines de fac ou mes collègues s'occupent de leur famille et n'ont pas de temps à perdre avec moi. Ah pour ça oui, j'ai la belle vie !

– D'accord, mais toi, si tu voulais, tu pourrais faire en sorte que ça change.

– Comment ?

– Ça n'a pas marché avec Stephen, mais tu n'as qu'à claquer des doigts pour en avoir un autre. Aucun problème pour toi.

– Je ne m'en suis pas aperçue, tu vois.

– Parce que tu ne veux pas ! s'énerva Gwen en agitant son arme. Dave, par exemple, tu lui as tapé dans l'œil. Ne me dis pas que tu ne l'as pas remarqué !

Leslie repensa à la récente scène, à l'appartement. Elle ne répondit pas, mais l'autre remarqua certainement un changement d'expression sur son visage, car elle éclata d'un rire triomphant.

– Eh bien, tu vois ! Tu le sais parfaitement. Et il n'est pas le seul. Ton Stephen, par exemple, il est prêt à tout pour que tu lui reviennes. Tu as des tas de solutions de rechange. Quand tu te seras remise du choc de la petite incartade de ton mec avec la fille du bar, tu retrouveras des lendemains qui chantent.

Gwen s'interrompit, regarda son revolver.

– C'est-à-dire que c'est ce qui aurait pu se passer. Mais évidemment, ce n'est plus possible.

– Tu as besoin qu'on t'aide, Gwen.

Cette dernière éclata d'un rire hystérique.

– C'est fantastique ! J'ai besoin qu'on m'aide ? C'est au moment de quitter ta petite vie égocentrique que tu constates que cette bonne vieille Gwen a besoin qu'on l'aide ? Oui, tu as raison. Il y a des années que j'ai besoin qu'on m'aide. Mais ça n'intéressait aucun d'entre vous.

– A chaque fois qu'on se voyait...

– Pas très souvent, hein ? Deux fois par an, peut-être. Le docteur Cramer était trop occupée pour venir voir sa grand-mère. A chaque fois, il y avait la corvée d'une visite à la ferme Beckett. Je viens prendre un café chez toi en vitesse, Gwen. En vitesse ! Toujours limité dans le temps, ce café, des fois qu'il me vienne l'idée de te demander de me consacrer un peu plus d'attention que tu n'étais prête à me donner. Parce que tu t'ennuyais avec moi. Je n'avais jamais grand-chose à dire. Qu'est-ce que j'aurais eu à raconter ? Que je me battais contre la décrépitude ? Que je m'efforçais de m'en sortir avec le peu d'argent de mon père ? Que j'essayais d'attirer des vacanciers et que je me retrouvais toujours avec Jennifer et Colin, que je ne supportais plus, mais que je cajolais pour éviter de les voir déguerpir eux aussi ? Des sujets palpitants, tu ne trouves pas ?

– Tu aurais pu dire la vérité. Que tu n'allais pas bien... Que tu avais besoin d'aide.

– Parce que tu ne le remarquais pas de toi-même ? Parce que tu imaginais que j'étais heureuse, avec la vie que je menais ? Dans cette ferme perdue au milieu de nulle part ? Avec un vieux père qui ne disait jamais un mot ? Avec une femme envahissante comme ta grand-mère qui passait tout son temps ici et me faisait comprendre à quel point elle me trouvait moche et inintéressante, et qu'elle ne venait que pour mon père, son grand amour ? Tu pensais vraiment que j'allais bien, sans amis, sans relations, sans que jamais aucun homme ne s'intéresse à moi ? Sans l'espoir de mener une vie normale avec un mari, des enfants, une maison à moi ? Tu le pensais vraiment, Leslie ?

Leslie ferma les yeux un instant. Puis elle les rouvrit et regarda Gwen.

– Non, avoua-t-elle à voix basse. Je savais que tu en rêvais, mais...

– Mais quoi ?

– Mais d'un autre côté, tu avais toujours le sourire et tu étais toujours d'humeur égale. Tu parlais de ton père avec admiration et tu disais que Fiona remplaçait ta mère. D'une certaine façon... tu paraissais bien dans cet environnement. Tu étais simplement... pas comme les autres. J'aurais... j'aurais dû y regarder de plus près.

Elles se turent toutes les deux.

Mon Dieu, pria Leslie, faites que je puisse l'atteindre !

– Je suis désolée, dit-elle enfin.

Gwen haussa les épaules :

– C'est ce que je dirais aussi, à ta place.

Un nouveau silence s'installa.

Leslie sentait battre son cœur un peu moins vite. Ses pensées étaient un peu plus claires. Il lui semblait déceler une certaine indécision chez la démente qu'elle avait en face d'elle.

Elle avait tiré sur Dave et sur son père, et n'avait pas de scrupules à abandonner les deux hommes à leur destin, c'est-à-dire à les laisser mourir.

Mais depuis une bonne demi-heure, plantée dans l'encadrement de la porte, elle tenait son ancienne amie en joue et ne tirait pas. Elle ne semblait pas lui vouer la même haine qu'à Chad, Dave et sans doute Fiona, et ne l'avait pas inscrite sur son plan de bataille. Leslie était arrivée inopinément à la ferme. Elle n'aurait pas dû se trouver là. Malgré ses airs martiaux, Gwen ne savait trop que faire. C'était une chance possible, mais il fallait se garder des illusions : cette indécision, précisément, pouvait l'amener à se sentir dépassée, et à agir dans la précipitation.

431

Parler avec elle. C'était le seul moyen.

– Où as-tu pris cette arme ? demanda Leslie.

– C'était le revolver de mon père pendant la guerre. Il est vieux, mais si tu te demandes s'il fonctionne, tu n'as qu'à regarder Chad, là, à côté. Et Dave en bas, dans la crique.

– Tu as... appris à tirer ?

– J'ai pensé que ça pouvait toujours servir, répliqua Gwen d'un ton négligent. Et tu vois, j'ai eu le nez fin. Il m'est utile, maintenant.

– Gwen...

– En fait, j'avais prévu de m'en servir pour Fiona. Mais comme tout le monde parlait du meurtre de cette étudiante, j'ai pensé que je pourrais embrouiller un peu plus les choses en tuant Fiona de la même façon que cette pauvre fille. Malin, non ? J'ai bien rigolé en entendant la policière se demander quel était le lien entre la vieille Fiona et la jeune fille.

– Tu as beaucoup changé, dit Leslie, tout en s'apercevant à quel point sa remarque était grotesque.

Comme si Gwen avait simplement changé de coiffure, ou perdu plusieurs kilos, ou autre chose du même genre ! Non. Cette fille, avec ses jupes en coton à fleurs, sa passion pour les romans à l'eau de rose, Gwen qui se cramponnait peureusement à sa vie retirée dans une ferme isolée s'était transformée en tueuse en série. Elle avait appris seule à tirer avec l'antique arme de son père, s'était procuré des munitions, avait forgé des plans. Avait trouvé les lettres de Fiona à Chad et y avait vu une chance d'en fabriquer un mobile pour le meurtre de ces deux personnes âgées. Avait distribué sciemment les lettres à la ronde, et non pas par maladresse, comme tout le monde l'avait pensé.

– C'est toi qui as envoyé Dave chez Semira, pour diriger les soupçons sur lui ? s'enquit-elle.

– Il est allé voir la Newton ? Je me doutais qu'il allait le faire. Non, ce n'est pas moi qui l'ai envoyé là-bas, mais j'avais bien remarqué que ça l'avait rendu curieux, et j'ai bien pensé qu'il le ferait. Avant-hier, quand je suis allée chez lui, je lui ai apporté un jeu de ces textes. Il a tout dévoré pendant la nuit, trop content d'avoir un prétexte pour ne pas me rejoindre dans son lit. Mon plan a été un peu dérangé. J'avais prévu de mettre d'abord Dave au courant de l'histoire Somerville, et de tuer Fiona ensuite. Mais après la dispute, l'occasion était trop belle. De là-haut, du palier, je l'ai entendue dire qu'elle voulait aller à la rencontre du taxi. J'ai compris que c'était une occasion unique. Je l'ai suivie et... ça a été très simple. Je l'ai obligée à la pointe du revolver à prendre le sentier. Quand nous avons été assez loin de la route, j'ai pris une pierre et je l'ai frappée à la tête. Et j'ai frappé encore et encore. Jusqu'à ce qu'elle ne bouge plus. Le lendemain, je me suis débarrassée du caillou dans la mer.

Leslie lutta contre le vertige qui l'avait saisie. Quel était le monstre qu'elle avait devant elle ? Et comment avait-elle pu se tromper sur elle pendant si longtemps ?

— Donc, Jennifer a menti quand elle a déclaré que tu étais sortie promener les chiens avec elle ?

— Ah, Jennifer !... Elle avait peur qu'on puisse me soupçonner, et elle a pris les devants. Le syndrome du saint-bernard, ça existe vraiment ! Moi, en tout cas, ça m'arrangeait. J'ai raconté ensuite à Colin qu'elle m'avait carrément imposé ce mensonge. Tu aurais dû voir sa tête.

— Tu... tu as fait tout ça très astucieusement, dit Leslie avec effort.

— Oui, hein ? Accessoirement, j'ai fait savoir à Colin que Dave avait lu la vieille histoire. J'ai misé sur le fait que plus tard, quand Dave serait arrêté comme suspect, personne ne le croirait quand il affirmerait qu'il n'avait été mis au courant qu'après la mort de Fiona. J'ai senti que Colin était mort de trouille et qu'il me prenait pour une vraie commère. Intérieurement, j'étais morte de rire. D'ailleurs, il n'a pas fait mieux que moi, puisqu'il t'a tout raconté.

— Dave a nié connaître Semira Newton quand je lui ai posé la question. Il a prétendu n'avoir jamais entendu ce nom.

— Évidemment. Il était déjà au premier rang des suspects. Il savait qu'on pouvait trouver un mobile là-dedans. Il aurait été parfait dans le rôle du tueur commandité par Semira Newton pour se venger de Fiona Barnes. Il a donc fait semblant de ne pas être au courant. Pas trop malin. Parce que la chose allait ressortir à un moment ou à un autre, c'était couru d'avance.

— Quand... quand est-ce que tu as eu l'idée de... tuer Fiona et Chad ?

Gwen sembla chercher fiévreusement dans sa mémoire, mais Leslie avait l'impression qu'elle connaissait la réponse. Qu'elle cherchait plutôt à la formuler d'une manière moins banale qu'elle ne paraissait.

– Depuis toujours, dit-elle enfin.

– Depuis toujours ? Depuis ton enfance ? Ton adolescence ? Depuis *toujours* ?

– Depuis toujours. Oui, je crois, répondit Gwen avec sincérité. J'en ai toujours rêvé. J'imaginais la scène depuis toujours. Et ce désir n'a fait que se renforcer au cours des années. Et voilà. Maintenant, il est devenu réalité.

Elle eut un sourire heureux.

Horrifiée, Leslie pensa : cette fille était une bombe à retardement, et aucun de nous n'a rien remarqué pendant toutes ces années.

18

Jennifer composa pour la troisième fois le numéro de l'appartement de Fiona, mais ce fut pour tomber à nouveau sur le répondeur.

– Elle n'est pas là ! se désola-t-elle.

Colin, qui conduisait à la limite de la vitesse autorisée sur la route qu'ils avaient prise en sens inverse quelques heures auparavant, s'assura :

– Et tu es sûre que tu n'as pas le numéro de portable de Leslie Cramer ?

– Oui. Sûre, malheureusement !

Jennifer savait que son mari la prenait pour une folle.

– Pourquoi t'inquiètes-tu pour Dave ? lui avait-il demandé, n'y comprenant goutte.

Et elle avait répondu :

– Gwen va péter les plombs s'il rompt. Elle n'acceptera pas.

Il n'avait pas trouvé cela trop problématique.

– Oh, là là ! Tanner est un grand garçon. Tu as peur de quoi ? Que Gwen lui arrache les yeux ? Ne t'inquiète pas, il saura sûrement se défendre.

– J'ai un mauvais pressentiment, Colin. Personne ne décroche à la ferme... ça me paraît bizarre. J'aimerais... ah, j'aimerais aller voir si tout va bien.

Colin, persuadé que sa femme commençait à sombrer dans l'hystérie, lui avait proposé malgré tout d'appeler Leslie. « Peut-être aura-t-elle la gentillesse d'aller s'occuper de Gwen à la ferme. Ou de Dave Tanner au cas où il aurait réellement besoin d'être protégé. »

Mais Leslie n'était pas chez elle.

Puis Jennifer avait attrapé les clés de la voiture et annoncé :

– Je pars pour Staintondale. Tu peux me traiter de folle, mais j'y vais !

– Tu en as pour une heure et demie de trajet ! Alors que nous venons de rentrer ! Tu as raison, tu es un peu folle.

Elle avait mis sa veste et s'était dirigée vers la porte d'entrée. Alors qu'elle s'était refusée pendant des années à se mettre au volant, elle paraissait vraiment décidée à le faire.

Colin l'avait suivie en lâchant une bordée de jurons et lui avait arraché les clés des mains.

– OK, mais c'est moi qui conduis. Bon Dieu de bon Dieu, tu peux me dire ce qui te prend ?

Elle n'avait pas répondu, mais, à la lueur de la lampe d'extérieur, il avait constaté qu'elle était effectivement mal en point. Colin se demanda, et ce n'était pas la première fois, quels étaient les secrets que sa femme gardait pour elle.

– Si tu as tellement peur pour Tanner, dit-il, tu devrais appeler la police, au lieu de nous jeter sur les routes en pleine nuit.

– Je ne t'ai pas demandé de m'accompagner.

– Je n'allais pas te laisser partir seule. Jennifer, de quoi as-tu peur ?

Le visage appuyé contre la glace, elle lui répondit sans le regarder :

– Je ne sais pas exactement. Je te dis la vérité. Je sais simplement que Gwen est capable de faire une connerie si Dave lui dit qu'il veut rompre.

– Qu'est-ce que tu appelles exactement faire une connerie ?

Elle ne répondit pas.

D'un ton pressant, il répéta sa question :

– Jennifer ! Qu'est-ce que tu appelles faire une connerie ?

Elle répondit avec effort :

– Elle est complètement sous pression. Elle est bouffée par la haine et le désespoir. Je ne sais pas si elle va pouvoir encaisser cette défaite.

– La haine ? Gwen ?

Cette fois, Jennifer se tourna vers lui. Il lui jeta un bref regard. Ses yeux étaient écarquillés, remplis de terreur.

– Je ne peux pas appeler la police, dit-elle, parce qu'en faisant ça, je la dirigerai sur Gwen, et je la mettrai dans une situation dont elle ne pourra peut-être plus se sortir. Mais je sais que Gwen déteste sa vie depuis des années et qu'elle considère qu'elle est poursuivie par la malchance. Elle est pleine de colère. Elle ne me l'a jamais dit ouvertement, mais je le sens. Je le sais, tout simplement.

– Tu es consciente de ce que tu dis ?

– Oui. Mais ce n'est pas pour autant qu'elle a tué Fiona.

– Pourtant, tu ne l'exclus pas ?

Une fois de plus, Jennifer resta muette.

Colin se passa la main sur le front. Sa peau était froide et humide.

– L'alibi, dit-il, cette connerie de faux alibi. Ce n'est pas toi que tu as voulu protéger, c'est elle. Tu la soupçonnais, et au lieu de le dire à la police, tu t'es débrouillée pour que Gwen se sorte de la ligne de tir le plus vite possible. C'est de la folie, Jennifer, de la folie pure et simple.

– Elle a assez souffert comme ça.

– Elle a peut-être tué quelqu'un.

– Nous n'en savons rien !

– C'est à la police de le découvrir. Et toi, ton devoir aurait été de dire tout ce que tu sais. Nous allons au-devant des pires ennuis. Tu t'en rends compte ?

Mais sans tenir compte de ses objections, elle se contenta de le supplier :

– S'il te plaît, accélère !

– Jennifer, il faut immédiatement appeler la police !

– Non.

Colin poussa un nouveau juron et appuya sur le champignon. Peu importait qu'il dépasse la vitesse autorisée, il n'était plus à ça près.

19

– Ton père va mourir si on ne le soigne pas, dit Leslie.

Rester ainsi immobile devenait de plus en plus pénible. Elle sentait que Gwen ne savait comment se sortir de la situation qu'elle avait créée, mais les minutes s'enfuyaient et, avec elles, les chances de survie de Chad. Celles de Dave Tanner également. Et elle qui était impuissante, qui ne pouvait qu'espérer que cette folle ne cède pas à la panique et appuie sur la détente !

Gwen haussa les épaules.

– Et alors ? Qu'il meure ! C'est bien le but. Fiona morte, Chad mort ! Il a bousillé ma vie, et elle l'a aidé à le faire. Sans compter qu'ils sont responsables de la mort de ma mère. Si ma mère est tombée malade, c'est bien parce que Fiona refusait de lâcher mon père et qu'il n'a pas été capable de lui mettre des limites. Tu crois que ma mère trouvait ça drôle, de voir rappliquer ta grand-mère, jour après jour ? Elle lui préparait même des petits plats, à son cher Chad, elle le soignait quand il était malade, elle partageait ses soucis. Ils faisaient comme si ma mère n'existait pas. Et moi non plus. Pour eux, nous n'étions tout simplement pas là. Pas la peine de se demander pourquoi maman a fait un cancer. Et moi...

Elle ne dit pas la suite.

– Toi, tu es tombée malade psychologiquement, compléta Leslie en choisissant soigneusement ses mots. Et je comprends très bien. Je suis sincèrement désolée de ne pas avoir vu tout ça. Tu as eu une enfance et une jeunesse terribles, Gwen. Mais tu aurais pu partir, plus tard, à dix-huit ans... Pourquoi es-tu restée ici ?

– J'ai essayé de partir. Tu n'as pas idée de tout ce que j'ai essayé. Tu croyais que je passais mon temps à lire ces idioties de romans d'amour, mais...

– Oui ?

– Je crois que j'ai répondu à une centaine d'annonces. J'ai rencontré je ne sais pas combien de types. Par Internet aussi. Je connais tous les sites de rencontre. J'ai passé des heures devant mon ordinateur. Des tas de soirées avec des mecs.

Au point où elle en était, Leslie ne s'étonnait plus de rien.

– Mais tu n'as pas trouvé le bon, émit-elle d'une voix faible.

Gwen rit, d'un rire aigu.

– Elle est impayable, cette Leslie ! Toujours des mots choisis pour décrire les pires merdes ! « Tu n'as pas trouvé le bon ! » Merci pour ta délicatesse ! Non, je ne l'ai pas trouvé, celui qui aurait bien voulu d'une fille comme moi. La vérité, c'est qu'il n'y a jamais eu de deuxième rendez-vous. Ils arrivaient, ils me voyaient, ils passaient la soirée à s'emmerder avec moi, ils payaient peut-être le repas, et ils se dépêchaient de foutre le camp. Soulagés d'être débarrassés. Et je n'en entendais plus parler. Ils ne répondaient même pas à mes mails, alors tu penses bien qu'ils n'allaient pas accepter de me revoir.

– Ça me fait de la peine pour toi.

– C'est triste, hein ? Elle est bien à plaindre, cette pauvre Gwen ! Le plus beau, c'est que j'avais bien de la chance quand ils se forçaient à faire la conversation. Souvent... Essaie d'imaginer. Tu attends au restaurant. Tu es nerveuse. Tu attends le mec qui, peut-être... peut-être... sera le bon. Tu t'es fait belle. Tu sais que tu n'es pas jolie et que tu n'as pas le chic pour te mettre en valeur, mais tu as fait de ton mieux. Tu trembles d'excitation. Et la porte s'ouvre. Le type qui entre est pas trop mal. Il a une bonne tête. Tu sais que c'est lui, celui avec qui tu communiques depuis quelques semaines sur Internet. Tu commences à avoir le coup d'œil, tu comprends ? Pas la peine d'avoir de signe distinctif, une rose ou un autre truc de ce genre, on le voit. Lui aussi, il le voit. Ses yeux parcourent la salle et ils s'arrêtent sur toi. Il te reconnaît comme toi tu le reconnais. Et tu vois qu'il prend peur. Que tu n'es absolument pas ce qu'il espérait. Qu'il panique à l'idée de passer une soirée avec toi, et de devoir payer l'addition en plus. En même temps, tu comprends qu'il va se tirer tout de suite.

– Il fait comme s'il s'était trompé et s'en va, devina Leslie.

– Super, hein ? Tu as dit au serveur que tu attendais quelqu'un. Et te voilà en train de lui expliquer que la personne avec qui tu avais rendez-vous n'est pas venue. Tu paies le verre d'eau auquel tu t'es cramponnée pendant tout ce temps, tu te lèves et tu déguerpis. Tu sens les regards apitoyés du personnel qui a compris. Tu rentres chez toi. Humiliée. Repoussée. Rabaissée. Et ta haine grandit. Elle prend le dessus sur le reste. Elle finit par devenir plus forte que la souffrance. Arrive le moment où tu as le sentiment de n'être plus faite que de haine. Et tu as l'impression que tu vas exploser s'il ne se passe rien.

Leslie comprenait, imaginait sans peine ce qu'avait vécu Gwen. La haine cachée derrière une façade si lisse, si souriante, depuis des années, ne pouvait que se déchaîner comme un ouragan impossible à maîtriser. Mais restait tout de même la question de la logique à laquelle obéissait cette femme qui la tenait en joue.

Ce n'était certes pas le moment de discuter de ses motivations, mais il fallait à tout prix éviter de rompre le fil de la conversation.

– Gwen, dit-elle, explique-moi. Je ne comprends pas pourquoi tu rejettes la faute sur Fiona et Chad, et d'autre part, pourquoi tu considérais que la seule solution pour t'en sortir était de trouver l'homme parfait. Tu n'as pas pensé à suivre une formation, à apprendre un métier pour gagner ta vie, devenir indépendante ? La solution était là, et pas ailleurs.

Gwen lui jeta un regard étonné.

– Je n'y serais jamais arrivée, dit-elle en paraissant sincèrement surprise que pareille idée pût l'effleurer.

Si surprise que Leslie comprit qu'il était inutile de vouloir démontrer à Gwen en accéléré qu'elle était intelligente et capable, qu'elle aurait pu comme tout le monde apprendre un métier et tracer sa route, même si cela impliquait d'avoir recours aux soins d'un psychologue pour l'aider.

– Oh, Gwen... murmura-t-elle.

Mais elle n'insista pas pour recevoir une réponse à son autre question, car l'explication était suffisamment claire. Si Gwen rendait Fiona et son père responsables de la mort de sa mère, ce n'était pas le fruit des élucubrations d'un cerveau malade. Cette accusation était logique et pertinente. En revanche, les conclusions qu'elle en avait tirées étaient anormales. Mais pour quelqu'un qui, comme elle, vivait depuis toute sa vie avec la sensation d'avoir le dos au mur, il n'y avait pas d'autre solution.

Gwen n'avait plus supporté. Et à présent, elle se défendait.

– Comme je te l'ai dit, je passais des heures devant l'ordinateur, reprit Gwen, et j'ai trouvé les mails que ta grand-mère adressait à mon père. J'ai eu du mal à croire ce que je lisais. Et en même temps, ça leur allait tellement bien, ce qu'ils ont fait à ce pauvre Brian Somerville. Ça allait avec l'autisme de mon père, avec l'égoïsme de Fiona. Quand on ne pouvait pas se défendre contre eux, on était écrasé, éliminé. Ils étaient comme ça. Ils l'ont toujours été.

– Et toi, tu as pensé que tu pourrais te servir de Semira et de Brian pour tes projets, fit remarquer Leslie avec amertume.

Comme s'ils n'en avaient pas assez bavé, cette malade mentale avait choisi d'en faire l'instrument de ses crimes.

– Ils m'étaient offerts sur un plateau ! expliqua Gwen.

– Tu as eu dès le début l'idée de mettre l'affaire sur le dos de Dave ?

Et Dave, cet idiot, qui avait tout fait pour se rendre suspect ! Tellement affolé par la perspective d'être accusé qu'il s'enferrait dans le mensonge ! Un jeu d'enfant pour Gwen de jeter la suspicion sur lui !

Gwen secoua énergiquement la tête.

– Non ! C'est seulement quand j'ai commencé à remarquer qu'il... que ce n'était pas du sérieux pour lui. Je ne suis pas idiote, tu sais. Je parie que vous vous êtes tous demandé comment je pouvais être assez bête pour croire qu'un mec comme Dave pouvait vouloir de moi. Vous vous êtes sans doute poussés mutuellement à m'ouvrir les yeux. Cette pauvre fille, elle est tellement naïve ! Oh, vous vous en êtes fait, du souci, pour le jour où les écailles me tomberaient des yeux ! Alors que, vraiment, Leslie, je ne suis pas aussi nunuche que vous le pensez. J'ai compris immédiatement que Dave n'était pas du genre à tomber amoureux d'une fille comme moi. Je l'ai observé attentivement. Je n'aurais pas eu besoin de ta grand-mère pour comprendre qu'il ne visait que ma propriété. Les preuves s'accumu-laient. Ça m'a fait mal. Parce que, malgré mon scepticisme, malgré ma prudence, je suis tombée amoureuse. J'ai passé des moments merveilleux avec lui. Son attention, ses efforts, même si en fait ce n'était pas pour moi... c'était quelque chose de précieux. Je n'avais jamais connu ça avant. C'était bien. C'était comme un rêve.

Elle semblait triste. L'ancienne Gwen réapparaissait en ce moment... la fille pacifique, toujours un peu mélancolique. Ils n'avaient pas remarqué qu'elle était folle, mais pourquoi n'avaient-ils pas remarqué qu'elle était triste ?

– Pourquoi lui as-tu tiré dessus ? demanda Leslie. Tu ne peux plus le faire passer pour le meurtrier de Fiona et Chad, maintenant.

– Je ne pouvais pas faire autrement. Rester assise sur ce fauteuil en face de lui, lui dire au revoir, sentir à quel point il avait envie de s'en aller, savoir qu'il ne restait là que par correction et qu'en fait il piaffait d'impatience parce qu'il ne me supportait plus, parce qu'il n'avait qu'une idée, c'était partir !... J'avais si mal. C'était horrible. Je ne pouvais pas le laisser partir. Je ne l'aurais pas supporté.

– Tu l'as convaincu de descendre avec toi sur la plage ?

– Je lui ai dit que j'avais besoin de sortir et il a accepté de m'accompagner parce que je lui faisais pitié. Je crois que ce qui lui importait, c'était simplement d'en finir à peu près convenablement. Il ne pouvait donc pas me laisser seule après m'avoir dit qu'il ne m'épouserait pas. Il s'est résigné et est descendu à la crique avec moi. J'avais emporté l'arme. Je ne savais pas encore ce que je ferais, mais je savais que je ne le laisserais pas partir.

– Tu es sûre qu'il est encore vivant ?

– Aucune idée. Il était vivant quand je suis partie. Soit il se videra de son sang, soit il sera emporté par la marée... ça m'est égal. Plus rien n'a d'importance maintenant, non ?

Le ton résigné avec lequel elle prononçait ces mots poussa Leslie à saisir la balle au bond :

– Non, Gwen, tu te trompes. Ton père est encore vivant. Dave peut-être aussi. On va appeler un médecin. Je t'en prie... Tu peux encore les sauver. Ce ne seraient pas de deux meurtres que tu...

Gwen l'interrompit en jetant :

– Non, ce ne seraient que le meurtre de Fiona et deux tentatives de meurtre ! Tu crois que ce serait mieux ? Que la prison serait plus belle ? Arrête tes bêtises !

Elle était pleine de contradictions. D'un côté, elle évaluait parfaitement sa situation, savait qu'elle finirait en prison et était déterminée à l'éviter. De l'autre, elle semblait ne pas comprendre qu'elle était dans un cul-de-sac. Pensait-elle sérieusement s'en sortir sans encombre ? Abattre son père, Dave, Leslie et vivre ensuite comme si de rien n'était, sans être soupçonnée ?

Même contradiction dans sa manière d'agir : la tête froide, elle avait informé son entourage de l'histoire de Brian Somerville afin de fournir pour les meurtres de Chad et de Fiona un mobile qui parviendrait tôt ou tard aux oreilles de la police. Elle avait ensuite astucieusement essayé de nourrir les soupçons vis-à-vis de Dave, dont le statut était déjà précaire. Tout cela pour se saboter elle-même en descendant Dave, submergée par ses émotions, par son incapacité à accepter et à supporter la rupture.

Elle était plus maligne, moins naïve et tactiquement plus douée qu'on ne l'imaginait, mais moins froide et insensible qu'il ne le fallait pour sa besogne. Elle restait imprévisible pour les autres et pour elle-même.

En tremblant de peur, Leslie en arriva à la conclusion que cela en faisait une ennemie terrible, extrêmement dangereuse.

– J'ai laissé Dave où il était et je suis rentrée à la ferme, reprit Gwen d'un ton anodin, et je t'ai vue te balader avec une lampe électrique. Ensuite, tu t'es dirigée vers la crique, mais je me suis dit, tant pis si elle trouve Dave, il va bien falloir qu'elle revienne. Comme elle n'aura pas de réseau pour son portable... Mon père avait sagement verrouillé la porte d'entrée, sur ton conseil, je suppose, mais il a évidemment ouvert en entendant ma voix. Je l'ai rendu incapable de nuire, et je t'ai attendue. Je me suis assise en haut, dans l'escalier. J'avais enlevé la clé du bureau par précaution, parce que j'avais bien prévu que tu essaierais de téléphoner.

– Très astucieux, Gwen, tu as vraiment tout prévu.

– Eh oui, la petite Gwen, si bête, si naïve... Vous m'avez sous-estimée pendant trente ans. Vous auriez mieux fait de me regarder d'un peu plus près.

Leslie se demanda ce qu'elle pouvait répondre à cela. Reconnaître une faute qui existait effectivement, mais qui ne justifiait en rien le comportement de Gwen ? De toute façon, c'eût été inutile. Gwen avait perdu la raison. Il ne s'agissait plus pour elle d'obtenir satisfaction, d'être comprise. Elle s'était engagée dans une voie sans issue. Avec sa vision faussée des choses, il ne pouvait plus y avoir pour elle qu'une seule issue, et cette issue donnait la chair de poule.

Gwen semblait remuer les mêmes pensées dans sa tête, car elle dit pensivement :

– Qu'est-ce que je vais faire de toi, Leslie ? On ne va pas pouvoir rester ici toute la nuit à bavarder. D'ailleurs, on n'a jamais eu grand-chose à se dire, toi et moi, et ce n'est pas maintenant que ça va changer.

– J'ai rendez-vous avec l'inspecteur Almond. Je devrais l'avoir rejointe depuis des heures. Elle va se poser des questions. Elle va me rechercher.

Gwen sourit, d'un sourire cruel.

– C'est donc urgent. Il est temps que je réfléchisse à ce que je vais faire de toi, répliqua-t-elle.

20

Valerie Almond n'arrivait pas à se défaire du mauvais pressenti-ment qui la tourmentait avec une acuité grandissante. Elle avait attendu longtemps à la pizzeria, essayé à plusieurs reprises de joindre Leslie sur son portable, mais en vain. Personne ne décrochait non plus à l'appartement de Fiona Barnes.

Vers vingt et une heures trente, elle n'y tint plus. Elle se rendit à Prince of Wales Terrace, pour s'assurer que Leslie n'y était pas.

Pur activisme, peut-être, pensa-t-elle tout en manœuvrant pour se garer. Tout plutôt que rester les bras ballants.

Elle descendit de voiture. Oui, elle était inquiète au plus haut point. Leslie avait une chose importante concernant le meurtre de sa grand-mère à lui révéler. Au téléphone, elle avait semblé surexcitée, tendue. Elle qui avait pensé la rejoindre vingt minutes plus tard à la pizzeria n'était pas venue. Elle connaissait bien Scarborough, elle y avait grandi. Elle n'avait pas pu se perdre. Et pourquoi n'appelait-elle pas ?

Il y a quelque chose qui cloche, se dit Valerie.

Ils n'avaient toujours aucune trace de Dave Tanner, et voilà que Leslie disparaissait à son tour.

Un homme se tenait devant la porte d'entrée de l'immeuble. Valerie se demanda ce qu'il faisait là à une heure pareille.

Elle appuya sur la sonnette portant le nom de Fiona Barnes.

– Il n'y a personne, dit l'homme derrière elle.

Valerie se retourna.

– C'est là que vous vouliez aller, vous aussi ? interrogea-t-elle.

– Oui, j'ai sonné plusieurs fois, mais...

L'homme haussa les épaules dans un geste d'impuissance, puis se présenta :

– Dr Stephen Cramer. Je venais voir ma femme... mon ex-femme, Leslie Cramer. Mais elle n'a pas l'air d'être là. Ce n'est pas allumé non plus.

– Inspecteur Valerie Almond, dit Valerie en lui tendant sa carte, sur laquelle il jeta un rapide regard. J'aimerais moi aussi voir Mme Cramer.

Les traits de son interlocuteur exprimèrent l'inquiétude.

– J'ai regardé dans les environs, dit-il, sa voiture n'a pas l'air d'être garée par ici.

– Vous n'avez pas de clé ?

– Non. Je suis descendu au Crown Spa Hotel, un peu plus bas. Je n'ai pas revu Leslie depuis deux jours.

– C'est contraire à vos habitudes ?

Il hésita.

– Eh bien... elle sait où me trouver. Elle n'a peut-être aucune raison de venir me voir. Mais je me demande où elle peut être à cette heure-ci.

Valerie eut l'impression que l'ex de Leslie n'avait pas encore digéré le divorce. Sans doute traînait-il à son hôtel depuis deux jours en attendant la visite de son ancienne femme – idée qui, visiblement, n'avait pas l'air d'avoir effleuré cette dernière. Maintenant, il n'y tenait plus et l'espionnait, et constater qu'elle ne restait pas gentiment à la maison lui donnait le coup de grâce.

Pauvre garçon, pensa Valerie.

Tout à coup, il sembla s'apercevoir qu'il parlait à une fonctionnaire de police.

– Il s'est passé quelque chose ? s'enquit-il, alarmé.

Valerie répondit par une autre question :

– Vous savez où se trouve Dave Tanner ?

Stephen plissa le front.

– Dave Tanner ? Le fiancé de Gwen Beckett, je me trompe ? Non, aucune idée. Pourquoi ?

– J'aimerais bien avoir un entretien avec lui, éluda Valerie.

– Vous pensez qu'il pourrait se trouver ici ?

– Non. C'est plutôt pour Leslie Cramer que je me pose des questions. Elle m'a appelée vers dix-neuf heures parce qu'elle voulait me rencontrer pour me dire une chose importante concernant le meurtre de sa grand-mère. Nous avions rendez-vous dans une pizzeria mais elle n'est pas venue, et elle n'a pas téléphoné. Je trouve ça curieux, c'est pourquoi je suis là.

– Effectivement, c'est très curieux, dit Stephen. D'où appelait-elle ?

– Elle était en voiture, près de Staintondale. Elle revenait de Robin Hood's Bay. Vous avez une idée de ce qu'elle y faisait ?

444

– Non. Comme je vous l'ai dit... nous n'avons pas eu de contact depuis deux jours.

– Elle a dû avoir un empêchement quelconque... murmura Valerie.

– Et si elle était allée à la ferme Beckett, puisqu'elle était dans les environs ?

– Pour quelle raison ? Mais je vais essayer d'appeler. Vous avez le numéro, par hasard ?

Stephen l'avait enregistré dans son portable. Mais personne ne décrocha à la ferme.

– C'est vraiment très bizarre, fit remarquer Stephen. A ma connaissance, le vieux Chad ne sort jamais de chez lui ! Comment se fait-il qu'il ne réponde pas ? Je me demande...

Il hésita.

– Oui ? l'encouragea Valerie.

– Leslie ne vous a pas encore parlé de ces lettres, celles que Fiona Barnes a écrites à Chad ?

– Non. Quelles lettres ?

– Des e-mails, expliqua Stephen, mal à l'aise. Gwen les a trouvées et les a données à lire à ce couple, ces vacanciers. Eux les ont remises à Leslie. Je ne sais pas exactement ce qu'elles contiennent, mais Leslie m'a dit que Chad et Fiona avaient été mêlés à quelque chose il y a des années... qu'il y a une histoire sombre dans leur vie, dont personne n'avait rien su. Elle était inquiète à cause de cela.

Valerie le dévisagea, visiblement stupéfaite.

– Mais c'est pas possible ! Mais c'est pas vrai ! Et personne ne m'en a rien dit ?

L'inquiétude de Stephen sembla monter d'un cran.

– J'ai poussé Leslie à vous remettre ces papiers. J'étais d'avis qu'elle ne pouvait pas garder pour elle ce qu'elle avait appris. Mais elle... hésitait. Fiona... sa grand-mère... ne sortait pas grandie de tout cela. Elle avait des scrupules...

– Bonté divine, sa grand-mère a été *assassinée* ! Tout, absolument tout ce qui avait un rapport avec cette vieille dame aurait dû me parvenir ! s'écria Valerie. J'y crois pas ! Peut-être bien que...

– Que quoi ?

– Que Chad Beckett est lui aussi en danger. Parce que si j'ai bien compris, ils étaient mouillés tous les deux.

Elle sortit ses clés de voiture de sa poche.

– Je file à la ferme.

– Je peux venir avec vous ? demanda Stephen.

La voyant hésiter, il ajouta :

– Je prends ma propre voiture si vous n'acceptez pas. Vous n'arriverez pas à vous débarrasser de moi.

Valerie céda.

– OK. Venez, dit-elle en s'élançant.

Stephen lui emboîta le pas.

Il vit que Valerie montait dans le véhicule tout en téléphonant. Elle demandait des renforts.

21

Ils aperçurent immédiatement la voiture de Leslie garée au beau milieu de la cour. A côté, une autre que Valerie identifia comme celle des Brankley. La lumière était allumée dans la maison. La porte d'entrée était ouverte.

Stephen sauta de son siège à peine s'étaient-ils arrêtés. Mais l'enquêteuse le retint :

– Non. Restez là pour l'instant. On ne sait pas ce qui se passe là-dedans. J'y vais moi-même.

Il fit mine d'obtempérer, mais dès qu'elle eut atteint la porte, il la suivit.

Valerie pénétra dans le hall.

– Monsieur Beckett ? Mademoiselle Beckett ? Inspecteur Almond. Où êtes-vous ?

Une voix masculine lui répondit :

– Dans le séjour. Vite !

Elle s'élança dans le couloir. Du seuil de la pièce, elle vit Chad étendu sur le sol. Colin Brankley, agenouillé auprès de lui, avait la main posée sur son front et lui parlait.

Il se retourna en entendant Valerie l'appeler.

– Nous l'avons trouvé comme ça, inspecteur, dit-il. Je crois qu'on lui a tiré dessus.

– Où étiez-vous pendant les dernières heures ? interrogea Valerie en s'agenouillant auprès du blessé, dont la pâleur croissante et la parfaite immobilité ne lui disaient rien de bon.

– A Leeds. Jennifer avait décidé de rentrer. Mais...

Il fut interrompu par Stephen qui le poussa de côté en saisissant le poignet du blessé pour lui tâter le pouls :

– Laissez-moi faire, dit-il, je suis médecin.

– Vous n'aviez pas l'autorisation de partir, jappa Valerie d'un ton coupant à l'adresse de Brankley.

Stephen releva la tête.

– Il est mort, annonça-t-il. Hémorragie. Tué par balle, apparemment.

– Oh mon Dieu, souffla Colin.

– Plus personne ne touche à rien, décréta Valerie.

Stephen se leva, les traits déformés par l'angoisse.

– Où est Leslie ? cria-t-il.

Colin répondit :

– Je ne sais pas. Nous n'avons trouvé que Chad. Il n'y a personne d'autre.

Puis, fronçant les sourcils :

– Qui êtes-vous ?

– Stephen Cramer, l'ex-mari de Leslie. Sa voiture est dehors. Elle doit être par ici.

– Où est votre femme, monsieur Brankley ? demanda Valerie.

Colin chercha Jennifer des yeux, l'air égaré :

– Elle était là il y a deux minutes. Elle fait peut-être un dernier tour de la maison.

– Restez là, vous deux, ordonna Valerie.

Elle sortit son arme, enleva la sécurité en annonçant :

– Je monte.

– Il n'y a personne, objecta Colin, nous avons regardé dans toutes les pièces.

– Je préfère m'en assurer par moi-même, répliqua Valerie.

Quand elle fut sortie, Colin et Stephen se dévisagèrent mutuellement par-dessus le corps de Chad.

– Bon Dieu, qu'est-ce qui se passe ? demanda Stephen en chuchotant. D'abord Fiona, et maintenant, Chad... Il y a un fou qui se promène dans le coin, mais qui ?

– Je ne sais pas...

447

Valerie réapparut quelques instants plus tard.

– Personne, confirma-t-elle.

– Mais Jennifer doit bien être quelque part ! s'affola Colin, prêt à bondir hors de la pièce.

Mais la policière le retint :

– Monsieur Brankley, qui était à la ferme aujourd'hui, au moment où vous êtes parti avec votre femme ?

– Chad, et Gwen. Et Dave Tanner.

Valerie aspira entre ses dents.

– Tanner ? répéta-t-elle.

– Oui, il attendait Gwen pour lui dire qu'il mettait fin à leur relation. Moi, j'ai trouvé ça plutôt raisonnable. Mais c'est pour ça que Jennifer a voulu revenir à peine étions-nous rentrés à Leeds. Elle s'est mise à paniquer quand je lui ai parlé de l'intention de Tanner. J'ai cru d'abord qu'elle s'inquiétait pour Gwen, mais elle a dit que c'était pour Tanner qu'elle se faisait du souci, et je n'ai absolument pas compris.

– Elle n'a rien ajouté de plus précis ?

– Non. Quand je lui ai posé la question, elle m'a répondu qu'elle m'expliquerait plus tard. Je ne l'avais jamais vue aussi nerveuse. Quand nous sommes arrivés ici, nous avons trouvé Chad par terre, mort – ou grièvement blessé –, nous avons vu la voiture de Leslie... Nous avons cherché dans toutes les pièces, mais nous n'avons trouvé personne, et ensuite, vous êtes arrivée...

Il jeta un regard circulaire dans la pièce :

– Où est Jennifer ?

Stephen fit chorus :

– Où est Leslie ?

– Jennifer est peut-être en train de chercher dans les granges, suggéra Valerie.

On est en plein cauchemar, se dit-elle.

Un assassin se baladait dans le secteur, son identité était inconnue, un homme gisait à terre, mort, et trois femmes avaient disparu, il faisait nuit, impossible d'évaluer la situation, au propre comme au figuré.

Les renforts avaient intérêt à arriver vite ! Et il fallait retenir les deux gars, là. Les empêcher de disparaître à leur tour dans la nuit !

– Jennifer était encore là il y a deux minutes ! répéta Colin.

– Vous restez auprès de Beckett, ordonna-t-elle d'une voix brève. Moi, je sors. Les renforts vont arriver d'un moment à l'autre.

Il aurait été plus raisonnable d'attendre, sans compter que c'étaient les consignes. Sortir seule était extrêmement risqué. Mais d'un autre côté, jamais les deux hommes n'auraient tenu le coup. Il leur aurait été impossible de rester tranquillement assis auprès d'elle et de patienter sans rien faire auprès du corps de Chad Beckett.

– Je reviens tout de suite, assura-t-elle.

22

Jennifer fonçait dans le noir. Grâce à ses promenades du soir avec les chiens, elle voyait relativement bien dans l'obscurité, mais elle devinait le chemin plus qu'elle ne le distinguait. Les nuages qui ne laissaient filtrer ni la lune ni les étoiles ne lui facilitaient pas les choses. Là-haut, dans les prés, elle progressait bien, mais au-delà du pont suspendu, la situation deviendrait critique. Descendre dans le ravin dans ces conditions sans lampe électrique était de la folie, mais il était trop tôt pour y réfléchir. Elle verrait une fois sur place.

Son cœur cognait, ses poumons étaient douloureux. Elle n'était pas entraînée à courir à une telle allure et sur un terrain en pente, pour couronner le tout. Mais elle savait que son but était le bon. Elle connaissait Gwen. Gwen avait toujours été attirée par la crique.

Gwendolyn Beckett.

Elle sentait le poids de la culpabilité qui pesait sur elle, et si elle avait pu se le permettre, elle aurait fondu en larmes. S'il s'avérait que c'était Gwen qui avait laissé derrière elle cette trace sanglante, Gwen qui avait tué Fiona à coups de pierre et son père à coups de revolver ; si c'était elle qui était la cause de l'inquiétante disparition de Tanner qu'on ne retrouvait nulle part à la ferme, comme de celle de Leslie, dont la voiture était garée dans la cour… dans ce cas, c'était elle, Jennifer, qui en portait la faute – au moins partiellement.

Pourquoi s'était-elle tue ?

Elle n'avait pas eu de soupçons concrets au début. Sinon, balayant ses hésitations, elle serait allée trouver la police. Or, il lui avait semblé insensé de soupçonner Gwen. Impossible de l'imaginer en train de frapper à mort une vieille dame qu'elle connaissait depuis toujours, qui, dans une certaine mesure, l'avait élevée, qui représentait, avec son père, sa seule référence.

Et de plus, il y avait aussi les feuillets imprimés que Gwen lui avait remis au début des vacances.

– Lis ça, Jennifer. Il y a des choses là-dedans... Je ne sais pas ce que je dois en penser... Je ne sais pas ce que je dois faire !

Après la mort de Fiona, Jennifer, presque soulagée, s'était cramponnée à l'idée que la solution de l'énigme se trouvait dans ces écrits qui parlaient de l'autre enfant arrivé à la ferme pendant la guerre. L'enfant envers lequel Fiona et Chad s'étaient rendus coupables, pas directement, mais ils avaient agi avec une telle négligence qu'on ne pouvait les exempter de toute faute.

Gwen lui avait aussi parlé de Semira Newton.

– J'ai fait des recherches sur Internet. Elle a retrouvé Brian Somerville dans une ferme isolée. A moitié mort. Elle a été surprise par le fermier, un fou. Il l'a tellement tabassée qu'elle en est restée infirme.

Et plus tard :

– Elle est toujours en vie. A Robin Hood's Bay. J'ai trouvé son nom dans l'annuaire. C'est sûrement elle, parce qu'il ne doit pas y avoir des tas de Semira Newton dans le coin.

L'affaire semblait claire. Evidemment, Jennifer avait parlé de prévenir la police. Gwen avait quasiment fondu en larmes.

– Ça ne fera que remuer les choses. Il y a presque quarante ans que ça s'est passé, personne n'y pense plus. Tu veux qu'on traîne Fiona dans la boue ? Et mon père... il est vieux, pas bien portant... tu veux que je lui fasse une chose pareille ?

A la demande de sa femme, Colin avait renoncé à son impulsion de courir tout droit voir Valerie Almond. Pour Gwen. Sans doute que, dans son désarroi, il s'en était ouvert à Leslie. Ils s'étaient tous repassé la patate chaude et aucun d'eux n'avait fait ce qu'il fallait, c'est-à-dire avertir la police, passant outre les sentiments de Gwen pour son père et Fiona, car ils ne pouvaient pas primer sur le reste dans une affaire pareille.

Et pendant tout ce temps, Jennifer avait pensé : Evidemment, ce n'est pas Gwen. Gwen n'a rien à voir là-dedans. Je le savais !

Mais les doutes ne s'étaient jamais complètement effacés – les doutes qui l'avaient conduite, dans les heures qui avaient suivi le crime, à assurer l'alibi de Gwen.

Il vaut mieux qu'elle protège immédiatement ses arrières, avait-elle pensé, parce qu'elle a un mobile, après les dégâts que Fiona a occasionnés pendant la soirée. Il vaut mieux prévenir que guérir.

Jennifer s'arrêta un moment, courbée en deux, les mains posées sur ses flancs douloureux.

Elle respira à fond plusieurs fois de suite.

Elle se retourna, mais Colin ne semblait pas l'avoir suivie. Elle avait utilisé le moment où il s'était agenouillé, horrifié, à côté de Chad, pour lui crier qu'elle partait à la recherche d'un bandage et s'éclipser en vitesse. Il n'aurait pas accepté de la laisser partir, aurait exigé des explications, et qu'eût-elle pu lui dire ? Que la peur intuitive que Gwen soit une criminelle s'était nichée en elle dès le début comme une petite épine empoisonnée, que l'épine avait grossi et faisait de plus en plus mal, et que le poison s'était disséminé dans tout son corps quand elle était arrivée à la ferme, quelques minutes plus tôt ? Qu'elle avait peur pour Dave Tanner et Leslie Cramer, et qu'elle ne voulait pas attendre l'arrivée de la police, que Colin allait sûrement appeler. Il allait aussi appeler une ambulance pour Chad. On n'avait pas besoin d'elle à la ferme pour l'instant.

Rassemblant ses forces, elle reprit sa course.

Elle était la seule à avoir deviné ce qui se passait derrière la façade de Gwen Beckett, pratiquement dès le premier séjour. Elle n'avait pas vu seulement la fille gentille, aimable, un peu naïve et popote qui paraissait se contenter de sa vie sans aspérités et sans perspectives et s'estimait satisfaite de ce qui l'entourait : la nature magnifique ; le père qu'elle aimait et dorlotait ; la maison décrépite, mais agréable ; une vie en dehors du monde. Ce que les gens cherchaient parfois quand le stress du quotidien, les soucis, la course, les problèmes les submergeaient, Gwen en profiterait pendant toute sa vie. Pour ceux qui ne cherchaient pas plus loin, il y avait de quoi l'envier.

Mais Jennifer voyait plus loin, comme souvent, et cela faisait partie de cette capacité d'empathie dont elle avait reçu le don – et qui, parfois, était une malédiction. Elle voyait la colère qui habitait Gwen. Le chagrin. La souffrance. Le désespoir.

Souvent, elle s'était inquiétée : que se passera-t-il le jour où la pression sera trop forte et où la colère, la haine qui sont enfermées en elle pourront se frayer un chemin et s'échapperont ?

Et elle avait toujours eu un frisson de peur à cette pensée.

Pourtant, le meurtre était tellement inimaginable que Jennifer avait refoulé sa peur de toutes ses forces. Et le besoin de protéger Gwen avait grandi à mesure qu'elle percevait mieux l'inspecteur Almond. Elle avait compris que cette femme se jetterait sur le moindre bout d'os comme un chien affamé. Là aussi, elle avait vu plus loin que Colin et les autres : Almond pouvait se donner tous les airs énergiques, compétents et assurés qu'elle voulait, elle n'en était pas moins pétrie de doutes et de craintes. Une femme flic nerveuse qui n'avait pas confiance dans sa propre réussite. Qui était poussée par une ambition malsaine. Qui vivait dans la terreur de l'échec de son enquête sur l'affaire Barnes. Jennifer avait senti sa fébrilité. Cette femme était à bout de nerfs.

Pour peu qu'on lui tende Gwen, elle mordra dans cet os et ne le lâchera plus, que Gwen soit impliquée ou non, avait-elle pensé.

Alors Jennifer s'était dit qu'elle ne pouvait pas faire ça à Gwen.

Et à présent, son silence aboutissait peut-être à une tragédie.

Elle avait atteint le point culminant de la colline. La partie la plus difficile était à venir. Il fallait ouvrir l'œil et le bon. Ce n'était pas le moment de se casser une jambe.

En même temps, elle pensa : se casser une jambe... comme si tu ne savais pas qu'il pourrait t'arriver pire...

Elle avait toujours éprouvé de la pitié pour Gwen. Elle avait toujours voulu la protéger. Mais elle était assez réaliste pour savoir que Gwen ne lui avait jamais rendu son affection. Pour Gwen, elle n'était qu'une cliente. Et quelqu'un qui lui apportait de temps à autre une petite distraction. Mais elle n'avait jamais dégagé ni chaleur ni amitié à son égard. Son sourire gentil ne venait pas du cœur.

Jennifer suivit le sentier qui descendait jusqu'au bord de la gorge. Ensuite, c'était le pont suspendu. Puis les marches inégales taillées dans la roche, dont la hauteur et la distance variaient. Et qu'elle devrait suivre à l'aveuglette.

Elle n'avait pas encore atteint l'extrémité du sentier lorsqu'elle distingua le rayon de lumière qui brillait non loin, dans le noir. Il venait soit de l'autre côté de la gorge, soit de la dernière partie du pont suspendu. La lueur ne bougeait pas.

Jennifer s'arrêta. Ses yeux tentèrent désespérément de fouiller l'obscurité. Elle ne vit rien. Elle n'était pas assez près. Il fallait se rapprocher de l'objet dont elle supposait que c'était une lampe électrique. Mais pourquoi semblait-elle rester statique ? Les gens, là-bas – et il ne pouvait s'agir que de Gwen, ou Leslie, ou Dave, ou des trois ensemble –, avaient-ils déjà atteint leur but ? Ou avaient-ils remarqué qu'ils étaient suivis et s'étaient arrêtés ?

Mais dans ce cas, ils auraient éteint la lampe.

En retenant son souffle, Jennifer avança sans bruit.

Quand elle eut atteint le pont suspendu, elle put distinguer la scène, et ce qu'elle vit confirma ses pires craintes : la lampe électrique était posée sur un rocher de l'autre côté du ravin et baignait d'une lumière crue une scène d'horreur. Leslie Cramer, près de l'extrémité du pont, se tenait adossée à la rambarde de corde. Devant elle, il y avait Gwen. Elle tenait une arme qu'elle dirigeait sur Leslie. Les deux femmes se mesuraient du regard, immobiles, muettes.

Puis Gwen dit tout à coup :

– Allez, saute, dépêche-toi !

Et Leslie répondit :

– Non, je ne vais pas sauter. Tu es folle, Gwen. Je ne vais pas faire ce que me dit une folle.

– Je vais te tirer dessus, et après je te jette en bas ensuite. A ta place, je réfléchirais, Leslie. Si tu sautes de toi-même, tu as peut-être une chance.

– Je n'ai aucune chance en sautant dans ce précipice.

Gwen leva le bras. On entendit un léger cliquetis.

– Je t'en prie, implora Leslie.

Jennifer fit un pas en avant.

– Gwen ! hurla-t-elle.

Gwen pivota sur elle-même. Elle tourna la tête dans la direction d'où venait la voix, mais elle ne sembla pas la reconnaître.

– Qui est là ? cria-t-elle d'une voix coupante.

Jennifer monta sur le pont. Elle savait que le balancement trahissait son approche, mais également qu'elle était protégée par l'obscurité.

– C'est moi, Jennifer, dit-elle.

– Ne fais pas un pas de plus ! lui ordonna Gwen.

Jennifer s'arrêta. Elle était assez près maintenant pour distinguer le visage figé de Leslie éclairé par la lampe. Les traits de Gwen restaient dans l'ombre.

– Gwen, sois raisonnable, la supplia Jennifer. Colin est à la ferme. Il appelle la police. Ça va bientôt grouiller de flics par ici. Tu n'as aucune chance, alors laisse partir Leslie. Elle ne t'a rien fait.

– Elle m'a laissée tomber comme vous tous ! cria Gwen.

– Mais tuer les gens avec lesquels on a des problèmes n'est pas une solution. Je t'en prie, Gwen. Laisse tomber ton arme et viens me rejoindre.

Gwen rit. Un rire affreux, chargé de tristesse.

– Ça t'arrangerait bien, Jennifer. Je te conseille de foutre le camp, sinon, ça va être ton tour. Ne t'occupe pas de ce qui ne te regarde pas. Rentre auprès de ton Colin et de tes clebs et continue à mener ta petite vie tranquille. Et fous-moi la paix !

– Ma vie n'a jamais été une petite vie tranquille, tu devrais le savoir. Et celle de Leslie non plus. Tu n'es pas la seule à avoir des problèmes, Gwen, même si ça te semble impossible à croire.

– Tu vas la fermer ? hurla Gwen.

Jennifer crut voir que le revolver tremblait légèrement dans sa main. Gwen était nerveuse. Elle avait manifestement espéré que Leslie sauterait sur commande dans le précipice. Elle semblait avoir du mal à tirer sur son ancienne amie. Avec l'arrivée d'une personne de plus, elle se sentait poussée dans ses retranchements, et la situation pouvait dégénérer.

– Gwen, peu importe ce que tu ressens maintenant, mais Leslie et moi avons toujours été tes amies, dit Jennifer, et nous le resterons. Je t'en prie. Pose ton arme. On va parler.

– Je ne veux pas parler, cria Gwen, je veux que vous me foutiez la paix, que vous foutiez le camp !

Leslie bougea. Aussitôt, Gwen pivota, redirigea l'arme vers elle.

– Je vais te tuer !

Jennifer se risqua à avancer.

– Gwen ! Ne fais pas ça !

Vivement, Gwen se retourna vers elle. Pointa l'arme sur sa poitrine.

– Je te vois ! s'exclama-t-elle d'un ton triomphant. Je te vois, Jennifer, et je te préviens : un pas de plus et je te descends. Je ne plaisante pas.

– Gwen ! supplia Jennifer.

Elle fit un pas en avant.

Aussitôt, le coup de feu retentit.

Tout se passa en même temps. Leslie poussa un cri strident. Jennifer se cramponna à la rambarde, déséquilibrée par le balancement du pont. Elle attendit la douleur, dont elle croyait qu'elle la transpercerait comme une lame de couteau. Attendit que ses jambes se dérobent sous elle. Attendit que le sang commence à s'écouler.

Elle vit Gwen tomber. Lentement, comme au ralenti. Gwen s'affaissa sur le pont de bois, en ondulant comme une danseuse qui se baisse pour prendre une nouvelle position. L'arme glissa sur le côté, s'arrêta juste devant la rambarde.

Leslie s'agenouilla à côté de Gwen, lui prit le bras, tâta son pouls. Cela aussi, Jennifer le vit. Et s'étonna de tenir encore debout. De ne pas ressentir de douleur.

Puis elle entendit une voix derrière elle.

– Police ! Ne bougez pas !

Elle se retourna. Une ombre surgit de l'obscurité, monta sur le pont. Jennifer reconnut Valerie Almond. Elle tenait son pistolet à la main. Et Jennifer comprit que c'était elle qui avait tiré. Sur Gwen.

Elle comprit qu'elle n'avait pas été blessée.

Et qu'elle n'avait plus besoin d'attendre la douleur.

Samedi 18 octobre

Le temps était gris, ça soufflait et il faisait plus froid. De gros nuages filaient dans le ciel tourmenté. Le vent qui balayait la lande nue était glacial. Quelques moutons se serraient les uns contre les autres en contrebas de la colline. Il ne restait rien de l'ambiance dorée du début de la semaine, ni de la désolation des derniers jours. Cette journée était plongée dans un néant singulier. Simplement gris. Une journée vide.

Peut-être suis-je la seule à la ressentir ainsi, se dit Leslie. J'y vois peut-être l'image de mon vide intérieur.

Elle avait appelé Semira Newton pour lui demander l'adresse de l'établissement qui hébergeait Brian Somerville, et après quelques secondes d'hésitation, Semira lui avait donné les renseignements qu'elle souhaitait.

– Ne lui faites pas mal, lui avait-elle recommandé.

Leslie espérait que le vieil homme ne serait pas perturbé par sa visite. Je peux encore faire demi-tour, pensa-t-elle en apercevant les premières maisons de Whitby.

Elle dépassa un grand cimetière qui s'étirait sur sa gauche. La route descendait en pente raide jusqu'au centre-ville. A droite, perchée au sommet d'une colline, s'élevait la célèbre abbaye.

La journée de la veille s'était presque effacée de la mémoire de Leslie.

Elle était rentrée à l'appartement et était restée longtemps devant la fenêtre, à fumer. Puis elle était sortie se promener sur la plage. Pour remonter à Prince of Wales Terrace, elle avait emprunté la télécabine où, confinée dans cet espace réduit avec des étrangers, elle avait eu le sentiment de n'avoir plus rien en commun avec les autres gens. Trop de choses atroces s'étaient passées.

Chad était mort. Lorsqu'elle avait quitté la maison avec Gwen, elle l'avait entendu gémir légèrement. Il était donc encore vivant. A son arrivée avec Valerie Almond, Stephen n'avait pu que constater son décès. Le blessé aurait pu être sauvé de l'hémorragie si on était intervenu.

L'inspecteur Almond avait atteint Gwen à la jambe. Gwen était à l'hôpital, mais elle sortirait bientôt. Elle serait traduite en justice pour double meurtre, tentative de meurtre, séquestration et contrainte. La question était de savoir si les experts psychiatres la déclareraient responsable. Selon toute probabilité, elle serait internée non pas en prison, mais en hôpital psychiatrique. Peut-être pour toujours.

Leslie avait passé la journée de la veille à se repasser mentalement la scène du pont : la lueur crue de la lampe ; Gwen qui s'écroulait à ses pieds ; Jennifer Brankley, ombre visible à quelques pas de là, incapable de bouger après le coup de feu. Et Valerie Almond, ange salvateur, surgie de l'obscurité, disant, rassurante : « Elle n'est que légèrement blessée. Ne vous inquiétez pas. » Elle parlait de Gwen. Et Leslie se rappelait avoir bondi en criant, hystérique : « Vite, à la crique ! Elle a tiré sur Dave Tanner ! Il est là-bas ! »

Valerie lui avait mis la main sur l'épaule, l'avait regardée droit dans les yeux et dit d'une voix claire qui n'admettait pas la contradiction : « Nous nous occupons de lui, OK ? Vous n'allez pas descendre vous-même. Les renforts vont arriver. Ne vous inquiétez pas. »

Elle se revoyait confusément installée sur une chaise à la ferme, entourée d'une nuée de policiers et de secouristes ; quelqu'un lui avait mis une couverture sur les épaules et lui avait tendu une tasse de thé chaud et sucré. Stephen était là, à sa surprise, et c'était lui qui lui avait annoncé que Tanner était blessé, mais vivant.

– Il va s'en sortir. Mais il a eu de la chance. Il était inconscient. Il aurait été emporté par la marée demain matin.

Stephen l'avait emmenée à l'appartement et était resté avec elle. Elle n'avait pas protesté, trop lasse pour résister à quiconque. Il avait demandé la permission de lire les lettres de Fiona, et elle avait accepté d'un signe de tête. Tout le monde allait bientôt être au courant, alors pourquoi pas lui ? Plus tard, elle lui avait parlé de Semira et du malheureux Brian que Fiona n'avait jamais pu se résoudre à aller voir alors qu'il vivait si près de Scarborough.

L'après-midi, elle avait eu un long entretien avec Valerie Almond qui rentrait de l'hôpital où avait été admis Dave Tanner.

– Il a eu beaucoup de chance. Il s'en est fallu d'un cheveu pour qu'il y passe.

Dave était lavé de tout soupçon, mais une dernière question tracassait Leslie :

– Mais où a-t-il passé la nuit de samedi s'il n'était pas chez son ancienne petite amie ?

– Ils ont passé un moment dans un pub, ça, c'est exact, mais elle est rentrée seule et Tanner a occupé son temps à rouler sans but dans les environs. Il est rentré longtemps après minuit. Mais il pensait que nous n'accepterions pas cette version et il a donc inventé la nuit d'amour avec son ex-copine, persuadé qu'elle jouerait le jeu. Sauf que non.

– Il n'aurait pas dû mentir autant. Ça n'a fait qu'aggraver son cas.

Valerie Almond l'avait alors regardée d'un air sévère :

– Il y en a d'autres qui n'auraient pas dû mentir, dit-elle. Parce que la dissimulation d'éléments importants est considérée comme un mensonge, quand elle intervient au cours d'une enquête pour meurtre.

Leslie avait compris son allusion.

– Mais, inspecteur, Gwen n'a pas agi pour venger Brian Somerville ! avait-elle objecté. Le mobile n'était pas celui-là. Brian, elle s'en fichait comme d'une guigne. Elle n'a vu dans cette histoire que le moyen de satisfaire sa haine et de lancer l'enquête sur une fausse piste.

– N'empêche qu'il aurait fallu m'en informer, avait insisté Valerie. D'ailleurs, votre silence pourrait avoir des conséquences judiciaires pour vous-même. Et c'est valable aussi pour les Brankley. Peut-être même pour Dave Tanner.

Leslie s'était contentée de hausser les épaules.

Se détournant de ses pensées, elle se consacra à l'itinéraire que lui avait indiqué Semira Newton : traverser le fleuve, passer à gauche devant la St Hilda Catholic Church. A droite, la gare. Suivre le panneau *Hôpital*. Se garer sur le parking, en face de l'hôpital.

Arrivée sans encombre, elle se gara et descendit de voiture.

Le vent était vraiment froid. Elle frissonna, s'enveloppa plus étroitement dans son manteau.

Sous la grisaille, la vue sur le port et ses grandes grues noires, les longues bâtisses des entrepôts, les bateaux posés sur les vagues grises, le tout surmonté des omniprésentes mouettes qui lançaient leur cri aigu, était déprimante.

Elle tourna le dos à ce spectacle désolé. Ainsi, c'était là que Brian Somerville terminait ses jours. Avec la vue quotidienne sur ce port. L'aimait-il ? Regardait-il les bateaux, les grues ? Peut-être appréciait-il le mouvement, la vie présente dans tout cela...

C'était à souhaiter, car elle-même avait la gorge serrée par l'atmosphère sinistre de cette journée.

Une rangée de maisons bordait la rue. Le musée Capitaine Cook. Un salon de coiffure. Un salon de thé. Un restaurant italien. Un pub.

Le bâtiment de briques rouges à côté devait être l'hôpital.

Leslie avala sa salive. Elle s'acquitta du paiement de la place de parking, plaça soigneusement le ticket sur le pare-brise, à mouvements lents, ralentis, pour retarder le plus possible le moment de pénétrer dans le bâtiment.

Puis elle inspira profondément et traversa la rue.

Du seuil de la porte de l'établissement dont elle ressortit une heure plus tard, elle aperçut Stephen. Il était appuyé contre sa voiture, les mains enfoncées dans les poches de sa veste, l'air de lutter contre le froid. Il avait la tête tournée vers le port. Rien n'avait changé depuis une heure. Le vent était toujours aussi glacial et l'atmosphère ne s'était pas améliorée.

Stephen se retourna en entendant le bruit de ses pas.

– Qu'est-ce que tu fais là ? lui demanda-t-elle en guise de bonjour.

Il eut un geste imprécis de la main.

– J'ai pensé... que tu ne voudrais pas être seule.

– Comment as-tu su que j'étais ici ?

– J'ai deviné. Tu m'avais dit que Brian Somerville vivait à Whitby, et je n'ai pas eu de mal à trouver les coordonnées de l'hôpital... J'ai vu ta voiture sur le parking. Et voilà, je t'ai attendue.

Elle eut un faible sourire.

– Merci, murmura-t-elle.

Il l'examina attentivement.

– Tu vas bien ? s'inquiéta-t-il.

– Oui, oui, ça va.

Elle posa les yeux sur le sommet d'une grue dont le métal sombre se dessinait avec précision contre les nuages. Une mouette s'y était installée, scrutant les flots qui s'agitaient en bas. Au loin, une sirène de bateau retentit.

– Il continue à l'attendre, dit Leslie d'une voix qu'elle s'efforçait de garder neutre. Il est persuadé qu'elle va venir. Il attend depuis février 1943, en se réjouissant d'avance. Il m'a demandé : « Fiona ? Fiona ? », ce vieil homme, et moi... je n'ai pas pu lui dire...

Elle s'interrompit, incapable de poursuivre.

– ... qu'elle ne viendrait plus, dit Stephen à sa place.

– Non, ce n'était pas possible. Cet espoir est tout ce qu'il possède. C'est ce qui l'a porté pendant toute son horrible vie. Il l'accompagnera jusqu'à sa mort. Le lui laisser, c'est ce qu'on peut faire de mieux pour lui.

– Tu as bien fait.

– On marche un peu ? proposa Leslie. Il fait tellement froid !

Ils allèrent se promener dans le réseau des ruelles qui parcouraient le quartier du port comme une toile d'araignée, bordées de magasins de souvenirs, de pubs, de petites boutiques qui vendaient du matériel de navigation. Stephen l'avait prise par le bras et elle l'avait laissé faire.

– Gwen a utilisé l'histoire de Brian, reprit-elle, et je n'arrive pas à imaginer comment elle a pu agir aussi froidement. C'est comme s'il avait été encore exploité à la fin de son existence. Pour servir la haine et la soif de vengeance d'une femme. Comment a-t-elle pu faire ça ?

– Faire ça, et tuer ! Difficile à croire de la part de notre petite Gwen, si gentille, si aimable...

– Nous ne la connaissions pas, en partie parce que nous n'avons jamais essayé de voir ce qui se cachait derrière la façade. A part Jennifer Brankley peut-être. Mais même elle ne pouvait pas avoir conscience du danger qu'elle représentait.

– Pour cela, il faut être formé, dit Stephen. Nous ne l'étions pas.

– Malgré tout, je me demande comment nous avons pu être aussi aveugles. Avant-hier soir, quand elle me parlait... cette voix monotone, étrange... ces yeux inexpressifs... ceux d'un être dénué de tout sentiment pour les autres... ça existait déjà avant, j'en suis sûre !

461

– Oui, mais elle l'avait bien camouflé. Elle était à la fois la gentille Gwen et ce monstre haineux. Ça existe, et il faut l'accepter.

Maintenant, ils avaient vue sur la mer ouverte. En contrebas, les vagues venaient s'abattre sur une étroite bande de sable. Leslie se dégagea du bras de Stephen et s'appuya contre le mur du quai. Au loin, l'eau et le ciel se fondaient ensemble. C'était une vue curieusement apaisante.

– Je crois que la tragédie de Brian Somerville a agi comme un poison sur la famille Beckett, dit Leslie, et par ricochet sur la mienne. Cette faute refoulée a maintenu Fiona et Chad prisonniers et les a empêchés d'unir leurs vies, comme ils y étaient destinés. Avec des conséquences dramatiques pour leur entourage ultérieur.

– Oui, dit Stephen, sans doute, mais... c'est fait, et nous n'y pouvons rien changer. Maintenant, il s'agit de voir comment ça va continuer. La ferme va sans doute être vendue, puisque Chad est mort et que Gwen va être envoyée derrière les barreaux pour un bon bout de temps, si ce n'est pour toujours.

Leslie dit, songeuse :

– Peut-être que si personne ne s'en était mêlé, Gwen et Dave se seraient mariés. Dave aurait transformé la ferme en bijou, et Gwen se serait peut-être réconciliée avec la vie. Si...

– Leslie, l'interrompit doucement Stephen, Gwen est une malade mentale, et depuis très longtemps. La tragédie allait arriver tôt ou tard. Personne n'aurait pu l'empêcher, j'en suis convaincu.

Il avait raison. Leslie se sentit tout à coup très fatiguée. Fatiguée de tout ce qui s'était passé durant la dernière semaine. Et durant les dernières années, ces années où toute sa vie avait changé.

Comme s'il avait senti le cheminement de ses pensées, Stephen demanda à voix basse :

– Et nous ? Qu'est-ce que nous allons devenir ?

Elle craignait cette question depuis qu'elle l'avait vu l'attendre. En même temps, elle était soulagée de sa présence. Il la connaissait, il avait deviné qu'elle irait rendre visite à Brian Somerville, et il avait su qu'elle irait mal après. Il était ainsi, et elle espérait qu'il continuerait à l'être : un ami qui savait ce qui se passait en elle. Un ami qui la prendrait dans ses bras et lui offrirait son épaule pour pleurer. Un ami qui lui parlerait quand elle en aurait besoin et qui se tairait quand les paroles seraient superflues.

Mais rien de plus. Un ami, rien de plus.

Elle le regarda et il lut dans ses yeux ce qu'elle pensait. Elle le vit au chagrin qui assombrit ses traits.

– Oui, dit-il, c'est bien ce que je sentais. Non, que je savais. Il ne restait plus que… qu'une toute petite lueur d'espoir.

– Je suis désolée, dit Leslie.

Ils restèrent quelque temps sans savoir que dire, puis Stephen rompit le silence :

– Viens, dit-il, on va aller boire quelque chose de chaud.

– Juste à côté de l'hôpital, il y a un salon de thé, proposa Leslie.

D'un seul coup, l'idée de retourner là-bas, près de l'hôpital, lui étreignit le cœur. Là-bas… là où Brian Somerville se dirigeait vers sa fin, avec le port pour unique et éternel horizon ; là où il attendait une femme qui lui avait promis, soixante-cinq ans auparavant, de revenir s'occuper de lui.

Elle comprit qu'elle ne pourrait jamais s'échapper de ce qui s'était passé. Que, désormais, ce serait une partie de sa vie. Comment faire pour assimiler tout ce qu'elle avait appris au cours des derniers jours ?

– Je ne sais pas comment je vais faire pour m'en sortir, dit-elle. C'était ma grand-mère, mais maintenant, pour moi, c'est le diable. Je vais peut-être réussir à comprendre certaines choses, mais je ne comprendrai jamais pourquoi elle n'est jamais allée lui rendre visite. Semira la suppliait de le faire. Pourquoi a-t-elle refusé ? Pourquoi n'a-t-elle pas été capable de ce geste d'humanité ?

Stephen hésita. Mais il n'y avait qu'une seule réponse.

– Personne n'a envie de se retrouver face à face avec sa faute, dit-il.

Devant le salon de thé où une femme, tournée vers une salle vide de clients, essuyait des tasses derrière le comptoir, Leslie demanda :

– Et maintenant, qu'est-ce que je vais faire ?

Stephen comprit qu'elle parlait de sa grand-mère. Au bout d'un moment, il risqua :

– Pardonner, dit-il, c'est finalement la seule solution. Dans tous les cas de figure. Pardonne-lui. Essaie. Pour ton bien.

– Oui, répondit Leslie, je peux toujours essayer.

Elle se retourna vers le port.

Elle sentit le vent qui lui brûlait les joues, séchant ses larmes.

Elle n'avait pas remarqué qu'elle était en train de pleurer.

Composition et mise en pages : FACOMPO, LISIEUX